W9-BMZ-023

索罗斯操盘手的自白

投机教父尼德霍夫回忆录

索罗斯盛赞的股票作手回忆录

THE EDUCATION OF A SPECULATOR

[美] 维克多·尼德霍夫
Victor Niederhoffer 著

中青文传媒

图书在版编目（CIP）数据

投机教父尼德霍夫回忆录：索罗斯操盘手的自白 /
（美）尼德霍夫著；肖静，王正林，王权译.
—北京：中国青年出版社，2010.2
ISBN 978-7-5006-9208-9
Ⅰ.①投… Ⅱ.①尼… ②肖… ③王… ④王… Ⅲ.①投资—经验—美国
Ⅳ.①F837.124.8
中国版本图书馆CIP数据核字（2010）第022681号

投机教父尼德霍夫回忆录：
索罗斯操盘手的自白

作　　者：[美] 维克多·尼德霍夫
译　　者：肖　静　王正林　王权
责任编辑：周　红
美术编辑：夏　蕊　高凯波
出　　版：中国青年出版社
发　　行：北京中青文文化传媒有限公司
电　　话：010-65511270/65516873
公司网址：www.cyb.com.cn
购书网址：zqwts.tmall.com
印　　刷：大厂回族自治县益利印刷有限公司
版　　次：2010年4月第1版
印　　次：2021年12月第7次印刷
开　　本：880 × 1230　1/16
字　　数：450千字
印　　张：31
京权图字：01-2015-2234
书　　号：ISBN 978-7-5006-9208-9
定　　价：79.90元

CONTENTS
目录

第九章 赌马与投机：把握市场循环 241

第十章 欺骗与投机：诡道者立于市场 269

第十一章 性与投机：欲望的掌控 301

自　序

我听烦了老师跟我说："你应该更懂事一些。你爸爸是个警察，你该做出榜样来。"

——亚瑟·尼德霍夫转述儿子的话

"上来！浪太大了，和市场一样，你们会被淹死的！"一个匈牙利腔的声音对着我和我的女儿凯蒂喊着。我们正在长岛南安普敦海边，尽情享受着大西洋的海水浴。的确，1992年8月的那一整个周末，由安德鲁飓风所引起的汹涌波涛是毫不留情的。我们闻声转过头来，60多岁的主人，极富传奇色彩的投机之王乔治·索罗斯穿着比基尼式小泳裤，站在那里。这位所向披靡、曾经击败过英格兰银行的不可战胜的人，像许多富有而成熟的欧洲人一样，喜欢穿着略有冒险意味的休闲装束，热衷于在穿着上标新立异。

我以前的老板，性情乖戾的亿万富翁对着我大声吼叫，虽然我是在他的夏季别墅度假——但这样实在太过分了。

"噢，不会的。"我立即反驳道，"伟大的弗朗西斯·高尔顿曾写道，应该做的是面朝着海坐下，手插进沙里，当海浪冲上来，威力减弱时，让它们漫过你的全身。"尽管我并未在南安普敦度过富有的童年，但对于像我这样，在隔壁布鲁克林布莱顿海滨长大的穷孩子而言，布莱顿的空气同样怡人，阳光同样灿烂，波涛同样汹涌。我接着说："我应付大浪很在行，这是我的强项——逆势而为。"

由于我一向清楚给自己留条退路是多么重要，所以我赶紧补充道："当然，不管怎样，海滨的那些好人总愿援救一位技术不佳而且处境不妙的游泳者。他们可以排成行、手挽手，在像索罗斯您这样的人的带领下，等到海水退潮后把我拽上来。"

尽管我故作勇敢无畏，但仍旧打了个冷战。我是个投机客，靠着与大波动反其道而行获利。用经济学解释，我的作用在于平衡供求，高价卖出，低价买进。当价格太高时，消费者想把手里的现金换成商品，我可以满足他们。我压低价格，消费者不必付高价，通过这种方式达到防止缺货的目的。相反，当价格过低，生产者恨不得把所有货物都换成现金时，我也可以满足他们，给他们钱然后带走货物。在经济不景气的时期，我能够让生产者免于破产倒闭，抬高价格，防止浪费和破坏。我就像一台动力强劲的冷藏箱，或者一位在出人预料的漫长航程中定量配给食物的船长。

然而，我们正与之搏斗的这些狂涛巨浪，是由20年来最猛烈的飓风引发的，它一直无情地冲击着海滨。尽管我不会向索罗斯承认，但我很清楚某些非同寻常的事已近在咫尺。

即使在当今的信息社会，极端异常的气候也会引发市场的同步剧烈动荡。火山爆发、暴风雪和地震突袭都会影响全球股票市场和金融体系。

果不其然，像索罗斯所预料的那样，在安德鲁飓风肆虐过后的两天内，各类市场的剧烈动荡险些将我淹没。债券和股票市场暴跌，据说是因为保险公司将被迫出售债券，以支付所有的风暴损失，于是引发了连锁反应。当债券下跌2%时，美元便以同等幅度下跌。而债券和股票市场的急剧下跌，又使美国资产对外国投资者的吸引力下降。

每当我设法扭转由飓风引发的这一如潮之势时，几乎都失败了。就像个可怜的农夫，我只是再一次将壶里的水倒入井里而已。就在这次，乔治·索罗斯开始叫我"失败者"，他说："维克多，我没有批评的意思，你难道没想过要关门大吉？"

与气候相关的动荡并非降临到我头上的唯一灾难。厄运总在我与大运动趋势逆向而动时抓住我。1995年第一季度，当美元对日元下挫20%时，我被套牢很长时间。下半年，当美元扳回跌势，对日元上升20%时，我又一次走错了方向（我把这种波动的研究称为“罗巴戈纳分析”[LoBagola]，以此纪念一位曾记录象群每年迁徙路线的非洲犹太教徒）。

一位朋友在读完这本书的初稿后，给我写了下面这封充满焦虑的信：

> 我对本书深感关切。很显然你的失败只是时间问题。为什么我要在期货市场冒险呢？而且，如果我已向这种愚蠢的决定屈服，我为什么要把钱交给尼德霍夫呢？我知道你一定认为这些话很伤人，但是，我认为这样说比说奉承你的话更好一些。

我像大部分在本行业中地位稳固的成功人士一样，常常强调自己的亏损，主要原因是这能使我保持一种谦卑感。在走错一步就可能导致无法挽回的灾难的行业中，谦虚是成功的根本要素。我知道对那艘号称永不沉没的“泰坦尼克号”而言，举行一次救生艇演习是“不可想象的”（作为警戒，我在自己所有办公室的入口，都挂着“泰坦尼克号”的图片）。另一个原因是，提到我的亏损能减少其他人的忌妒。忌妒在我们的文化中太常见了，而且投机客太常成为目标了。

我在打壁球时，第一次学会强调自己的不足之处，那时我已称雄北美。我的谦卑使得对手们全都鼻孔朝天，以至于忽视了我在北美称雄十载，几乎未输一场的事实。没有什么比成功更容易退潮。但在1996年年中，该领域大多数评级机构仍将我列为3年来绝大部分评估期间表现最好的。我的第一位客户蒂姆·霍恩，14年后仍保持了与我的合作关系。扣除所有的费用，他最初投资的10万美元现在价值约600万美元，每年保持了约30%的综合投资回报率。

另外一位早期的客户保罗·塞弗里拉1995年6月曾写信给我说：“就你卓越的表现来说，难道你不考虑重新安排，多分一些利润吗？”他坚持要从利润中“抽出10%用于慈善事业”，并要我指定接受者。然而，传遍投机界的讽刺之一就是，在他来信的第二天，他的账户就损失了20%。

我并不太相信有效市场假说、随机游走理论和理性预期理论，我自己的交易尤其避免这些因素。我严格按照统计学意义上的“异常现象”，各种各样的时间序列分析，和量化的一贯心理偏见做交易。我唯一看的杂志是超级八卦周刊《全国问讯报》。我没有电视，不看新闻，不在工作日聊天，不喜欢看出版时间少于100年的任何书。15年来，我每月（有时是每天）用自己或客户的账户做了面值超过10亿美元的期货交易。我有输有赢，差的时候经常损失7位或8位数的金额，有时候，一天的损失就超过我的流动资产净值和客户净资产的25%。

从统计数字来说，迄今为止，我估计我的合约交易大约有200万手，每手合约平均获利70美元（已经扣除了大约20美元的费用），平均获利距随机平均值大约是700个标准差。就纯概率而言，这么大的差距等于将汽车拖车场的零部件放到麦当劳店里，可见这种平均获利的概率是非常小的。

为了读者和我自身的利益，我不想在此泄露任何盈利秘诀。如果我确实掌握了对付市场的“芝麻开门”口诀，我是不会与人分享的。世间有太多可以利用财富的机会，无论我，我的朋友，还是我遇上的任何一个人，都不会嫌钱太多而产生与人分享秘密的兴趣。因为这种做法只会使他们原有的优势荡然无存，变成跟每天挣扎在温饱线上的可怜人没有两样。尽管人不是只靠投机生存，但如果其他人不借助你的技巧和手段就无法发家致富时，你的技巧和手段便是非常有用的。

即使我个人决定透露那些自认为有恒久价值的商业秘密和系统方法，我的搭档、家庭和雇员无疑都会力劝我不要那样做。在历数泄密的种种危害后，他们很可能叫外面的律师对付我：“维克多，你和你的遗产继承人应该知道，关于员工生产成果系统转化的生动案例是很多的。”

是的，没有人会为了一本书的稿费，而泄露真正有效的盈利技巧，这是可以想见的。除此之外，绝大部分已披露的系统性盈利技巧，对于将来的投机客而言都是非常有害的。绝大多数出售的知识都无科学性可言。那些被推荐的技术并无统计资料支持，因为这些资料不同于奇闻逸事容易获得，所以这些被推荐的技术全都成了起不了多少实际作用的后见之明。偶尔有真正的大师把经常有效、成体系而且明确的秘密跟大众分享，投资和回报的循环也会马上改变。你最好是逆向而动。今天看来有用的东西，市场明天就会照单全收，从而改变未来的预期利润、概率和阻力最小的通道。当你利用这些系统时，很可能所有的系统都失效了。

我不能教你机械地模仿系统的交易，告诉你如何赚钱，但是，我能向你展示更有价值的东西，即一种能将你引向更大成功的思维方式。我是个不错的学生，并且我的老师都是一流的，他们中有普通人、亿万富翁、天才的警察、流浪汉、交易所主席、赌马者、诺贝尔奖获得者、著名的统计学家、市场寡头，还有几位世界级桥牌冠军。但我的象棋老师、国际象棋大师阿比·兹吉尔说过："你必须知道教训在哪里，才能拿来应用。"我会提醒你注意这些伟大人物们教给我的教训。

成功的投机起源很自然，源自生活中简单平凡的琐事，游戏、音乐、大自然、噩运、赛马和性，都是重要的老师。成功的投机客能将现行价格加速推进至一个必然出现的水平上，在所有的领域中，抬价的技术（还有与其同出一辙的竞价技术）都十分有用。

本书的主题是我从我老爸那儿学到的教训。我老爸的绅士气度、慈悲心怀、睿智头脑和创造性灵感博得了周围人的爱戴。我将把他教给我的这些经验教训发扬光大，以使自己在世间立足，在我所做的投机项目上获胜。老爸的教诲源于他和我一起玩的无数次游戏，来自他指导我的上万堂课，来自他每天读给我听、跟我一起念的书籍和故事，以及他写的几本关于警察及其家庭的书。

陈述完了财富、交易技巧和从我老爸那儿享受到的亲情这些内容后，我的主题便转向我从索罗斯那儿学来的教训上，那是从1981年开始的。大家公认索罗斯是有史以来最高明的投机客，在20世纪80年代大部分时间里，我为他的交易提供了很多决策性的意见；在他的无数次冒险中充当他的搭档，并为他的量子基金充当经纪人。而且，我们还因为对网球和孩子们（我俩一共有11个孩子）共同的爱，建立起了密切的私人交情。

真有天壤之别，老爸会例行公事地从纽约驱车赶往波士顿，然后过一夜再返回。这样在我刚打完竞争激烈的球赛，中场休息时，他就会拍个电报给我，索罗斯却一辈子没为孩子换过一次尿布。老爸穷得从来都买不起1股股票，索罗斯却在别人谣传他将接受专访或发表演讲时，影响数百亿美元的市场波动。老爸会开着车龄15年的老车去机场接送亲戚或亲戚们的亲戚，索罗斯从不参加他最好的朋友的葬礼（除了在慈善捐款中，秘密地成亿地资助数不胜数的可怜人之外）。老爸是我有幸结识的最仁慈的人，而索罗斯则是最伟大的人道主义者。

那么请和我一起来看看日常琐事，还有不朽的伟人们的睿智思想，是如何帮助我了解，甚至学会低价买进、高价卖出的投机真谛的。

看我投机日元

我希望自己是那条鱼，他想道，因为鱼出尽全力，只需要对抗我的意志和头脑。

——海明威，《老人与海》

我是个交易老手，在现货市场上交易日元，曾一度打败所有交易者，勇夺操盘冠军。在这一行，我是名副其实的第一人。我的照片被刊登在所有的报纸上，我的客户挤破了门，美丽的外汇营业员娇媚地跟我聊天，告诉我他们客户的止损点设在哪儿，央行在哪儿买进和卖出货币，了不起的索罗斯不止一次打电话来，请我为他的账户操盘。

但是我完蛋了，我在美元与日元的汇率为93时买进了美元，几小时后就跌到了88。我活生生地被套住了，银行不愿再贷款给我，很多客户都弃我而去。当然，我还有一些客户——都是些不乐意往股票市场投资的人，他们害怕股市像1929年和1987年那样崩盘。他们指望靠我大赚一笔，但不想冒险也不想亏损本金。我是能满足他们的，然而他们不愿意我去赌，但我不赌一把又没法满足他们。富贵险中求，不过我很谦虚，因为我已经亏损好多回了。

洛佩兹，一个从墨西哥来的18岁大学生，在免费为我工作，这样他可以从我这儿学到很多东西。他为我操作电脑，端茶送水，在我疲倦睡着时叫醒我。现在洛佩兹已经离开了，到一家效益更好的公司，负责白天的操作，但他总是下班后来看我。他对我说："维克多，今晚我能帮你，我俩已经合作赚了不少了。"

我拒绝了他："不，你在为一家更好的公司服务，别放弃它。"

"但我记得那一次美元汇率10天里一直直线下跌，而你一直在买入美元。然后美元价格反弹了，我们赚的钱用来弥补损失绰绰有余。"

"是这样。可现在美元在升值，而我们在卖出。"

"为什么这次你是不一样的做法？"

"日本银行和美国财政部希望美元升值，世界上的每个人都希望它升值，可我却反对。我已经放空3亿美元，我完全在逆流而动。"

"要我给你端杯茶来吗？美元已经连续上涨好几天了，我给你调出点资料来。"

"那当然好，最好是有关其他交易商的。"

"维克多，根据形态分析是熊市。我和他们一同抛出吧？"

"不，你太年轻，不能冒任何风险。货币价格升跌的幅度太大时，你得学着熬过去。"

现在是纽约时间晚上7点，也就是亚洲的早晨，那儿正是阳光灿烂。衣冠楚楚的人们正严阵以待，准备战斗。银行正等着它的客户卖出美元，以避免他们在出口创汇上的损失，然后银行会将客户的美元悉数买入。比起我来，他们具有更大的优势，因为我只能一直坐在显示器前，盯着屏幕，两眼冒火。我已经这样坐了一天两夜，现在又快是一夜了。每天晚上，他们跟校友和政府各部委的朋友们喝着清酒，他们当然知道什么将会发生，知道在哪儿买入和抛出，而那些可怜的局外人却要求调查，因为统计数据早已泄露出去，中央银行说不必查，因为压根儿不可能泄露消息。

我到日本考察时，看过很多旅馆，晚上时常有穿白衬衫的日本男职员喝得烂醉，不能安全回家时，就睡在旅馆里。等他们回到家里，太太们也会替他们按摩，替他们穿上衣服，送他们坐上两个小时的列车去工作。

我老婆带着孩子们去了缅因州。她很担心："为什么不金盆洗手，就此打住呢？今年看来你不能干好了。"

“不，现在是熊市，不到收手的时候。”我回答她。

股市如泥潭一样使人越陷越深，日本贸易顺差迟早会公布。如果日美贸易顺差低一些，美国就没必要打压美元，以便拯救美国制造业的就业机会，这样美元会升值，而我便会因为负债超出资产10倍而彻底破产，而且已经有传闻说日美贸易顺差会下降。据说日本银行将有意泄露此消息，以便缓和公布贸易顺差带来的冲击。日本一直保持着每年500亿美元的对美贸易顺差。

美国现任助理国务卿说这样的顺差令人无法接受。在哈佛大学时，我就认识了这位老兄，当时他是位小有名气的经济学家。现在除非对上司有利，否则他会三缄其口。我要吃饭，要生存，因此应该知道什么对民主党有利。伟大的索罗斯就是位民主党人，他富得流油。也许是因为我大学毕业后去了芝加哥，所以才不像他那样富有。

我开始了跟自己的对话：“我真希望我从未遇到过米尔顿·弗里德曼①或乔治·斯蒂格勒②或者他的儿子斯蒂文，或者吉姆·洛睿尔，也从不知道他们的古典自由放任主义是怎么回事。”

“傻瓜！这是做朋友的人说话的态度吗？你分明很欣赏他们！”

“是的，我崇敬他们，可如今他们使我一贫如洗。”

“穷没有关系！”

做交易时，我从不与人交谈，噪音会分散我的注意力。当我打壁球时，我会在赛前往手上套一只袜套，这样别人不会和我握手，也就避免了分心。然而此刻我大声说话，好让自己镇定下来。即使周围无人认为我是发了疯，我也不应大声嚷嚷。

夜晚工作时我常听音乐。而今CD机坏了，但我不愿在投资亏损时，花钱去买台新的。此外，在我开机播放音乐时，日元汇价可能正在发生大的波动。要是

---

① 米尔顿·弗里德曼（Milton Friedman），美国经济学家、货币主义大师，以研究宏观经济学、微观经济学、经济史、统计学以及主张自由放任资本主义而闻名。1976年获得诺贝尔经济学奖。

② 乔治·斯蒂格勒（George Stigler），美国经济学家、经济学史家，1982年诺贝尔经济学奖得主。

在我离开的2秒钟内美元下挫，那一定是我时来运转。今天我的确需要一点运气，但靠运气不如靠知识和计谋更实在。

我想到音乐，想到我失利时，我的交易员播放的所有葬礼进行曲：莫扎特的安魂曲、贝多芬的月光奏鸣曲，为什么我不能做多美元，要去放空美元？我好想哭。贝多芬的送葬进行曲里面包括了全套的曲调，从升高音C调到升低音G调，然后再回去。美元对日元的汇率已经从105下跌到80，现在又反弹到93，如果它反弹回105怎么办？

现在不是考虑循环或音乐曲调的时候。现在只能想一件事：日元。

我唯一的希望寄托在尼加拉银行——一家让人害怕的马来西亚中央银行上。这家银行十足像个强盗，做贸易总是来势汹汹，从来不留活口，不过它会很乐意搞跨我和我的同伙。迄今为止，该银行因为经常跟美元和债券作对，已经损失了100亿美元，几乎使整个马来西亚都陷于瘫痪。马来西亚人喜欢在纽约时间晚上7点收市。如果他们号召系统中的所有50家银行，驻澳大利亚的、驻新西兰的和驻新加坡的同时抛出美元，可能我可以体面一点地挽回败局。

人永远不应该放弃希望，但最好用科学方法来推理。我很清楚黄豆价格上涨、黄金价格下跌时，日元会有怎样的走向。我会做好准备，等候时机成熟。

索罗斯在做多美元。当政府和商界同仁期盼某事发生时，这位仁兄总显得处变不惊、游刃有余，跟着主流走。当年盖世太保在集中营里拘禁犹太人时，其父就教导过他如何逃生。而我老爸是因为听纪念医院大牌医生的话，这些医生用化学药品摧毁了他的心脏和肺部，最终害死了他。

昨晚我和索罗斯打了网球，所以我希望他此刻也正在打网球，这样他就有一会儿不能买入更多的美元了。我不知道我老爸能否在网球赛中击败他。我和我老爸配合打双打时，我们爷儿俩难得失手，而索罗斯做我的搭档时，我几乎没赢过，但那是因为索罗斯买通了高手来与我们作对，无论汇率、财政部、跟风者、银行、政客和政策制订者们现在都在和我作对。现在还想我老爸或索罗斯或我的伙计们什么的真不是时候，现在只能做一件事：注视屏幕。

东京银行美元对日元的汇率升到了93。一家澳大利亚银行——悉尼的西庞克银行，轻而易举地把汇率调到了92.75。然而幕后的操纵势力太强大了，不到1秒钟这个汇率就被改变了。此刻东京的日本第一劝业银行出价93。太糟糕了！东京的银行似乎总是提前知道将会发生什么。

正在那个时候，我发现美元对马克的汇率骤跌，是瑞士联邦银行干的。“和你的国家一样诚实。”我在心里说。马克和日元总是同升同降。

银行一定在欧洲尚在睡梦中时，狠狠地降了美元价。大手笔呀！1.50、1.49、1.48，现在请降日元的价吧，那么马克对日元的汇率一定会跟上。日元便宜了，太好了，日元真是太可爱了！

我希望我有权有势，那么最重要的银行都会来咨询我的意见，我就能够直接影响货币的价格，我就能像其他大户一样远距离高速报价，我就能在各大银行安插内线。最方便的是我就能有一台路透社公司的处理机，我可以同时摸清四家银行的底细，并在它们企图改变日元汇价之前，就给它们以迎头痛击。罗斯柴尔德①自己都会忍不住怕得发抖。我会和学者讨论名著。现在我必须跟这些经纪人打电话，我给他们让利多少百分点，所以我总是起步就落后了。银行知道我是通过经纪人做生意，所以每当我的经纪人代表我出面时，银行就会改变它们的计划，抢在我之前下手，让我措手不及。假如我是个富翁，银行总不敢得罪主人，破坏我的计划吧。

现在，我要输入命令，在汇率开到93.50时卖出美元。我会让他们在想要的价格点上买入这些美元。他们不会知道是我在幕后操纵这一切。来吧，接受这个价位，这不是很棒吗？可事实上，他们不能让美元如此廉价，但他们也不会接受这个价位。

此刻我看见了德意志银行出来打转，他们以1.4850马克的价格卖出了美元。很好。美元对马克的卖出价在哪里，美元对日元的卖出价也会迅速地跟至哪里。

① 罗斯柴尔德（Rothschild），国际金融之父，欧洲银行巨擘，创建了全球第一家跨国公司，首创国际金融业务。

我的电话响了，他们果然在93.50日元这个价位上开始向我买入美元了。我告诉经纪商："小心点卖出，只卖几百万就好，我不希望把他们吓走。"

买盘不见了。下跌吧，美元。请你下跌，我不会伤害你，我只是个老人。我等待我的单子全部回报成交。不要害怕，请回到93.50日元。日元啊，买进我的美元。闻闻我的几百万美元吧，冰冷坚硬。日元，替我把它们全部吃进。

太好了！三部电话同时响起来。他们上钩了。我已经做了一手1亿美元的多头。真是大买主，一定是贝肯或琼斯干的。他急急地咬钩，仿佛我的钓饵是美味可口的鱼。我会在94这个价位上，与他成交更多手。接受吧，价钱对你而言不算什么。把你的优势转借给我一点儿，别给东京银行优势。这样一来你就会被远远地抛在后面，然后到了早晨，整个欧洲股市陷入低迷，我就会杀了你。

我爱你，日元。你是如此守规矩、如此忠诚，就像你的国家。我不会和你作对的，因为当我在东京为了我全家老少11口人的生计奔忙时，你没有套住我的美元，现在你可以来拿我的美元了。你一定认为"干净"是脏的，因为他们在你们国家那宾客满堂的饭店就餐时不会脱鞋，但我确实脱了鞋子。如果你在汇率为93.50时买入我的美元，然后又让它降到91，我就用石块砌一个花园，坐下来，向你们日本的神灵祈祷。

我知道你希望美元对日元的汇率降下来。一场地震使得美元需求量剧增，这些美元要用来购买外国产品，弥补遭到摧毁的大阪工业生产的东西。我认识到你们日本的经济正在衰退，因为西方不愿以那样的高价购买你的产品。但是首先请上涨一点点，欺骗一些认为你想要上涨的买盘，然后当他们抛出时，你再让日元以更大的幅度贬值。

但实际上什么都没有发生，美元还在持续升值。我觉得我的盈余正一点点变小，要是它继续拖垮我，我该如何是好？如果美元价格再有一点涨幅，我的经纪人会通知我补缴保证金。94.00、94.25、94.50，我刚刚又损失了400万美元。下跌吧，美元，请求你贬值吧。我最好再多抛出些美元，装作还很有实力，这样经纪人就不会知道其实我已是多么势单力薄。好，就这样吧。再往股市上抛美元，这样会把美元打压下去。美元又吞掉了我抛出的那些钞票，仿佛我是个钓饵。这次美元也一并吞掉了我的公司。

我很害怕我做得太过火了。若美元升值至95，跟着日元走的追随者们一定会疯狂地跟上，这个巨大的肥皂泡会淹没我。日本人异常聪颖，他们9岁的学童，都能解决哈佛和威廉姆斯的学子解决不了的问题。但是他们喜欢成群结队，不愿单独出头。若美元再升值，所有的日本商社都会涌向市场买入美元，继续升值的美元将会成为一个持续膨胀的泡沫。

我希望洛佩兹在这儿，我需要茶。我想看看当美元在周二晚上8点升值到新高的时候，会发生什么事情。但他已对我的亏损司空见惯，去为另外的公司干了。我也希望我能再年轻一回，那么，即使我失败了，仍能东山再起。现在这太难了。当我和我老婆一同外出时，有人常问我是不是她老爸。现在我必须活下去，这样老婆和孩子们才能活下去。

求你，我求求你。我祈祷：涨得慢一点，然后再贬值。真丢脸，不信神的人怎么能祈祷呢？高尔顿就不祷告，他认为他和其他的生物有共同的遗传，这一点使人对他肃然起敬，但是这些神父牧师都不会比其他人长寿。不管我怎么祈祷，都无法阻止美元下跌。但我是个男人，只得全力以赴地工作。

如果美元再涨，我的客户会杀了我的，我的搭档会看着我说：“我们告诉过你不要放空。”然后他们会一言不发，回到家对家人说：“我们赔了，我们有麻烦了，又是维克多干的好事。”

美元现在已在东京开盘了。只要我抛出美元，它们就不能升值，并且直到我买入它们时，它们才会贬值。我们都处在要命的狂热之中。

人到老年都不该独处。我应该在缅因州，和我6个女儿待在一块儿。但是害怕跌势再次袭来，我都不敢尿尿了。

日本财政部主管说：“日本的贴现率没有再次下降的危险。”可是现在已经降了1%了，那对我是好事。若是贴现率高的话美元又会贬值。但是日本人一直否认在美元贬值之前他们会三次调低贴现率，这是他们第三次否认了。所有商人都知道这一点，并且美元继续在升值，已达到94.50了。

日美贸易差额马上就将公布。若顺差降低了，我就完了。试想一下，当一个全日本商人都已经知道了的数字成为全局的关键时，我又如何能挽回败局呢？正在这时，内线电话响了。

“维克多，你已经停止售出美元了吗？”我的经纪人问我。如果我以实情相告，那么美元价格立刻就会升到那个点上，我只有死路一条。于是我坚定地说：“我不相信停损。”接着又轻声地补充：“我会死守着日元的。”当然，日元会一直陪伴着我，但是我像日元一样坚韧。我连续10年每天都打壁球，才赢得大胜利。此刻我已经废寝忘食地在屏幕前坐了52个小时了，我不会轻言放弃。

日元是我的伙计。窗外有一轮满月，通常月圆时局势会有变化，月亮对市场的影响如同其对女人、收成、犯罪和潮汐的影响。恐怕我破坏月亮的机会如同我破坏美元的一样多，而且，我不会因为努力不够或准备不足而功亏一篑。

我很饿，午饭后我什么也没吃，窗外的蚊子蠢蠢欲动，想飞进来把我叮个遍。也许我该更专注地盯着屏幕，这能让我时来运转吗？反正我已别无选择。

正在那时，美元价下跌了。向主欢呼吧！参议院的主席，那位常作为政府代言人的先生，正在日本讲话，他呼吁应使美元均衡地保待在80这个价位上，于是美元开始跌价了：94、93、92，太棒了！那些持有美元的人大失所望不敢抛出，而这正是我天生就会干的。当他们害怕拥有美元时我买入，当他们想卖货给我时我抛出，最后我买下他们的美元和所有的东西。

我必须秘密地买入4亿美元，不然的话我会震动市场的。只是我势单力薄，而且经纪人一旦知道我的动作，他们一定会抢先购买。

我拿起两个电话，同时按下另一个的话筒。“125亿日元，你们肯出多少美元？”我问，等了一会儿又说：“我买美元。”才说完这几个字，我就买入3.75亿美元，我又活了。

我打电话给老婆。我口干舌燥，溃疡疼得很厉害，我说：“我明天会去缅因州。”她问：“你还活着吗？”我说：“我们同归于尽了。”

结束工作之前，我跑到网球场打了会儿球，又填写了所有的单子。但是我的活儿还没干完，我还有25亿日元要处理。

等我回来时，就受到了那些大投机商们的打击。贸易顺差公布了，美元价反弹到93。我又为这25亿日元损失了25万美元，但我刚刚赚了300万美元，不必担心。我即使再抛40亿美元，也纯粹是为了好玩。

但接下来，这些大投机商们开始玩命地抬高美元价格，仿佛被我的逃跑给逼疯了似的。日本银行买入了美元，谣言终于被证实了，美元坚定而愤怒地冲到了94。我该见好就收的，为啥我要玩玩呢？我从不拿生意当儿戏，那后果太严重了。我刚刚赔了100万美元。

现在我的勇气消失了，我把所有的部位轧平："为了你好，也为了我好，我不该放空这么多美元。"

我想，就像《老人与海》里的渔夫一样，"你是鱼，我很抱歉我做得太过分，我毁了我们俩。但我们已消灭了很多鲨鱼，也毁掉了其他的鱼。你说说你杀了多少同类，老伙计？"

我决心和美元战斗至死。我刚有转机，英格兰银行、德国联邦银行和美联储（代替财政部）都插进来购买美元。到了隔天早上，美元价格暴涨到98。如果我没把它买回来，现在我的损失是4亿美元，相当于我的全部资产。

我的伤口在作痛。我感觉自已像飞机失事中唯一的幸存者，筋疲力尽。走之前我查看了传真，律师传来一纸便条通知我说，某些机构想回顾一下我10年来的奋斗历程，两大车厢的文件。

大投机商们还在兴风作浪，总想咬我的肉。天啊，走开吧，你们吃不到我的，那是我的，我已经付出了代价。我再也无法阻止他们攻击我，他们强大无比，可以为所欲为，但只要我有一口气在，就会和他们死磕、战斗到底。我有这个决心，我还能做很多事。

离开办公室时，我的搭档们走了进来，把交易单子接过去，掂了一下重量，大谈特谈那几场交易。当我开车走时，听见他们在说："真是场过瘾的交易！"

第一章 / CHAPTER 1

海滨少年：投机初启蒙

这样的剧情在康尼岛的手球场展开：岛上的人在木板步道上喝着莱姆利酒，硬币从手球场这个小小世界的中央往上抛（决定发球顺序）。

——迈克尔·狄森，《布鲁克林读者》杂志

生在失败之城

我在这个城市的尽头开始了我的人生之旅。1943年，我出生在世界失败者之都布鲁克林布莱顿海滨的南边。过去提到这个名字，人们只是报以窃笑或调侃。在这个到处都是次等人住的小城，也是道奇棒球队受到尊敬的地方。

在土生土长的布鲁克林居民的印象中，从1903年到1955年，道奇棒球队从未赢得过比赛冠军。这期间他们曾连输7场，终于在1955年击败了纽约洋基队，获得冠军。两年后，它搬到了洛杉矶。球队的老基地艾蓓兹以前是块垃圾场，后来被推倒，成为一片住宅区。我具有典型的尼德霍夫家族风格，在1951年，我打赌道奇队能夺得冠军，那时他们已经在最后一场领先13局，可是洋基队的波比·辛普森在决赛中的那一记全垒打，就此夺走了我的赌金。

布鲁克林的道奇队得名于当地人要躲闪（dodge）世界上最大的有轨电车群，否则就会横尸街头这一事实，没钱买票的小孩常常爬上电车后部，在车行驶至警察局之前，匆忙跳下。如果被警察发现，他们会挨一顿好打的，那个时代的布鲁克林，墓地和啤酒罐随处可见，是一个拥挤、动荡而又充满了反抗和失败情绪的小城。在当时反映战争的影片里，一定有一段场景，显示布鲁克林班森赫斯特的好心年轻人嚼着口香糖，用浓厚的布鲁克林口音说话，跟人要一根香烟抽。那时候的戏剧只要是跟搬离布鲁克林有关，一定出现一句悲伤的台词："现在我得回到布鲁克林去了。"难怪1946年时，"防止诽谤布鲁克林协会"声称有4万会员，并罗列了3000句伤害布鲁克林的流言。

边缘文化吸引边缘人。布莱顿充满了被压迫者、海滨流浪者、赌徒、非法营利者、不法之徒、失魂落魄者、生活困窘者、小贩和街头音乐家，但布莱顿总体上是好客的。那些流浪汉乘地铁来到这里，享受阳光的暴晒和廉价、喧闹的狂欢，然后买一张5分钱的车票，又回到无休无止、单调乏味的工作中去。

小人物教我大道理

布鲁克林那颇具传奇色彩的路边游戏教会了我如何生存。1951年的某个星期天，我正在看送奶工和我12岁的舅舅豪伊玩一种赌注很大的游戏。赌金是50美元，压在一顶写有"狮子路易"的帽子下，这时，送奶工突然叫了暂停。他看看天，乌云压顶，湿气很重。他说他需要休息，好去冲凉。由于没有任何规定限定暂停的时间长短或次数，因此送奶工和裁判打了起来。

裁判是个子矮小的山姆·席尔瓦，只有比赛球员的一半高。山姆穿的衣服一半模仿伟大的意地绪演员兼意地绪剧场中的卓别林——托马斯·赫夫斯基，还有一半模仿传奇的棒球裁判比尔·克莱姆，这位裁判认为，坐在票价低廉座位上的观众同拳击场上的参赛者一样，都有权知道裁判的判决。与现在的摔跤裁判一样，山姆经常在赛后被揍得青一块紫一块。但他知道这些拳头都会实实在在地落在他身上，当球员追着他打，追出球场时，山姆不得不跑得飞快，以保住小命。

经过3个小时的延误，送奶工企盼的那场暴雨终于来临。于是，所有赌局全都变了，豪伊和我自然就输了。

大约41年后，这种类似的事情再度发生。1992年4月13日，我持有一笔短期债券，准备在收盘时把它们全部抛出。但是芝加哥暴雨肆虐，淹没了芝加哥交易所，交易有史以来第一次被迫中止。等到3天后交易所恢复交易，我的债券暴跌了100个点。所以，无论何时听到有人说“输赢没个准”时，我都会加上一句：“什么时候会下雨也没个准。”

我早已知道，政府公布那些经常变动的数据时，比如就业统计数据和消费价格指数等，一种可能的结果就是致命的市场过热。买入的指令会在一天中价格暴涨之际被执行，而卖出的指令却在最低价位时被执行。无论我怎样判断，总是使保证金一亏再亏。

在街上，我们停下来欣赏一辆老式汽车。车主立刻跳下车来：“这部车我100美元卖给你，但你不用出钱。我刚得到我压了全部赌注的贝尔蒙特马的确切消息，如果在今天的赌价翻倍之前你给我现金，我就算你入了5%的股。”我们给他凑齐了钱，结果那匹马果然赢了。但我们一点好处都没得到，因为那辆车在半路上就坏了。

在我的投机生涯中，交易商们常用一些便宜货来吸引我。如果我当时将其买入，可以不花分文，因为交易商们在两个星期内提供无利息的融资，到时候我无疑会赚上一大笔。但每次在我买入后不久，市场上便会立刻充满着这种溢价债券。这样一来，还没等我挂上电话，就亏了一半的本金。

伴随我一块长大的是一群面皮粗黑、面容憔悴的家伙，他们的一些绰号很能说明问题：“悲惨的欧文”“赌马者”“野兽”“火星人”“苦老头”“印第安人”“焦虑的菲尔”“小偷”“理发师”“屠夫”“送奶工”等等，当然还有“难民”。布鲁克林一直属于那种移民聚居、家园重建的城市。

简言之，我是和肖洛姆·阿莱赫姆[①]在《屋顶上的提琴手》一书中所描述的那些小人物们一块儿长大的。肖洛姆描写道：“他们居住的小镇立于世界一隅，与周围的村庄相互隔绝。它自成一体，充满憧憬，充满困惑却又自我封闭，它远

① 肖洛姆·阿莱赫姆是杰出的俄国犹太幽默作家，世界和平理事会号召纪念的世界文化名人之一。他的作品被广泛翻译，在美国以“犹太人的马克·吐温”闻名。

离人类制造的种种喧嚣、混乱、骚动和贪婪，远离那些人类为自己创造出来的，美其名曰‘文化’‘进步’‘文明’的一切东西。”但是，太多穷困潦倒的人，让这个地方成为现在的布莱顿海滨。

大西洋吹来的令人振奋的微风和略带咸味的空气，使这些小人物们神清气爽，海风从西北部10里之外飘来，又钻进华尔街高楼大厦里的那些金融业巨子的鼻孔。他们待在空气稀薄的高层建筑里，以为自己先吸到的是海的气息，殊不知，清新的空气早已被布鲁克林无孔不入的铜臭味所玷污。赫尔曼·麦尔维尔①写道："普通人用大致相同的方式，在很多事情上领先他们的领袖，同时，这些领袖对这一点却毫无察觉。"这在布莱顿是千真万确的。鸟儿或松鼠从气压的下降就能判断暴风雨的来临，而我们人类，非要等到雨水滴打到窗玻璃上才得知。布莱顿的居民既生活在都市边缘，也生活在贫困线的边缘，他们能从收入的骤降中判断危机正在迫近，而专业的金融界人士却要等到倒霉的消息出现在《华尔街日报》上才如梦方醒。

在我的成长经历中，曼哈顿和华尔街似乎与我近在咫尺。对我而言，布莱顿便是教我如何投机的哈佛大学。比赛、讨价还价、音乐、性和动物，都教会我理解尘世间的一切事物，理解事情的本质，而这便是低价买进、高价卖出的投机交易的基础。

我家三代与这座城市

第一次世界大战后，我的爷爷奶奶遭遇到财务状况急转直下的困境，被迫举家搬迁到布莱顿海滨，因为这里房租低廉且濒临大西洋，能减少住房和度假的花费。1917年，他们的儿子，也就是我老爸，就出生在那儿。

而我的姥爷和姥姥是为了遵照医嘱而定居布莱顿海滨的。我的姥姥做过一场大的甲状腺手术，她的外科医生叮嘱她一定要找个有利于健康且富含碘的濒海环境居住。他们的女儿艾莱恩，也就是我的妈妈，1924年出生在那儿。

---

① 赫尔曼·麦尔维尔，19世纪美国最重要的小说家之一，代表作为《白鲸》。

1939年，我的父母初识，那时老妈在上高中，被选为校报《林肯日志》的主编，而其中一位副主编便是珍妮·尼德霍夫。珍妮喜欢把布置的家庭作业都推给她那位博学多才、在布鲁克林大学上学的哥哥做。就这样，我的母亲很快与父亲熟识，并产生了爱情。1943年，他俩结婚，婚后9个月，我便出生了。

我老爸是那种在我们生活中难得遇见、备受人们爱慕和尊重的人。神话人物中最像他的角色是巴尔德，也就是斯堪的纳维亚的光与美之神。巴尔德勇敢、睿智、公正、忠诚、朴素而大度，是众神中最仁慈、最温存的一位。

1939年，我老爸在布鲁克林法学院毕业并拿到了法学学士学位，1940年分到纽约州立法庭。在当时，美国经济仍处于大萧条之中，他无法找到一份律师的职业。“罗斯福新政”推行8年后，美国的失业率依然保持在18%左右。由于需要一份工作，1940年，我老爸决定进入纽约市警察局。

年收入超过1000美元的高薪，完善的退休金制度加上职业保障，使得警察、消防和卫生局的工作似乎成了高收入的轻松工作。所以，当纽约市决定聘用300名新警察时，共有3万多名应聘者排长队报考。我老爸的考分在前100名，于是加入了警察队伍，被派往康尼岛地区担任巡警。为了增加收入，老爸还做兼职，当过夜班岗哨，也做过把《纽约时报》搬到运报车上的差事。后来他继续到布鲁克林大学和纽约大学深造，拿到了博士学位，以社会学系的最优成绩毕业。在警察局工作20年后，他以上尉军衔退役，然后成为约翰·杰伊大学创始人之一，并在其中担任教授。他的著作《帮派分子》《警徽背后》《让人又爱又恨的警察队伍》以及《警察家庭》如今仍被视为这方面的经典之作。

我老爸和老妈住在布莱顿海滨的一栋装饰讲究的小型公寓里，离布莱顿四个标志性场所均只隔一个街区：私人海滨浴场、海边的木板人行道、高架铁路和面积达7.5万平方英尺的225号公立学校。

海滨最好的去处便是一家“私人”俱乐部：布莱顿海滨浴场。它的历史可以追溯到超级大亨约瑟芬·戴伊开发这片地区作为赌徒和花花公子们的栖息地的时代，这块私人海滨是我最喜欢的地盘。

随后的25年间，我老爸和老妈大部分的休闲时光都在海滨度过。细沙构成的布莱顿海滨从大西洋延伸了100码，全长1英里，东抵富人云集的曼哈顿海滨，西至热闹欢欣的康尼岛。布莱顿有着慈悲的胸怀，让穷人和富人享用着一样清新的空气、美妙的景致、可口的菜肴和体育锻炼的机会。邻近绵延3英里的海滩，新鲜的海洋空气、温柔的浪花、闪闪发光的平坦沙滩和碎浪、开阔的空间、豪华的定期远洋轮船驶向异国的景象，加上可以看到夕阳西下，沉没在遥远的大海中，这一切提供了即使最有钱有势的人也不可或缺的瑰丽景色。

至于说到食物，即使是最挑剔的人，也会对斯坦赫夫人的康尼什烙薄面卷、兰迪餐厅的牡蛎或是兰森的香肠赞不绝口，这些食物都在海滨或霍莫特斯附近的饭店里有供应。至于利克酒、麦芽酒、鸡蛋奶酪、热椒盐卷饼、面包馅烤肉和奶蛋格子饼这些小零食，在海滨周围随处可见的糖果店里更是轻而易举就能买到。如果有紧要信息要传递，糖果店提供的电话服务，就像贵族私人邮局或是路透社、罗斯柴尔德的专用信鸽一样快捷方便。

在运动方面，网球和手球这些固定不变的运动在布莱顿有了新玩法，成了草地网球和壁球。小孩则冲着石灰墙和水泥地而不是石板和草地玩网球，他们绕着纸制的风车充当的障碍物兴致勃勃地打高尔夫球，比在奥古斯塔或伯波海滨那些修剪得很好的绿地上玩快乐得多。

木板人行道与偷窥

海滨的木板人行道仍然像小河一样贯穿布莱顿。它在手球场附近缓缓转弯，绕着水族馆，来到风景秀丽的康尼岛。1939年世界博览会后留下的一个旧式跳伞台，像某种古老的宇宙象征物一样，成为此地的主要景色。在宛如无尽的缎带一样的木板人行道的一边，太阳正缓缓沉落，至地平线尽头便放出万丈金光。很快，只有康尼岛上走动的人们、海水的波浪，以及经过岛上的物体的反射，如同一条银链微微闪光。

地位低下的人都有这样一种习惯，喜欢暗中带着罪恶感，用鬼鬼祟祟和心术不正的目光打量那些比他们地位更高的人。有关布鲁克林的故事和传说离不开对偷窥的渲染，并成为引人入胜的一部分：

> 我在木板人行道下方奔跑，追逐着从木板上方漏下来的光线，与它嬉戏：把它砍断，朝它扔沙子……累了后，我便绕着木板的支撑柱走“之”字，透过板条之间的狭窄缝隙，寻觅那些把内衣扔在家里的女人们，就像蹑手蹑脚走近猎物的印第安人一样。

比描写“偷窥”更为糟糕的，是下面这种典型文字中所提到的活动：

> 在木板下的那个与外界隔离的小巧玲珑的下层空间里，正进行着另外一些亲昵活动，木板人行道为之提供了特别隐蔽的空间，有人将其称为地下旅馆。

在我的家族里，流传着一则并不太光彩的故事，那就是我老爸曾撞上一位年轻的家族成员（不是我）正与一个成年人发生不正当关系，他把那个成年人痛扁了一顿。

我不像老爸那么心狠。但如果经纪人在他们隐蔽的私人电话间，而不是当着我的面从我的客户那儿接受指令，并且偷偷揽走全部生意时，有时我会忍不住痛骂他们一顿。

我不喜欢偷窥。我还是小孩时，就觉得偷窥很下流。今天，世界上一半的交易者和贸易商们都在努力揣测乔治·索罗斯和“梦之队”到底会买入些什么时，我却把他们来路不正的获利看成是对市场的“偷窥”。他们不应通过偷听别人的谈话、从垃圾堆里翻找线索、从电话铃声中推测他人的行动、在电梯里布置眼线、和寡头们一起参与讨论或者参拜德尔斐的神龛等方法来求得致富之道；相反，他们应该公开地做一些正当而有积极意义的事情。

木板人行道的两侧是各种住户、工人和那些没有工作的人。他们在岩石上洗澡，然后横躺在上面，湿淋淋地晒太阳。他们在沙滩上悠闲地享受，几乎一丝不挂。阳光灿烂的美国国庆日里，300万游人挤在2平方英里的海滩上，尽管显得很挤，但总有空间容纳更多的人。

银白的海水之后，远处的天空可能忽然变暗。暴雨或狂风使成群的人们惊恐万状地逃离了海滩，他们大部分瑟瑟发抖，满身沙子，在木板人行道下面最原始的拱形屋顶下等着风暴过去。有一些人尖叫着穿过布莱顿的街道，逃回到那些高大建筑物中。这些给人以深刻印象的建筑是摩尔人的设计风格，门厅里处处装饰着趾高气扬的航船图案。我通常会利用这个机会，挤进一家咖啡馆，花几个小钱玩几把扑克。

到了冬天，大家在海滩椅上缩成一团，全身裹得紧紧的，以对抗呼啸的寒风，只有北极熊一样不怕冷的人才敢在海里游泳。我的父母则在足有奥林匹克竞技场三倍大但干涸了的池塘里玩起了网球。

小城之兴衰

与大多数海滨城镇一样，布莱顿的命运受困于变幻莫测的景气周期。在20世纪之初，这片地区曾是有钱人的休闲之处。布莱顿独特的地方在于它是世界赛马中心，坐拥3座赛马场：羊头港、格雷伍山德和布莱顿海滨。像布莱顿海滨、曼哈顿海滨和“大东方”等高级场所，只迎合那些富有而贪玩的有闲阶层的胃口。康尼岛的“制毡人”海洋帐篷旅馆有9个独立的快餐厅，每个都有自己的私人乐队。这儿还是热狗的发明之地。一些闻名遐迩的投机商，如戴蒙·布莱迪、范德比家族、贝尔蒙兹家族和莱昂纳德·杰罗姆，会换上时髦装束，再骑马去参加竞争激烈的比赛，赴奢华排场的宴会。吉米·迪伦特和埃迪·肯特之类的表演者会在狂欢者的簇拥下在音乐厅里献技。

但1910年美国宣布赌博为非法，那个时代就此终结。比赛场地被改为快速道路，然后又被用于房地产开发。

汽车给布莱顿带来了民主化。富人们可以驾车去更为偏远的地方。1920年，直通的公共地铁建到了布莱顿，让市民大众可以到达他们自己的海滩。骑具、邮件、西瓜和麦芽糖均以5美分售出。布莱顿不再是当年的“有钱人的乐土”，而成为“零钱王国”。成百万人每到天气晴好的周末便乘地铁到海边，他们的第一需要当然是浴室。到喧嚣的20年代，这儿共有30家浴室，皆列于道路两旁。

一列巨大的木制或金属框架与海滩形成直角，高达30英尺，支撑着从布莱顿海滨到康尼岛的地铁线上快腐烂的枕木。当火车开往康尼岛，或从曼哈顿返回，每隔10分钟沿途的平房或公寓就会隆隆作响或摇摆不已。

高架铁路下面，露天水果店、面点店、熟食店、饭店和数不清的其他各种商店一字排开。每隔三年，这些店铺都会经历一个景气周期，人多时门庭若市，人少时冷冷清清。目前，布莱顿（“小敖德萨”）主要居住着俄罗斯的移民，可这些店铺仍然吸引着众多顾客。

1929年最惨重的市场崩溃而导致的经济大危机一直持续到1946年，这再一次把布莱顿给卷了进去。我爷爷在这次危机中破产了。在景气的20年代，他靠着只占财产市值5%的本钱，长年在房地产市场和股市里投机。和许多其他的投机客一样，当道琼斯30种工业股价指数1929年11月跌至200点以下时，他尚且熬得住。接着道琼斯指数呈现凶兆，摇摇欲坠，1932年5月，道琼斯指数再跌75%，跌至50点，而爷爷已被死去活来地折腾了好几次。这之后他成了堂吉诃德式的人物，总在找那种能令他东山再起的契机，却又时时提防着陷阱。凑巧的是，他当时正在研读西班牙语版的《堂吉诃德》，并记住这部小说的情节，借以排遣愁苦。他和他的同类在街上被称为“死鸭子”。

爷爷的故事是典型的布莱顿人的经历。爷爷和奶奶在逃离生意场，惊魂稍定后，定居在布莱顿的福斯特大街。他们租下一所月租25美元、400平方英尺的公寓。爷爷的经历和教训，对我后来在投机中倾向于采用防守型战术也许或多或少有些影响。

混乱时买进

在市场上，为了避免愚蠢的操作，我会设法等到状况确实很不妙的时候才买进。内森·罗斯柴尔德说，他喜欢在炮声隆隆时买进，听到胜利号角时卖出。他玩这样的把戏游刃有余，而我这样的新手却不敢。

“泰坦尼克号”在大西洋冰冷的海水中逐渐下沉时，“让人胆寒的声音划过水面——夹杂着哭声、叫声和喊声。这是能想象到的最为恐怖的声者。”当我听到市场传来的这种雷鸣般的嘶吼声和蒸气泄露的咝咝声，紧跟着传来“长时间持续不断的哀号”时，当杂志上纷纷撰写文章，宣告世界末日即将来临时，我就知道机会来了。当日本股市在大阪地震的余震中动荡不已，再加上1995年年中巴林银行倒闭而导致日本股市摇摇欲坠的时候，日经指数在15000点徘徊，此时一家杂志刊登了一篇内幕文章，预测股市会跌到8000点。于是，经纪人处于一片混乱之中。我知道每个人都在争相逃命，于是急忙在混乱中进场。

在恐慌期间，经纪商大规模倒闭，通常随之而来的是市场的底部。1995年日经指数的市场探底是与巴林银行的濒临破产相联系的。1987年的股市崩溃，是由于美国投资银行家们对英国石油公司股票带来的收益和损失忐忑不安。传奇投资家，也是《巴伦金融周刊》[①]一年一度投资圆桌会议的参与者吉姆·罗杰斯在入市时，总为这种全面崩溃感到欣慰无比。1996年上半年，因为巴基斯坦证券交易所刚被关闭，因此他暗示正在增加巴基斯坦的持股。1996年中期，巴基斯坦股市上扬35个百分点。

杰拉德·洛布回忆了自己的一段经历以证明了这个公式的另一面。在1929年大崩盘的高潮之中，他的证券交易公司依旧一片繁华。当洛布出门游山玩水时，他的股票交易量绝不会减少。

> 在此期间，迈克·米汉，这位著名的投资商和地产行家在1929年的RCA股票暴涨时，在一艘豪华快艇“布莱梅”号上开设了第一个证券公司的分公司。1929年8月我搭乘这艘船去欧洲旅行，我想这恐怕是这类办公用船的处女航，因为，至少迄今为止还没有哪家公司在飞机上设立一

① 《巴伦金融周刊》，由美国道琼斯公司出版发行的知名金融周刊。

> 间办公室。
>
> 我也不能免于产生那个时代的乐观心态。我为一家股票市场乡村俱乐部的创立做了很多基础性工作。一叶之秋，豪华的客轮也是这样的落叶。我们在海滨棕榈树旁建立了一个展示厅，内部的木材是沿大西洋收集到的久经风霜的纯天然原木。我们有一个院子、一口喷泉、数棵棕榈树，当然还有一个名副其实的壁炉，2至3辆车出租以备客户的运输需要……

这之后不久，洛布在一家乡村高尔夫球俱乐部成立证券交易行，并很快把这个交易行的股权卖光。没等他来得及获利，1929年股市崩溃就来到了。于是洛布建议在证券收益高时卖出股票，在证券行业处于危机时买入。

在1996年7月的股市恐慌期间，有两则先后发生的有趣故事，说明经纪商和股票之间的互相影响。首先，汉堡布莱切特·奎斯特公司，一个在科技和人寿保险业居于领先地位的保险商，宣布将其股票公开上市。该公司财务收益状况令人鼓舞。

上市消息刚宣布，纳斯达克指数就骤跌15%以上。7月下旬，市场走出低迷，股票才得以如期发行。

第二个事例中，一个经纪人在泰国SET指数两个月下跌累计达到30点时跳楼自杀。我在泰国交易所的搭档，学识渊博的穆斯塔法·柴迪立刻打电话给我：“维克多，我想你会想了解这些。”我根据他提供的信息行事，侥幸成功。我让自己持有的“隐形虎”股票数量增加了一倍。在接下来的3天贸易中，SET指数又上扬了5个百分点。

表1.1 泰国SET指数

单位：百万美元	年度结果					半年期结果	
	1991	1992	1993	1994	1995	1995	1996
收入	$81.8	$125.5	$110.5	$119.3	$220.0	$86.8	$204.5
净收益	（9.9）	9.7	15.3	15.9	49.4	18.5	47.6

尽管洛布明智的建议有几分道理，问题是，有太多的事情听上去很有道理，而且被一些轶事所证明和支持。1996年年初，道琼斯指数每天上下震荡100点，多家报纸撰文认为由于交易所的利润甚高，市场已被强手们操纵。并且，“大家都很清楚，在股市回落之前利润不得不有所下跌”。只是这些忠告有什么用？在缺乏资料和周期规律的前提下，人们又如何能判断好与坏呢？

投机王对我的教训

很小的时候，我就对接受表面似乎有道理的建议持谨慎态度。我爷爷有幸和杰西·利弗莫尔交好，后者是19世纪早期华尔街的“神童”之一。他们经常一起到新街的水桶店谈生意，然后，常常一同去音乐厅，在那儿，爷爷一定会把华特森·柏林公司年轻貌美的女孩介绍给他（这是“神童”们一个最主要的癖好）。那家公司是欧文·柏林公司的前身，爷爷曾任那儿的首席金融职员。

爷爷很崇拜利弗莫尔，仿佛这个“神童”会下盲棋，或者不用琴键就能谱曲。利弗莫尔进行交易时常常只凭自动收报机纸条（ticker tape）的声音，根本不看资料。而且杰西谦虚（“当一个人做了错事后，他唯一该做的事情就是别再重蹈覆辙”）、灵活（“没有什么事情不能做”）、有选择的眼光（“你可以搞乱小麦等市场的行情，但你不能搞垮这类市场”）。

当这位“神童”想到了最佳交易点子时，他会毫不迟疑地追求最大利润。1907年的那场股市崩盘中，大户们的一位代表曾恳求“神童”停止做“空头”，因为整个股市都可能会在他持续不断而命中率极高的抛出过程中全面崩溃。利弗莫尔像很多年之后的索罗斯一样，发现让市场下来合乎他的利益（“我也是股市的玩家”），所以他慷慨地在股市底部回补空头头寸。

杰西极为精明，他不仅考虑到自己潜在的弱点，也考虑到自己那位无比忠诚的妻子潜在的弱点：

> 我还清所有债务后……把大笔资金投到了年金上。我下定决心，再

也不要变得身无分文，穷困潦倒而且到处欠钱。当然，结婚之后我为妻子存了一些钱，有了孩子之后我又为他存一些钱。

我这样做，不仅是因为股市有可能从我手中夺走这些钱，还因为我知道一个男人可能在他插手的所有方面花光积蓄。存了些钱后，我妻子和儿子才有安全感。

我认识的男人不止一个采用了这种做法。只是，当他需要用钱的时候，他会骗妻子签字取钱，并且肯定会把它全都赔光。但我不会这样做，这样无论我和我妻子想要得到什么，我们的存款都能得以保全。这笔钱于我们双方而言无论如何都是绝对安全的：我的股票方面的需要不会危及其安全，一个忠诚的妻子的爱心也不会危及其安全。我不存任何侥幸。

在利弗莫尔洞若观火的观察中，有着历久弥新的智慧，因此我把其中的一部分列举在表1.2中。它们读起来像是从现代极为流行的“股评”一类杂志中汲取的精华。由这些魔术师般的投机家管理的投资基金现在全都公开出售了，不幸的是，要鹤立于这些魔术师之中，需要不断创造出新的圈套和计谋。

爷爷在回忆这位天才“神童”时，唯一的问题是遗漏了一个重要事实：在1929年股市崩溃之前，杰西至少破产3次。20世纪30年代早期，他试图最后一搏，最终血本无归。他后来在华尔街奋斗了10年，设法筹措另一笔本钱。囊空如洗时，他想出版一本炒股经验方面的著作，以图东山再起，但这次努力也不了了之，只好放弃。1940年，他在舍利内瑟兰德旅馆留下一纸遗书，在卧室中用枪击中头部身亡。

我总认为，听取华尔街的谚语、经验和箴言时，持保留态度是明智的做法。检验那些貌似明智的理论是否可行的最好途径，就是严格地评价、测试和分析这些理论。

为了验证经纪商收益理论，我做的第一件事就是为全美最大的证券交易公司美林收集每月股价，这些股价都来自1972年到1995年纽约证券交易所的数据。

表1.2　杰西·利弗莫尔的真知灼见

论选择性投机的重要性：

没有什么事情不能做。只是过去我不知道这一点。在华尔街上，有那么多的人根本不能算是大傻瓜，往往遭到失败，原因正在于这一点。在任何时候、任何地点都做尽错事的傻瓜，是十足的傻瓜，认为每时每刻都要做交易的傻瓜才是华尔街的傻瓜。没人总能找得出足够的理由为每日的买入抛出做保障，也没人总能拥有足够渊博的知识来使自己的投机成为睿智的角逐。

论市场及其参与者：

但是，证券交易所的会员公司有一件事不肯做，那就是退还佣金。公司宁愿某位成员犯杀人罪、纵火罪和重婚罪，也不愿与外行做一分钱买卖。股市交易的全部真谛就在于：切莫违背这条规则。

我和经纪人之间的关系非常友好，但他们的账目及记录和我的常常不同，而中间的差别总是对我不利。绝不是什么惊人的巧合！我为自己谋利而且最后通常能自谋生路。他们常存有希望，想夺走我从他们那儿得到的，我觉得他们一定把我的胜利看成是一笔临时贷款。

论错误和智慧：

要是一个人从来不犯错，他就能在一个月内拥有全世界。如果一个人不能从错误中吸取有帮助的教训，他就不会拥有一点有价值的东西。

当然，假如一个人既聪明又幸运，他不会犯两次同样的错，但他可能犯某个相类似或相关联的错误。错误的种类繁多、数量庞大，以至于当你想看看自己在这出傻瓜似的游戏中到底能干些什么时，你会发现自己已经犯错了。

一个人只有在能够利用错误，以便将来从中获益的时候，才能原谅自己的错误。

论投机商及其情绪：

有时我难免认为投机是一项非同寻常的工作，因为我发现，一般的投机商都要与自己的本性相斗争。所有人都可能具有的弱点，是投机成功的致命伤——通常就是这些弱点，使他变得跟其他人没什么两样。这些他在其他事业中会特别注意防范的弱点，没有像他交易股票或商品时那么危险。

投机客最主要的敌人来自他的内心。人类总是“希望得到”和“害怕失去”两种天性的综合体。当市场走向对你的投机活动不利时，你恨不得每一天都是最后一天。像普通人那样在股市上赌博是绝对错误的。

接着我计算美林公司每年和每月的投资报酬率，并与标准普尔（S&P）500种股票价格指数相比较。例如，1995年，美林的股价从37.75美元上升到51美元，回报率为43%，而标准普尔500指数从459点上升到615点，上涨34%，美林显示出了9%的额外收入。如果洛布的理论是正确的，那么这笔超额收入将会是标准普尔指数未来走向的反向指标。

美林某个月的超额报酬率和S&P其后数月报酬率之间，在其后的7个月里，每个月的正相关为0.05。当美林做得很好时，S&P在接下来会做得更好；而当美林做得更糟时，S&P会做得更糟。在美林的收入连续10个月增长之后，S&P在接下来的6个月中下降4%。不幸的是，至少只要美林还是证券和股票交易业的带头人，对与其月收益相联系的反面假设就没有支持的例证。

但一种有趣的现象出现了，美林在一年中的超额投资报酬率和S&P在下一年的收益变化呈现0.3的负相关。美林用了5年的时间使超额报酬率高达30%或更多，但接下来的3年内，S&P的收益却下降了。对这种下降有所裨益的是，和其他年限的2：15相比较，这3年中的下降比率3：2是偶然现象。这种偶然比率11：1预示着对每年的收益而言，证券交易所的运气实在是一种消极的预言。图1.1显示了这种相关关系。

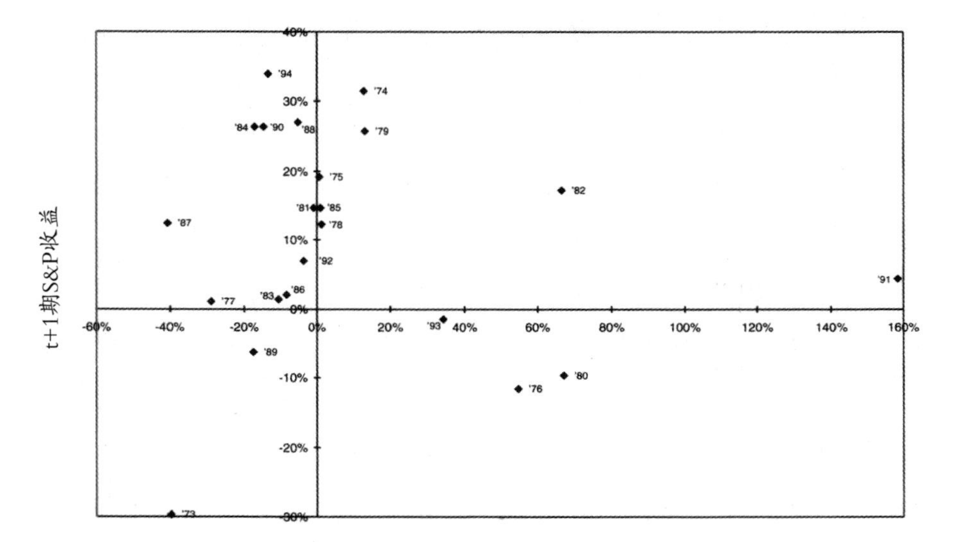

图1.1　1972-1995年美林公司的超额投资报酬率与次年S&P投资报酬率的关系

打球与投机

我似乎在呱呱坠地之时就手握网球拍。我最早的照片显示，我当时最喜爱的玩具便是乒乓球拍。我刚刚会爬的时候，便和父母一起参加网球比赛，这便是我的入门体育项目。

冬季一来，布莱顿海滨的网球场就会关闭，但那些痴迷的爱好者们，包括我的父母大人，仍会在附近空地练习和比赛。我老爸和老妈是最热心的网球爱好者，他们常在距海岸线仅100码的地方来回击球。

他们在干涸的游泳池较浅的一端支好球网后，就把我放在较深一端。这样我得花上5分钟才能爬上水泥斜坡到达他们玩球的地方，于是他们就有一段时间不用去管我，可以打上几分。每次我刚刚爬到，他们就会又把我送回原地。早年这种没有止尽的艰辛经历，无疑预示着我将来会努力成为一个投机分子。当他们比赛结束后，妈妈会把球抛给我，爸爸则手把手地教我握紧木制球拍，球一过来他便叫着“打”，引导我学会标准的正手击球动作。

我每天进入房间从事另一天的投机时，经常想到这些没有结果的尝试。在我的交易生涯中，成千上万美元的进出和五千多个日日夜夜的拼杀，我没有一天对自己满意。当赚到钱时，我常常因为自己没有更加积极进取而恨不得踢自己两脚；当我错失那些经常能碰上的机会时，我的每一分钱都会贬值。为什么我没有先知先觉的能力呢？多希望老爸现在仍活着，能为我在交易场上指点迷津。

我在游泳池底部，开始这种“投球和打球”的练习，最后渐渐地移至一个真正的网球场进行。现在我和我的六个女儿继续这种游戏，只是装备更现代化了——我们拥有一个微型网球场，它只有正规网球场1/4那么大。1995年8月，政府官员的几起内部交易几乎使我大伤元气，为了重振士气，我匆匆退出市场，来到冰天雪地的缅因州维纳海文回家团聚。由于天气太冷无法打球，所以没带自己的网球拍。但我3岁的女儿吉拉坚持无论如何要打网球。她说：“我可以用一个平底锅击球，爸爸。”要是我老爸还健在，此时他或许会说：“儿子，你看，另一个冠军正在诞生。”

六岁时，我在同伴中已脱颖而出，为了在有赌注的比赛中赢得几分钱，我被要求用左手打球或让对手15分，要不然就没有对手肯与我比赛。很早我便学会了如何从最初的不利中反败为胜，而比反败为胜更为重要的是不能重蹈覆辙。

以下三条规则，是我在少年时从布鲁克林道奇队王牌投手惠罗·威雅特那里学来的，这三条确保优势的规则对投机商、棒球手、手球运动员都同样适用。

> 第一，时刻不能松懈。你不可能是永远的获胜者。认真对待每一位击球手，好比你第一次面对他，这样做使你凡事谨慎。
>
> 第二，对每一个击球手奋力投掷，要设法让他打不出长打。这样做使你少走弯路并能更仔细地审视对手的弱点。
>
> 我谨记在心的第三条规则是，无论你的对手水平如何低，你都不能心不在焉。骄兵必败。

在进行投机交易的日子里，我常被那些试图劝我放弃的所谓“忠告”搅得心神不宁。为了减少他们的影响，我不接电话，午餐时间不休息，也不接待来访者。我也不签支票，特别是不去问占据了生意人工作日大部分时间的那些例行表格，这些让我心烦意乱的事无疑会搅得我心神不宁。当威雅特的三条原则不足以保护我时，我便会想起另一位著名的棒球队员——泰德·威廉姆斯。当他发现大家对他8月份生日小题大做，不当地妨碍他保持四成以上的打击率时，他毫不犹豫地把生日的日期改成了10月份。我缺乏一些生意人身上的资质或精明，也没有另一些生意人的钻研技巧，但我在集中精力这一点上却有过人之处。

我整个青年时代，一直和父母在各种球场上练习网球。最令人难以忘怀的就是冬天我们每天都在位于海洋大道的“康尼岛广场”进行训练，我们总带着铲子清除积雪，气温很低时还戴上手套。遗憾的是，我终究还是没能成为一名出色的网球运动员。我的最好成绩是11岁时在纽约市获得18岁以下少年网球赛冠军，我当时在比赛中的水平与一个普通大学队中的第二号好手相差无几。我能感觉并且能理解所有的关键性击球方法，但却没有这种技巧。当我被一个俱乐部的职业选手轻易地击败时，我很为自己羞愧。朋友介绍我认识推销万灵丹的人时，我也有这种感觉。我被这种愧疚吞没了。

早期的网球训练对我的壁球球技的提高很有帮助。在这方面，我非常幸运地获得了最出色的教练杰克·巴纳比的指点。他选中我并教导我，使我没有误入迷途。

我在追求运动的生涯中，主要特点是一星期花四天时间练习跟自己对打。在日常训练中，我总是一遍遍地练一个击球动作，而其他的运动员则几乎都在与别人比赛。我开始用正手击球，接着再用反手击球，然后再重复一遍，只是这次是对着后墙。总之，我练习的是自己与自己的比赛。正手对反手，进攻对防御。最后，我在球场上像一阵风似的前后左右地奔跑，直至精疲力竭。我将训练过程都记入日记中，其中的一部分发表在由奥斯汀·弗朗西斯所著的《高级壁球技巧：用头脑赢球》一书中。回顾这些日记时，我算了一下，我的练习或比赛未间断地持续了3500天。

这种训练对于我的投机事业大有裨益。当听到我的合伙人保罗·布特告诉一位潜在客户，称赞我是他所认识的人中最勤奋、最投入的一位时，我深感自豪。

在运动中，我的偶像一直是素有“鳄鱼”之称的雷尼·拉科斯特①，他在1928年赢得温布尔顿公开赛冠军之后写了一本自传。该书无疑是关于网球运动书籍中最好的一本，书中详细描述说，有一次，他在温布尔顿的中心球场发球，才发现对手正在弯腰鞠躬。他根本不知道当时女王走进了体育馆，所有的观众正起身向她致敬。温布尔顿的18000名观众都知道女王来了，而拉科斯特想到的却

① 雷尼·拉科斯特，1923年，世界网球名将雷尼·拉科斯特正在波士顿代表法国参加戴维斯杯。当时拉科斯特与他的队长打赌，如果他在比赛中获胜，队长便要送他一个鳄鱼皮箱。虽然拉科斯特没有赢得皮箱，但是他在比赛中表现出了如鳄鱼般“咬住不放、奋斗不懈”的顽强意志，故得到“鳄鱼先生”的称号。回到法国以后，拉科斯特的一位朋友为他制作了一条鳄鱼，并贴于他的夹克上，一个流行于世的标志（“法国鳄鱼”）从此诞生。1933年，拉科斯特正式步入商界，创办了La Chemise Lacoste成衣公司。他在生产的所有衬衫上都绣上了著名的鳄鱼标志，开创了以图形作为服装品牌标志之先河。

只有开球。

在法国的冠军赛时，“鳄鱼”占据极大的主场优势。比赛期间下雨是常有的事情，而有先见之明的球迷们总是带着伞前往助阵。当避免不了的倾盆大雨终于来临时，体育馆内充满了开伞的动作和声音。这对拉科斯特是很有利的，他的对手总被这些声音分心，而他自己却专心致志于这场比赛，对场外的声音丝毫没有注意。

参加竞技体育对未来的投机商特别有帮助。童年所做的一切都是出于游戏的目的，关于游戏的一件很美妙的事就是，如果你生性好问而且能一直保持住这份好奇心，你会了解哪种技巧能帮你渡过难关。

芝加哥交易所下的一家清算公司的老板汉克·萨特金每天指挥着100多名经纪人，经验老到。他相信，竞技运动的经历对未来的投机商是最好的训练。交易所的各个楼层里，到处都是以前的职业运动员。芝加哥交易所里的谷物交易场至少有8个成员曾经是芝加哥“小熊队”或“熊队”的主要队员。

有时，市场和职业运动员之间的关系会变得比较混乱。1995年9月25日，一个星期四的下午，芝加哥交易所的一位经常在债券交易所的地板上玩球的人，溜出去观看一场重要的芝加哥“小熊队”棒球赛。当投手兰迪·梅尔斯投出一球，让对手来了个本垒打，这位老兄气愤之至，他从观众席上跳到场内，要冲上土堆去揍梅尔斯。梅尔斯显示出足以制服芝加哥期货交易商的强壮来，他干净利落地将来袭者打翻在地，制住不让其动弹，在确认他没带枪后，才把他交给保安人员看管，接着继续比赛，直到以12比11获胜。

做最优雅的绅士

布莱顿的运动员总为自己出身工人阶级感到自豪。在工作中使用双手，在运动中也很骄傲地用双手。手球和网球是他们热爱的比赛项目。

早晨，送奶工要用马车拉牛奶并把它们分发给所有的邻居，对于早晨的比赛他一定会感到很疲劳，没有精力看。维克·赫什克维兹，一位最出色的单打运动员，比起其他人，他有一个优势，那就是他可以在工作中练习：消防所为雇员提供了四周都有围墙的场地。莫尼·奥沦斯汀，一位最好的双打运动员，也具备一种训练有素的优势：谣传他可以充当大赌家的指挥和资料收集者。我老爸和“粗鄙汉子”“钳工”打双打，粗鄙汉子”这个外号是从他的那双建筑工人的手而来的。

在有赌金的比赛中，球员们火气都很大。每次比赛，至少要打两次架，换三次裁判，不这样真是太难得了。运动员总是鼻青脸肿。因为比赛规定一个运动员无论击球还是挡住对方的道自己都不能移动一步，这样才算一分，唯一的防御就是用身体或拳击手套把挡道的队员击昏。那些硬棒棒的黑色拳击手套在2英尺之外的地方以每小时100里的速度打来时，能灵活准确地击中对方背部。通常，比赛能在拳击手与观众和裁判争执时持续数小时。

从各方面来说，当年的职业壁球跟朝一面墙击打的手球、篮球或橄榄球没什么两样，都是剧烈运动。后来，一位天才提出了“英式触网球”——即给那些用拳击手套打中他人的运动员计分。很快，每个人都开始沉迷此道，直到今天球类运动成为绅士的标志。

我一向很重视英式触网球的规则。在1971年全美公开赛时，我在决赛中已经取得了11比3的领先优势。我的对手正掩入我的击打范围，于是我毫不留情地用球把他打倒在地。

“11比3还这样打？”他大喊。

“14比3也一样。”我答道，一边用老练的收藏家提价时的神情打量着他。

如今，当交易商们跟我确定报价之后居然取消交易时，我仍会有同样的怒火。为了避免那些总爱越轨的经纪人老在生意上与我纠缠，我办公室里至少有三部录音式直拨电话。这样，胡搅蛮缠对我的财富的影响就如同对我的球赛水平的影响一样微不足道。但我依旧遵守游戏规则，并尽量避免自负。

有一个人同所有来势汹汹的运动员形成了鲜明的对比，他大叫自己打出去的球是界外球，而且从不争执，从不打赌，对对手的好球总是大加赞赏。这个人就是我老爸，大家公认他是运动爱好者的榜样。

有一次他和我并肩作战，但我们最终输掉了。比赛中，老爸一次次地对我们的漂亮击球叫着“出界了”，而我们的对手则在猖狂地作弊，于是我忍无可忍地叫了起来：

“老爸，我得告诉你，这场比赛我赌了5分钱，可你每次都瞎喊瞎叫，害得我们输了！你是我的搭档，不是别人的！”

“这又怎么样？游戏而已嘛。如果你只想靠一两分获得差别，你胜之不武。有疑问的地方让别人去得到好处，你会从中获益更多，你也会觉得好过得多。”

我喜欢跟索罗斯谈论老爸有多伟大。一天，我向他讲述了关于那场双打比赛的故事。他的桌上和我的桌上都有那架红色的热线电话，使我们保持密切联系。索罗斯一边听，一边用匈牙利语嘟囔着什么。大概他认为我也是这样的人。

三个星期后，他对我为他做的所有交易进行了审计，之后他说：“维克多，我完全相信你……但我们太亲密了，我觉得为了保护双方利益，我只好这么做。你让那家公司把你那笔做赔的买卖的支票记到我账上，那家公司叫什么？加利，一星期内做完这一审计，然后直接报给总部。”后来他把曾在电话里嘟囔的那些匈牙利语解释给我听：“他越是表白他的诚实，我越要仔细算好我的钱。”

我猜想，这种疑心是索罗斯能够成为传奇人物的原因之一，这种疑心他也用在自己身上。事实是，我告诉他这个关于自己“诚实的”和“维护自身”的故事就触发了他许多的想法。我得承认我也是同样的人，当某人以这样的说法——“十分诚实的”“出于坦诚之心的”——开头时，我会用手紧护住我的钱袋。

我花了好长时间才理解老爸的教导，而运用这种教导，则花了我更长的时间。但17年后的1966年，当我在纽约哈佛俱乐部六楼的来客稀少的哈雷·考尔斯壁球锦标赛中小试身手时，我才发现，老爸的教导早已深深扎根我的内心。英国人惯于将所有活动带上赌注色彩。为了遵守英国人的传统，锦标赛的高潮便是半决赛前晚的“加尔各答拍卖会”。拍卖会上，每个参加半决赛的选手都要被“出售”，然后继续“瓜分”两个决赛选手。我和舅舅豪伊倾我们所有才买下了自己的一部分。

第二天，我的对手是波比·汉瑟林顿，他是水牛队的一名信奉新教的主攻，是我见过的最优秀的运动员之一，他在锦标赛中是二号种子选手。第一局进行得很艰苦，最终我以15比9获胜。舅舅豪伊在顶层楼座里坐着，平生第一次观看壁球比赛。当他期望的胜利呈现后，在比赛间歇他冲下了看台。

“维克多，你干了些什么？！他赢的9分中，有8分裁判还没示意你就让给对手了。如果你还这样，我们一定会输掉所下的赌注。”

“舅舅，”我说，“在壁球比赛中，我爸爸就是这样来判定好球与坏球的。”

我至今仍记得舅舅脸上的古怪表情。他冲到看台以确信我获得了公平待遇，并且在第二、第三局中他有更多的机会。

我在交易时力求做到公平。无论我能从敲诈勒索中获利多少，我都不会那样做。为了我爸说过的那个原因，尽管我会赶紧补充我不见得比第二个人更诚实或更具欺骗性，我也已经学会了把发言权交给另一方。滑稽的是，尽管从那时起我就和形形色色的生意人打交道，但我从未遇到过一个自认为不太诚实的人——即使你能想象出的最坏的骗子也不例外。毫无疑问，也有人对我有同样的感觉。如果你让对手知道你认为他是个骗子，你的生意一定不会有大的起色。你应该凡事谨慎，以免被骗。

控制脾气

除了喜欢赌博，我小时候的另一恶习就是脾气很坏。裁判若给我严厉的判罚，我总是毫不犹豫地冲着他破口大骂。我也讨厌和老爸打双打，因为我们必须赢2分才能在记分表上记一次。他会叫我所有的劲敌做我的对手。

生平第一次在赌钱比赛中输了的时候，我痛骂了那个成年对手妨碍我出手，并把球拍摔到他的头上，抓过帽子里25美分的赌注，一溜烟跑了。

老爸在后面紧追不舍，最终在布鲁克林木板人行道边截住了我。他冲着我吼道：“要是再让我看到你这么不要脸的行为，我会不准你到海滩上。立刻跟我回去道歉，否则你会挨一顿臭骂，比这厉害多了。你的玩法太丢脸，而你的大发脾气又恰好帮了对手的忙，因为他现在会更努力地打球了。”说完他冲我的肩来了一记左勾拳。他是布鲁克林学院摔跤队和足球队的成员，这一拳在45年后还隐隐作痛。

从那时起，只要我的对手耗尽精力、疲惫不堪并对裁判暴跳如雷，我往往能在这样的比赛中赢球。

作为投机商，我犯错时，最容易找替我执行单子的场内交易员当代罪羔羊。每每遇到亏损时，尤其当这种损失仅仅是被经纪人的“简单照办”加剧的时候，我总忍不住恼怒地对这些家伙破口大骂。他们则不停地为自己搞砸了的生意提出些连我都知道站不住脚的理由，来掩盖他们可怕的道德败坏的行径。但当我开口说话时，我肩头的疼痛便会及时提醒，因此，我骂那些可怜的交易员时，最恶毒的话是这样的：

> 哎，我是维克多·尼德霍夫，我只是想让你知道，你刚才这样对待我的委托人简直失礼得让人难以置信，我都找不到更恰当的英文词汇来形容了！他恼火了，毫无疑问，他会取消他的账户，并采取一定行为来报复我和我的公司。通知所有的经纪人和你们结算中心的头头，还有雇员们，如果有张法院传票送到他们家里，千万别大惊小怪！

因为我经常在交易中亏钱——当然，这完全是那些糟糕的经纪人操作失误的结果——我的兄弟罗伊建立了一套通过预言合成传递信息的电脑系统，利用声音合成器发出上述信息，加上适度表现沮丧的音调和节奏。一次，我们在国际货币交易所的外汇交易员对这套系统评价道：“至少它会乖乖地听你一个人调遣，哪怕它接受的是错误的指令。”

“我正是这样的人。”罗伊用电脑打出这样的回答。

在这方面，我还没看出约翰·麦肯罗的古怪行径有什么不同寻常。对于布莱顿的手球队员来说，像他这样脾气暴躁，是理所当然的。我还记得那天，杰克·克莱默在加利福尼亚的13轮联赛中把网球拍朝裁判掷过去。当他看到他父亲朝裁判走过去时心中暗自高兴，他想："爸爸一定会走过去痛骂那个裁判一顿来帮我。"

接下来他听到裁判宣布："比赛结束。史密斯获胜，4比6，4比3，对方中途退场取胜。"杰克的父亲当即向他走来，夺过他的网球拍，在膝盖上用力折断了。他警告杰克说，整个夏天他将不能再打网球了，而且，如果他还做这样丢脸的事，那他将永远不能参加其他任何联赛了。杰克有一次对我提及此事，他说这是在他伟大的竞技生涯中最后一次同裁判发生口角了。我相信，杰克和我所受的训练，比较有助于在投机或其他任何领域中取得成功。和显然造成极多职业运动员指责对手却完全不受惩罚的训练相比，我们这种训练好得多。

最简单的就是最好的

每天夜里，老爸上完从下午四点到次日零点的班后，我们总要小小地庆祝一下。他总爱在"海风面包店"买些咖啡，顺便还在附近的冷饮店带上一品特香蕉冰激凌。

享用一顿之后，老爸总爱坐在我的床边，谈论小孩、大人均乐此不疲的话题——运动。老爸说，要想成为最好的运动员，必须学会以最少的付出换取最大的收获。他说，你看马蒂·雷思曼，最近他在劳伦斯乒乓球俱乐部同迪克·迈尔斯进行一场高额赌注的比赛。

马蒂球技高超，直接用反手抽球，如同玩扑克牌的行家把牌从桌面上划过去一样利落，而他的前手旋转球则像在对对方致意一样。由于正反手都一样高明，极为平衡，总是游刃有余，随时能够应付角度刁钻的球或擦边球。他历经50场比赛，从未接失过一个擦边球。他常常在球桌后界10尺远的地方防守，特别是在面对劲敌时。与10次蝉联全美冠军的迪克·麦尔斯对阵时，马蒂以其接球的准确性和击球的恰到好处的控制力而著称。在1949年斯德哥尔摩的世界乒乓球锦标赛上，他刚刚打完四分之一决赛。在他的决赛之前，临桌的一场与他同时进行的比赛已打完了第一局。为了公平起见，这一桌的球局不得不延长20分钟。

在网坛，与所有的冠军一样，肯·罗塞沃尔也非常讲求动作的实效性和直接性——舞蹈界的弗雷德·艾斯泰、篮球界的迈克尔·乔丹、高尔夫球界的山姆·史尼德、足球界的盖勒·塞耶尔以及拳击界的苏格·雷欧纳德，都是这样。用文字描述上面这些风格各异的冠军球星在赛场上的表现，通常都包含以下类似的字眼：举重若轻、行云流水、轻松自如、酣畅淋漓。

在棒球界，辛普森是最了不起的本垒打高手（当然，至于贝比·鲁斯是白人中的乔什·辛普森，抑或乔什·辛普森是黑人中的贝比·鲁斯，仍是个有争议的话题）。他的第一个经纪人朱迪·约翰逊曾这样描述他：

> 看他打球简直是一种享受，他丝毫不费力。你看，这些家伙上场了，比赛开始之前他们总是乱抓乱踢地到处做着准备动作，辛普森却只是直接走向赛场……

谈完了运动方面的行动效率，老爸把话题转到了艾米莉·狄更斯的诗上。我抗议道："老爸，她可是个诗人。"

老爸回答道："不错，她是个诗人，但每一个运动员都该学习她用字遣词的精练、她从文字中所获得的熏陶和陶冶，以及她费尽心力累积的整体效果。"的确，有几位常去布莱顿海滨的运动员的移动是出神入化的。比如维克·赫斯柯维兹从不为接一个球而左冲右突，他总是恰到好处地站位，娴熟地运用左、右手接球，球速高达100里/小时，他照样走直线接球。从容不迫，不像那些主要靠一只手接球的球员，一定得用毫无艺术味道的方式来击球。

"维克多，你在网球场上的主要问题是打法花哨。你向后转身时弧度过大，你击球的动作结束得过于花哨，球拍举到最高处便戛然而止，如同向国旗致敬一样。当你在网前跳起接球时，似乎已尽了全力，而且你看起来很想接住那些高过你头顶的吊高球，或者当球已落地从你双腿间滚过去时你却急急忙忙向边界跑。

放松点儿，保持贴近地面，双脚要保持灵敏，动作要简单。别玩花哨动作，专注于基本动作。盯着球，认准来球的方位然后再朝那儿挥拍。”

玩壁球时，总有人提醒我的弱点和正确的解决之道。四面封闭的体育馆如同一个回音室一样。走廊上无论何时、无论何人说了什么，不管声者多小，我都能听见。如果有新学打球的人被球迷请来观看我比赛，开赛不到几分钟，那人准会开口说：“这是尼德霍夫吗？！他笨手笨脚的样子，好像一头大象！”

为了弥补我行动的笨拙，我尝试在发球时给自己相当大的犯错误的空间。我瞄准时至少瞄高目标6英寸，不像那些教练们，他们总喜欢带着一种“成败在此一举”的神情在仅高于目标1英寸的地方击球，要么击中得分，要么没接中。在投机方面，我也会这样处理，从来不在股市上扬时急着买进，也不在股市下跌时急着抛出。

有一次，我听到一位前辈给我较高的评价，让我有点受宠若惊：“当我第一次见大个子尼德霍夫打球时，我以为他笨拙、反应慢，像牛一样地行动迟缓，但他让我想起了最棒的棒球明星豪纳斯·瓦格纳——可以在任何一个位置击球达170次之多、8次率队参赛。尼德霍夫也像他一样是个天才。我只希望他不要叫坏脾气给毁了，他应该学学瓦格纳，瓦格纳是全世界最具风采的球星。”

我最终学会了控制自己的脾气，却是因为一次在大学里，我与裁判发生口角，还愤怒地一拳砸到墙上，使我输掉了比赛。在参与角逐的每一个领域中，为了赢，我都动用了我所有能调动的每一份能量。任何一点浪费都会给对手以可乘之机，除了那些我遇到的天才，比如网球界的马蒂·霍根，或者棒球界的贝比·鲁斯或投机界的乔治·索罗斯，我从来没有在任何一个领域中，看到有谁缺乏随时可以有效运用精力的内在机能却能够成功的例子。

全身心投入

1951年10月3日，我正在做赎罪日的赎罪礼拜。牧师转过身去时，我拿起袖珍收音机，偷偷收听纽约巨人队和布鲁克林道奇队争夺全国联赛冠军的总决赛。

我用全部净资产和布克打赌道奇队胜利，后者贴近我的收音机以使自己不放过每一记击球。

1951年的冠军赛一直打到了3场比赛中的最后一场决赛。豪伊来自南方，理应支持巨人队，但他却觉得道奇队会赢得最终胜利。道奇队杰出的运动员唐纽康比将在本场比赛中任投球手。而就在前天，布鲁克林队以10比1击败巨人队。豪伊大吃一惊。“只有布克才有本事预料到这个结果。”他说。因此，我舅舅把他的800美元，包括我的2美元，一并押在了道奇队上。第九轮，道奇队果然4比1领先，我们想，我们押对了，开始计算可能赚回多少钱。

之后，我们溜出赎罪日礼拜，好用袖珍收音机收听接下来的赛况。场上风云突变，艾尔文·达克以一记一垒打为巨人队拿下1分，紧接着唐·穆勒如法炮制，再添1分，达克跑到三垒。纽约道奇队的中流砥柱蒙特·埃文犯规出局了。威特尼·罗克曼一气拿下2分，穆勒到了三垒，比分变成了4比2。我们屏住呼吸，把收音机贴在了耳朵上。汤普森再度投球，又一个本垒打，巨人队5比4领先。随即，收音机里传来罗斯·霍格斯的尖叫：“巨人队夺得了冠军！”

舅舅和我在5分钟之内从富翁变成了穷光蛋。在我们十分沮丧的那一刻，一个富有的手球运动员和国际象棋手，也在巴洛克酒吧里沉浸在悲痛中，这个伤心的人也是狂热的道奇队球迷。我所说的便是威利·萨顿，历史上最大名鼎鼎的越狱犯，也是著名的银行大盗。

威利刚从宾夕法尼亚州的监狱逃脱，藏身于布鲁克林第四大街和弗莱特布什附近的匹特罗里肯的一间公寓里，那里是以波多黎各人为主的社区。威利一如往常，精心策划着行动计划。早在监狱服刑时，他就自学了西班牙语。他知道，他的邻居们只会看西班牙语的报纸，因而不太可能看到《纽约日报》上通缉他的照片。

在巨人队打败道奇队的那一天，威利躲在酒店里看了电视转播（他没有去现场，因为知道那天有许多不值班的警察在那儿看球）。后来他写书时提到这一场比赛：

我在跟布鲁克林警察局相隔一条街的小酒馆里，看1951年的世界棒球冠军比赛，看到鲍比·汤普森击中布兰卡投来的球，打出一个本垒打时……汤普森来回奔跑，频频得分，我觉得世界末日到了，我甚至想去警察局自首。当一名道奇队的球迷是会让人折寿的，他们总是让你急得半死！即使是他们赢球的时候，也是如此！

如果那场球赛对威利具有十分深远的影响，促使这个有名的银行抢劫犯和越狱大师改邪归正，那么，想想看这场比赛对舅舅豪伊和我这样的普通人，会有多大的影响。今天，巨人队，这个由日本人拥有的棒球队，对于日经指数也具有类似的影响。当巨人队成绩上升时，日经指数便出现牛市冲天的趋势。今天，在美国几乎没有哪一支棒球队能赢得如此高的威望，能够像50年代布鲁克林队道奇队或日本巨人队那样，不过，研究一下芝加哥公牛队的胜负与美国财政部在芝加哥的贸易情况，也是十分有趣的。

威利·萨顿的原则是："做任何事情想要成功，都必须对细节专心致志，并且全心投入。"在抢劫一家银行前，威利总会穿上警察制服，花上几个星期和数月时间来踩点。他的伪装惟妙惟肖，以至于他发现自己常常忙于回答过路人的抱怨，有时候甚至忙于真正的疏导交通。

我老爸曾给我看过威利·萨顿的书——《钱从哪来》。威利这样回忆他的训练方法：

我喜欢扮演不同的角色。我对自己计划的任何工作总是极为专注，在我打算扮演的每一个角色中，我总是伪装得如此绝妙，以至于当我穿上警服时，我都感到自己像个警察了。按规定，汽车要停在1至2个街区远的地方，而当我身着制服走在街上，仔细观察银行时，常常会有人拦住我问路。司机们会请求我允许他们的车在非停车区停上几分钟，他们正好驶入该地并且只买点东西就走。我总是严厉地指出，怎么可以要求一个警察违反原则行事呢？我告诉他们："现在如果你们开车绕这个街区一圈，当你们再回来时，我没准就不在这里了。"

……一次，我身着制服，穿过费城一个忙碌的十字街口时，被一辆警察巡逻车拦下来……巡警把我叫过去，冲我大声训斥，问我为什么一颗纽扣松了。我当即对此感到羞愧——是，长官，您是对的，长官，真是太丢脸了——不是因为我正要去抢劫银行而被一个警察拦住了去路，而是因为我正被一位上司训斥。在我还没有开始扮演大盗的角色之前，伪装成警察的时候，我是一位很尽职的警察。

威利有句口头禅："我们有个计划。"大多数警察认为，就计划和实际抢劫银行而言，从来没有人像威利那样高明。为了准备一次银行抢劫，他会精心周密地计划，精确地计算风险，并且总能找出银行建构和保卫系统的最薄弱环节。威利第一次行窃时，只有10岁，也是经过仔细计划打开了一家百货商店的大门。在他入狱后，利用休息时间计划如何出狱，通过研究监狱设施的建筑情况，研究如何利用法律手段合法出狱。他没有进过学校，但在监狱的图书馆里，他学习了心理学、文学、哲学、医学和法律。他学习法律最终也派上了用场，利用合法程序获得了赦免，而多年前，他的律师早已放弃努力了。如果你想在投机业或其他任何工作上表现优异，就必须像威利那样全身心投入。

三个和尚没水喝

我年少时，曾和两个朋友想出一个计划，想赚点零花钱。布莱顿海滨浴场与公共浴场相毗邻，在全国阵亡将士纪念日或7月4日美国国庆节之类的假日里，会有200多万人来海滨游玩。男孩们将50磅一桶的冰激凌和冰块扛在肩上，冷饮店为人们提供可口的汽水。我们成立了一个三人小组，收集那些享受日光浴的人丢弃在海滩上的瓶子。每个瓶子有2美分押金，运气好一点的时候，加上勤快，我、兰纳和史蒂夫可以挣到15至20美元（相当于现在一天300美元）。

但这也有风险。如果我们碰巧打搅了两个恋人的接吻，就会被人家愤怒地一脚踹开。收集瓶子后，我们还得冲洗干净，然后才能去换回押金。但在这桩冒险买卖中，我最大的风险就是伙伴的选择。

我们用一种纸箱子装我们的战利品。有一天，我和伙伴又累又热，就去喝些冷饮和冻奶凉快凉快。我提着纸箱，我的朋友在买东西。真是倒霉，我几乎没有察觉到纸盒越来越沉。没等我反应过来，小贩们早已经站在我面前，抓住了我的手臂大叫："警察！"这时，一名警察冲了过来。

我惊奇地发现，在我的纸箱子里，原来装的空瓶子现在统统变成了米森冰激凌、霍夫曼橘子汽水等各类食品。

"小家伙，你才八九岁，居然就敢偷东西，我真不知你长大后会变成什么样。说，叫什么名字……"

"我没有偷。"我争辩说，"是我的朋友在我身上栽赃。"

"那你最好离他们远点。"

当我把这事讲给老爸听时，他给我讲了一个关于小公牛的故事。他说："小公牛把牛群带上小坡，那是个屠宰场，可公牛、母奶牛们却以为是个好地方。在牛群被屠宰时，小公牛却跑下了斜坡，逃之夭夭。"

"生活中你会遇到许多像小公牛一样的'朋友'。如果你想过上自己满意的生活，就必须远远地离开他们。并且，在任何时候，别轻信他人，要检验一下你的朋友是否对你始终如一。"

市场也喜欢扮演这种"内奸"式的角色，喜欢向某个方向疯狂的波动好几档，以此引诱投资者在股票投资上犯方向性错误。同样的，自动报价表也会让你误以为市场走势良好。

从我早年在布莱顿这次合伙事件后，我遇到了很多想要带领我进屠宰场的"朋友"，这些"朋友"都是谈跟避税有关的投资。我的朋友往往告诉我，他将跟人合资，此人事业正如日中天等等。鉴于这种令人安心的保证和我自己想减少纳税的愿望，我便答应投资。但是，在我的资金投入之后，才发现我的朋友最终并没有投资。不是因为这是小生意，而是他又瞅准了别的机会，却置我于不顾。结果不言自明，那就是我的投资全部亏掉了。毕竟，不但能够减税而且还有额外回报在一开始就颇具吸引力。我曾经遇到过许多投资者，他们想逃税，结果损失总是大于其他纳税者。

我的伙伴出卖我之后，常常很慷慨地给我机会，让我可以在一场有赌注的比赛中把钱赢回来。

比赛中，我用左手，史蒂夫用右手（他是个左撇子），一人一边对付兰纳的双手，但我们必须在21分的比赛中让他15分。一切都是精心安排的，钱放在帽子里，还有一个挑选出来的裁判。但破绽不久便露出来了——我的同伙早已背叛了我，一轮到他发球，他就故意双发失误。而当他接球时，不是下网，就是出界。我赶走了他。事实证明，我不仅要对付名副其实的对手，还要和名义上的搭档较劲儿。我们已让他17分，比规定的15分还多2个球，不过，这让我明白了赌局到底是怎么回事。

最终，我们以21比8获胜，赢得这场比赛。但我的两个对手根本不让我收回赌金，因为他们都比我强壮。但我从未像这次一样，像个英雄般地单枪匹马战胜了两人。从这件事中，我学到不少东西。

首先，倒戈一击发生的次数，远比应有的情形多得多。他们总是有办法，使倒戈看起来有点正当性。“年轻人，你是愿意拿50分赢得胜利，使你的对手难堪，甚至进不了大学队，还是刻意给他留一点面子，打得马虎一点，只赢40分？其实也发了财，两全其美。”由此看来，这种“私下”的赌博似乎更让人接受。

其次，不论某种投机行为看起来有多么可靠，总是很可能会出差错。事情常常不是外表所表现的那样。一桩生意看似前景无限好，反而不足为信，这点，戴蒙德·兰洋已经巧妙地说明过。

孩子，不论你走多远，或你有多么聪明，要始终记住：总有一天在某个地方，有人给你看一副尚未开封的精美纸牌，和你赌黑桃J突然从牌里跳出来，并且使劲在你耳旁灌迷魂汤。多么不可思议！但是孩子，千万别跟他赌，因为一切早已安排妥当，你会中计，说不定那东西真会从牌里跳出来。到那时，你一切都完了。

第二章 / CHAPTER 2

爷爷和我的故事：关于投机的教诲

> 华尔街天生就是恐慌的诞生之地，好比大草原是龙卷风肆虐的地方一样。
>
> ——《投资的艺术》

斯考特·乔普林[①]1908年开始创作《华尔街旗帜》时，就及时地把注意力转向华尔街，并写道："华尔街陷入恐慌，经纪人哀鸿遍野。"急泻而下的切分音和C大调和弦逐渐淡出，音域达到三个半八度和音，最后成为1907年华尔街恐慌的狂乱的不和谐之声，这种声者无疑启发了乔普林。

在1907年10月恐慌的最高潮，通知贷款年利率达150%，全美各地都发生挤兑和银行倒闭的事情。现金和保兑支票可以以5%的溢价率赎回。华尔街到处是摩肩接踵的、呼喊着要银行付款的存款者，美国的股票市场和各种交易所纷纷关闭。乔普林的曲子总谱上有一幅最初就有的画，表现了当恐慌降临到纽约证券交易所和基督教圣地的金库时全美上下普遍的惊慌失措。

杰西·利弗莫尔用生动的文字描述了1907年10月24日的恐慌高潮，此时，纽约证券交易所里已借不出任何资金，他写道：

> 听过学校里把老鼠放在玻璃器皿的实验吗？实验者开始把空气从器

① 斯考特·乔普林（Scott Joplin），美国作曲家和钢琴家，也是历史上不多见的黑人音乐家。

皿中抽出时，你可以看到这些可怜的老鼠呼吸越来越快，那沉重的呼吸和低吼，像是要努力从逐渐减少的空气供给中得到足够的氧气，你会看着它窒息到它的眼珠几乎蹦出眼眶，努力挣扎，最后死亡。看到在钱庄里疯狂拥挤的人群，我就想起了这种老鼠。哪儿都没有钱，你也无法抛售你的股票，因为没有人会买它们。如果你问我的意见，我会说在此时此刻整个华尔街已经崩溃了。

道琼斯工业指数从1月7日的高点96.37点，跌落到11月16日的53点，这种平均达到45%的降幅，尤其损害了以10%的保证金率交易的普通投机客的利益，而在当时10%的保证金率是很普遍的。

1907年的经济环境使人想到，推动股票市场的力量，并没有发生太大变化。1906年旧金山的地震和火灾，以及1904年爆发的日俄战争，使大量生产性资金撤回，当时的经济状况和史无前例的谷物收成使利率升高，新发行的股票价格坚挺，并达到历史最高水平。1907年3月14日，热门股下跌10%到25%，道琼斯指数从83点跌至76点。

1907年恐慌期间，政治和股市间的联系和今天的情景相比，有着一种诡异的相似之处，全世界的股价都在大跌。正如《经济学家》中描述的那样，“这是自1857年以来发生在城市中最大的金融灾难。”就在此时，总统开始采取一定措施，在当时普遍不择手段追求财富的背景下，罗斯福总统的话应该可以用今天一位民主党员的话来反映：“巨大财富中的一些不利因素使财政金融危机最大限度地暴露出来了。”1995年墨西哥金融危机达到高潮时，美国财政部长发表了与之惊人相似的声明：“我对富人可能遭受的损失，一点也不在意。”罗斯福总统曾对一个企图从摩根利息中获利的大资本家说道：“我对你那些有钱的伙伴丝毫不感兴趣。”但总统的言行对市场有着极为不利的影响，因此，当他宣称“诚实是最好的策略”时，全国各地爆发了金融机构挤兑的风潮。

华尔街发生的这种恐慌有其必然性，好比海水一定要淹没沉船的残骸那样确凿无疑。亨利·克鲁斯写道：在1837年，价格跌到零。偶尔他也在随后的文章中提到1857年的恐慌要严重得多。纽约的一位经纪人曾这样描述过恐慌："连西部大草原牛群的骚动，也不至于这么容易就陷入突然和神秘的且令人惊恐失措的狂潮。"表2.1描述了19世纪主要的金融恐慌。

表2.1 19世纪主要的金融恐慌

年份	起因	恐慌高峰期的状况
1812	与英国的战争	贸易瘫痪，90家银行倒闭，利率上升
1837	杰克逊总统抢救美国银行失败	铁路股票价格下降到零
1857	俄亥俄事件的失败	四分之三的铁路进入清收期
1861	国内战争爆发	投机行为被冻结
1869	黑色星期五的黄金恐慌	一天之内金价下降30%
1873	捷库克有限公司倒闭	纽约证券交易所关闭，股价下降至少50%，比1907年的恐慌还要严重得多
1884	过度投机	"见鬼了"，约三分之一的股票成为废纸，股票在半小时内价格下跌10%
1890	巴林有限公司与阿根廷债券的发行	利率高达183%，维拉股票从34点降到7点
1893	金银比价变化引起的混乱	因为恐慌，800家银行倒闭，道琼斯指数下降50%
1901	北太平洋事件	1小时内股票下跌了1/3，华尔街几乎成为地狱

在有意义的股价指数出现以前，这些故事性的报道已经足够反映当时的情形了。但是要理解任何一个事件，尤其是像金融恐慌这样影响广泛的事件，有必要对恐慌予以界定和量化。许多种定义都是可接受的，我决定把恐慌定义为：当天的道琼斯工业指数收盘价与这之前30天（没有重复）最高的收盘价相比，下降了10%，则此时就可以称为恐慌。表2.2显示，在20世纪30年代恐慌次数达到顶峰，多达38次，而在80年代只有4次，90年代则几乎消失了。

表2.2 1890-1996年恐慌发生频率

年份	恐慌次数
1890	11
1900	9
1910	7
1920	9
1930	38
1940	4
1950	2
1960	3
1970	9
1980	4
1990-1996	1

恐慌之后的买入

没有人找出导致恐慌的原因，但其中涉及生物学家所称的“正反馈”——“孔雀为什么开屏”——或者涉及索罗斯所称的反射行为。以下是一本百年古书中所做的描绘：

我在华尔街所见过的最猛烈的一次恐慌就在我眼前爆发。那天我坐在交易所里，房间出奇的安静，从来没见过大厅这么安静过。一切都显得轻松而愉快，股价很稳定，存在着赚钱的门路，一切都令人高兴。在场有一个人，他代表一家规模很大的股票公司，他有200股要卖出。坐在他对面的人目击了这场交易，便自言自语地说：“这种股票我也有一些，如果对此种股票如此感兴趣的人也要将它卖掉，则必然出了什么差错，在我还能卖掉我的那份股票前，我得赶快卖掉。”于是他把他的那份股票抛售了，其他人也照着这样做，一种难以描述的骚动笼罩着全场，其他股票也受到影响，一场到处蔓延的恐慌便形成了，一场不可避免的毁灭也就接踵而至。结果证明什么也没有出错，那位导致恐慌的经纪人只是得到了一张卖出委托单而已。

大家对恐慌之后的走势基本有了共识，那就是稳定和复苏。弱小者已被洗光，寻求讨价还价者获得小利，斯考特·乔普林对这一点看得很清楚。至于乔普林的智慧是否来源于与其出版商的版权议价，或源于我爷爷马丁（那家出版商的财务主管）用自己的经历给他的指导，那就不得而知了。但在《华尔街喧闹》（*The Wall Street Rag*）开始部分仅16个章节就出现了简短介绍“繁荣时期已经到来”。这种旋律转到一个大调，然后转回到中音域。如果乔普林不是全神贯注于音乐的话，毫无疑问，他定会采取这种屡试不爽、从恐慌中求富贵的赚钱良方。

华尔街的老手都知道，恐慌之后，经济要经过一段时间才能恢复，就像拄着拐杖在街上蹒跚而行。

但是，华尔街很少有人能够在走到人生尽头，一只脚踏进棺材之前，获得足够的经验，在股市中轻松取得成功。当这样的日子到来时，这些华尔街的老手们通常是花很长的时间休息，待在舒适的家中。而在经常发生恐慌，尤其是在一年中不止一次恐慌的时期，人们又在华尔街看到这些老手们拄着拐杖，步履蹒跚地走进他们经纪人的办公室。

此时，他们总是动用银行里的全部存款，倾力买进好股票，因为他们的财力容许他们在这样的紧急状况下吸进股票。恐慌通常难以平息，直到有足够的人用现金来购买股票以冒险“赚大钱”。恐慌通常是以季节为周期到来的。当这些老手们在家中休息时，他们会明智地预期着这不可避免的事件的到来。在恐慌肆无忌惮之时，他们会很快地意识到，并把他们的利润存入银行或投资于升值的房地产上，回到豪华、宁静的房子里尽享天伦之乐。

1931年到1932年那段恐慌时期结束后，蹒跚回到恐慌过后的华尔街，还是有所斩获的。例如，从1940年开始，道琼斯指数在恐慌后平均每月上涨1%，3个月后上涨3%。

1987年股市崩溃之后，S&P指数单日大跌时，都是进入股市的好时机。在S&P指数下降了7.5点之后，平均每天会移动1.39点；而在S&P指数上升7.5点后，每天平均移动约0.88点。

但是，由于变化很多，而且从1987年到1996年间，S&P指数已经上涨了300点，结果与随机抽样非常吻合。通过对1996年中期较大幅波动的检验，可以有趣地从侧面说明：7.5个点的波动以3倍于它的正常频率发生。见表2.3。

表2.3　第二天S&P指数的波动

	平均波动点位	上升幅度	发生频率
下降7.5 点之后	1.39	0.55	31
上升7.5 点之后	0.88	0.60	30
任何一天之后	0.12	0.52	2164

恐慌也出现在固定收益证券市场中。自1987年以来，债券价格最大幅度的下挫发生在1996年3月8日，当时债券价格直线下降3个百分点，债券市场的参与者震惊不已。

那天，我离开舒适而安逸的家，开始投入战斗。

我购买的债券上涨了10%，我把利润留起来，应付第二天需要的保证金。如果第二天我又有勇气买股票，并一直买到我的存款余额限度的话，我就可以获得大量利润，并从此退出，靠这笔利润过日子了。第二天，股票交易创下了道琼斯指数有史以来的单日最大涨幅：在开盘下降50点后，随即上扬173点。

像这样在市场中突袭，往往不会为我美好的家庭带来宁静的生活。1988年8月，联邦储备率的提高，引起股市恐慌，恐慌过后，我入市买进一批股票。这次活该我自作自受，经过完全的计算后，我发现在恐慌之后买进债券的确无利可图，我差点被击溃了。1995年3月间，当美元对日元在一天里直线下降5%后，我又买进。在1987年10月19日一天内，股票市场崩盘，我又尽我所能地购进了多头，如果在这些时期我能更谨慎地考虑一下，好比一个大病初愈的人拄着拐杖先慢慢地试探着走，我的银行存款也许会更多一些。

我刚刚开始从事这一行时，往往在恐慌打击绩优股时买进，但这要花如此之多的精力，以至于一旦我领悟到期货交易的美妙时，就停止了在股票市场上的这类投资。

但不幸的是，正如表2.4所示，恐慌直到20世纪90年代才消失无踪。

表2.4　道琼斯指数达10%降幅的年代：1890-1990年

观测	下降日期	价格	三个月后的价格
1	1890年11月10日	62	66
2	1893年5月9日	59	48
3	1893年7月17日	52	51
4	1893年7月26日	43	56
5	1895年12月21日	49	54
6	1896年7月14日	49	49
7	1896年8月6日	41	55
8	1897年11月5日	46	50
9	1898年2月24日	45	52
10	1899年11月13日	64	63
11	1899年11月18日	58	63
12	1900年1月2日	68	66
13	1900年5月15日	57	59
14	1903年7月21日	51	45
15	1903年9月24日	47	48
16	1904年12月12日	66	78
17	1907年3月13日	83	79
18	1907年8月12日	71	57
19	1907年10月11日	64	64
20	1907年10月29日	57	62
21	1910年1月3日	88	85

（续表）

观测	下降日期	价格	三个月后的价格
22	1910年7月22日	70	86
23	1916年12月18日	98	96
24	1917年9月4日	81	71
25	1917年8月12日	75	80
26	1919年8月20日	98	108
27	1919年11月28日	104	91
28	1920年2月4日	97	94
29	1920年8月7日	84	85
30	1920年11月17日	75	76
31	1920年12月22日	67	77
32	1921年6月6日	71	69
33	1926年3月20日	145	153
34	1929年10月3日	330	247
35	1929年10月28日	261	258
36	1929年10月29日	230	262
37	1929年11月13日	199	272
38	1930年5月5日	260	220
39	1930年6月14日	214	240
40	1930年6月18日	219	234
41	1930年9月27日	213	160
42	1930年10月17日	187	163
43	1930年12月16日	158	184
44	1931年4月16日	163	142
45	1931年4月29日	144	136
46	1931年5月29日	128	142
47	1931年7月27日	140	101
48	1931年9月12日	124	79
49	1931年9月21日	111	78
50	1931年9月30日	97	77
51	1931年11月21日	97	83
52	1931年12月4日	87	86
53	1931年12月14日	77	81
54	1932年2月9日	72	57
55	1932年3月31日	73	43

（续表）

观测	下降日期	价格	三个月后的价格
56	1932年4月8日	63	41
57	1932年4月29日	56	53
58	1932年5月25日	49	73
59	1932年7月4日	43	71
60	1932年10月5日	66	62
61	1932年10月9日	58	62
62	1932年12月13日	60	54
63	1933年2月14日	57	81
64	1933年8月4日	93	93
65	1933年9月27日	93	97
66	1933年10月21日	84	106
67	1934年5月10日	94	90
68	1934年7月26日	86	93
69	1937年9月7日	164	128
70	1937年9月25日	147	127
71	1937年10月18日	126	132
72	1937年10月20日	120	128
73	1938年3月23日	114	127
74	1938年3月29日	102	136
75	1939年3月29日	132	130
76	1940年5月14日	128	123
77	1940年5月21日	114	125
78	1941年2月14日	118	117
79	1946年9月3日	179	168
80	1957年7月12日	199	229
81	1957年10月22日	420	446
82	1960年9月28日	569	616
83	1962年5月24日	623	616
84	1962年6月21日	550	592
85	1970年5月5日	710	725
86	1970年5月26日	631	760
87	1973年11月14日	870	810
88	1974年7月10日	762	648
89	1974年8月22日	705	615

（续表）

观测	下降日期	价格	三个月后的价格
90	1974年9月13日	627	593
91	1974年12月5日	587	753
92	1978年11月13日	792	830
93	1979年11月6日	806	882
94	1980年3月12日	810	873
95	1984年2月8日	1156	1176
96	1987年10月16日	2247	1956
97	1987年10月19日	1739	1936
98	1990年8月16日	2681	2550

恐慌击倒了股市之王

恐慌无处不在，并非只在股市和利率市场发生。大仲马在《三个火枪手》的开头曾以戏谑的口气说：恐慌在17世纪的法国极为普遍，以至于市民总是把他们的短刀和手枪带在身边。19世纪，许多有关股票的书籍都列举了诸如此类的小故事。与此相比，1929年和1987年美国的股市崩溃显得很沉闷。19世纪的恐慌是如此流行并且带有暴力倾向，以致人们几乎每日都可在极显绅士风度的纽约证券交易所的营业大厅里见到拳脚相加的行为。1893年，爱德华·里格斯对纽约证券交易所做了如下描述："一直到10年前，经纪人通常用拳头来解决他们之间的争议。值得注意的是在1884年出现恐慌的一周内，每天简直就是骚动和激烈的打斗比赛。从那时起，经纪人的脾气似乎有所收敛，毫无疑问，这是由恐慌频率的减少引起的。"

我提到的10%和一个月的规则是明确的，但是，下面这段对1864年恐慌中心人物的典型描述，或许比较有助于你了解这类事件的性质。当时的多头领袖安东尼·摩斯在这种恐慌中身败名裂：

随之而来的是惊人的死寂，像龙卷风来临前的那种宁静。接下来，风雨大作。会议室几乎一下子就变成了塞克拉普斯工场，在那儿有100只大锤在击打。一根柱子接着一根柱子地倒塌，直到整个屋子倾覆。这座魔宫，曾经是由带着许多金色的希望，并且强壮而又狡猾的魔术师建造的，如今像历史中的浮云一样逝去了。

恐慌肆虐了一整天，毫不停顿，横行无阻。晚上的交易所更是人头攒动，整个大厅里都是叫喊声、咒骂声，一群群破产的股票幕后操纵者摇摇晃晃地涌向讲台，他们因为损失处于半疯状态，喝酒喝得迷迷糊糊，更有酩酊大醉者。大厅处，晃动着一张张疲惫不堪的面孔，每张脸上都写着一个字——逃跑！门口站着一位身穿丧服的寡妇，她眼神茫然，身体颤抖。她把她最后1美元押在了福特瓦因股上，而该股也只卖到原价的90%。她在那儿稍稍站了一会儿，然后走出去，消失在潮湿、阴冷的黑夜里。

所有这些愤怒的人们都喊着一个名字——摩斯。人性此刻展现出最卑鄙的一面。没有任何更恶毒的词语能与这位被降伏的金融家的名字相提并论，他像撒旦一样，在一天之内，从声名鼎盛的高峰跌到谷底。昨天人们把他捧上天，而今天，人们竞相诅咒他。

这位前股市之王衰败之后，还有一则有趣的后续故事。几年后，纽约证券交易所的一位成员发现摩斯在天主教堂里，穷困潦倒，几乎沦为乞丐。这个成员把此事告诉了他的同事们。摩斯在鼎盛时期希望上涨的股票——福特瓦因、里丁和奥德索森立刻上涨了5%。自从邦克·亨特[①]一败涂地后，金银器的价格下降到以前的一半以下。如果亨特对纽约银器市场做一次访问，或许也会产生前述摩斯那种效果。

丧失了本钱却依然在华尔街继续流连的前交易所会员，被人称为幽灵或无望

① 邦克·亨特（Bunker Hunt），生于1926年2月22日。他和他的兄弟威廉·赫伯特·亨特（William Herbert Hunt）于1979年操纵白银期货，堪称国外期货市场的一个典型操纵案例。

的死鸭子。大教堂的墓地守夜人总是提防着他们，但他们一眨眼就不见了。如果要问在华尔街一个身无分文的游荡鬼是如何生活下去的，回答总是不变的："他不是生活，只是存在而已。"在描述19世纪一些著名的投机客时，里格斯写下了一百年后依然历久弥新的预言式警语：

> 他们研究了对市场走势造成影响的各种因素和特征，并估算出每一个细节，然后孤注一掷去获取成功。但遗憾的是，现在他们已经成为华尔街不幸的幽灵。虽然经过了数十年的摸爬滚打且屡战屡胜，但他们最终还是逃脱不了在东城旅店结束其生命的厄运。

我已放弃了把商品交易所的会员席位卖掉，但在交易场上，我还不是幽灵，我还能够在戴蒙尼科和四季餐厅进餐。然而，我却成了打壁球的"鬼"。我不再沉迷于硬式壁球，取而代之的是软式壁球。偶尔，我也会为朋友帮帮忙，参加软式壁球比赛，不变的是，我所在的队总是作为种子队并处于让对手10分的不利境地。

老爸经常被叫去处理东城公寓里的尸体并详细记录死者的财产，这又需要更精明的交涉，因为房东在未缴清房租之前经常拒绝交出尸体。传奇人物摩斯去世后，在他帮助下赚过几百万美元的一些老朋友倒是来替他交了房租，也为他举办了葬礼。

"儿子，如果你深陷市场的恐慌中，你会干什么？"老爸经常问我，"恐慌完全无法预测，起因可能是战争、联邦政策的一次变乱、一场地震、一家证券公司的破产、一次刺杀行动，这些都难以预料，也不可能储存进你的计算机中。"

"老爸，我一进场就会全力而为的。"

老爸毫不动容，他知道，在恐慌时期买进，这种需靠时间来检验的方法是要担很大风险的，而且他已经历了太多这样的风险。当他13岁时，一年之内发生了16次非重复的10%降幅的恐慌，从1931年4月16日（道琼斯指数是163点）到1932年7月4日（道琼斯指数是43点）。当他的老爸在这种暴风雨的情况下买进之后，他们一家没有回到他们那宁静、安全的豪华住宅，而去了公共浴场。“别着急。”他说道。

在恐慌全力肆虐之时，每当我做出重大决策，总能听到亚特兰大波浪袭击时我可怜的变调声音。

匆忙卖空

1931年连串的恐慌造成了后遗症，把我那安享余生的爷爷辈也套住了。我还清楚地记得他们努力去获得布格坦海滨每年25美元的资格费，但在50年代期间，每周上完音乐课我都要去看他们，我是希望听到一些关于股票实战方面的故事，这个习惯是在我老师阿诺德·菲什家上音乐课开始的，他在伊阿德音乐学院教理论课，每次上完课，我们会在室外乒乓球桌边谈论音乐、体育及股市的联系。20世纪50年代的投机客像90年代一样，是一般投机商疯狂并且大有斩获的年代。道琼斯指数在40年代以200点结束，在50年代以679.4点结束，240%的涨幅使得许多股票炙手可热。

在这段上涨期间，爷爷历经了无数次金融风险，在每次止跌回稳时，他卖空一切，等待1930年期间的连续崩盘现象再度发生。我已经见过太多朋友成为类似于这一症状的牺牲品。在20世纪90年代，他们卖空一切，以等待1987年危机的重新出现，心理学家通常会在大学实验室里研究类似于这样的决定。我的“研究院”位于布莱顿第一街我爷爷的公寓里，那儿，我可以很有利地看到亚特兰大海和康尼岛。我拿到每周一美元的零用钱后，总是可以学到投机时应该做什么和不应该做什么的知识。

“马丁，今天市场行情怎么样？”奶奶波蒂儿问。

“涨了很多。”爷爷答道。

“说来听听，你是否卖空了？”

“什么是卖空？”我问道。

“哦，就是在市场上，订约的一方或批发商在把他的商品买进以前，同意以特定的价格出售，他在公开市场上先卖再买他所需要的东西。在股票市场也是同样的道理，你可以从某人那儿借入股份，将它卖掉，然后在之后的一段时间内以低价再买回来，以此赚取差价。”

“听上去似乎很复杂。”我说。

“是的，这给大户们提供了很大的优势，因为他们有很多渠道借入股票，而一般大众，比如你奶奶，可能还不知道什么是卖空。”

我经常回忆起这次谈话，其中包含着极大的智慧。大众习惯于先买后卖，而不是先卖后买。无疑，在交易的另一端必须有参与者，在许多市场情况下，这些参与者将向大众收费，因前者激发了后者先买的本能。

“为什么在昨天的价格大幅下跌时你做多，而在今天价格上涨时又卖空？”

“嗯，昨天通用汽车公司的员工举行大罢工，每个人都认为这场罢工会很快平息下来。”

“但我经常听你说，只要是大家都做的，不管是什么，都是错的。”

“老婆，只要你用心做好饭菜和弹好钢琴，我会像我应该做的那样，致力于为全家谋求生计的。”

“但老公，我应该告诉你，这场罢工不会在短时间内平息的。”

“你怎么知道？”

“第二次世界大战结束8年了，市场一直很繁荣，工人们比较富裕，也很疲惫，他们的工会老板也需要借此表示他们在为工人谋求福利，那么，工人的罢工为什么要平息下来呢？”

记得1931年的凄惨状况中，爷爷在大恐慌后的第一天就卖空。那时我也曾犯过两三次类似的错误，我不喜欢卖空股票。经纪人总会想出各种各样无中生有的理由来拒绝支付贷方余额的利息，卖空时，我会损失利息、股息和风险溢价。索罗斯曾告诉我，他卖空时的损失比在其他任何投机活动的损失都要大。我也有类似的经历。鼓吹股市末日即将来临的书籍作者，主张散户投资人应该卖空，照这种建议做，不啻于购买了通向救济院的门票。

大萧条中悲惨的爷爷

我听说在中世纪时，贵族们认为交易有损尊严，而我们尼德霍夫家族的祖先，那时就是做中间商的。中间商促进和推动各种交易活动，这一点迄今一点没变。这正是我现今替中央银行、政府、制造业者所做的事情，也是我替大投机客乔治·索罗斯等人所做的事情。只要我保持适当的谦卑，并在交易中尽量为他们节省几个铜板，他们就会屈尊让我处理其业务。

爷爷身为移民家族的长子，被寄予厚望。他顺利读完小学、中学，最终进入市立大学，主修会计学。他对语言学产生了兴趣，并熟练地掌握了几门外语。为了帮助解决上学的费用，他在一家出版社做记账员。就是在那儿，因其名声败坏而被称为浪子。他的新秘书波蒂儿是个大美人，以前是无声电影钢琴师，可能比爷爷还要高8英寸。关于他轻浮的谣言在办公室内早已传开，在波蒂儿作为他的速记员的第一天，他就把她叫进来问道："波蒂儿小姐，我现在要问你一件事。而且我只问一次，你愿意嫁给我吗？"

"这个我得去问一下我妈妈。"

"不行，我现在就想知道。"

"愿意（她认为反正她得问母亲的意见）。"

不久，爷爷的投机事业就得到进一步扩大，开始从事房地产和股票投机。他曾一度积聚了近百万美元的财富，包括在布莱顿布什大街的大量地产和一些绩优股。不幸的是，1929年的危机和随后的大萧条，使爷爷变得一贫如洗，全家处于饥寒交迫的悲惨境地。三个孩子分别于1918年、1921年和1924年出生，1929年后，爷爷就已捉襟见肘，无力抚养更多的孩子了。

和许多其他在大萧条中被洗劫一空的人一样，爷爷常去破产法庭，希望能获得哪怕是一丁点的补偿。在他迈着沉重的脚步踏上法庭台阶时，家里的孩子们正在充当上门推销员，以此来支付账单。一次，当他又跑到法庭上时，他发现自己成了一个干闲差的，法官在法庭上问是否有人愿意充当两个诉讼当事人的翻译，因为这两个人都不会说英语，他需要一个会希腊语和西班牙语的人。爷爷后来说，虽然他两种语言都说得不流利，但他懂得还算多，能够蒙混过关。

股票无常

爷爷在股票市场淘金的故事，在家里已成为传奇。他轻快地讲述着那些不再存在的老公司，比如外国电力公司、伍力泽公司、阿雷根尼公司、纳什公司、曼维尔公司、霓虹公司、文德公司、查尔墨斯公司等等，这些公司在20世纪20年代是家喻户晓的。像许多在那时发迹的投机商一样，爷爷还是不能接受这一事实：昨天还炙手可热的股票，今天会变成股市的累赘。30年里，股价下降了大约80%。回顾往事，我发现他所看好的那些公司，十有八九要破产。这说明一个普遍的倾向：商业在不断变化，消费者的偏好也在不断地发生变化。在19世纪末，道琼斯工业指数所涉及的12家公司，现在只有通用电气公司一家经受住了时间的考验，其他公司要么被兼并，要么不复存在。爷爷还小心地让我避开一些上涨的股份公司，如迪士尼、沃尔玛、塔门布坦斯、首都城市公司、默克大药厂和罗希尔等等，可这些公司的股价在近30年内增长了4000%到10000%。

20世纪60年代和70年代期间，我花了相当多的时间去访问纽约证券交易所的主要上市公司。我创立了从事并购的公司，供应由私人紧密控制的非上市公司，给这些上市公司收购。此外，由于做了一些投资咨询和股票买卖业务，在这段时间，像许多炒股者一样，我熟悉了几乎所有上市公司的名称、经营业务和市盈率。30年后，当我再回到股票挂牌处时，绝大部分股票对于我而言都是陌生的。以前那些业绩骄人的股票大多不复存在，或为业绩更优者所淹没。那些曾八面风光的制造公司现已为服务、通讯和概念类公司所替代。资本收益上的变幻莫测，使我对那些当今的绩优股也倍加谨慎。

爷爷开始创业时，铁路股票逐渐衰落。19世纪时，铁路业处于市场领导地位，其股票售价也远在那些新兴产业之上。爷爷最喜欢的股票有宾夕法尼亚和里丁公司、纽约纽黑文铁路公司、纽约中央铁路公司和巴尔的摩、俄亥俄铁路公司等等。这些股票曾经稳如磐石，在世纪之交风靡一时，但在最近的70年里，它们的价格不断下跌。与魔鬼一同进餐的人必须用长勺。的确，铁路公司获得了邮件运输的垄断地位，这使他们油水颇丰。然而，钱赚得太容易也不一定是好事，这使得他们过于臃肿，过于轻快地答应工会组织的各种要求，结果，在面临航空等其他运输形式的激烈竞争时，铁路公司大多岌岌可危。

大萧条的心理折磨

我现在渐渐知道，爷爷那一代人在大萧条时失去了一切。一想到那些损失，他们就会痛苦万分。他们除了看错了那些缺乏前景的公司，还饱受心理性疾病的折磨，这类疾病对他们的财富产生更严重的影响。由于在1929年的一天中股票跌幅达25%至50%，更由于1937年的余波造成78%的下跌，他们认定这样的日子应该有可能再度出现。而事实上，除了1987年10月19日那一场股市崩溃，这样的日子在往后的65年内还从没出现过。无论何时，只要爷爷的股票比他初买时的购价高出了10%至15%，他就会为那点小利而抛售，以免他所有的股票会在另一次危机中全军覆没。“不能太贪心。”爷爷总喜欢这样说。这一规则大部分时间是管用的，但是，由于那些过去的绩优股逐渐丧失其“特权地位”，它们的价值也渐渐化为乌有，可爷爷还是紧抓不放，自然逃脱不了蚀本的命运。

但他仍有足够的钱为我购买一手股票。很多人都相信我有潜力。有传言说，我用打赌赚来的钱请家人在当地的中国餐馆吃了一顿。

我的第一只股票

要买一手股票送给我，爷爷只买得起一批购价低于1美元的股票。他帮我选了纽约证券交易所最便宜的股票：本·奎伊特矿业，50美分1股。我后来才知道，等我付出了最小额的固定手续费（每股6美分加出价或买卖差价的1/16）之后，我还未开始投资，就已损失了25%。对于大众所乐于参与的投机交易，这大概是一种通行的标准。

1954年是典型的战后繁荣年份。道琼斯指数从281点上升到404点，飙升44%，几乎一半的上市股票都涨了50%或更多，其他与本·奎伊特同属一类的股票也在稳步上升，而本·奎伊特几乎原地未动。它在50美分处摇晃着停留了4年，最终，奇迹出现了，它涨到了1美元。在我爷爷的建议下，我抛出，然后获得50美元的利润。在我售出后的几个星期，这种股票还盘旋在1美元左右，然后稳步上升，3年后逐渐涨到每股30美元。

贪图蝇头小利

在我的投机职业生涯中，我一再犯下攫取蝇头小利的错误：还没有达到某一个小额利润目标，我就抛售了。我相信许多人也犯过同样的错误，原因是许多好手把他们的眼光定在某个“适度的目标”上。一些行动迅速的操纵者，意识到了这些目标，并走在了前面，站到了大众的对立面。因为他们知道只要股价走势不是太坏，总存在使股价偏离大众目标的巨大力量。当然，如果股价通过战胜这些操纵者的压力，到达目标，就会出现相当大的涨势。

我曾经把发生在目标价格附近的一些非随机现象量化。我检查了价格突破某些目标数字后股票与商品价格的随后走势，发现在一种动荡和随之而来的价格下挫之后，市场通常会趋于活跃。

因为我在交易时喜欢逆向思维，所以有时很难遵循自己相信的事情。当一种商品或股票从底线突破某个价位后，我常常忍不住要马上售出，然后我会想起本·奎伊特的例子。有时候，我又能够抑制自己迅速获利的冲动，但通常很难做到。一个典型的错误是：我在1994年日经指数达到18000点时，将持有了半年的头寸全部售出，从中获得了5%的利润。可是我售出的3天后，它又上涨了1000点，两周后，它再度上扬2000点。在过去的5年中，在日经股票上我犯了四次错误。我什么时候才能学明白呢？！

准备第二只股票

卖掉我的第一只股票后，我兜里有了100美元，准备进行第二次投资。

作为一次特殊的奖赏，爷爷带我去证券经纪人的自动收报机房参观。如今，那样的房间在美国虽已绝迹，但在亚洲某些地方仍可看到。一间灯光昏暗的房间，25张椅子上坐着衣衫褴褛的男男女女。很明显，他们都穷困潦倒。在一个从后面看几乎看不清的屏面上弯弯曲曲地出来一条自动收报机纸带，大部分人都边看着带子，边在纸上画X或O。一个人叫道："钢铁股，马上要上涨了。"马丁向我解释道：美国钢铁股当时每股卖价100美元，是可以安全购买的热门股票之一。虽然这种股票的面值为150美元，但其实际价值被大大低估了，甚至，保守地假定它以折旧费卖掉其所有资产，这个公司的清算价值仍比现在市场上高出至少50%。怎么回事呢？仅其煤炭储备就值每股200美元。事实上，从那时起，钢铁股再也没有高出每股100美元的价格。到1988年，它逐渐下跌到10美元，然后才回稳止跌，并自此又爬升至40美元左右。

"爷爷，将来什么股最走俏呢？"我问爷爷，"毕业后，我应投资什么样的股票呢？"

"从技术、品牌和经营管理来说，我选择西部电报公司。他们的邮政、电报和无线电所形成的通信网络，以及他们的品牌使他们具有得天独厚的竞争力，其他人想都没有想过要和他们竞争。"西部电报当时的股价是60美元，然后一路下跌，到1996年跌到每股2美元。

"从消费产品来说，你可以选择塔克太妃糖，美国人喜欢两件东西，好吃的甜食和好嚼的糖。"爷爷指出，塔克公司每年有成百万美元用于广告费，市价超过1亿美元，远高于当时很多公司的市值。许多年后，在塔克公司宣告破产后不久，我参观了它的工厂，看到两个女孩用手包扎着一粒粒的糖，这些糖都是用加热的糖水倒进蛋黄酱的罐中制成的，它们都被放在新罕布什尔州汉普敦海滨的一所破旧的仓库中。

我家的那段苦日子

那段时间，我爸妈的财务状况也相当不好，经纪公司度日艰难。我还是十几岁时，考虑到我们的经济状况，老爸决定启发我。他们经常叫我坐下，告诉我说：他们希望在我老爸60岁时，能够不再欠债。在那时，我们家共背负着25000美元的债务，是我老爸年收入的5倍，而我们又没有什么贵重的资产。由于妹妹和我都在上音乐课，在不久的将来还要上大学，每年的大学学费为3000美元，这些使得前景更加不妙。为了尽一份力，我妈妈当上纽约市公立学校的教师。

而爷爷家的情形也好不到哪儿去，爷爷的买卖交易都亏了本。20世纪60年代，他准备投资多头，而在1962年的上半年里，股票大幅下挫23%，他掌握着一部分下跌的股票，直到它们在33年后与以前的价格持平。他在股票市场的投机，局限在我为他做的一些业务上，始终没有超过1929年股市崩溃以前的业绩。

爷爷带我去找好运气

“再见，孩子们，我们要去散会步了。”一天，在看了一早上的行情后，爷爷带着我去华尔街近郊转了一圈，这样，当华尔街的永久居民们在涌出各个建筑物去吃快餐、围着街区散步时，我能够处于这样一大群人的中间。

我们经过好多座黄铜大门，其中有华尔街11号的纽约证券交易所，还有许多久负盛名的证券公司。这些公司大部分已经被遗忘，它们要么已破产，要么与新的公司合并，爷爷指给我看华尔街23号的摩根银行，它像个空洞的大教堂，如此庄严肃穆，以致不屑于将银行名字镶嵌于门面上，只有金箔门牌数字“23”闪烁在玻璃门上。

我们转到新街，那是爷爷开始创业的地方，他朝一位股市老前辈点了点头。那位老人正手拄拐杖，步履艰难地沿着铺满石子的小路走着。

“别让他那支华丽的拐杖骗了你。这位老先生在30年代就输光了一切，现在他老在摩根银行这儿转悠。1920年时，他在这里遇上了一场爆炸。有人在银行外面的手推车里放了一枚炸弹，这差点要了他的命。你现在还可以在建筑物的石块上看到那次爆炸的痕迹。”

“爆炸案过后，老先生的运气再也没有好过，他似乎总是在那里寻找他失去的运气。现在，他就是我们所说的死鸭子，但这位老先生曾是华尔街的大人物，曾经拥有一辆黑玉色的皮尔斯银箭豪华敞篷汽车，还有一栋面朝联合广场的豪华住宅，还拥有新泽西马庄和一个赛马场。他还用停在新港的一艘快艇往返于长岛。他过于相信自己的头脑，这是每个通过过量举债进行交易的人的通病。那时，股票交易保证金大约为10%，在他的头寸中，他以10倍的借款来进行交易。老先生冒险投机一只他听说被人轧空的股票，他听说这只股票正在被垄断，但垄断集团来了个釜底抽薪，老先生没有逃脱掉。他损失惨重，最后为了偿还债务，不得不出卖他在交易所的席位。他应该知道，他在无耻的操纵者的掌握之中。他们通常对那些相信自己头脑的人嗤之以鼻，并且把他们像蚂蚁一样踩死。你绝不可以让这些人那样来对付你。”

“可他们是什么人呢？”我问道。

“‘他们’——我跟你说，他们就是荣格所说的市场‘无意识集体’，维克多，他们不仅操纵股票，还以同样的方式封锁小麦、水稻和活牛的供应。你交易的时候，一定要小心轧空。”1979年年底，我以1盎司5.5美元的价格大量卖空白银的时候，我就想起了这番话。在我能侥幸逃脱之前，银价很坚定地在上涨，一直涨到突破每盎司10美元，我也只是通过黄金多头交易的对冲才得以幸免。

走过股市倒霉蛋的住所

我们绕过纽约证券交易所的拐角时，爷爷指着旁边一栋阁楼式的公寓说：“这是那个声名狼藉的理查德·惠特尼住的地方。”他曾是证券交易所的副总裁，也是20年代末30年代初华尔街的顶梁柱。他的哥哥乔治和摩根是合伙人，而理查德是摩根的经纪人。在罗斯福第一次执政期间，证券交易委员会（SEC）刚刚成立，老约翰·肯尼迪被认命为第一任委员，这时的理查德以保护华尔街的利益而著名。因为老约翰是还在世的几个最无情的股票操纵者之一，没有几个人能挡得住这个老家伙，而理查德就能。理查德过着纨绔子弟的生活，是一些高级俱乐部的著名会员，比如哈佛的波瑟林俱乐部、纽约市的尼克波克和林克斯俱乐部。

理查德除了在纽约拥有一幢市内宅邸外，在新泽西州的远山有一块496亩的地产，他是该镇管理委员会的成员。据说他的农场里，光是每个月要支付给管家、牧人、马夫、职业骑师、花匠和佣人们的薪水，就多达1500美元。他有赛马、获奖的艾芮鸡和纯种的伯克斯猪。没有人怀疑过他刚直的性格，他就代表美国金融界所有的高尚品德。

但其实，理查德没有任何商业头脑。他从他哥哥那里、摩根银行以及任何会愚蠢地借钱给他的人那儿借钱，并把钱用来投资于那些没有价值的股票，如美国科乐公司和蒸馏水公司。他把全部财产和事业都赌在一个概念上，认为一旦禁酒令解除，美国人会喝大量的新泽西白兰地。华尔街对这一切都是睁一只眼闭一只眼，指望着乔治·惠特尼这位摩根的合伙人会在必要时阻止他犯错。1936年，理查德事实上成为蒸馏水公司股票的唯一购买者。随着股价持续下跌，理查德借的钱也越来越多，最后侵占的钱也越来越多，为的是应付追缴保证金以及买入更多的股票，疯狂地希望他能够独力支撑市场。

最后，整个脆弱的计划土崩瓦解。理查德盗用的是证券交易所养老基金的钱，而他还是该基金任命的受托人，这个退休人员基金是用来照顾那些孤儿寡母的。证券交易所的会员发现了这种罪行，他们不再姑息他。突然间，他所有的朋友都摇头，哀叹他们没法帮老理查德了。他甚至还挪用了纽约快艇俱乐部的资产，而他还是该俱乐部的财务主管。

警察进门时，他顾左右而言他，教他们香槟酒瓶尺寸的所有名词。“各位，”他用不悦而高傲的语气说，“这不叫2夸脱的瓶和6夸脱的瓶，而叫大酒瓶和帝王酒瓶……”除了香槟，警察清理出47套西服、12根拐杖和4件猎狐装，法官把他发配到新新监狱服刑5年。刑满释放后，他哥哥亲自安排，让他去了马萨诸塞州，在那儿，他经营一家牛奶场，而后在一家炸药厂工作。

偶遇股市瘟神

爷爷对我说："维克多，你知道吗？华尔街的一端是墓地，另一端是小河。"此时，我们正接近百老汇和华尔街的交叉路口，这里壮丽的新哥特式的三位一体教堂俯瞰着我们，旁边是有数百年历史的公墓，亚历山大·汉密尔顿的遗骨就安放在这里。三一教堂建于1846年，它的尖顶在当时成为曼哈顿最高的建筑物。该教区在1697年被登记为英国教堂的一部分，并在华尔街拥有相当大的地产。这部分地产是1705年安妮女皇赐给殖民统治者的，爷爷边走边给我讲解。这时，从三一教堂黑暗的石头后面，鱼贯走出了一批神秘的神父，身穿华丽的袍子，还有刚刚参加完中午礼拜的子民—— 一群刚刚得到赦免的华尔街操纵者，和从铜门里走出来的其他操纵者一样，走在阳光下，教堂的风琴奏出庄严的曲调，歌颂他们的荣耀，在发人深省的曲调中，这些操纵者东飘西走。

就在那一刻，正如众多故事里所描绘的那样，一个使我终生难以忘怀的人物出现了。

当衣着华丽的人群经过我们面前时，在墓地那扇黑色金属门旁边，突然出现了一个令人恐怖、好像幽灵的身影。他衣衫褴褛、双眼充血。我发觉身旁的爷爷身体变得僵直，他说："保罗，走开，今天我没有什么可给你的。"爷爷用手肘勾着我从这个幽灵旁边绕过，而他却紧跟着我们，嘴里嘟囔着什么。在对我们放弃希望之后，保罗又向那些正准备离开的其他成员碰运气，但也没有成功。我还没问，爷爷就对我说："那人就是保罗，一个瘟神。千万别从瘟神一样的人那里搞情报，维克多，他们的运气是受诅咒的。保罗曾是最好公司中最好的债券经纪人，但不久后，噩运开始降临到他身上。在联邦储备委员会提高贴现率之前，赚钱对他来说是多么轻而易举的事，然而贴现率一提高，顷刻间保罗在债券账户上的所有资金都遭了殃。后来，他又到股市中碰运气，大量购买新创立的计算机公司股票。50年代，他是证券交易所最会花钱的成员之一，他在公园大道的公寓里举行的宴会是具有传奇色彩的。可是，不久后他的运气变坏了，我听说他在90美元的价位叫客户投资一家电脑公司，并且一直持有到该公司破产为止，那位客户最终不得不以8美元左右的价格卖出。当得州仪器股价在200多美元时他买进，后来这只股票跌到25美元，他的最后一个客户也弃他而去。他从一家公司走到另一家公司，但每家都不要他。现在他失业了，整日待在联邦大厅的台阶上，尽力想给他的老熟人提供一些管理的秘诀，并以此谋生。维克多，请记住我的话：当你见到有噩运的人，不要问问题，也不要围在旁边听，有噩运的人是会传染噩运的。”

加内特写了一本关于华尔街的书，对瘟神似的人下了一个经典的定义，我很喜欢：

> 他浑身散发出繁华落尽的气息，这一点都没错。几乎每个人都认识他。他曾是纽约证券交易所的成员，或是成员的儿子，或是20年前戈尔德的经纪人。他办事快捷，如果不被警告，你是很容易被他愚弄的。他知晓过去的一切，并了解每件事的原因，但就现在和未来而言，他只会提出一些令人死无葬身之地的主意，并且他会不断找你借钱。

著名的罗斯柴尔德家族绝不跟瘟神往来，不管这个人血统有多高贵，或者推荐他的人多么完美无缺。他们知道虽然这看起来像是一种迷信，但是基于这种判断来进行信贷决策，他们不会因此而良心不安。罗斯柴尔德家族很清楚，坏运气不只来自偶然的机会，更有可能来自过度的贪婪、鲁莽、胆怯、坏脾气或者是道德卑下。他们像最成功的股票操纵者一样，运气是自己造成的。

我发觉某些人的品格中，的确具有惨剧和噩运的特质。他们总有充分的理由，但记录显示，那些与他们合伙的人都被他们弄得一贫如洗。我在商业的高明之处在于，我能够及早地辨别出这些瘟神，并把我的公事、私事都与他们隔离开来。我的合伙人也知道这个诀窍，每当发生一系列不幸的破产事件，我们由此能有机会坐在一起开一个业务研讨会时，他们中的一个就会递给我一张条子，上面写着“噩运”。

我很早就学到跟瘟神有关的教训，也把这种事告诉很多朋友。我通常引用一些句子，例如“瘟神并不仅限制在蒸汽机车，我就知道一节瘟神的柴油机车”，或是说：“我跟一位大瘟神开始交易，这个大瘟神也做多。”

我的朋友毫无例外地都会沉思一会儿，然后再说出下面的话，“在我所在的部门里也有这样的瘟神”或“我认识一个这样的人，每次交易我都瞒着他”。当他们忐忑不安地离开时，我会说：“远离瘟神，自己拿定主意是十分重要的。”无论是在股市、运动场还是法庭上，我所遇到的这种瘟神实在是太多了。

哈佛俱乐部瘟神

1986年，通过我的投机事业顾问和启蒙者吉姆·罗利的安排，我跟伊万·博斯基见面了。很明显，吉姆相信博斯基在股票交易方面的活动与我正在发展的期货战略相吻合。当时，博斯基如日中天。他喜欢在纽约哈佛俱乐部吃早餐，用餐时是不允许把文件堆放在餐桌上的，这样一些深奥的事情就可以拿出来讨论，而不会因精密的数字或其他形式的分析干扰正在形成中的宏伟计划。在这座圆顶、橡木镶嵌的饭厅里，冷清的声调使得聚集在那儿的名人都显得严肃而刚直，墙上挂着众多哈佛毕业的政治家的肖像，增加了豪杰气概。画像中间穿插一些怒目圆睁、头上长角的野兽。这个房间为博斯基红扑扑的脸蛋提供了很好的陪衬，这是他经常去棕榈海滩和每日在网球场上锻炼的结果。

博斯基成为这个俱乐部的会员，显然是因为他上过哈佛附属学校的课。这层关系足以使哈佛俱乐部敲锣打鼓地迎接他。当时，俱乐部处于极度的财务困境，以至于在我的一位外交家朋友理查·尤福德的推荐下，像我这样的犹太裔壁球运动员也成为俱乐部的一员。他曾经在我多彩多姿的壁球生涯中，从我手上夺走最漂亮的一分。那是在1965年壁球锦标赛的半决赛第五场，他在最重要的时刻，打出一记挑高球，从我头上飞过去。

博斯基没有在哈佛俱乐部见我。他认为我当时无足轻重，没有理由受到这样的礼遇。所以我只是受到邀请，上这位套利专家办公室参加“早餐聚会”。我用银盘吃了一点，在他的办公室的墙上到处散落着他的照片——在大学毕业典礼活动上的演讲、与政治要员的握手、拿着一本《并购狂潮》或者坐在粉红色劳斯莱斯车后的样子。一位朴素而整洁，穿着及地长裙的秘书替我加了一杯咖啡。博斯基自己的早餐是一杯葡萄汁和一块奶酥，他高谈阔论节食的好处。很荣幸的是，他提到我在壁球赛上的成就。

电话铃响了，我听到“我们以75招标”之类的话，站起身来以免打扰他。他很明确地招手要我留下，听听他的“套利作业”的内情。突然，我强烈地回忆起那个游荡鬼，他在教堂阴影下想拉住我的样子。当伊万用压低的声音与对方交谈时，我静静地离开了。

福星高照

我最引以为豪的是，我正好跟瘟神相反，有能力造福同伴。我生意上的合伙人都成了百万富翁，五位我从前的助手已相继成为亿万富翁。

除了在亏损交易期间半路上舍我而去的少数客户外，我从未让一位客户有过金钱损失。在网球方面也是如此，即使我是一位不太称职的双打选手，可我仍和三个不同的伙伴合作赢得过国家级大赛。

过去，交好运的人总是被密切注视，人们到处都在跟着他、模仿他。“如果他把领带系在耳朵上，大家也会照做。”我从事交易时，既不系领带也不穿鞋子，《金融交易者》（*Financial Trader*）杂志给我起了个外号为“赤脚交易者”。当芝加哥交易所的人流行起穿袜子走路时，我知道人们已经普遍认同了我的福气。

黑色星期五

爷爷总结他对股市的长篇大论：“维克多，股票投机中有一些基本规则。坚持采用那些历久弥新、真实无误的老标准，别自欺欺人，获利了结就绝不会破产；远离瘟神，远离星期五。老前辈们仍记得在1869年9月2日这个黑色星期五，无数原来腰缠万贯的富翁从窗口跳下自杀。总之，千万别在13日星期五买入股票或债券。”关于瘟神那一部分，确实是金玉良言。

多年来，我谨慎地遵循爷爷这最后一条告诫。然而，迷信，甚至是我爷爷的迷信，必须得到验证。直到1996年为止，我把爷爷的“13日星期五效应”研究了17年（见表2.5）。

表2.5　13日星期五效应

日期 \ 相对前一交易日收盘价的相对变动	债券期货变动	道琼斯工业平均指数变动	S&P期货合约变动
1980年6月13日	1.19	5.80	尚未交易
1981年2月13日	0.00	（7.60）	尚未交易
1981年11月13日	（0.19）	（4.66）	尚未交易
1982年8月13日	0.78	6.49	2.50
1983年5月13日	（0.16）	4.35	0.70
1984年7月13日	0.44	5.30	0.70
1985年9月13日	0.81	（4.71）	（1.00）
1985年12月13日	0.56	23.97	3.25
1986年6月13日	2.00	36.06	5.10
1987年2月13日	0.16	17.58	5.30
1987年3月13日	0.28	（8.68）	（1.40）
1987年11月13日	（0.35）	（25.53）	（2.00）
1988年5月13日	0.47	21.39	3.80
1989年1月13日	0.82	（1.61）	1.00
1989年10月13日	0.34	（189.96）	（30.00）
1990年7月13日	0.34	10.01	1.40
1991年9月13日	（0.09）	（23.56）	（4.20）
1991年12月13日	（0.50）	20.35	3.20
1992年3月13日	（0.22）	27.28	1.40
1992年11月13日	0.00	（6.22）	0.20
1993年8月13日	0.28	0.56	0.40
1994年5月13日	0.79	6.84	1.10
1994年10月13日	0.35	4.92	1.19
1995年1月13日	1.00	49.46	4.80
1995年10月13日	0.46	29.63	4.85
1996年9月13日	1.47	66.58	10.75
平均	0.42	2.59	0.57

结果令人大感意外。一般说来，在13日星期五这天，债券价格平均上涨1/3点。考虑到债券价格每天的变化情况，如此大的偏离是十分罕见的。由于股票市场每天变化太大，要做一个有效估计相当困难。1989年10月13日那个星期五，道琼斯股票指数下挫了190个点，这是有史以来第三个最大的单日跌幅。但对于其他21个13日星期五来说，道琼斯指数平均呈上升趋势，上涨5个点。有足够的证据表明，13日星期五的确是足以让人警惕的一天，但只是对做空债券的人来说如此。

黑色星期五来无影去无踪，毫不声张。一次会发生在1996年12月，一次在1997年6月，其他的三次会发生在1998年2月、3月和10月。

奶奶的回忆

在三一教堂下遇见瘟神大约30年后，我去迈阿密柯林斯大道的老人院看望92岁高龄的奶奶，她最大的愿望是能吃到一块沃尔夫店的牛肉三明治，这是一家位于第九大街和柯林斯大街上名气很大的犹太人熟食店。我用轮椅推着奶奶走过四个街区，来到这家餐厅，那儿四分之三的顾客都坐在轮椅上。

我们回忆起爷爷在股市里闯荡的一些成功经历，包括买进Air Reduction、Allis Chalmers、American Can等一些公司的股票，他把这些20世纪初的绩优股遗留给了奶奶，但奶奶跟处于类似情况的老人一样，卖掉了那些上涨的股票，之后眼睁睁地看着它们在若干年后增值了4倍，而把那些下跌的股票留着，一直到它们破产。我曾经问过奶奶沃尔夫店究竟是应当购进更多糕点还是更多火腿，而事实上糕点卖得很快。把这种方法运用到股票中，就很容易看出什么样的股票应抛售，而什么样的股票应保留或买进更多。

找出最近表现差劲和优异的股票，把它们的相对强弱势进行量化，可能有助于得出一些较科学的结论。20世纪90年代的专家学者多是行为金融学的笃信者，并由国家科学基金会提供研究资助，他们的多项研究表明，股票对坏消息往往做出过激的反应。当时流行的研究表明，购买相对热门的股票会获得更高的回报。

如今流行的做法则是对各种股票做出恰当的匹配，卖出那些超值的股票，而又买进那些价格被低估的股票，这通常与在股票市场上买期货相结合。我可以很有信心地预测：在这两种对立的方法中，当其中一种看起来表现出优异的回报率时，选择另一种方法往往是对的。少用学术界已经发表的技术分析方法，总是很好的对策。要是有什么好东西，即使是教授，也会精明到把好东西留给自己。

我告诉奶奶，不管发生什么事情，每年我都会为我的孩子们买一只好股票。这样，他们就可以在股票价位表中跟买这种股票。1992年，我替他们买入了IBM的股票，当时是以110美元买进的，这种股票最近上升到140美元。我告诉孩子们："把股票好好收藏，绝对没错。"几个月以后，IBM股票价格下降到52美元。于是孩子们跑来问我，在我为他们买进这种股票之后，是否IBM已将一股股份分割为三股。我使用爷爷在20世纪50年代向家人进行建议时的同样做法，我说："持续不断的股息，包括最后的清算股息，是决定价值的主要因素。IBM公司在数十年来一直维持着固定的股息，别担心。"两周后，IBM董事局投票决定把股息减少40%，股价由此降到46美元。

奶奶回忆起爷爷在股市时的投机行为，这些往往使她担惊受怕。虽然爷爷称赞她对市场有敏锐的看法，但对于他遗留下的少量有价证券，她完全没有准备，不知该如何处置。就爷爷而言，他坚持20世纪20年代的老观念，认为华尔街"不适合女人，因为她们缺乏那种心智。离开男人，她们就没有了主心骨，一旦遇上对手，就吓得要死，因此，在困境出现时很容易完蛋"。

我们离开了沃尔夫店，返回养老院，又情不自禁地想起爷爷来。然后，奶奶转过头来对我说："维克多，我现在很担心你。几天前市场重挫，行情似乎不稳定。我知道你在期货市场上很出名，可你现在卖空股票了吗？"

还没等我回答，她忽然脸色苍白，双目圆睁："不，保罗，我一分钱也没有。别跟着我们！维克多，快点，我需要回房打个电话。"于是我们加速离开。她接着说："别回头看他，他可能走开了……他通常在街口的共同基金办公室那一带游荡，站在电动股票看板下。过去我常给他钱，因为当你爷爷还在华尔街的时候，我就记得他。后来，我想去看看他——他比我这个靠社会保障和不值钱的股票为生的人看起来要好一点。所以，我就不再给他钱了。”我回过头，看着他正摇晃着纸杯，里面有一些硬币叮当作响，并尽量想弄平运动外套上的皱褶。20世纪的瘟神喜欢迈阿密的暖和，而不喜欢纽约贫民窟的天寒地冻。

第三章 / CHAPTER 3

预测与投机：投机是神谕还是科学

虽然愈来愈多的迹象表明，周期性的通货紧缩压力可能会消失，但现在就断定美国通货膨胀即将出现，则为时过早。

——杰弗里·摩尔博士，国际商业周期研究中心前主席

啊！古希腊的文明何等光辉灿烂！帕雷克斯的黄金时代、卜拉克西蒂利的雕刻、艾斯奇勒斯和索佛克里斯的悲剧、女诗人沙浮的诗作、神秘的伊露赛斯，以及赫拉科利特之谜……奥林匹亚山下，橄榄树在充满麝香味的空气中摇曳……橡木长笛奏出的美妙乐章，成群山羊的叫声，香甜的蜂蜜和芳香的乳酪，渔夫们在皮里亚斯港拖曳渔网时的吆喝声，古希腊的文化遗产渗透到我们生活的各个方面。我们的剧院、建筑、哲学和自然科学与古希腊传统一脉相承，如果没有古希腊文化，难以想象我们的文化会成什么样，尽量坚持古希腊传统是当代进行预测时的高超技巧。

神圣的帕纳萨斯的高峰俯瞰通往雅典城外的神圣大道。在这条古老的山路向西转并开始上坡的地方，可以看到传说中的三岔路，在这儿，年轻的俄狄浦斯犹豫受到神谕的影响，决定不回到他在克林斯的父母身边，而选择了左边通向德尔斐，沿途充满悬崖峭壁，尤其是在赭黄色的菲艾德下是两个极为相似的“光明绝壁”。在德尔斐，云雾缭绕的山峰散发出太阳神的光辉，在山上俯视万丈深渊的

峡谷，这峡谷通向阳光灿烂的克林斯海湾，直到地中海。看看位于德尔菲的这座可怕、神秘的阿波罗神殿，这里是地球的肚脐、宇宙的中心。

很久很久以前，美男子阿波罗发现了这个地方并在这杀死巨蟒皮森（这就是德尔斐以前的名字皮瑟的由来）。他十分口渴，就喝了从山腰涌出的泉水，并向拿泉水淋浴的优雅的水神求爱。为了找寻牧师来宣讲他的神谕，他在那儿住下来——蛇美人皮森雅——他把她扔进了海里，并做成海豚式的船从奈色斯岛上运来整船的奈色斯人作为他的信徒。

有一天，一位牧羊人发现，他的山羊在这里吃草时，比平常要活泼欢快。他发现它们是呼吸了从岩石的裂缝中挥发的蒸气而陶醉。在神庙里讲着高深莫测的玄机的皮森雅，当她用令人发狂的、高深莫测的谜语回答那些朝拜者绝望的请求时，她也为同样的气体而兴奋，她咀嚼月桂树叶令人神志恍惚的毒素，跟随着超尘脱俗的旋律回转，说出像谜语一样令人苦恼的预测。这个地方的名声传播开来，一方面因为预言的准确，另一方面因为皮森雅的令人敬畏的庄严宝相以及牧师们能把当缭绕的烟雾从圣山内冉冉升起时她发出的狂乱的嗥叫翻译成六韵步的诗。

德尔斐神谕从这样平凡的起源开始发扬光大，进而影响并支配着古希腊所有重要事物，历时2000多年。今天，德尔菲神谕依然生生不息，它仍然在预测家的策略中出现——各式各样的预言家就是初步的证据——从低级的占星术到格林斯潘关于市场扭曲的证明。约瑟夫・弗泰罗斯曾贴切地概括它的影响：

> 德尔斐神谕同时吸引了古代人和现代人的想象力。从公元前16世纪以来，它就是希腊最流行的神谕，吸引着古希腊以及希腊以外地方求神问卜的平民和贵族。大多数公元前500年的古希腊人都把它看作世界最早时期的奠基之一。无论神谕的起源是什么，它很快就赢得了巨大的声望并吸引了希腊边远地区的有权有势的人物，城市和个人开始求助于它。到公元前700年，阿波罗神谕已经在整个希腊地区建立崇高的声誉……而

且我们知道，它的影响至少持续到公元3世纪70年代，德尔斐神殿仍然回答众人的询问。

德尔斐神谕不仅仅是个神谕，也是一种“表演”。它的遗址，虽然远离可能控制它的城市，但是希腊地区最便利的地理中心，通过两条步行小道和克林斯海湾很容易就可以到达。所有领略过德尔斐景观的人，都提及此地的荒凉、崎岖的美景、惊人的峡谷、飞溅的山泉、响彻在白雪皑皑的帕纳萨斯两侧的回声。置身于这种壮丽美景中，谁会怀疑预言的正确性呢？

德尔斐也是文化中心，众多精美的艺术作品都聚集于此，包括舞者石柱、德尔斐双胞胎、狮身人面像以及令人吃惊的青铜卡里特。两座金库当中无疑贮藏着诱人的财富。每隔四年，所有的希腊人都来参加皮森雅的聚会，大银碗中斟满了酒，敬献诸神。

德尔斐人为这种表演加上了现代的网络技术。神谕只在一年中九个月开放，并且每月只有一天用来预测。而这一天，所有重要的市政事务都必须让位。人潮聚集的状况就像现代会议一样，让求神问卜的客人有足够的时间来收集信息，安排交易，寻找工作。

与今天的可口可乐、耐克或者宝洁公司相比，德尔斐中介的市场技巧一点也不逊色。作为一名哈佛的毕业生，我经常有机会与那些世界上最杰出的筹资机构接触。美酒给了那些未来交易伙伴，大量的学位授予那些与资金有关的政客，有权势的信徒带来的荣耀——我这是在哪儿？是在公元2000年的马萨诸塞州的校园里，还是在公元前800年古希腊的德尔斐？

神谕模棱两可

最初的女祭司是处女。但当一位求神问卜者引诱了一位处女祭司之后，就由挑选出来的年纪较大的女人代替。女祭司在做神谕之前要做许多准备，咀嚼圣月桂树的叶子，饮用纯净的泉水，并在上帝的祭坛前永不熄灭的圣火上烧大麦饭，然后她坐在一个放在地板的裂缝之内的三角祭坛上。她呼吸着裂缝内散发出的气体，然后开始狂野地咿咿哑哑大声叫嚷，由随侍在一旁的僧侣编成诗歌的形式，再告诉求问者。

女祭司运用兼容并蓄的预测技巧。有时，鸟的飞行被看作特殊的征兆，有时又在牛的内脏、占卜用的鹅卵石或者梦中发现线索。但是，所有的评论家一致认为，最常用的技巧称为“直觉法”，就是直接发自诸神的预言式狂乱语言。

这些信息经常用诗句表达出来，特征是格林斯潘式的模棱两可。一些广为流传的问答可以证明这一点：

问：民主制度靠宪政改革可以推进多远？

答：坐在船的中央并朝前划，你在雅典得道多助。

问：打胜仗最好的方法是什么？

答：你无法攻击这个城市，除非安西特里特的波浪冲刷到我在这片圣洁海岸上的圣殿。

问：怎么才能挽回战争中的失败呢？

答：当山羊在尼达附近饮水时，阿波罗将不再保卫梅森，毁灭就接近了。

问：国家怎样追求财富？

答：对钱财的贪婪将会毁灭斯巴达。

有一个正确的预测加上错误之后的重新解释，流传到后代。吕底亚富有的国王克罗伊斯想和塞勒斯开战。在向女祭司求问以获得支持之前，他决定检验一下六个最有名的神谕的准确性。他派出使者同时出发到各个女祭司那里询问在经历100天的旅程之后克罗伊斯在干什么，他刻意地保守着这个秘密并且选择了根本想象不到的行动方式。德尔斐的女祭司立即做出了准确的回答：“他正在黄铜制的器皿里煮着一只硬壳乌龟和山羊肉。”在验证了预言的准确性之后，克罗伊斯问道：“我能去打这场战争，去挑战日益强大的塞勒斯的波斯人吗？”他得到的答案是完美无瑕的六韵步诗："克罗伊斯穿过海迪将摧毁一个强大的帝国。"绝对正确，但问题是，最终被摧毁的帝国，恰好就是克罗伊斯的帝国。

当克罗伊斯派使者到德尔斐要求解释时，皮森纳斯无礼地回答了他："克罗伊斯没有任何权利抱怨……如果他英明，他就应该再派人来询问到底是哪一个国家将被摧毁，是塞勒斯的还是他自己的；但他既不理解神谕，又不肯花精神寻求启示，得到这种结果，他只能怪自己。"

弗雷德里奇·保尔森指出，有关克罗伊斯的德尔斐神谕遭到质疑，造成当时希腊人的精神幻灭，这只能和里斯本的毁坏给伏尔泰及其同时代的人留下的印象相提并论。"当然这场悲剧对于神谕的声誉造成的影响比发现用行贿取得成功更加糟糕。"我们也可以在当代找到类似的例子。这些大师在道琼斯指数突破4000点大关后，预测道指会跌到1000点，但他的关于长期熊市的预言也遭到了悲剧性的幻灭。柏拉图当然不笨，他也持这种信仰，那么，德尔斐是怎样取得它的名声的呢？

数千年以来，学者们一直想揭开德尔斐神谕的成功秘密。最受尊敬的希腊生活研究专家约瑟夫·弗特拉斯在一篇分析杰作中归纳了60年的潜心研究成果，把证明了的神谕的历史上的回答进行了分类（用百分比表示见表3.1）。

表3.1 神谕历史上的回答

神谕历史上的回答	出现的百分率
命令	30%
陈述	40%
禁令	25%
非预测性的未来陈述	3%
明确的预测	2%

请注意，神谕中明确的预测只占2%，这正是神谕成功的秘密。确保神谕成功的关键，不在于依靠模棱两可，而在于很少预测以及声明难以指出出处。表3.2列出了在当今市场环境中与德尔斐神谕相类似的情况。

表3.2　德尔斐神谕和当代市场类似说法

典型的德尔斐神谕	当代市场中类似的说法
命令：在柔弱的男人的神殿里，老人们长时间淋浴，未婚少女们和着长笛起舞、朝拜赫拉。	在你的有价证券中减少5%的债券，增加5%的资金到硬通货投资上。
陈述：上帝原谅所有不可控的行为（这句话是对一名酒后与妇女发生关系的牧师说的）。	成交量很“牛”，股票市场成交量大增。
禁令：约束你们自己，罗马人，让正义暂时忍耐，以免雅典娜带给你们一场更大的战争，洗劫你们的市场，你们将失去更多的财富。	离50天移动平均数29和200天的18较远，现在轻举妄动是危险的。
非预测性的未来陈述：如果他（卡里斯崔特，雅典人，逃脱了死刑）回到雅典，他将获得法律认可（他回到雅典并被处死）。	我们在24时买进弗莱明股（当前价格是14.25美元，这样就有38.40%的损失）。由于一则无聊的消息说公司将因违反合同造成的损失赔偿1亿至2亿美元，弗莱明股价大跌。公司的首席执行官称此裁决“荒唐”并已经提出上诉。
明确的预测：霍诺李乌斯将拥有一个辉煌的国家。	在给定的理想上涨目标和当局干预水平下，道琼斯指数会从3000高点下跌至少91.5%，但不会超过98.3%。

形胜于质

这么说来，德尔斐给了我们什么启示呢？神谕、预测和预言都是一种商业行为。我们应该使用在一笔二手车交易或一幅东方挂毯拍卖时的怀疑态度和理性去评价它们，传说和关于预测准确性的自我管理报告都不应全信。在德尔斐，神圣的仪式、建筑和特殊的情景都激发了对预言准确性的相信。艺术、运动项目、宴会、宗教圣殿以及网络式的联络技巧，有助于吸引参观者。预言的崇高名声、模棱两可和小心翼翼，是掩饰性的宣传，意在减少大家对神谕的评估。

我根据自己的研究，归纳在当今太平盛世下从事预测业务的一些技巧：

- 应选择一个令人叹服和令人敬畏，给人深刻印象的地方（杰克逊洞、圣塔菲、纽黑文或剑桥都是理想之选）。
- 应选择一名年长的宗师作为领袖，最好接近百岁。
- 应优先在预测时使用网络技术。

- 应该少做预测，简单的提示应该限于用来说出陈述、命令和警告。
- 如果必须要预测，它应以未来不可能发生的事为依据。如果实在没有办法，预言者应以模棱两可的方式做出无条件的预测，这样，无论真正的结果如何，都可以自圆其说，说预言是成功的。
- 应安排一些神秘的气氛，以避免实际的对比。
- 在其他任何人可能做出对预言的致命的报告之前，预言者应首先对预测的准确性做出自己的评价。
- 当事实证明一则预言正确时，应充分利用各种记者招待会来展示所使用的方法。
- 当听众中有人特别怀疑时，如果事先已知道结果，就发布一则令人惊恐的预测。如果不能事先知道结果，则预测者应设法模糊预测发生的时间以使它看起来发生在事实之前。
- 在每次公开集会上都应该使用一种新的预测技术，这样顾客们会花时间去评价这种技术而不是过去预言的准确性。
- 应该按照必要的礼节，安排美酒、性、体育和歌曲。在书面上多使用命令和描述，少使用预测。

现代市场大师不仅遵循着德尔斐女祭司的典范，也在全方位进行扩展、革新和改进。他们主要是把自己紧紧限制在只发布命令和描述上。大多数最优秀的权威都住在远离华尔街的地方，临近清澈的小溪或巍峨的高山。开头常常是自我支配的评价，几乎所有的市场杂志都印满了下面这种典型的字句，比如“正如所预测的那样”“正如我曾建议的那样”“上周的预测得到了证实”“我们获利了”和“预计我们将处于牛市”。一种比较高明的说法会援引这样的句子：“存在某种不可避免的因素”，“它经受了考验，并且正如所希望的那样挺过来了”以及“很少有大师使用未知数的概念，但你的看法中确实有‘未知’的观念而且预测它将在某个时点回来”。1966年美国劳动统计局的权限扩大，包含预测和记录通货膨胀的数字。劳动统计局有一次预测生产者价格的预测，使用了这样的措词："正如人们所能预计到的那样，能源价格不再上涨。"

模棱两可的预测

在德尔斐神谕之类的生存技巧中，最著名的是做出成功概率很高的预测。我们每天都可以从报纸上看到一种基本的格式：一名大师在对情况做出感性观察之后做出了模棱两可的预测，"大家对明天市场是否上升、下降或保持不变，没有达成一致的看法。"90%的现代预测家们采用的更微妙的方式是在一定范围内进行预测："我们预计美元明天将在一个有限范围内波动，会在收盘价2美分上下范围内波动。从现有水平看，会达到1.48，然后是1.80和1.95。"

这种预测等于在事前就有95%的准备性。当预测成为现实时，适当的后续说法是："正如预测的那样，昨天美元在我们预计的范围内波动。"在这一领域另一种值得一提的技巧就是预测所有的可能发生的事："债券明天将会上扬除非就业报告远远超出我们的预期。"这像极了德尔斐神谕中的"山羊跑来时你会得到保护"。

如果不分析美联储，任何有关德尔斐神谕的讨论都不算完全。美联储在预测未来经济发展方向上的作用，使用过多的暗示保持科学的幻觉，对立场的保密，言词中的模棱两可的性质，主席的清高特性，繁琐的礼仪，都与德尔斐不相上下，到哪儿去找这样一个一直拒绝发表自己观点的重要机构呢？后来完全是因为一名内部人士透露美联储保存它的所有会议记录之后，该委员会才极不情愿地同意过五年后，公开会议记录。你在哪里可以找到一个掌握数万亿美元资产的机构，能够用"稍微加大储备金的压力"来宣布自己的意向，并隐藏在这种令人费解的官腔官调后面？！

即使是对美联储的环境进行粗略的研究，也会揭露下述一些事实：庄严的镶有大理石的联邦储备银行大厅，餐厅中供应的精美食物，镶嵌在里面门厅上的艺术品，难以捉摸的发言词，隐密审慎的态度，无休止的权力争斗，无休止的政治阴谋以及为了维护独立和额外津贴而做的孤注一掷的努力。评论者们一致认为，联邦储备委员会主席是模棱两可的、禁欲的、没有感情的、高深莫测的、闪烁其词的、木讷的和纪律严明的。

威廉·格雷德在他800页的专题论文中探讨了这个神秘机构，解释了这种世俗和神圣完美结合的现象：

> 美联储不是一座圣殿，七位主席也不是执行神秘仪式的大祭司，然而，美联储确实继承了围绕金钱、宗教式语气以及非理性意义的那种感觉。联邦储备委员会的决策精髓是世俗理性主义，忠于科学理论，但它仍是神秘的神圣礼仪的现代版，因为它的官员扮演着类似古代僧侣的作用：创造金钱。美联储作为美国的中央银行，虽然宣称忠于理性方法，而把自己藏在如庙宇的装饰般的保护性的掩饰物中——神秘、离奇，对大众来说既看不见又模糊的令人敬畏的权威。像古代的庙宇一样，美联储并不直接回答人民的询问，只对人民训话。它的教令以一种人们不能理解的神秘语言传播，但人们都知道，它的声音是有力和重要的。

分析美联储的唯一问题在于：想适当地分析它的言语、歧义以及根本原则，需要写一篇博士论文，或者至少是一篇准博士论文，这是美联储官员中最多的学位——“博士”。格林斯潘62岁担任美联储主席时，他便神秘地从某校毕业了。就我知道的而言，没有人曾经看到过或阅读过格林斯潘的论文。从某种意义上来说，这道尚未逾越的门槛对于美联储终年处于政治、经济、银行业、学术、利他主义、经济增长、通货紧缩以及汇率稳定的边界的地位是合适的。为美联储列出一条忠实的使命的困难使人们伤透了脑筋，然而有一点多少令人安心，就是大家知道，大多数美联储官员离职后，唯一的出路是对旧同事的可能作为提供意见。

就语言的性质来说，美联储发表的所有声明，完全与德尔斐神谕相同。1996年6月，美联储必须像往常一样发表一些重要的看法，但那时它没有关于经济走向的任何线索，也不知道如果经济如那位最著名的祭司所说发生波动它将怎么做，必须出面说明一些重要的事情。联邦储备委员会公开市场操作委员会最近的声明，可以媲美最著名的阿波罗神谕。美联储是这样说的："美国经济似乎拥有适当的前进动力，尚未表现出要求任何进一步的刺激……但经济也可能在任一方向上发生大的变动。"当圣牛在天堂的草地上吃草时，美国经济会大幅波动。

市场预测流派

德尔斐是所有市场行情预测专家的发源地，但是已经有许多流派都得到了蓬勃发展，大多数市场顾问和投资时事通讯的作者如春天般充满活力。以下是我近来发现的一些分支，并用有特色的原文证明他们的身份。

- 玄学派："在高点回调61%和斐波那契数列[①]的差距在1%之内。债券在1993年10月达到最高点，13个月之后达到最低点，在1995年11月，13个月之后，我们又回到新高。"（在这里我不禁要指出，重要的斐波那契回复水平非常多——23.6，38，50，61.8，100，161.8——因此事后来看，若干高点或低点有50%的机会出现在差距不到1%的地方。）
- 怨天尤人派（孤独、苦闷、气愤）："我们这本杂志充满怒火，而且理当如此。我们一直在阐明当道琼斯指数持续创下历史最高点时，我们已缴款的认购者也在报告伊文斯维利的分类广告连续处于5年来的低点。集装箱运送市场继续无情地下滑，也反映了校正价格。未来不存在了，除了现货之外我们一无所有。"
- 超凡脱俗派（不看报纸或电视，以便保持观察经济的远见，而且两年没有读过一本书）："周末新泽西购物中心的车位是空的。"
- 数理家（运用高等数学、微积分、混沌理论、进阶编程）："我们已

① 斐波那契数列指的是这样一个数列：1、1、2、3、5、8、13、21……这个数列从第三项开始，每一项都等于前两项之和，其发明者是意大利数学家列昂纳多·斐波那契。

经发现麦克—格拉斯方程可用来粗略地估计石油周期性循环的长短。”

- 传统派（依赖于江恩、利弗莫尔或者一些伟大的历史人物）：“我跟罗伯兹上校谈过，这位江恩—艾略特分析专家同意我的观点。”
- 华府派（以前为政府工作或者至少参加过华盛顿举办的会议）：“我在华盛顿召开的会议上获得的信息告诉我，总统在任期届满以前辞职的可能性有60%。”
- 相关系数派（随时创造新的规则，以支持市场上的观点）：“在债券止跌回升之前，大豆价格一般都已跌落谷底了。”
- 孤芳自赏派（标新立异、特立独行、永远不能被收买）：“我已预订了一次环球旅行。如果我回来时道琼斯指数已超过1000点，我的预测就是无足轻重的；我会回家抱孩子，否则的话，就是我扬眉吐气的时候了。”
- 内线消息派（因为索罗斯在买进，所以相信市场将上扬）：“梦之队全力买入。”

我整理出一张清单，列举20世纪80年代大师们的个人习惯和语言表达特征。我发现，尽管许多大师已经离世，或者失去人们的爱戴，或者身陷囹圄，但他们的一些习惯和说法却不受时间限制，是永恒的。他们的智慧的事例以及照片和自传都醒目地悬挂在我们的交易室里，这种环境给我提供了一种我认为对于在我的领域获取成功很重要的紧张气氛，而且我也是第一个承认其他世界的人也适合这种情况。

自吹自擂

亨利·布朗因其在20世纪70年代写的畅销书《如何从即将到来的货币贬值中获利》而红极一时。此外，他还写了《为什么最佳投资计划总是出错》。后面这本书包含了对公元前500年克里萨斯国王以来自我控制观点如何提高的精辟总结，布朗的分析值得琢磨，因为它看起来适用于所有的自我评价：

一位最准确的预测者可以每年在时事通讯的1月号中提出40到50个预测，他在前言中回顾去年预测的成功并且总计得分。令人惊奇的是，他几乎总是有87%的正确率。如果你能做出正确率为87%的预测，你能想象你能赚多少钱吗?

事实上，他在1月号评估报告中，实际上并没有重复去年的预测——很可能受篇幅限制。相反，作者提供了一张评分表：多少是对的，多少是错的，多少尚未下定论。他只特别地提到几个预测。

他经常引用一两个现在看起来格外明智的预测。但是当然，你也可以想象到他会这样做。

他举出一些后来证明是错误的预测时，你会被他骗得心服口服了。你会看到他更加虚心和诚实，通过把“近乎于错误”的预测定为“错误”，他证明了他的天才甚至标准都远高于你我。

例如，在1985年1月号关于他1984年的预测报告中，他说：

在错误的预测方面，我对金价的高位过分乐观了（我预测有450美元但只有406美元），白银也一样，我预测高位为11.50美元，但实际上只有10.85美元。

如果任何人预测的错误率只有或接近13%，那他一定是个天才。在评论的当时，金价为300美元，只比最高价差106美元，10%，真是令人佩服之至。

但是我发现连40%的正确率都达不到——更别说87%了。他也从来不准确地重复上一年的预测。

例如，那个他谦虚地称为“近乎于错误”的不坏的金价预测，原来的说法跟他一年后描述的那样（“预测有450美元但只有406美元”）差别相当大。最初的预测是这样说的，“金价预测——可能的高点：450美元至500美元。”当他做这个预测时，金价实际上已经涨到406美元。所以，他的预测和实际的高点差了10%至19%——他更没有预测到金价在这一整年里会一路下跌。

长夜漫漫

德尔斐神谕和现代投机预测有相通之处，其实并非偶然。如同政治和科学一样，投机中的不确定性、风险和片面认识随处可见。用来验证预测的科学方法不断发展以减少不确定性和模棱两可。科学方法从亚里士多德的黄金时代开始断断续续地发展，可能受到德尔斐神谕的阻碍，一直到17世纪科学革命之前，科学方法始终处在奄奄一息的状态之中。

在这段时期，解决纷争靠的是逻辑，而不是观察和测量。所有的物质被认为是由泥土、空气、水和火组成的。实际上，18世纪的欧洲标准教材仍在教授这种教条。炼金术士们试图把劣等金属转化为金子，占星家们企图从行星的运动来预测人的行为。在哥白尼提出“日心说”100年之后，许多人依然相信地球是宇宙的中心。

生物学家们认为生命是自发产生的。例如，蛆虫从污泥中长出而老鼠则产自肮脏的亚麻布。所有人体的图解都是根据第三世纪希腊医生盖伦的作品而来，盖伦的人体图是解剖狗之后得来的。血液被认为从肝脏中流出并流经心脏和两个心室。当一个病人来就诊时，由占星家和炼金术士们组成的诊治小组会认为疾病是星际错乱或者神灵不满的征兆，人体的每个器官都被认为受控于神的意志。法国大文豪蒙田在1576年写作的著名散文《向雷蒙德致歉》中，提到帕拉塞斯的新的医疗科学，也提到当时大家的不满，人们说，“医学除了害死人之外没有任何帮助。”

正确的科学原理偶尔会发展起来（阿基米德是物理学之父），但因为正确的发现总是无望地与谬误混在一起，所以，这些发现毫无用处。由于亚历山大城的大火，希腊唯一的图书馆被烧毁了。另外，野蛮的入侵者对所有书籍的不定期破坏，更是雪上加霜。

曙光乍现

16世纪90年代，伽利略推出一系列实例之后，一切都发生了改变。其中最著名的就是比萨斜塔上的实验，他站在塔上，当着众多教授和学生的面，扔下两个铁球，一个重10磅而另一个重1磅。亚里士多德的物理学派曾认为10磅的球下落速度是1磅的球的10倍："铅块或其他任何有重量的物体下落，由于重力而引起的下落速度，与其体积成正比。"当伽利略的2个铁球同时发出落地响声的那一瞬间，亚里士多德的物理学就自动消失了。

伽利略是否真的做过这个实验，当前仍有一些争论（他的传记作者维森祖·维维尔尼1654年说他做过，但伽利略的同时代人却回忆不起他曾做过这样的实验）。不过大家都同意：这个实验是具体活用他开创的科学方法的典范。

要证实科学从黑暗中走出来并取得巨大进步，你顶多只需要回到中世纪。在100年之内，黑暗中出现了令人惊叹的光明：伽利略关于机械原理的公式、哈维关于血液循环的发现、基尔伯特关于磁场的发现、牛顿发现重力、开普勒观察并证明了行星围绕太阳运行的轨道是椭圆的；新的仪器也相继问世，比如简森的望远镜等。而数学方面的进展包括纳普发现了对数，达尔卡特系统地阐述了解析几何学，以及更多的事例。伴随着发现、发明、工具和技术的出现，新的通讯方法应运而生。法国人爱斯蒂纳之类的出版商开始创立。一些大型图书馆也开始建设，包括牛津大学的勃得雷图书馆、巴黎的国家图书馆和米兰的比利特卡·安布诺斯诺图书馆。欧洲各大城市开始出现周报。

艾尔和威尔·杜伦特这样概括了科学革命：

> 科学现在开始从其母亲的胎盘中解放出来，也就是从哲学中解放出来……发展了自己特有的方法，并开始寻求改善人类的生活。这场运动是理性时代的核心，但它并不仅仅信仰"纯理智"——即独立于经验和实

验之外的理智。这样的纯理智会经常编织神秘的网。理性像传统和权威一样现在被研究和事实所检验，不管“逻辑”怎么说，科学只接受能够利用量化方式测量，用数学方式表达并且能为实验所证明的东西。

科学的解放造就了光辉的历史。然而，正如爱因斯坦所说的那样：“如果你想知道科学方法的精髓，就要观察科学家的一举一动，而不要听他的只言片语。”

科学超人

大家认为科学家是无私无畏的超人，超凡脱俗，远离尘嚣，在追求真理时承受孤独的煎熬，而且无怨无悔，不计结果。人们普遍认为科学家来自一个宁静安详的环境—— 一家修道院，或者至少是一所大学，总之是一个远离疯狂人群的地方。

法国大数学家亨利·波因凯尔用一句话简明地阐述了对科学家角色的看法：“他们的事业跟可能的事情无关，而是跟实际有关——不是这个世界可能是什么，而是这个世界现实是什么。他们只有一个愿望——就是追求真理。他们只有一种恐惧——就是轻信谎言。”

今天，比较务实看待科学程序的观点出现了，好比莎士比亚著作《威尼斯商人》中的高利贷者夏洛克所说的那样：科学家与芸芸众生没什么两样，“吃同样的食物，被同样的武器伤害，患相同的病，又用同样的方法治愈，感受着同样的夏暖冬凉”。被针扎了的时候，科学家一样会流血。我认识很多科学家，我发现他们也和普通小女人一样，喜欢在超市买打折的商品；他们也爱慕有魅力的异性，也如你我一样支持本地的球队。当他们被水淹没头顶时，他们也没有办法走——只能靠游。当他们买进无面值股票损失惨重时，他们也怒不可遏。吉姆·华特森的著作《双螺线》已被改编为一部大众电影，他在书中坦承科学家也是凡人，几乎没什么常识，也热衷于名望、金钱和被人认同。在通往科学发现的阶梯上，他们狂热地想第一个到达顶点。吉姆极其谦虚地承认他自己也是这样。

吉姆的妻子丽兹今年25岁，她告诉我，她是吉姆女学生中唯一一个先发制人追求吉姆的人，她和吉姆是通过我们共同的朋友荷博·基里的介绍成为我的好朋友的，丽兹寄给我一份《寻找DNA》的评论，并在部分内容下画了线，其中评论者说威特森在闲暇时也不太可能考虑期间报表上的记录，而是想方设法如何与史密斯教授可爱的女儿一起进行研究。

理查德·费耶曼是20世纪最伟大的美籍理论物理学家之一，他娶了一位比他小16岁的女孩为妻。费耶曼在准备一个演讲时，在日内瓦湖畔对穿蓝色比基尼的她一见钟情。他的最重要的发现包括弱交互作用、液态氦的超流性以及量子电动力学（他因此获得诺贝尔奖）。他在巴西讲学时，甚至学会了葡萄牙语，以便在当地猎艳时，能用母语沟通。

费耶曼在物理学之外也多才多艺。他喜欢在校园附近的一个露天酒吧准备他的凯尔泰克演讲。他喜欢弄开保险箱、破译玛雅文化象形文字、画裸体女郎、敲拉丁小鼓、出演戏剧以及玩各种游戏。在讨论“挑战者”灾难部分起因的会议上，他头脑清晰地用一个圆圈和一杯冰水进行说明，简直是比萨铁塔上伽利略的再版。用《时代周刊》的话说，他是“理论物理学家和马戏团讲解员”的不可思议的组合。在加州理工学院的研讨会上，他让学生和与会者提出在《物理学评论》上讨论的任何问题，然后即席给出他自己的方案和解决办法。费耶曼于1988年辞世，去世前一个月还曾说：“人生如戏，并不严肃。”一个娴熟的赌徒，一个优秀的音乐家，一位杰出的科学家和一个厉害的投机客，有时往往是同一个人。

科学方法

根据《牛津英语辞典》，科学方法的定义是“17世纪以来形成的自然科学特有的一套程序性方法，包括系统的观察、测量和实验以及假说的公式化、检验和修正”。在说明科学方法的精义时，大卫把它的风格描述为以实验来确定推理；斯坦利·杰文斯则认为是从多样性中发现同一性；华特·佩特把它描述为从粗略大致的观察中分析出更为精确的事实；海伯特·斯宾塞则认为它是从现象中发现事物之间的联系，再予以概括。

以下是大部分科学工作的共性：分类、观察、质疑、检验、测量、收集信息、实验、设定模型和修改理论。

从很多方面来看，科学家这种职业可以和侦探相比，侦探设法通过把犯罪现场的信息和发现的证据进行分类而找到罪犯；科学家也可以与超市的购物者相比较，他咬一口苹果，感觉它的味道，观察它的颜色、外型和软硬，然后决定是否购买这种类型的苹果；甚至有人把科学家比作一只试图穿过藩篱的老鼠。

任何有志于在科学探测或其他科研领域领先于别人的人，都应该听一听威廉·贝克关于科学方法的真知灼见：

> 科学家很像迷宫中的老鼠“彼得”，二者都进行观察、琢磨、假设和尝试。对于他们来说，假设可能是凭空得来的。提出假设是科学真正有创造力的部分，也就是这一现象把老鼠彼得和牛顿截然分开。

科学家得像孩子一样，总是抱着好奇心。天文学家卡尔·萨根写道：“如果你花点时间构思一个假设，进行检验判断它们是否合理，是否与我们知道的其他知识相符，通过思考进行某种试验来证实或推翻你的假设，你会发现你自己正在做科研。”一旦科学家找到一件事情的答案，他们就像孩子一样问一大串其他问题。

科学程序包括降低各种现象中的不确定性，或者像伟大的逻辑学家、哲学家、索罗斯的良师益友卡尔·波普所说的那样，“科学研究的过程，就是通过推翻不正确的想法而前进”。一种消除错误看法的方法就是反馈。人们更愿意进行简单的假设而不是复杂的假设，因为前者更容易被驳倒。唯有能够被人否定的假设，才是科学的假设。换言之：如果某种假说能解释一切，无所不能，那它就不是科学的理论，因为它符合所有的自然状态。

应用科学

有些科学家从事收集和分类的工作，好比会计师和存货盘点人员。另一些则像诗人和哲学家那样，提出深奥的问题，还有一些科学家像探险者一样勇敢无畏。对于很多人，例如费耶曼，科学是一场游戏。我年轻的时候就决定通过应用科学方法来谋生，这看起来是一项高尚的职业，就像农业、新闻出版业的出现一样重要而有效，而且，这一领域对我来说宽广得足以找到自己的合适位置。另外，在收集运动场上的数据，列出合适的击球，打赌比赛的结果，以及在结果的基础上修正我的理论等方面所受的培训大约也是成功的基石。

我很幸运，找到了一个运用这种方法的领域。这一领域并没有超越黑暗时代的科学技术，积累知识的基础是已知的观念和逻辑，而不是计量和质疑。我找到的领域，就是对市场进行技术分析。

但是，一定得有东西来激起我的兴趣。1980年，一位从事出版业的朋友告诉我，为了帮助他的100名雇员挑选股票和市场，他雇用了一名巫师，这位巫师在特异功能、诊断与医治疾病和市场预测方面都是行家里手，“你跟她见面后，我希望你能参加她的聚会，大家可以互相认识认识，或许你会因此而走出市场萧条。”

我告诉我的朋友哈利，有很多人也像他一样，选择股票方面依赖迷信。19世纪的比尔·盖茨——科蒙多·范德比尔特，纽约中央铁路公司的创始人，就曾和巫师建立了密切联系，并在选股时倚重他们。科蒙多晚年对唯灵论深信不疑，在任何重大决策之前，他常认为应当请教巫师，就像古希腊人到德尔斐祈求神谕一样。

哈利回答道：“但是她（那位巫师）和尤利·盖勒曾在一家主要的学术研究机构接受过测试。而且，科学家认定没有已知的物理法则能够解释他们的能力。”

“哈利，我曾在许多场合接触过科学家。我向你保证，他们跟我们大多数人一样天真，一样没有常识。一位科学家会对某天晚上魔术师使一头大象在他面前消失的障眼法感到不可思议继而哈哈大笑，也会在第二天对精神力量能否把他手中一英寸长的钥匙扭弯而拿自己的科学声望和荣誉做赌注。”

《科学美国人》杂志专栏作者马丁·加德纳在谈论斯坦福大学附属的某些学术机构研究盖勒的念力时，曾经说这些机构的看法太天真：“如果一个巫师能弄弯一把汤勺，也许一群巫师就能引爆导弹中的核弹头爆炸了。恺撒有他的神谕，希特勒有他的占星术士，我们的混合部队则有SRI。”我最欣赏的报纸《探索者》1995年11月报道说：“你的确可以用一根棍子找到水！这一令人震惊的事实已被慕尼黑大学的科学家迪特本兹加以具体说明，并发表在斯坦福大学权威杂志《科学探索》上。”

我和我的朋友都认为我应该抑制怀疑，派我公司的一名职员，到他的灵疗专家下一次弄弯汤勺的午餐会上去亲自体验一下。我派了我的朋友，做流动兽医的鲍基里博士参加午宴。他回来用书面形式做了反映，原文如下。

鲍博士的报告

我和另外15人，到东城一栋豪华公寓里参加了晚餐会。主人穿着合身的开叉丝裙，祈求各种神的力量来使我们事业兴旺。有时，她在桌子下面碰我一下，这种诱惑让人难以抗拒，但我有事在身。屋子里偶尔爆发出吵闹，随即从别的地方爆发出惊奇的笑声，“它自己弯了”，并出现了一把被扭曲成奇形怪状的勺子。

在仪式进行时，我趁别人不注意，暗暗地通过摩擦把自己的勺子弄热，然后我用两个指头把勺子弄成我能想象出来的最奇特的形状。每个人都冲到我身边，我成了大家一致赞美的对象。

我估计在这个房间里的15人中有14人不是被收买，就是与主人有瓜葛。其中一个主人的同伙问我在哪一个行业工作，我没有告诉他“我是流动兽医”，而是给他我的标准回答：“我本人并不富有，但我代表富有的人。”这样反而提高了我在他们心目中的重要性。如果她对股票市场的预测像她在聚会上一样的理性和真实的话，你过不了多久就会破产的。

为了保护我的财富，我决定把我的生意建立在科学方法而不是伪科学的基础上。

假作真时真亦假

我以前研究假科学时，是看马丁·加德纳的著作，哈佛大学规定所有新生都要看他的《打着科学旗号的时尚和荒谬》。这本书内容既新颖又深奥，很难用一两句话加以概括。加德纳在书中规劝所有的读者像ESP、精神动力学、先知先觉、意念治疗、飞碟、预言家和亚特兰蒂斯都是胡说八道。加德纳对于弄弯钥匙的骗术的揭露很有代表性：

> 钥匙大多很容易弄弯，缺口很深的长钥匙尤其如此。盖勒为他的力量感到骄傲（普哈里奇告诉我们，他经常练习举杠铃）。只要你手指的力气足够大，你就可以把钥匙横放在手指上，用大拇指努力挤压，这样可以弄弯大部分钥匙。如果是比较硬的钥匙，你可以把它抵在桌沿、桌腿、椅子的侧面或任何其他坚硬的表面，然后压它的顶端。总而言之，片刻之间，你就可以弄弯钥匙，当然你必须在没人注意的时候去做。
>
> 为了达成必要的掩饰效果，盖勒在屋子里走来走去并一个挨一个地做实验，这造成了最大的混乱。

英国权威的《牛津心理辞典》收集了7000条超自然现象和灵学方面的词汇，6750条记忆方面的词汇、3800条意识方面的词汇以及1050条“创造力”方面的词汇，此外还有68条“相关”方面的词汇。英国人最擅长于准确打动每一位零售顾客的心理。该书分析了传统的超自然现象：鬼、心灵净化、意念阅读、水文占卜、与逝者交流和预感。编辑总结说，经过50年的研究，最初没有一种现象被视为超自然的，后来，科学界才普遍认为它们是超自然的现象：

> 到目前为止，在所有这些想获得确切结果的实验中，没有发现一个可以演示的、可重复的超自然现象，也没有发现一个特征或规律。

克利斯托弗·斯考特为了解释大家为何极为相信灵异现象，而且继续在这种声名狼藉的领域中深入研究的原因，曾经明智地指出，“我们只能假定有一小批但继续增加的探索者，他们准备欺骗自己或者欺骗其他人，他们是一厢情愿的臆想和有意的骗局的受害者。”

我钻研超自然现象时，有一件事情让我印象深刻，大为震动，那就是加德纳和牛津记载的伪科学家的手法，与那些一般的市场领袖所使用的完全一样。在讨论心理现象时，物理学家威勒指出，要彻底打败假科学家十分困难。

> 如果每一个现象经过证明，是自欺、骗局或是误解十分自然的日常物理和生物现象，就会出现三种新的“病理学”现象。那些狂妄自大的人能够使人们一个接一个地上当受骗是因为受害者通常都对自己上当受骗感到无地自容或胆小如鼠，不敢向别人发出警告。

威勒列举了下列五种伪科学的特征，这些特征是通用电气公司的爱尔文·朗缪研究出来的：

> 1. 观察到的最大效果是由具有难以判断的强度的起因引发的，而且效果的强度实际上与起因的强度无关。
>
> 2. 强度的效果一直在接近侦测能力的极限，或者由于结果非常低的统计意义而必须进行大量测量。
>
> 3. 宣称极为精确。
>
> 4. 与经验相悖的荒唐理论。
>
> 5. 遭到批评时，用临时想出来的各种借口来应付。

分析师活学活用

我钻研了跟市场有关的文献后，就市场分析领域的特征拟了个清单，其突出的特征包括：

1. 诉诸权威。

2. 不运用计算。

3. 预测用无法验证的方法表达出来。

4. 一种能保证在比乎所有能想到的环境中都正确的重复性预测。

5. 不考虑可能性的不同，在不同条件下任意形成的群体将在平均数和变异性方面表现出差异。但这种差异是由于抽样的不同而不是条件的真实影响造成的。这就是统计分析的内容。

6. 偏执的气氛。

7. 不考虑其他解释。

8. 自我评价精确性。

9. 使用不断修正更新的系统。

表3.3列出一些我最近看到的由不同机构发出的预测，并指出这些预测符合上述特征一览表中的哪几条（括号中的数字表示对应上述特征的第几条）。

迹象众多

如果不了解统计或是没玩过纸牌游戏或没赌博过，就很难理解许多现象可以用随机性来解释。简单地讲，我们在现实生活中观察到的都是总体的一个样本。甚至即使抽样是随机的，从样本得到的平均数仍可能与总体的平均数不同。许多市场现象的观测到的差异仅仅是因为由大数量的样本造成的抽样变化和总体内较高的变异性。

以世界闻名的超级杯指标为例——德国人像鹰一样盯着它。如果美国超级杯

表3.3 现代市场预测在科学上的缺陷

原文	科学上的缺陷
我们再次回到箱型状态。有趣的是，上周以来日元价格上扬，这表明涨势可能维持到12月。突破最关键的阻力位将导致更多的美元买进而且这一点马上就会得到证实。（银行出版的技术分析快讯）	在此有一些对市场之间关系的分析，但是决定力量是日元的牛市还是美元的熊市呢？而且如果日元上扬，日元或美元未来是更有可能上扬还是下挫呢？如果阻力位被打破，将肯定有美元的大量买进。（2，3，4，5，7，9）
现在看来，这波反弹明显是从4月份的低点开始的三角形的E波，它解释了为什么美元仍能坚挺。试图推动美元对德国马克的汇率越过1.3730支撑点的做法失败了，留下了双底。这个重要的支撑点是具有强烈冲击的牛市波的起点。（一家银行出版的快讯）	对未经证实和测试的艾略特理论极其渴望。三角形可以用多种方法定义，特别是它们不再是三角形之后，尤其如此。双底到底是利多还是利空？反弹之后的多头走势定义为冲动性走势，属于套套逻辑。（1，2，3，4，5，7）
你的空头同伴怎么想？他们要在高于市价的地方停止买进以保护自己的头寸。这只是一般的看法，他们会在什么价位下单？就在未填补的缺口区域。你应当采取什么策略？就是在刚好超过缺口之后不再买进。这将是一个“停止运行”的情绪性尖峰信号。（一份日常贸易系统快讯）	你和我比大家聪明一点。其他的空方将对作者导向的明显线形现象做出反应。存在着足够的失败者来保证那些运用策略的人获得利润。假定在线型图的关键点，情绪性买进的市场现象会永远持续，形态不会变化。“空头同伴”意味着行动的一致性。通常人们试图通过明显屈尊的态度来引诱。在尖头技术上含糊其辞，马上引发如何量化和判定尖头的问题。（1，2，3，4，5，6，7，9）
我们测试诸如发散性、数量累加、统计、烛台结构等方法，系统地发现了每一种股票交易的最佳方法。（广告上有一位财经专栏作家，表现出小孩拿到新玩具那种表情）	是否有判定投资绩效的整体回顾？考虑所有的改进，结果是否与概率的变动一致呢？未来的情况能否与导致反向测试结果的那些情况一致呢？（2，3，4，8，9）
美元迅速反弹到1.4250，已经使美元短期走势从极为不利变为箱型走势，但我们仍预料它将维持1.3945的低点一周。换句话说，美元仅仅达到1.4250 而没有达到1.4275，不要期望得到可观回报。由于主要的关键水平可望达到1.4075/95之间，我们在两周内在1.36价位上买进期权仍然有效。（一份技术分析线型快讯）	美元上涨显然是多头兼空头趋势，但是除非美元上涨，否则会遭遇阻力。对其信用来说，将出现相反的预测，除非上面的基线使策略变得相反。（2，5，7，9）
1.42应当可以证明是很难突破的关卡，但一旦突破的话，我们预计会达到1.46的水平。在强势突破发生之前，我们坚持保持美元的弱势，此时我们的下一个目标是：……（一家银行的研究报告）	典型的预测。除非出现多头走势，否则仍然看空，高明地暗示非此即彼。正常的变异性使得以区间为基础的预测大部分时间都是正确的。（2，3，4，5，6，7，8）
我们遵循长期坚持卖出空头期权的长远战略。当散户目标不一致时，这样做的效果最好。我们的朋友，维克多·尼德霍夫说，总是朝一个方向走的大象，通常会顺着原路走回来。（一份传真的投资通讯）	在下跌或上涨之后，期权是溢价还是折价了呢？拿我的作品当证明，却没有提到，我没有提出任何证据，证明罗伯格拉分析是有效可行的。杂乱无章的市场价格将持续很长时间，何况我是投机嫌疑犯，在壁球上虽然是传奇人物，但是在交易上，也是会受到伤害的凡人。（1，2，3，4，5，7，8，9）

（续表）

原文	科学上的缺陷
日本政府压低市场利率的举动，维持了有利于美元的具有吸引力的5个百分点的利差。日元反转在即。（一家银行的评论）	较低的利差与通货膨胀预期和生活费用的预期波动相比是大还是小呢？什么样的证据能够表明利差有利于一国货币坚挺？（1，2，3，7）
东京股市第一类股票总市值达到3.2万亿，大约高出其应有资本的10%。日元比它看起来更糟，由于股票的平均市盈率是50，日元将不得不在公平定价之前下跌14%，这是一位证券投资顾问的判断。虽然日经指数在12000点附近，我们也不能肯定地说股票都很便宜。（商业杂志的封面故事）	高的市盈率是意味着价格表现更好还是更坏呢？近来P/E有什么变化？不同的国家收益的性质也不同吗？是否价格与面值比更恰当？（这项关于下跌的预测是在一次25%的上扬之前做出的）（1，2，7，9）

的获得者是一支来自国家足球联盟（NFL）的球队，预示着将出现牛市。如果赢球的队伍属于原来的美国足球联盟（AFL），则预示着熊市。表3.4列举了在NFL或AFL的球队获胜后12个月内股票市场的波动。

结果令人惊异。在NFL球队获胜之后的12个月中，道琼斯工业平均指数变化的总量是4412.08，平均变化是259点。当AFL的球队获胜时，道琼斯工业平均指数的总变动则是-7.3。考虑到道琼斯指数平均变动幅度和球队的两种来源，可以看出这么大的差异能够偶然加以解释的只有1/300。但是有多少不同的运动比赛可以作为基本的预测指标，并具有同样的效力呢——世界杯、NBA冠军赛、北美冰球联盟（NHL）斯坦利杯、新年杯比赛或者芝加哥公牛队和纽约尼克斯队在一个赛季中的胜败记录？每一支赢球的队伍可能会提供关于道琼斯指数的完全不同的预测。我们把问题用另一种方式陈述：从1967年起，在美国5大年度赛事中，10支参赛队中的一支获胜队伍与当年道琼斯工业平均指数上升至少250点有关的可能性有多少？由模拟产生的结果证明大约有一半的可能性。而且，如果不是如此肯定的话，债券如何能与胜利的一方保持一致呢？

超级杯的分析表明，为什么随机漫步理论[①]或者有效市场模型通常符合技术

① 随机漫步理论认为，证券价格的波动是随机的，像一个在广场上行走的人一样，价格的下一步将走向哪里，是没有规律的。

表3.4　超级杯是道琼斯工业平均指数（DJIA）变动的指示剂

超级杯时间	超级杯赢家	在随后12个月内DJIA的变化
1967	NFL	119.42
1968	NFL	−174.13
1969	AFL	69.02
1970	AFL	38.56
1971	AFL	51.28
1972	NFL	129.82
1973	AFL	−169.16
1974	AFL	−234.88
1975	AFL	236.17
1976	AFL	152.24
1977	AFL	−173.48
1978	NFL	−26.16
1979	AFL	33.73
1980	AFL	125.25
1981	AFL	−88.99
1982	NFL	171.54
1983	NFL	212.10
1984	AFL	−47.07
1985	NFL	335.10
1986	NFL	349.28
1987	NFL	42.88
1988	NFL	229.74
1989	NFL	584.63
1990	NFL	−119.60
1991	NFL	535.20
1992	NFL	132.20
1993	NFL	452.90
1994	NFL	80.35
1995	NFL	1356.81
1996	NFL	341.27

分析者所发现的很多效应，或者符合学者对异常状况所做的正式的追溯性研究。

有人问我市场是否具有随机性质时，我仿佛觉得人们在问我印象中谁是最优秀的网球运动员，我总是回答："我的教练杰克·巴纳比。"

要了解市场的随机性质，请看看1995年第三季度美元连续16个周五的变动

表3.5 1995年6–10月美元的连续波动（周五交易）

周四的日期	周四收盘	周五收盘	变化
6月29日	12093	12058	−35
7月6日	11988	11789	−199
7月13日	11674	11627	−47
7月20日	11587	11531	−56
7月27日	11579	11568	−11
8月3日	11249	11142	−107
8月10日	10990	10851	−136
8月17日	10504	10435	−69
8月24日	10528	10505	−23
8月31日	10431	10422	−9
9月7日	10254	10182	−72
9月14日	9897	9748	−149
9月21日	10293	10162	−131
9月28日	10283	10126	−57
10月5日	10161	10045	−116
10月12日	10185	10001	−84
10月19日	10039	10057	+18

情况。对于涨跌各有一半机会的情况下，连续16次下跌的几率是1/65536，小得异常。表3.5给出了关于变化的资料。

回顾过去10年，我发现这种现象确实是在任何主要市场中所发生过连续性最长的每日波动状况。但在过去的10年中，有2500次在一天之内表现出这种趋势。因为要在5个主要市场上，每个市场上要考虑两种变动方向，所以概率必须乘以（保守地）约25000的因子才能正确地加以反映。要记住，拿每周的同一天做比较，只是1000种资料分类方法中的一种，因此，原本无限小的概率变得大多了。

然而，这种可能性必须放在1996年日元的整体走势中进行观察。从1996年3月1日星期五到7月19日星期五，纽约外汇市场日元汇价在20周中有19周下跌，表3.5反映了1995年17周之长的周期。它具有相似的模式。

表3.6 1987-1995年主要金融市场上最长的连续单日波动

	上涨趋势		下跌趋势	
	天数	趋势开始日期	天数	趋势开始日期
原油	10	1988.2.28	9	1987.11.9
债券	9	1992.9.8	13	1990.4.24
瑞士法郎	9	1994.6.21	9	1993.10.25
S&P指数	10	1987.1.15	8	1991.9.11
美元	12	1993.2.22	11	1992.2.25
德国马克	11	1994.5.3	7	1993.6.22
黄金	8	1988.5.23	9	1988.2.3
大豆	7	1994.11.9	7	1992.8.7

到1995年9月30日止，在9年时间中，几个主要市场上的连续上扬或下跌列于表3.6。

因为每个市场都考虑了2250个交易日，所以结果与概率是一致的。

所有从事投机的人，都看过市场出现无数次持续上涨、下跌或涨跌交替的走势。在很多情况下，一个市场将总是领先或落后于另一个市场，或者对于相同的波动来说落后一个月或者一年。新手发现这种现象时，经常认为他们已经发现了破解奥秘的关键，心甘情愿地在他们观测到的这种关系的持续性上投入大笔赌注。学者们把这种发现称为反常，他们匆匆忙忙地在12月份买进股票以充分利用1月份的影响，想利用这种简单的方式来增加他们的收益。

但是，还有一种比较简单的解释。我们都面对很多可能发生概率现象的状况，如果我们仅仅由于偶然性观察到这些现象，那就更为奇特。

统计学家们试图利用一种叫做邦弗朗尼修正法的方法修正乘数。简言之，如果你看到1000种对比，你就需要通过乘以1000来增大每种现测到的差异的概率以修正你的结论。对于坐在公园的长凳上等着看是否有一群黄毛丫头或小男孩出现的人来说，他们内心考虑的对比的数量是成百万的，因此，他们很可能发现不一般的巧合。

另外有一个相关的现象，就是容易低估这种随机的混乱造成的集结效果。要看这种效果，只需取一些不同颜色的糖果并在一个大的玻璃瓶中把它们彻底混合起来。大多数人看到结果后，都会对这样做形成的五彩缤纷的色彩感到惊奇，并把原因归结为重力或电的吸引力。

我曾在家里用五袋各一磅重的不同颜色的果冻做了这一实验。我的孩子们都叫道，“物以类聚，所有的红、黑、白的都混在一起啦！”但是，他们注意到所有果冻的重量不同时，这个实验就大为逊色了。我用彩色的M&M巧克力糖又重复了这个混合实验。

报纸上的股市行情是按字母顺序排列的，我们看股价变动那一栏时，也会表现出购买主要的杂乱无章的品种的趋势。统计学家把这种趋势称为“群集效应”。

要利用这种效应赚点钱，你可以用对等的赌注，跟朋友打赌，在一间超过23人的屋子里，至少有2个人的生日是同一天（不一定是同年同月同日，而只要是同月同日）。当然，你必须把赢的钱捐给有意义的事业，因为投机客永远不应从事偶然性的赌博。

但是，学术界通常会从风和日丽或诗情画意的情境中，推出重要的学术研究，探讨同步性、有意义的巧合、深藏的记忆、变异和有联系的心理现象，这些研究会继续流行。在相同的心境下，你给他打电话的人可能正在拨你的号码或者正在想你。另外，你在拥挤的剧院里一定会从你最崇拜的历史人物身上看到你的影子。你家人在远处发生什么不幸时，家里其他人一定会有感应。索罗斯就是这样，在不利于他的头寸的大波动到来之前，他往往会腰疼。

第四章 / CHAPTER 4

在输中成长：输的教训与赢的诀窍

大家偶尔会发现，一直都输的选手有时会赢得一场接一场的比赛，因为不断的输球，已经使他在内心里产生了更强大的求胜欲望。

——雷纳・拉科斯特

如何输

通向输的途径有很多条，而通往赢的途径却少之又少，或许获取胜利最好的办法就是掌握所有灾难发生的规律然后集中精力去避开它们。

现代社会日趋专业化，天生的输家很常见。想想看，自1971年起，华盛顿将军队从没击败过哈林篮球队，芝加哥小熊队从1908年以来就从未夺得过世界棒球锦标赛的桂冠；再想想安东尼・杨，他1995年担任纽约梅兹棒球队主投手，连续输了20场。圣路易斯红衣主教队的鲍勃・犹克，曾有过一段击球命中率只有0.2%的运动生涯——与他的天才极不相符。也许他应该在电视上做广告，因为这样可以使人们恢复自信心。

我在成长过程中很幸运，身边有一位历来最伟大的输家，他就是我的舅舅豪伊。在一篇经典的文章中，可爱的舅舅这样写道：“第二名也是好样的。”豪伊和其他很有可能在决赛中失败的人们一样坚持自己的观点，其中一些感慨表露了这种意味：

全国单壁比赛举行时，真正让我有机会认识到自己是天生的输家。在1960年的24小时之内，我实现了有点可笑的成就，在单打和双打中获得了第二名。

面对唾手可得的胜利，我提醒自己保持冷静，知道外部的干扰将使我自己与冠军擦肩而过。果然，这样的干扰以裁判一次可怕的暂停出现了，在此之后，对手奥斯卡变得勇猛无比，以一记凶狠的扣杀结束了比赛，并保持了不败的纪录。

……第三局比分到了18平时，上帝再次插手，彰显人类的脆弱性，让他的使者（裁判和边裁）连续叫了三次暂停。

……我们在决赛中已经赢了第一局，又在第二局比赛中以20比12领先。哎呀！当我打出一个低平杀球时，我的失败的纪录就要被刷新了！凯歌奏起，或者说如果是一个普通人而不是主裁判在控制的话至少应该是这样。

不必有其他任何条件，一定得到第二名，似乎总是我的宿命。使我懊恼的是，在1970年的比赛中，我艰难地取得对迈克·狄克曼的胜利之后，由于发球失误而痛失20比12领先的好局。1971年，我在美国手球协会单壁单打三局制的半决赛的时候，我想，也许我的鼎盛时期已经过去。

我因为不满意没有把获胜最多的双打运动员拖下水，就去找那些曾经参加过比赛并被人们认为是最好的双打运动员作为我的搭档。

智者都会认命，会对一连串不幸的失败纪录感到欣慰。因为，即使是这些失败，也是那些必然失败的失败者们可望而不可即的。

我举两个例子已经足够。第一个是1966年全美犹太人单壁双打冠军赛，在布鲁克林的布朗斯韦利少年俱乐部举行。当时舅舅在队中效力，他的队以1比0领先并在三局两胜制比赛中的第二局以20比8领先。这场比赛非常重要，手球委员会主席米奇·布莱奇曼也亲自到场观看。赛前，舅舅曾公开指责过米奇，说裁判的素质有问题。舅舅骑着摩托和他的惹人喜爱的女朋友一起在开赛前5分钟到达赛场，他向她担保以一个发球得分获得最后胜利，这是他们的小秘密。

深吸一口气，舅舅为他的时速为125英里的发球做长时间的准备。他向墙上弹回3次球，并且每次都在更高的高度接住它以进入比赛状态，就像一位铁饼运动员为投掷做准备一样。而市场在其作为杀手的出击之前，也常常有类似的一系列的积累能量的准备。

突然，手球委员会主席布莱奇曼从看台上飞快地跑下来，得意地大喊："他犯规了！"舅舅也许忘了布莱奇曼从自己的长远名声考虑，最近修改了手球比赛规则的第1013条，在发球之前只允许最多3次弹球。舅舅大声叫道："我也可以叫一次暂停。"但毫无用处，接下来的15分钟里，舅舅在追逐布莱奇曼而且大声争吵中浪费了余下的精力。

舅舅变得心烦意乱，同时也感到非常沮丧，以至于以20比21失掉了第二局比赛并且以3比21又失掉了第三局比赛，这是一次惨败。

我问舅舅，为什么情况不太明确时，总有这么多裁判在关键时刻做出对他不利的判罚。舅舅的回答很直接："裁判是典型的容易被人忽视的无足轻重的人，他们自己从来没有在比赛中赢过，这就是他们喜欢压制那些有前途的年轻选手并且决定在关键时刻做出对他们不利的判罚的原因。"

马蒂·雷斯曼曾多次获得美国和英国乒乓球赛冠军，并且在若干次锦标赛中夺得冠军，因为他天分极高，所以能够与裁判争论。他会在开赛时告诉裁判："你们这些偏心的家伙，注意一点，你休想从我手里偷走任何一分。"站在裁判面前，马蒂喜欢做出一些空手道的动作强调他的警告。当我告诉他我舅舅与裁判作对的悲惨命运时，他说："这对我是个教训。乒乓球也吸引那些目光短浅的官员，他们一心一意地下一大笔赌注并以自己赢钱为荣。我让他们知道我的想法。我想仅有那么一次我受到伤害，当时我漫不经心地要求业余运动员委员会主席在一次国外锦标赛中把赌注投在我身上，在头脑发热的当时，我以为他是我的登记赌注者。这个小人一直等到我在归国途中才实施他的报复，他给我发了份电报宣称我被开除出业余比赛了。但是第二年，英国不肯替这些职员出交通费，除非他们恢复我的比赛资格。”30年后，我问马蒂与裁判的争论是否伤害了他，他若有所思地说：“噢，我在全盛时期没有被停赛3年，已经算非常幸运了。”

舅舅和马蒂必须“直接”对抗。他们让裁判确切地知道他们对裁判的想法。我想象得出，当一个曾经在运动场上有过失败经历的裁判必须倾听一篇关于他的品质缺陷的公共攻击性演说时，任何曾经记在心里的愤怒都会变成彻底的憎恨。让一个个子比你大得多的家伙在数千观众面前侮辱你，这并不有趣。

舅舅的行动与老爸完全相反。有一次，老爸叫住在布莱顿海滨众多比赛中执法的小裁判山姆·思尔，说道：“山姆，你的裁判做得很好，我却觉得你很少受到别人的称赞。我马上要带全家去吃海鲜，你不和我们一起去吗？”后来，我问他为什么会这样做，尤其是思尔对我和舅舅做了那么多不利判罚。老爸回答说：“跟裁判是要交朋友的，这对你并没有坏处，而且还可能对你有利以让他不会故意伤害你。”在商品交易过程中，我接受了这项建议。我特地一年两次到交易所大厅和大厅的工作人员交谈，这样，下一次我下单时，他们不会为了替我完美地执行单子而伤害到我，但至少不会故意给我一个坏的答复。

在事业开创之初，当我能够自由表达自己的意见时，我违背了这个常识性的建议。当自律组织申请管制该行业的排他性权利时，我提出反对。我给华盛顿写信表明授予排他权没有必要，如果同意这样做的话，创新和多样化就会被窒息，面向大众的价格就会上升，费用会增加。我警告说：“我看出其中有某种寻租行为。”在从哲学上否定特许后，我指出期货业的许多人需要特许正如理发师需要特许一样，纯粹是为了达到限制竞争的目的。

行业协会为了争取特许权，骄傲地宣布数百票支持这一提议，而只有一票反对。特许获得一致通过后不久，我与协会主席进行了面对面的交谈，那时，他享受了逾50万美元的年薪。协会正在就我是否违反它所制定的广告守则进行调查，我们都迷惑地望着对方，忍不住笑出声来。

我学到了很多。为了在有问题时得到善意的对待，我立即提出申请，成为所有我进行交易的主要交易所的会员。让我引以自豪的是，纽约证券交易所，这家有着200年历史并总是把可能的叛徒拒之门外的私人俱乐部，是唯一一家不准我进入的证券交易所。我不够资格成为这种排斥异己的俱乐部的会员，这个俱乐部制定了很多规则，难免设法限制竞争，并且尽量提高会员的收入。我喜欢规则中关于收入的部分，但不喜欢对竞争的限制。我觉得自己有很多东西提供给大家，而这些规则束缚了我做事的风格。为了减少竞争，交易所对所有活动实行严格的资金指导。我本来想用密集的广告弥补资金的不足，但所有广告都遭到严密的监视和严格的管制，很难越过这一屏障。

交易所为了执行督导任务，经常进行审计。每年，四位交易所的审计员会来到我们的办公室，一待就是两个月。公平地说，许多审计程序和标准都保护了大众，使之免受欺骗。在期货行业中确有很多假充内行的人，如果没有标准，广告就会很快做得像赛马场上的一样漫天飞舞。而且，没有资金标准，大众就会由于担心资金的安全性而不敢放心地交易。审计可以确保顾客的资金受到隔离保护，也确保盈利报告准确无误。大众得到的好处是：从来没有顾客因为期货交易所的某一主要成员的破产而蒙受资金损失。

上级对我的业务进行审计后，常常发给我一封措词严厉的信，并处以1000美元罚款。为了遵守规定，我需要额外增加两名全职雇员。更糟的是，审计这一"紧箍咒"使我不得不从事一些新的业务，开展新业务促销时，一旦措词冒犯了潜在的竞争者和他们的代理商，情况又会如何呢?

一家软货商品交易所罚了我一笔5位数的罚款，其实我已有3年没在该交易所进行过一笔交易。我恨透被那些身兼检察官、法官、陪审团、催款员于一身的裁判对我的修理，这让我忍无可忍。我把所有会员资格卖光，成为一名场外交易商。

假装受伤

舅舅必败的第二个典型例子出现在单打决赛中。他知道自己容易疲劳，决定只要有人推他，他就假装受伤，争取受伤暂停的15分钟，以求恢复体力。

像往常一样，舅舅赢了第一场比赛，第二场比赛是一场激战，比分咬得很紧，而且整场比赛号声和鼓声响个不停，比分打到了14平。假装受伤的时机到了，舅舅倒在地板上并且极度痛苦地抓住自己的脚踝。

舅舅说："我想是骨折，这儿有医生吗？"一位外号叫"农夫"的警察跑过来，开始给舅舅做抬脚、按摩等恢复动作，他用一块弹性绷带在舅舅的足踝上绕了不少于100次。事情似乎正按舅舅的如意算盘发展。15分钟过去了，舅舅休息好了之后又上场拼杀。但他接着丢掉了剩下的18分，并以4比21输掉了第三场比赛。

赛后我问他："怎么回事？"

"哎，别提了，我停下来休息时伤得并不厉害，但'农夫'用绷带把我绑得太紧了，我根本就动不了。"

良心的建议

仔细分析舅舅的失败原因后，我找到了一些关于失败的规律，如果投机客能铭记于心的话，定会受益终身。

- 自认是最厉害的人，知道不管怎样你都会赢。通过你的言行让你的对手知道你必将取胜。告诉你的经纪人你多么喜欢某一笔交易并且最近如何成功地进行了交易。
- 指责裁判，并且侮辱他，说他动机不良。他将感受到威胁并将不再做出对你不利的判罚。写信给报纸，谴责证券管理委员会、期货交易管理委员会和全国期货协会等机构的过度管制。这些机构充满了公正的公仆，他们会高兴地看到这样的争论。
- 在你领先时，不必急于扩大战果。轻松一下，你是最厉害的。永远不要想将来会出什么问题，抓住小利并尽量避免损失。

● 落后时要全力追赶。赶上之后，休整一会儿，给自己一些应该享有的赞美和表扬。细细回想你过去的胜利，甚至每一个细节。永远不要懊悔地看以前的失败，并力图找出自己做错了什么，这种事傻瓜才做。根本没有必要从失败的交易商身上学习：失败只是运气差，同样的闪电出现两次的可能性微乎其微。

● 小看对手成功的机会，嘲笑他们的能力，以便激怒他们。要像贝比·鲁斯一样，以一种怜悯婴儿式的方式让你的对手知道你将怎样打击他，指出你将在何处打击他。让市场知道你的意图，最好是给你的经纪人一个限额和中止交易的数字，这只需咨询亨特兄弟公司就行了。

● 不要用其他比赛中都不做的过度训练来抬举决赛的地方。关键时，冷静是最优秀的品质。不必担忧各种告示和联邦储备银行的干预活动，做一些美元交易会有多难呢?

● 在你最顺风顺水的时候暂停一下，让你的对手为你的下一步行动担忧。当市场按你的预想进行时，马上抽出身来想一想下一步该做什么，把你的股票收益装进两个篮子。

● 邀请异性参观比赛，让他（她）知道你是最棒的，并且保留你的获胜高招，作为你们共同分享的秘密。交易时，让你最喜爱的人在旁边看你操作。嗨，如果你是优秀的，何不炫耀它呢!

● 在比赛之前，让自己沉浸于与异性愉快的交往中，这将使你放松，并能在关键时刻坚持下来。如果这不太实际，几杯饮料或一顿可口的饭菜同样奏效。你还可以在交易日当中与情人幽会。

● 在重要比赛中采用新的实验性技巧，会让你的对手惊慌失措。有疑问时，采用未曾经过模拟的交易方法。

● 在比赛的间隙安排自己去当裁判，或者，接受委员会中的一个职位。不要担心交易时做别的事情，你可以带着你的掌上报价机去开会，休息时照样可以方便地交易。

● 养成大手大脚消费的习惯，例如，可以去打马球或者参加快艇比赛。要坚信自己每天的交易可以挣足够的钱来支付某项特殊的购买项目。

● 要是缘分对你不利，你一定要坚持自己的方法。你懂的东西最多。要是结果对你不利，不用担心，利润一定会回来，市场不对的时候更是如此。

● 头天晚上就要庆功，因为那时候你不会太累。不用害怕计算某笔交易获得的利润，要相信你得到的不会比付出的少。第二天，你甚至不必出面交易，下单给你的经纪人，并在收盘之前退场即可。

● 忘掉那些小的不快，忘记一些折磨你、让你略微虚耗精力的事情，大开大合才有大收获。“重击才会掉下大橡果”。让你的对手为抓住所有的优势而过度操劳吧。不要总是为十全十美而担心，一点瑕疵又有什么关系呢！

即使你不采用上面这些失败的规律，也还有众多方法供你选择，不管是扑克、运动、赌博或者投机，输是世界上最容易的事。

实际损失

我自己也不免失败，但以下一些失败，让我学到了许多有益的东西：

1987年10月19日，我做多债券，获利相当高。但我的合伙人苏珊穿过交易大厅，说那天（黑色星期一）道琼斯指数已经下跌了300点，而且上周五也下跌了108点，“我希望你今天不要在股市上玩了，太可怕了。”这正是我需要的。我推测她已把这种担心传开了，而且，我喜欢在她面前表现自己。我马上给经纪人下了购买100手S&P期指的订单。在我们听到“买入完成”之前，我已在这笔交易上损失了300万美元。就在我买进之后一秒钟，证券交易委员会主席说证券交易所可能马上关闭。

随后，我接到了蒂姆·霍恩的电话。他是我的第一位客户，经营着有史以来最成功的电子管制造公司——瓦特公司。瓦特公司如今的市值为7.5亿美元，而蒂姆在1978年接任总裁时，它只有1000万美元的资本，“维克多，我已和金属制造商交易博览会的工作人员交谈过。我们都怕得很，不敢靠近市场。我希望你不要在我们的账户上保留多余的头寸。”

“蒂姆，你做你的电子管，而我做我的投机，这是劳动分工。收盘后我会给你打电话的。”

竟然连商人们都这么紧张，比起自己的产品，他们更担心市场行情……我又买了50手S&P期货指数合约。那天，S&P期货指数以下跌80.75点收盘，每份合约损失了4万多美元。好日子已经过去，我陷入噩梦之中。

翌日，交易所提高了期货交易的保证金标准。再加上当前头寸的损失和对期货损失的担心，这些都使我坚持等着可能的价格回升。幸好第二天S&P指数开盘时攀升了22点，我全部抛出。

教训：不要在危险迫在眉睫时忙着收获，这对投机客而言也许是最重要的规则！

1991年1月9日，周三，我处在极为有利的状况下：我做多债券和S&P期货指数，做空原油。根据投入的保证金来计算，我的每一头寸都已经有50%的利润。美国国务卿詹姆斯·贝克已经与伊拉克外长阿齐兹进行了一次会谈，会谈持续了8小时。我的合伙人建议我最好平仓。这是我最有利的一笔交易，而且说不定形势会更好。“噢，不，他们肯定会达成最终协议的。”我说。毕竟，已经采取了针对伊拉克撤出科威特的一切可能措施。我相信任何一方都不愿意摊牌。但到了下午2点半，国务卿贝克召开了记者招待会，“很遗憾……”他刚说完这几个字，记者们已经冲向电话机，传递没有达成任何协议的信息。2分钟之内，道琼斯指数骤跌80点，债券跌了1.5点，而石油上涨3美元/桶。贝克一句话还没说完，我的资产就蒸发掉了500万美元。

教训：政治事件常常难以预料，尤其是在临近大选和股票市场跌宕起伏时。

1983年2月10日，周四。我做空黄金，业绩良好。黄金已经跌了好几年，而且像中了魔咒一样，在过去的3年中，每周一开盘总比上周五收盘低3美元/盎司。市场形势极为有利，不可能会出什么差错。我那天中午又大量做空，并沾沾自喜地盘算自己的收益。

但紧接着，犹如晴天霹雳，从下午2点到3点，金价突然之间攀升了7美元。据说没有任何上涨的理由，我们被告知仅仅是基金的技术性购买。但到了周日的早上4点左右，美国海军的战斗机在地中海上空击落了一架利比亚的喷气式飞机。这一事件在市场上造成了高度的恐慌，当年这类事件足以让黄金至少上涨一倍。别忘了，中东地区现在仍有可能爆发核战争。

这只是运气欠佳，毕竟没有人能够在星期五那天提前36小时知道美国会击落利比亚的飞机。这种想法或多或少给我些安慰——但后来，我了解到，美国飞机已飞近地中海地区几周了。很明显，五角大楼已经表明将采取一定的行动，向中东的当权者们显示谁才是老大。美国的黄金市场靠着自己的判断，或多或少预感到了这次行动。

教训：即使看起来全新的信息，也常常“发霉了”。

另一种惨状发生在美国政府宣布每个月的就业统计数字时。通常，固定收益证券价格在这一天（通常是每月的第一个周五）的反复无常要甚于其他交易日的总和。也许，我可以原谅自己违背了一条最重要的原则：永远不要使用止损。其他的交易商都知道：价格总是向止损价位运动。定单在损失点上执行，然后市场回升并疯狂地向你原来的方向运动。唯一的慰藉是通过减少经纪人的风险来在浩瀚的市场上发挥作用。

这次，债券的价格是108.14，我把止损点定在107.30。早上8：30，就业数据公布了，令人欢欣鼓舞。劳工部表示乐观，他们一定从实际数字中减去了20万以支持总统候选人。我是对的。

而且，可怕之至的是，价格一直朝对我不利的方向运动，我被止损出场了。

怎么回事？一家大的对冲基金下了定单，在平衡点卖出1000手。这家对冲基金原打算在109点卖出，但经纪人则以为是108点。这1000手合约实在太诱人了。价格移向108、107.31、107.32，我止损出场了。马上，价格接着直升110。我的止损单把150%的获利变成了25%的损失。这一次，教训有三：

- 下单时模棱两可将对你不利，要明确地传递你的意思。
- 不要沾沾自喜，尤其是市场力量在你这边的时候。
- 避免使用止损，除非你不能应付当前或预期的补交保证金通知。

复仇因素

有一些跟输有关的重要事项你应当知道，除了给你沉痛的教训，输还能够教导你怎样去赢。“失败过后，胜利就更容易了”，所有优秀运动员都知道这条格言。

“注意复仇因素”“不要松懈”，这些话已被灌输给所有运动员，从小就开始灌输。雷纳·拉科斯特对这条格言做了最好的诠释。除了两次赢得温布尔顿网球赛冠军，“鳄鱼”成了运动服装特许经营领域的先锋，他知道怎样获胜。

> 我常说，意外的失败之后总会伴随一连串的成功，得到求胜意志最好的方法是偶尔被击败。失败为“输”和“赢”提供了很好的尺度，它也重新燃起获胜的愿望。人们天生习惯于胜利而非失败，一连串的成功看来常会削弱你的意志。相反，失败总会引起众所周知的反应：重新获得所失去的东西。
>
> 大家偶尔会发现，一直都输的选手有时会赢得一场接一场比赛，因为不断的输球，已经使他在内心里产生了更强大的求胜欲望。

各个领域的成功者几乎都毫无二致。最伟大的象棋冠军之一、1921年至1927年的世界国际象棋冠军卡帕布兰卡曾这样写道：

在我职业生涯的某些时候，几乎认为自己不可能输任何一盘棋。但接着，我就会被打败，而输掉的比赛会沉重地打击我，把我从梦境中拉回现实。对你来说，再没有什么比被失败鞭策更有好处了，我从极少数获胜比赛中汲取的经验显然不能与从众多失败比赛中吸取的教训相提并论。

卡帕布兰卡写了一本《象棋入门》，列举了他的14场比赛的得分，并附加了注解。书中提到的前6盘棋，都是他输了的棋。

冠军和输家

几乎所有伟大的冠军都对自己的能力特别谦逊，也对业余选手所做的努力倍加称赞。优秀运动员总是能了解一场比赛的艰难和释放自己能量的各种途径，这样，他们乐于看到有人在通往大师级水平的道路上所做的种种努力，哪怕他是一位入门者。

吹嘘自己十分成功，实际上将此人的不安心理暴露无遗。我壁球打得好的时候，从不忙着四处炫耀，让全世界知道，我会说“我的球拍会替我说明一切”。对投机客来说也是一样，读大多数预测家关于他们自己买卖记录的评估会把你带回德尔斐法和占星术：“正如我们所预料……”“昨天的买方期权与预期一致……”“我们处在价格攀升中最乐观的位置……”这种自我表扬的奇怪之处是预言家实际上已倾向于相信他们自己的假设。心理学家称这种倾向为“我早就知道了”现象。大选过后，99%的选民声称自己早就“知道”获胜的候选人将要获胜。

我替乔治·索罗斯操盘了10年，其间从来没有听他说过一笔要赚钱的交易。光是听他谈话，你肯定会以为他是个大输家。相反，听那些最大的输家谈话，你也许会以为他们是常胜将军。

运动员身上常常可以看到愈挫愈勇的倾向——市场行为也表现出同样的现象。一次损失之后，市场一般会变得更加活跃。例如，从1986年到1996年的10

年间，原油价格在前一天跌落之后从开盘到收盘上扬了总共10美元，但继这一天的上扬之后又下挫9美元。

在我遭受巨大亏损的那些夜晚，我无法在妻子苏珊面前掩饰我内心的恐惧。她总是劝我在极度痛苦时扔掉那些毫无价值的资料。“可是，亲爱的，我做不到，硬通货正在东京打击我。”她会说：“那很好，下跌之后总会上涨的。不管它是怎样整夜对你不利，第二天总要反弹的。洗碗机也需要加油，你会发现它和织毛衣一样轻松。”

有一次，我换了一种说法：“乔治·索罗斯从来不换单，这样做的机会成本太高了，也许换一次就是1万美元。”但她不为所动。

无论是在运动场上还是在市场上，最危险的时候就是你领先的时候。此时，你最有可能松懈，降低戒心，并过于自信，从而做出错误的决定。

有一次，我替索罗斯赚到一大笔利润，他给我这样的忠告：“放松点，明天交易时才需要紧张。为什么你总是跟大趋势对着干呢？为什么你总是让自己难过呢？难道你是个受虐狂？你没有看过我写的书吗？市场具有反射性和正向反馈性，这就是为什么我们需要一个超国家的利他的权威来稳定局势。”

我绝没有质疑这些天才们优秀智慧的意思。卡帕布兰卡、拉科斯特、索罗斯——就是想着把这些世界名人的智慧拿去测试一番，已经十分不敬了。但是，即使荷马也有疏忽的时候，而且在下棋、网球和外交上一些有用的原则，并不能全盘照搬到投机上。

为了让我的文章内容更丰富，我计算出了18个主要市场从1986年到1995年间每一年的变化情况（见表4.1）。这些市场可大致分为金融类（股票和债券），外汇，谷物，软货（糖、咖啡和可可），金属（金、银和铜）和肉类（活牛和生猪）。开始，我找出18年中绩效最差的市场，然后看它第二年的变化。绩效最差的市场，和它们第二年变化的百分比，排列如下：1986年玉米（隔年上涨22.5%），1987年生猪（4.8%），1988年瑞士法郎（-3.8%），1989年咖啡（14.3%），1990年小麦（50.7%），1991年铜（4.4%），1992年英镑（-2.0%），1993年铜

表4.1 1986-1995年年度商品收益

年份	债券	S&P	德国马克	瑞士法郎	美元	英镑	黄金	银	铜
1986	15.2	14.0	26.5	27.3	27.0	2.3	20.4	−7.9	−6.2
1987	−10.4	1.9	23.2	27.3	30.9	27.9	21.9	24.8	136.9
1988	1.3	13.6	−11.2	−15.4	−3.0	−4.1	−15.1	−10.1	4.6
1989	10.7	27.1	3.6	−3.8	−13.6	11.7	−2.9	13.5	30.4
1990	−0.3	−7.2	13.2	21.6	6.0	20.2	−1.6	−19.8	10.0
1991	9.1	26.5	−2.7	−7.3	8.2	−3.4	10.1	−7.9	−16.5
1992	−0.1	4.7	−6.2	−7.1	0.2	−18.8	−5.6	−4.7	4.4
1993	9.4	7.3	−6.4	−1.2	11.9	−2.0	17.0	42.2	−18.5
1994	−13.4	−1.8	13.3	14.5	12.8	6.7	−1.9	−6.7	66.3
1995	22.5	34.3	7.9	13.8	−3.3	−0.1	1.2	4.9	−10.2

年份	棉花	可可	咖啡	糖	大豆	玉米	小麦	活牛	生猪
1986	−7.7	−16.5	−31.6	14.3	−9.2	−40.6	−29.2	−7.4	−0.5
1987	14.4	−4.8	−9.2	69.6	19.4	22.5	4.4	10.9	13.6
1988	−13.8	12.9	31.3	18.7	39.1	53.4	40.8	13.7	4.8
1989	15.7	−51.6	−54.8	20.3	−29.5	−14.6	−3.2	7.0	12.1
1990	14.5	20.2	14.3	−28.4	0.2	−1.7	−33.0	1.25	4.1
1991	−25.5	4.8	−1.2	−4.0	−0.9	8.0	50.7	−12.6	−27.3
1992	−0.3	−18.3	−16.4	−9.0	0.7	−16.1	−10.0	10.6	11.7
1993	22.6	31.7	−6.8	27.6	24.8	43.3	41.5	−7.3	0
1994	31.3	4.1	160.6	43.0	−21.3	−24.7	−20.7	−2.1	−15.8
1995	−8.1	−10.3	−38.5	−16.9	32.9	62.5	35.8	−8.4	24.6

（61.3%），1994年生猪（24.6%）。前一年表现最差的市场，第二年的平均变化是上涨20.2%，就一般5%的保证金而言，这是相当高的回报率。统计结果表明，表现最差的市场95%的置信区间分布范围是4.5%到36%之间。

从更大的范围看，市场下跌等于或超过10%的情形有42年——大约每7年一个行情。第二年的平均变化是11.5%，这个结果在经济上和统计上都是很重要的。

最终，为了评估整体看来杂乱无章的变化，我研究了等级的一致性。年度之间的等级变化呈现出了非随机的特征了吗？问答是肯定的。连续2年的平均等级相关系数是-0.28，一个明显非随机的结果。像我这样卑微的投机客，斗胆贡献一些资料请教高明人士，这些资料应能提供一些帮助。

重大问题

投机的关键问题是：价格运动会形成趋势吗？

我不知道答案。不过，比较趋势跟踪派和逆向操作派的交易业绩，可以获得一些间接的证据。根据一家优秀评估机构的数据，在1987年到1996年的9年里，逆向操作者有6年的业绩优于趋势跟踪者。平均下来，逆向操作者收益率为26%，而趋势跟踪者收益率仅为15%（见表4.2）。两者明显的绩效差异集中在1993年以前的年份，当时的市场比现在小得多。

表4.2 趋势跟踪派和逆向操作派投资报酬率比较（截至1996年9月1日）（%）

年度	S&P	MAR评比的趋势跟踪派	MAR评比的逆向操作派	巴克莱评比的趋势跟踪派	巴克莱评比的整体投资绩效
1983	48.1	5.3			
1984	7.0	24.4			
1985	21.2	27.6			
1986	14.9	−0.3			
1987	1.0	64.3	86.3		
1988	45.5	16.3	27.3		
1989	20.2	−4.6	36.3		
1990	0	28.9	21.4		
1991	26.0	19.0	14.3	4.4	3.6
1992	5.0	−0.3	18.5	−0.4	1.0
1993	10.7	19.6	32.2	9.6	10.1
1994	1.0	−5.7	−1.0	2.1	−0.7
1995	35.0	20.3	12.1	3.6	13.4
1996	11.9	−4.3	7.7	−0.3	0.2
平均	19.2	15.1	25.5	2.7	4.2

报告过去的业绩时，数字通常远高于报告预期的业绩（那些业绩极差的人根本就没什么好报告的），但所有那些取得好业绩的人都担心报告中是否包括了他们的结果。也许这有助于解释1987年虽然是市场大崩溃的一年，但报告的平均收益率居然高达64%和86%。巴克莱报告的结果与MAR的结果有较大出入，前者的结果似乎与现实更吻合一些。

研究一些主要市场不同时期的连续变化相关系数，或许可以得到比较直接的证据，了解逆向投资是否优于趋势跟踪的结论（见表4.3）。白银市场上所有时期都有明显的反复，并且所有其他市场每月变化呈现出连续性，其他时期几乎呈现出零相关。

表4.3　1987–1996年商品波动的序列相关

周期	银	石油	债券	S&P	瑞士法郎	美元
1天	−0.01	0.01	0.00	−0.03	0.02	−0.01
2天	−0.02	−0.11	0.00	−0.06	−0.02	0.01
10天	−0.22	0.13	−0.04	−0.06	0.01	0.18
1月	−0.15	0.27	0.13	0.02	0.15	0.18
1年	−0.36	−0.04	−0.89	0.71	0.05	−0.05

不过，即使相关系数始终呈现出一致的形态，它们的用处也很有限。在某些季节，趋势跟踪呈现好的绩效，另一些季节，反向投资更优，问题是预先怎么区分这两种季节。

波动的阴影

75年前，哈佛大学经济学家弗兰克·陶西格就提出了有关这个问题的高明见解。他发现，在某些区带之间市场有反转的趋势，当跨过这些区带时又呈现出连续和趋势跟踪态势。

技术分析专家如今把这些区带称为支撑和阻力。陶西格认为它们是“价格将在其中波动的区域……其中将有上下波动，许多也许是巨幅波动”。在不平衡的情况下，陶西格写道：

> 在这种状况中，会有范围较大的意外发生，交易商和投机客的计算和猜想，乐观和悲观情绪的较量以及信念和情感的冲击，会造成一个很大的波动区域，这是一个充满不确定性的区域。

40年后，保尔·库特纳、西德尼·亚历山大等一些学者试图把陶西格的理论与随机…………亚历山大通过"过滤"价格百分比变化来研究价格……了检验非随机性，在不同的"过滤"水平下进……"过滤"，即订单交易额的5%，会带来最好的

……把"波动"，而不是把周、月当成研究……股价运动的非随机性与研究单位或……场变动是随机的，这些研究只考虑……过滤"的办法，则在处理某种量值……上，中等"过滤"就能产生赢利，

……合起来：

……带有反折障碍。某些时候正如陶……机移动……在价格随机移动的过……

我曾研……停止过对这一问题的思考。30年前我就……的时间来研究价格的反转和突破。这项……发起，他们组织了诸如"商品公司"之……来管理大约10亿美元的资金。

麻省理工学院的诺贝尔经济学奖获得者保罗·萨缪尔森，从1975年起就是“商品公司”董事会成员。在1996年，我依据音乐、自然、诡计、下赌、比赛等原理为他们管理资金。像大多数活动一样，投机是一门艺术，也是一门科学。想要解决投机中的关键问题，总是会牵扯到更多的其他问题。也许我唯一能够肯定的是：价格有时像狂野的野兽，有时又像温顺的羊羔，还有的时候像一条顽皮的鲑鱼。

风之友

到了我开始写学位论文的时候，我很自然地开始探索趋势与反转之间的关系。为了研究，我一头扎进我喜爱的哈佛图书馆中，它是世界上最好的图书馆之一。

哈佛在全世界拥有100多家图书馆，全部藏书超过1100万册，其中的大多数都在剑桥大学的图书馆里，据说韦德纳图书馆的藏书超过5英里长。我把哈佛图书馆当作自己的家。在这里，你可以与历史上最伟大的思想家谈心。学习任何人类已经掌握的知识，你甚至可以从这儿出发到太阳系的任何地方探险。

1963年的某个夜晚，影响气候的四个因素，即太阳、大气、湿度和风，深深吸引了我。我刚刚结束在波士顿举行的与联合船屋队的团体赛，匆匆忙忙在德金公园吃完饭，我的哈佛网球队和墙球队的朋友付了账，我又在图书馆10点关门前赶回。

就像波士顿平常的情况一样，那天也是风雨交加。冬天的寒风从加拿大席卷南下，与大西洋上空的暖气团撞在一起。当我散步时，经常进行蒲福风级[①]的风力计算。如果树叶沙沙作响并且只有微风，就是2级；如果树枝在晃动并且小树在风中摇摆，就是5级风；如果整棵树都在摇动并且行走困难，就是7级强风。在这里，我是对的。空气中的一点蛛丝马迹就促使我下决心买进谷物。

---

① 蒲福风级是英国人弗朗西斯·蒲福于1805年根据风对地面物体或海面的影响程度而定出的风力等级。按强弱，将风力划为0至12级，共13个等级，即目前世界气象组织所建议的分级。

风是投机客的朋友。风和地球循环系统的另一个重要角色——海洋流，把我们大家结合在一起。“你永远不能走开”，正如环境学家所说。风能防止赤道和地球两极上空的空气变得令人难以忍受，它能交换赤道上空的暖空气和两极上空的冷空气。

风还能把养分传播到全世界，从撒哈拉沙漠为巴西雨林吹去必需的磷酸盐，并把中国戈壁沙漠促进成长的铁质吹到夏威夷，滋养那里的海藻。

作为投机客，风多次成为我的朋友。1980年5月18日，一团巨大的火山灰雾袭击了华盛顿州的圣海伦斯火山上空。灰雾很快顺风散开，染黑了天空并使看到的人感到恐惧。这阵风把灰烬带到东至格兰特平原的地方。一位非常崇拜“投机之王”索罗斯的人回忆说，他那天正和索罗斯一块打网球，吃惊地发现索罗斯正在猜测火山会给市场带来的影响。他深感震撼。

这次我对统计和古籍的爱好，让我获得了优势。我知道遮阳蔽日的灰雾将阻止庄稼所需的太阳照射，于是冲出去购买谷物。

在一些剧烈的火山爆发中，比如1815年印度尼西亚的泰姆伯拉火山爆发。它喷到大气中的灰烬有圣海伦斯火山1980年的50倍之多，最后常是尘暴。1816年，欧洲过了没有夏天的一年。

于是，1816年的谷物价格暴涨：英国小麦的价格从每蒲式耳9先令涨到16先令6便士。更令人惊异的是，麦芽价格涨了两倍多。在论及1815年年末到1816年年末小麦价格上涨100%时，托马斯·涂克写道：“1816年的歉收，把我们从火山喷发的不幸中解脱出来。”

我不想被假冒成“研究”的二手故事蒙骗，我所谴责的一些垃圾资料却常常这样。科学是严谨的，不幸的是，火山灰烬散落的数量，没有可供使用的历史记录。火山研究者们通常测冰核中的酸或树的年轮来做较客观的估计，书面记录和客观估计都记载在《地震和火山全书》中。

我根据14座最大的火山计算了在其喷发后一年里小麦价格的波动百分比。火山喷发8个月后，小麦价格的平均波动是11%，这是既非随机的，又是具有经济

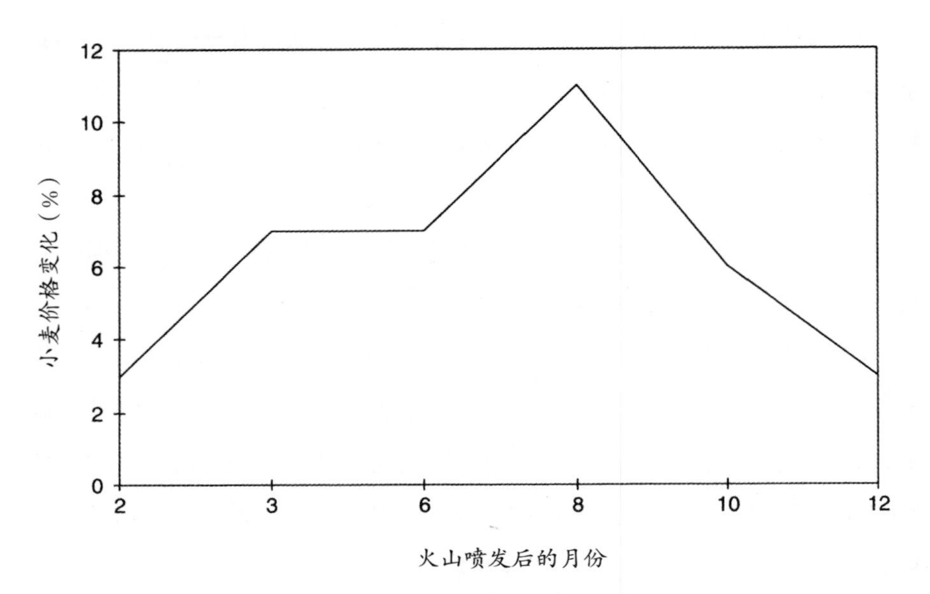

图4.1 火山喷发与小麦价格的关系图

重要性的事件（见图4.1）。

预测天气和价格

我在布莱顿长大，那里每一场比赛的结果，都受到雨水、太阳和风的影响。长此以往，我能敏锐地感到天气无所不在的影响。所以，当我走进图书馆时，我浏览了其中气象学部分的书籍。为哈佛的声誉起见，他们在开放书架上保留了所有科学杂志的合订本，我发现更小的学院也是这样。

浏览19和20世纪之交的气象学杂志时，我被当时新兴科学的讨论迷住了。早期的气象学作者想在他们掌握的原始资料的基础上把人的智慧与严密的关于定量数据的统计分析结合起来，用严格的统计方法，分析完全量化的资料。

在有关气候的民俗信仰部分，提及了传统的口传历史。我偶然看到了如下这段充满智慧的文字，刊在1884年9月的《辛辛那提探索者》上，引自一位佚名的德裔美国人的谈话。这位老人在水缸里养了三只树蛙，水缸里有1英寸深的水并有小木梯从缸底伸至缸口。树蛙就是他的晴雨表：当它们爬上梯子时，预示着好天气；当它们爬回水里时，就要下雨。他还说明了其他更多预测天气的征兆：

看看蚂蚁，你是否注意到它们在暴雨之前的行动，慌慌张张，忙忙碌碌，东奔西走，仿佛是一天跑六趟的信差或者赶时间的邮递员？狗变得无精打采，而且喜欢在雨来之前躺在火炉旁边，家禽在垃圾里打滚。

夜深了，昆虫还在飞来飞去，鹤高高地在天空飞翔，这便是好天气的预兆；蚊子飞得高，猪到处乱跑且发出粗厉的叫声，又不咬人，还猛地扯动它们的头，这时风就要来了，所以俗话说"猪能够看到风"。

看到天鹅逆风飞行，大批蟾蜍涌出洞来，数量多得异乎寻常，蛆虫、蝾螈和蛇都现身，红胸鸥鸲啄我们的窗户，你可以把它们都当作下雨的先兆。

早年的气象学家秉持不懈的探索精神，根据民间传说做出推测，然后从事比较科学性的分析。1885年4月号的同一份刊物刊载了一篇关于气象图早期研究的评论文章，该文研究了气象地图，并阐述了如何利用气象地图来研究"天气类型变动"。

气象图是英国的天才科学家弗朗西斯·高尔顿[①]发明的，我认为他是在过去几百年间给西方带来荣誉的伟大人物之一。当我离开这个充满艰辛的世界之时，要是有幸能登上通往天堂的云梯，我希望首先能和我老爸拥抱谈心，然后站在高尔顿旁边一动不动地观察他的伟大的思维是怎样工作的。

在看这些杂志时，我慢慢了解到，气象预测学可能会对股票市场有意义，特别是在预测价格变动的领域。请看看同一份刊物中的如下文字：

① 弗朗西斯·高尔顿是一位伟大的科学家，他在人类遗传学、生物遗传学等方面的奠基性工作值得称道。他也是一位伟大的社会改造的理想主义者，是一位多才多艺十分博学的人，他是19世纪许多新思想新成就的源泉，他在科学史上的崇高地位是毋庸置疑的。

> 什么东西可以视为证明了一种预测，这点在气象学中（相对于自然科学），是特别重要的问题。在气象学中，预测尤其重要，并且证据可以被任何人检验，这就有一个问题，不但是什么，而且是多少……如果预测有暴雨，风力的微小变化能证明它吗?
>
> 气象牵涉的力量极为复杂，并且会出现极多不断变化的变动。某一天的气候条件不会原封不动地重复，某一刻的天气状况，今后永远也不会出现完全相同的状况。

我发现赫伯特·琼斯的作品时，证实了预测气象的方法与预测市场的方法之间可能存在着关联。琼斯的文章见于20世纪30年代，发表在后来创办的杂志《计量经济学》上，基础是已经在气象学领域发展起来的统计预测模型。琼斯与富有的投资人阿尔福雷德·柯尔斯合作，后者在耶鲁上学时就决定用数学方法来预测股票市场。柯尔斯后来创办了“柯尔斯经济学研究委员会”，旨在研究与股市预测有关的现象。

柯尔斯和琼斯提出他们的研究方法时，发现应该建立一种新的股票市场指数，而不是像道琼斯工业股价指数那样，根据价格加权。他们计算了1897年到1926年间的这个新指数，这些资料为以后S&P指数的形成打下了基础。著名的S&P500种期货合约，就是以这个指数为基础，才在芝加哥国际货币市场（IMM）上交易的。

接下来，柯尔斯和琼斯计算出指数和个股各种长度的波动幅度，以确定是否有任何反转的动力或趋势。两人努力的研究成果出现在后来15年中陆续发表的一系列论文中，其中一篇报告的结论总结了两人的发现：

> 投机客运用这种预测方法，丝毫不能保证持续获利或获取大笔利润。另一方面，大量的反转序列……给出了股票价格结构的结论性证据。

这方面的研究现在叫做理性预期与有效市场理论。学者研究的重心像钟摆一样，在以柯尔斯为首的结构学派和以库特纳、费马、玛尔基和其他人提出的随机漫步理论之间摆动，随机漫步理论认为市场是完全无法预测的。但是由于像一个冒失者一样轻率和自信，我决定专注于随机现象中的系统性：称为“反常”而不是任意随机的观测值。这个领域看起来更令人神往。

在我钻研的价格异常之中，很多都与走向和反转有关。测量方法通常极不精确，因此，唯一还能够相当肯定的是价格序列是升还是降，是长还是短。在这种状况下，价格自然呈现序列状态，而且当对比价量这两种因素时，走势的自然延伸将看到同向运动和相向运动——也就是说，两人分离变量并存的运动有同向和反向两种。

初显身手

我在学士学位论文中测试了价格和成交量的同步运动，经过痛苦而曲折的推理——现在看来似乎天真得可怕——之后，我想，伴随价格的2次连续攀升且成交量也出现同样的情况时，需求肯定发生了巨大的变化。我把这种现象称为正突破，我把负突破定义为随着成交量连续2次下跌而发生的价格的2次负向变化。

我做的预测是：股票在正突破之后，比在负突破之后更有可能上涨。事实上，我在论文中使用第二次世界大战后，从1948年到1961年的每月数据来证实我的推测。在这期间，正突破后的次月，价格上涨的概率为73%；负突破后的次月，价格上涨的概率仅为39%。

夜以继日

在我年轻又有激情的时候，无论我如何去推演理论，似乎都不觉得辛苦。除了在家里夜以继日地研究，我还把几百张报纸带到壁球和网球赛场。在宿舍里，我进行各种计算，以在数以百计的个股和股票市场平均数上检验我的理论，这样常常熬到凌晨4点或5点才上床休息。我盯住各种预期，系统，截尾分配，外国股票和电传股票行情。在哈佛商学院的贝克图书馆做这种研究很方便，那里藏有1890年后纽约证券交易所发生的每一笔行情纸质交易资料。每一册最多记录25000份各种市场交易的细节或者那些日子每日交易的32页的记录。

我在论文的第六章郑重总结道：我的研究结果表明，根据1928年至1961年每月的S&P工业股量价资料，可以推翻对数随机漫步理论。通过选择能显示最新结构证据的股票，我认为，正突破之后买进它们并在负突破之后抛出，投机客可以获得260%的赢利。

论文的结尾我写道："简言之，这项研究为价格行为有系统性、可以预测的预测模型提供了支持。那些主张价格运动毫无规律的人，也就是信奉股票价格随机波动理论的人，现在需要拿出证据来证明他们的观点了。"

有人说，没有什么比与理论不符的事实更令人恐惧。直到如今，我还记得我的论文的要点，但我没有复印件拿出来作为参考。

幸运的是，我和扬斯坦州立大学的隆·沃尔普教授结为好朋友。隆在最近10年的辉煌时期一直是我的客户，我发现他收集了我所有出版的文章，包括我的学士学位论文。

现在，我再也不能进一步重复检验我的理论了。于是，我以我做学士学位研究时的1962年12月作为分界点，利用其后的30年，或者说360个月的数据，来作为评估的基础。

回到原点

最终的结果能够一言以蔽之：我的理论站不住脚。对股票市场平均指数来说，在第二次世界大战之后，1946年到1991年，在股票价格和成交量之间并不存在可预测的联系。由于先前价格和数量的波动而产生的期货价格波动的回归并不能解释期货价格波动的不变性，也不存在"t"分布统计量，一元或多元。表4.4显示了突破之后的某些期望值，证明这些期望值缺乏预测能力。

真令人泄气！

另一方面，我想你可能会说，我花了职业生涯中的30年来修正我的理论。我

表4.4 S&P突破后的走势

价格波动	正向突破后	负向突破后
下个月	0.90	0.80
3个月后	0.53	1.60
4个月后	(0.46)	1.70
5个月后	1.40	1.90
6个月后	2.00	2.00

以前的理论是：在我们交易室的实验室中，价格波动确实呈现出可预期的形态。

价格集中

我进行随机特性的研究时，是从最基础的地方开始的，我常到交易所大厅里研究价格变化。

我的第一个发现是，某些被称为专家的交易所会员，拥有为某些股票创造市场的特许权。据说专家制度是在19世纪晚期发展起来的。当时，一名交易所成员摔断了腿，由于上了夹板行动不便，他不能走动并和其他成员自由交易，他就要求成员们想采取行动时就去他那里。

这种体制有很大的生存价值，一直存续到今天，足以对抗大的证券经纪行、电子交易系统、三级市场以及竞争的地区或海外交易所。这项制度的存在至少还是由于专家们传统上一直是华尔街最能赚钱的贵客，他们的年回报平均超过投资的50%。

客户有委托单要以特定价格交易时（限价委托），这份订单就交给专家。这通常会造成在某一价格上定单的集中，尤其是在巨额资本股份上达到5倍和2.5倍，在小额资本股份上则只有0.25倍。股价往往在限价委托单集中的“神奇”数字附近上下波动，一直到这种集中被打破。

市场订单进来时，通常在限价卖单集中的价位成交。反过来，市场卖单在限价买单集中的价位成交。例如，买进限价为99.5，卖出限价为100，价格将在

99.5和100之间波动，依据最后一份定单是买（在100上）还是卖（99.5），这为那些头脑敏锐的专家提供了机会。奥斯本和我在1966年研究中指出：

> 短期内，专家账上的限价定单会构成障碍，妨碍价格上下波动，除非所有在最高标价上的限价定单……以及最低出价……成交，否则，交易价格将随着市场订单的随机流入而在标价和出价之间上下波动。
>
> 柯尔斯先生在给我们的信中提出了下述说法："如果专家确实习惯于从他们关于这些模式的知识中受益，这或许可以解释一个多年来引起我兴趣的现象。在对大量买卖和销售做多次分析之后……我一再注意到，以超过100份委托单作为单位，进行分析时，平均成交的价格始终对投资人略为不利，始终略低于当天最高价和最低价的平均值。这是专家们因为他们为投资者所做的稳定服务而领取报酬的表现。"

结果是个股在一段时间内，会出现不少反转期的特征。但在反转结束，趋势占优势时，很可能隐藏着巨大的需求和供给。市场定单还有别的法子来击溃厉害的专业交易商、迟钝的限价定单的使用者和准备买卖未上市股票的经纪人吗？他们全是反转的制造者。

投机客必须努力去理解基本的供需关系，赢家和输家的情绪以及天气之间的互动关系。

对抗诱惑

没有人比我幸运，因为我从小就接受各种失败的洗礼。我对舅舅、叔叔、爷爷、马蒂·雷斯曼和布鲁克林道奇队说：请不要因为我没有从你们的失败教训中学会做得更好而认为我不领你们的情。至少，身为一名投机客，我学到的东西已经使我免于亏损的惨痛命运。索罗斯给我一个外号"输家"，因为我亏损得太频繁了，我不能怪他。"维克多，你今年已经害我亏了5亿美元，"在我想挖条地缝钻下去时，他会继续说，"但是，如果没有你，谁知道我又会损失多少呢。"

我唯一能够辩解的是，至少我已经注意到了自己的这个缺点，并一直在努力克服它。当我第一次开始在有组织的市场上投机时，很快把4万美元的本钱变成了2200万美元。我的诀窍很简单：我在290美元时买进黄金，而它每次上涨10美元，我就不断积累并把我的赢利加码买进。

我过去在运动和赌扑克牌方面的经验救了我，它们使我懂得动量会随时改变。我已从舅舅身上学到了许多。赌徒们总是限制他们的损失，但他们很少限制将赢多少，或者如果他们走运领先的话，他们要拿赢利的一定百分比再去赌。这看来是个代价很大的被忽略的事实。我决定，每次我赢到的钱，最多只允许自己亏掉50%。我不能亏损。我的策略可以让我获得无限的利润，即使在最糟糕的情况下，我最后还可以剩下1100万美元，退出市场。

亏损女神是一个可怕的妖妇，她尽一切力量来阻止她的信徒的朋友把信徒们从她的魔掌中拯救出来。这方面的典型故事是奥德修斯，在他结束特洛伊战争归国途中，女妖瑟西告诉他，他的船将经过让人销魂蚀骨的妖妇塞伦居住的岛，他非常渴望听到妖妇优美的歌声又不被引诱至毁灭。奥德修斯知道自己很脆弱，他命令水手把蜂蜡塞进耳朵并把他绑起来。他知道塞伦是如此美丽以至于他将会拒绝任何人阻止他靠近诱惑。为了让自己免受脆弱的伤害，他指示手下，“如果我请求你们放了我，你们一定再加些绳子，把我绑得更紧。”

在黄金交易上获得了2200万美元的利润后，塞伦的歌声引诱我去冒更大的险，但我知道我可能会受到伤害。市场狂飙的时候，我持有最大量的多头头寸，然后离开现场，把自己锁在网球场里，而不是绑在桅杆上。我指示我的助手，也就是我的未婚妻苏珊：“如果我想把我的头寸再加一倍的话，请不要听我话。如果损失达到我此前利润的一半，你就把我的头寸减少一半。如果我哀求你让我放手去做，你就全部抛出。”

我跑到哈德逊河口的斯登坦岛旅游，以确保一切顺利。我与对手在世界顶尖水平上展开比赛。网球场里一切都很平静，然后我的对手和我就忘我地投入到比赛中。打完两盘，我停下来给经纪人打电话，我崩溃了。将被亨特清算的谣言打击了股民。我的财富急剧减少，也许至少50%。我立刻打电话给苏珊，“给我松绑，不要理会我说过的话，不要卖任何东西，行情会好起来的。”她坚守我们之间的约定，不但售出我一半的头寸，另外还多卖了50%。我的忠实的伴侣按照我最初的指令行事。如果她没这样做（要是我没有那么精明，没有要求她在我改变主意时把我“绑得更紧”），我的财富将会化为滚滚东流水。

但是为了付给亏损女神应得的部分，她设法把我的利润多拿回了45%，让我拥有只比全盛时期少5%的资金，可以继续在投机上从事新的发现之旅。

但我像所有的赌徒一样，还是十分懊恼。因为几个月以后，我又忍不住采用舅舅和雷斯曼式的威胁技术，告诉苏珊：“你这个可耻的小家伙，你再骑到我头上试试看。”

第五章 / CHAPTER 5

勇闯哈佛：自信人生二百年

从来没有人能像哈里·考雷斯一样，在后场使用前墙而有如此巨大的杀伤力。他的露珠战术备受嘲笑，直到他以3比0击败全国冠军，并在第三局中以15比0取胜，人们才开始对他刮目相看。

——杰克·巴纳比，《壁球取胜之道》

严格的传统

当日本交易者休市2个小时去吃午饭的时候，大洋彼岸的纽约正值深夜，我闭上眼睛渐入梦乡。在梦中，我能品尝到德尔莫里科餐馆的惠灵顿牛肉，杰西里维尔摩和我爷爷常在完成一笔成功交易后到那里一起庆祝。我能听到我的音乐老师罗伯特·舒瑞德的父亲，正和伯拉姆斯一起演奏四重奏；我看到两位伟大的壁球选手科尔斯和巴纳比进行的对战；我闻到了老爸的廉价出租公寓的怪味道，他在那里清理着那些鬼魂和倒霉鬼的遗物；我感觉在斯科特·乔普林的妓院里，爷爷正贪婪地盯着女孩。

没错，那种教育方法可以使投机客迈向成功。但这儿还有一种学院派的学习方法，像哈佛大学和林肯高等学院里的那样——这种方法使我们中的大多数成为优秀的战士、真正的信徒和顽固的教条主义者。

幸运的是，我擅长壁球和音乐，我的父母坚强地做我的后盾，给我以足够的生存自信。我对教条的抗拒力成为我投机生涯的基石。

哈佛的壁球队是美国校际竞技历史上最成功的队伍。1996年，男队夺得了76场比赛的胜利，女队也赢了40场，他们在最近12次国际校际锦标赛中摘得11次桂冠，这在过去的70年中没有先例。可以这样认为，他们这种胜利传统的一部分，也可以在其他领域发挥作用，比如说，在股市和交易所。

尽管壁球运动像DoDo鸟①一样销声匿迹了，可我无意对经常引述我在这项运动中的体会做过多的道歉。我知道，要不是还有少数人从事这项运动，我的壁球运动的经验已经毫无用处。但从这种紧张激烈的比赛中，你可以学到很多东西，对手就在你身边挥舞着致命武器，中间还没有球网，这要求球员具有非常好的道德素质。不成文的规定是，当球员有可能伤害到对手时，要控制自己的挥拍动作，而且默认对手或裁判的不利判决，绝不使用过大的动作。

壁球是一项充满英国贵族信仰的绅士运动，也只有他们才有足够的金钱和空闲时间来进行这项运动。它的传统包括僵直的上唇，昂挺的下颏，战斗精神，不畏艰险的信心，优雅地接受胜利和得体地承认失败，凡此种种，包含了所有竞争的内涵。

哈佛的壁球传统源于哈里·考雷斯，他从1928年到1936年在哈佛队担任教练。行内专家认为考雷斯是该项目中最优秀的球员。如果他的学生在取得胜利后表现得不够谦虚，他往往会与后者打一场表演赛，并在第三局或最后一局以15比0取得完胜。

来到哈佛之前，哈里在波士顿的哈佛俱乐部里任教。他无法使自己适应那些来自美国缺乏贵族气息的球员，那些选手不是穿长裤而是穿短裤上场。在他的《壁球的艺术》一书中，考雷斯叹息道：

① DoDo鸟是一种不会飞的鸟，仅产于毛里求斯这个岛国。由于过度的捕杀，很快岛上DoDo鸟变得越来越少。1681年，最后一只DoDo鸟被残忍地杀害后，从此，地球上再也见不到这种可爱的小东西。这就是那个成语“像DoDo鸟一样销声匿迹了”的来历。因为它们完全灭绝了，从此也为众人所知了。

其实，打壁球时穿长裤还是穿短裤，对运动并无影响。即使真的有，那也可以忽略不计的。而另一方面，毋庸置疑，白色的长裤给这项运动增添优雅的氛围，而短裤盛行则日益失去了这种优雅的味道……偶尔有些球员除了运动护具以外再没穿什么就出现在球场上。如果这些人能够在看台上看看他自己的模样，就会羞愧地改变这一习惯。

这些新的方式，不断增强的民主化，无疑是造成考雷斯精神病的原因。他人生的最后10年——从1936年到1946年——都是在精神病院里度过的。

当杰克·巴纳比在1936年接管球队时，英国的传统已被美国化了，穿短裤得到了许可，而且，尽管有些球员不曾在著名的哈佛精修俱乐部里加以磨炼，也鼓励他们参加球队的选拔赛。只要新手想学壁球，他们不再为上练习课而付钱。杰克可以让一个从未接触过壁球的人在3年中成为一个国家级的选手。

巴纳比的祖先来自康涅狄格州的哈特福德，那里寒冷的气候，加上保险业很发达，培养了大家务实的态度，这阻碍了他进行日常网球训练。1930年巴纳比进入哈佛时，一位网球选手建议他在冬季里开始练习壁球，他回答："为什么？我认为它像一个挂在树枝上又小又香的南瓜。"[①]当巴纳比向考雷斯要求参加选拔赛时，考雷斯却说所有位置都被现在的或将来的全国冠军占据着。

巴纳比得到练习机会的唯一方法是付费上考雷斯的私人课程。他勤奋地上了一年的课，他常向他的学生提到："我的技术已经可以与全国冠军相匹敌，就像高里登、普尔和斯特拉岑一样。"我写本书的时候，恰好穿着纪念巴纳比80岁生日的衬衫，上面印着"老当益壮"，用以概括巴纳比在30年代壁球运动的故事。我曾看过记录，这些故事都是真实的。巴纳比经常打入决赛，获得过数次麻省锦标赛的冠军，并在表演赛中曾击败过像高里登和普尔这样的全国冠军。

我1961年参加选拔时，尽管缺乏贵族气质，但我斗志高昂，我惯于直接迎面回球，并且能打两个五盘的比赛而不觉得累。壁球适合我，拼死奋战一直是哈

① 壁球（squash）的英文与南瓜相同。

佛运动传统的精髓。

然而，我担心自己缺乏充分的信心去抓住机会，我的个性冲击着晦涩的、严格的、贵族式的英国传统。接触这项比赛前，我走上前对巴纳比说："我将是你所教的壁球运动员中最好的球员。"我几乎能听到挂在他办公室里那些老冠军们的全身像发出的愤怒呼喊，这些冠军们清一色穿着长裤。值得称道的是，巴纳比很有风度，只是答道："我乐意在几天之内向你介绍球场是什么样子。"几年后，巴纳比在描述这件事时，宽宏大量地说：

> 由于尼德霍夫是一个甚至连球场都从未见过的初学者，因此，他说那话，口气像一个自大狂。但对于他，就好比我们说"我现在要去邮局"，仅仅是在表达着一个事实。14个月后，他就摘得全国的青年冠军。

35年后，巴纳比坦承，他当时好不容易克制住自己，没有说出："你像一只蠢猪，一头40年来我从未倒霉碰上的蠢猪。"但这还不是我唯一一次使他"话到嘴边又咽下"。

有一次，狂妄自大的奈德·比格鲁主持我的比赛，输球后，我向他说了一声"谢谢"！

"我做得不够。"他回答。

"你再说一次看看。"我针锋相对。

巴纳比告诉我，那一次我的无礼举动，差点导致年度全国锦标赛的取消，原因是缺乏经费支持。他还是在几小时后见缝插针对我说："你的反驳也过于苛刻了。"

"但是，教练，如果他不是偏袒耶鲁的话，我本来会赢得整个锦标赛的。"我说。

自我信赖

无论你叫它自信，还是称为"不可容忍的傲慢"，我在竞争中就表现出这样一种品质。社会科学家给它冠以许多让人感到古怪的名字，诸如“控制中心”“自我信赖”“自我功效”“自我概念”“内部控制”“宁做鸡头，不做凤尾”“自我背离的不足”和“个人责任感”。综其要义，缺乏自信会引起退缩，而这又等于导致自我毁灭和反社会行为。冒险，这片贴近我们内心投机利剪的刀锋，很大程度上与我们的自我感觉有关。

心理学家喜欢用包括学生、教授和同盟者参加的实验研究自信问题。一个典型的实验是：首先告诉一个学生，他未能通过智力测验。接着，一个英俊的同伙设法与这个学生交谈。自然而然有了“一个约会邀请”，学生接受或拒绝这个约会，是其中的独立变量。这种精心设计的实验需要大量的技巧和倾向性，令人不禁想叫出声来“真是专业”！

相比之下，棒球这项地道的美国运动，提供了一种情境，其中，结果是客观的，人物是成熟的，而且有着强大的获胜欲望。以下是一些棒球运动员对自信的看法：

在积极的自我形象下：

没有什么能比记分牌上的8分更让投手有积极自信的态度。（杰·布鲁斯南）

当你赢球时，你会吃得更香，睡得更甜，啤酒味道也更好，而且，你的妻子看起来也更漂亮。（强尼·佩斯基）

在消沉时：

你准备击球。当球向你飞来的时候，你还在想着你的姿势。而当你想到挥棒时，球已擦身而过。（博比·马瑞）

如果没击中球，过错在你。承认了自己的过错，你该做些什么呢？你问俱乐部里的每一个人：“我究竟做错了些什么？”

你一定会惊讶地发现答案居然很多。一个人告诉你这一点……另一

> 个告诉你那一点……别的人还能告诉你更多。你已经改变了姿势，你的脚靠得太近或离得太远，你挥棒要么太早……要么太迟。你采纳了所有你听到的建议……结果如何？你很幸运，没有得到批评。然后一天，你开始击球，这时你将明白一切，那只不过是你的失误。（路·杰瑞格）

棒球的例子很清楚地表明，指出你什么时候缺乏自信比补救它容易得多。

全美明星队

许多精明的市场评论员已经总结出，成功的投机者最重要的性格是自尊。一篇19世纪80年代的论文提出了这一经受了百年考验的定律，甚至它在1923年还被《华尔街杂志》重新刊登：

> （投机客）必须为自己而思考；必须依自己的感觉行事；自信是成功之基，（不要）由于精神上的懒惰习惯，而让报纸、经纪人或睿智的朋友代替我们去思考。

在这本老书中，有大量伟大的股票市场操作者们在战火纷飞的股市上保持镇定的传奇故事，但杰伊·古德、约翰·盖茨、罗杰斯、科里卢斯·范德比特的业绩远没有今天同类传奇人物那么显赫。1987年10月19日中午，我和索罗斯打网球时，股票市场的狂跌可能更令人唏嘘。

股价跌势最猛时，我们正在打球。前一天，索罗斯已经损失达10亿美元，但他似乎毫不在意（至少表面上是那样）。他打出了历来最高的水准，完胜了我（我不能像他一样对股市漠不关心）。他深信市场会重整旗鼓，获取利润的机会会像以往一样，遵循同样的规则和可预见性（对他来说）再度显现。

我在比赛前通常比输掉比赛之后更有自信，我期望获得每一个我参加的锦标赛的冠军。在我进行组织市场上第一笔交易以前，我总是令自己相信我是一个成功的投机客。我仿佛可以追溯到20世纪30年代布鲁克林学院的橄榄球场。

我老爸在流行的单翼阵型中任后卫，布鲁克林学院有一个长期的计划，要和军队、加州大学、密歇根大学和圣母大学比赛。这些强队用比赛津贴引诱布鲁克林到他们的体育场比赛。当他们以100比0战胜这支由布鲁克林犹太人组成的队伍时，后者有多少失败感被渲泄出来，只有天才知道。

我老爸把他的球队比作“世界上最糟糕的球队”，而他的贡献又是“队中最少的”。他可能十分正确。后来，我查过他4年大学生涯所进行比赛的记录，是1胜1平33负，失分达到705分，得分仅8分。在一场连续八局的比赛中，另一支队实际上已完全遏制了布鲁克林的攻势，因为前者已保险地获得了那些不可能失败的分数。

一次，这后来成为我家庭的有意义的一幕，在比分为3比50落后的时候，教练把我老爸替换下场。我的爷爷对此不能容忍，他写了一封信给教练，主要意思是：“有像尼德霍夫这样的地道美国人在队中，你怎能浪费天才而让另外的新手上场去跑、去掷或去踢球？”

到现在，我还保留着这封信的第二页，它表现了典型的尼德霍夫式对孩子的保护。你能想象得到教练收到信时怒不可遏的样子，他第二天就实施了报复。他在更衣室里向所有运动员大声朗读了这封信，对我老爸来说，那是他一生中最尴尬的时候。

在布鲁克林队以后的日子里，老爸的队友都用这封信来取笑他，还叫他“纯粹的美国人尼德霍夫”。多年以后，我们一家人在一家有2800个座位、名叫路德的海鲜餐厅里，偶然遇上了他以前的一个队友，他问候我老爸：“嗨，纯粹的美国人，你老爸怎么样？”

当老爸告诉爷爷他的难堪时，爷爷回答说：“我不替你出头，谁替你出头？”这就是尼德霍夫家族所有亲子关系的标准。一次，当我的女儿盖特被排除在某场业余选手演唱会外时，我也写了一封类似的信给学校。我指出，她的老师是一群废物和破坏者，并告诉女儿不必担心。她的天才不会受到压抑，是学校的自我忌妒使她不能表现才能。在以后的4年中，这个老师一直叫我“暴君先生”。这封信

（信的第二页）

你在第三节中把尼德霍夫替换下场，接着罗克威尔狂奔20码触底线得分，这场球就输掉了。

比赛中，布鲁克林队有20次向前传球，只有一次成功，而那是唯一一次由我儿子扔出的。你也许认为这是短传，如果是由一个好投手投出的话，将会是一个漂亮的底线得分。

就防守而言，这支队还能在纽约市立学院的比赛中表现出色；就进攻而言，它比在校友比赛中还糟糕。这同样有不确定性。

不管你的评论怎么样，每4个擒抱中3个就是由尼德霍夫做的，甚至在他受伤以后，依旧完成了擒抱。

在对蒙特彻尔时，布鲁克林队在四节的比赛中，有三节攻守俱佳，胜过对方。在比赛中，以弱胜强可能更令人叫好，但那只是评价的结果。

现在你把尼德霍夫放在二线队，看在老天的份儿上，给他球让他上场比赛吧，让他投球、接球，不要妨碍一个新人的发展。

祝你好运，望大家都有愉快的心情。

某某谨上

刊登在《董事会报道杂志》上，它引起了全国所有认识到自己孩子受到老师压抑的父母的共鸣。一直到现在，我还收到了许多希望使自己孩子保留独立个性的父母的邀请，当我的孩子在学校里有些小问题时，我总是激怒他们说："可能我应该给你们老师去一封信。"不一会儿，我就听见妻子苏珊对一把眼泪一把鼻涕的孩子说："他只是在哄哄你罢了。"

我的名声在交易厅里众所周知。我们的交易执行不好时，我的搭档就会告诉订约方："这件事情结束之后，尼德霍夫博士想和你聊聊。"得到解释以后，我习惯说："可能我应该给你和你的老板写一个条子说清楚我们对此的看法。"经纪人一贯回答："不要这样，在你的价位上你的保证金是足够的。"

我爱读书

在我的成长过程中，书一直伴在我的左右。沉浸在书海之中尽情读书，足以为小孩子打开一个广阔的知识世界。老爸幸运地住在普瑞森特的第九街，那里有曼哈顿的出版区。在连锁店和存货销售店尚不盛行的年代里，出版商有时被迫抛售积压的书，老爸和一些好心的知识分子帮助出版商处理存货，节约装箱成本，办法是免费把这些积存书运回家里。

我们在布莱顿700平方米的房子里收藏着1万多册图书，此外，还一周两次赴当地图书馆借书。我每晚都要读书。老爸的葬礼上，共有5个图书管理员出席，来送他们最好的主顾最后一程。图书与财富的比率，以及图书管理员与其他送葬者的比率可能已经达到了录入吉尼斯纪录的标准。

或许是我家里太穷，也或许是我们太有自制力，我们一台电视机都没有买，我没享受过坐在屏幕前看体育节目或其他我所喜爱的伟大人物的乐趣。我常抱怨：“我是世界上唯一一个没有电视机的孩子，为什么我们不能有一台电视机呢？我想看克莱克斯和希德·卡塞。”

十分不幸，我的父母非常固执地认为书更好，那些对其他人来说有好处的东西不一定对我们有好处。我们不买电视的一个原因是，书籍能交流人们愿意共享的一切东西，既能让你舒心大笑，也能让你伤感落泪，让你接触到整个世界，书是世界上最永恒的东西，因为它们记录了它们那个时代的智慧成果。它们能帮你体验1000种不同的生活，电视则不同，今天看了，明天就没了。还是让我们去书架上挑一本好书吧。

“是，但电视更有趣。”

“就是能够大声尖叫而已——你在电视面前就像一个怪人（在我奶奶的家里）。看看你自己，恍恍惚惚的，电视也许能刺激你，但它令你消极和懒惰。你一无所有，不要奢望别人会替你做一切事。记住，如果你想实现点什么，就必须自己去做。”

“但我做作业需要电视。”尽管我这样说，但还是没用。

这次谈话以后，我总是等待一个适当的时机，溜到奶奶家里，一动不动地坐在屏幕前面。不幸的是，我几乎从未完全地放松过。总存在着我老爸发现我的藏身之处，把我拖出座位的可能性，或者妈妈让我额外地练习钢琴和单簧管，以此来换得我看电视的时间。那时，在我看来，被剥夺看电视的时间，是我生活中最大的悲剧。不过，反过来说，在那些闲暇时间，不准我看电视，我才有时间培养对音乐、运动和读书的热爱和兴趣，特别是读那些让我一生享有快乐、幸福和“放松”的书籍。

与大多数交易商和经纪人一样，工作时我大多坐在显示器前关注着价格的涨跌和各种消息。电脑显示器和电视一样，都有一种我父母亲担心的催眠效果。看着那些上百万人同时在看的内容，我与普通人并没有什么两样，往往局限了我的思考，不去考虑那些来自外部广阔世界的新想法。勃拉姆斯和贝多芬喜欢在树林中散步开始他们的一天，我则喜欢中断工作去与大自然做类似的交流，最好是同妻子苏珊一起在伯坦尼科公园里放松自己。唯一的问题是市场之神好像知道我要离开，它总是在我离开显示器去恢复活力的短短时间里，来一次股价大幅波动。

今天，我在一所拥有成千上万册古书的图书馆里读书，这些书让我在历史中寻找新点子。旧时，作者们为了相当普遍的基础而写作，古书令人精神焕发，还使人备受鼓舞。阅读了一些古书后，我汲取了无数智慧的精华，仿佛感到双手扶着有力的船舵，帮助我驾驭着它通过现代海洋的危险地带。古书好比是树干，使现代知识的枝叶得以生长。对于投机客而言，唯一的希望是抓住这树干，因为树叶依靠树干提供养分。当代市场上，交易的货物可能已改变，但交易者表现出的情绪——幸福、惊愕、愤怒、厌恶、害怕、失望和轻视，同100年前没什么两样。

解题要诀

如果哈佛大学不是学术和体育并重的话，那么，我所了解的哈佛，就只是我赌篮球比赛一定会输掉的球队。我第一次出现在高中网球练习赛时，一个参加选拔赛的孩子手中的球拍脱手而出，刚好击中我母亲的胃部。霎时，这些带着厚厚的玳瑁眼镜的笨手笨脚的年轻人惊慌失措地跑向我母亲。他们中的两个相互绊倒，整群人在我母亲周围围成一堆。我们所有人都在为队中的位置而竞争，然而，球拍飞出是参加选拔的人常见的技巧和协调问题，我是唯一一个能打到球的人。

然而，这些笨手笨脚的家伙却都是数学尖子——他们中的5个是林肯数学队里的明星——全都是高年级的学生。他们发现，要获得常春藤盟校[①]的录取通知书，主要的标准是有一个好的网球成绩。那时，哈佛只在布鲁克林挑选一些候选人，几乎所有的学生都努力争取。

我的数学水平可能正如他们的网球水平。因此，当他们建议我参加数学队的选拔赛时，我迟疑不决。他们说："不用担心。不管什么时候，你拿不准，答案就可能是1或e，尽量找出哪一个更为接近，然后猜一个答案。"我把这事告诉我老爸时（他曾经由于数学能力极强而在基础学校里跳了6次级），他又补充一句："要是做不出来，试一试在底边上画一条垂直线。"

这真是美妙的互补：我教他们打网球，而他们教我数学。最后，他们毕业了，几个去了哈佛，最好的网球手则去了霍普金斯大学。他们离开以后，我参加了全市的数学竞赛。

终于，我头一回单枪匹马去面对竞赛，考试的第一个问题是 $(2+\sqrt{5})^{1/3}+(2-\sqrt{5})^{1/3}$。

在解这道题的3分钟里，我无法简化算式，但我记起了数学高手们的忠告。答案不像π或e。我灵光一现，这是今年的第一道题，并且，第一项大于第二项，因此答案不可能是0。我猜是1，结果猜对了。

① 常春藤盟校或常春藤联盟（Ivy League）指的是由美国东北部的八所高等学府组成的体育赛事联盟。这八所学校有着许多共同的特点：它们都是美国最顶尖、最难考入的大学，也是全世界接受捐款最多的学府，拥有优秀的学生与师资。此外，它们也是美国历史最悠久的大学——八所学校中的七所是在英国殖民时期建立的。这八所学府常跟美国两个世界一流的理工大学麻省理工学院与加州理工学院相提并论，而这八所常春藤跟两所理工大学常常被称为美国"十大名校"。常春藤盟校包括：布朗大学、哥伦比亚大学、康乃尔大学、达特茅斯学院、哈佛大学、宾州大学、普林斯顿大学、耶鲁大学。

第二个问题是："根据等腰三角形的底和腰计算顶角三分之一的公式。"

我又被难住了，但这次，我记起了我老爸的建议，画一条垂直于底边的直线。然后，通过运用勾股定理和三角形面积公式，问题迎刃而解。至少我能记住别人的忠告，但"我们越老……"我越不能劝告读者采用其他人推荐的方法，来支持我的"记忆"和"聪明"。因此，我把这些题丢给了我的搭档史蒂夫·威士登，他是哈佛数学专业的毕业生，后来我才知道，我使3个博士熬夜试图解开它。聪明的孩子在逻辑和几何上的思考能力同成人一样强。

我没有成为一个数学奇才，但从我的考试经验中获得了持久的价值，我绝不会忘记简单地选择"1或e"。

简单的猜测

简单的猜测常常十分准确，这种情形令人备感惊讶。如果有人在年底问一只股票的可能价格，最好的答案是"不变"。当商品从一周的开始就大幅波动，那么，猜测下半周的价格，最好的答案是恰好与上半周相反。在纽约证券交易所上市的股票中，每天收盘价不变的股票占比大约是2%，大大高于偶然的预计。而且许多时候，道琼斯指数和一些商品恰好收盘于前一天的收盘价上。利用这种现象的一个好方法，是在货币期权市场上套期保值——以当前价格卖出一张看涨期权和一张看跌期权。你很有可能在两边都赚钱，这常常超出你的预期，因为到期日的价格，很可能恰好在你卖出的价位上。

我十分高兴地发现，股票市场也和我一样，喜欢那些价格不变的股票。在普通的交易日，在纽约证券交易所上交易的3100种股票，有725种或25%的股票，价格没有大的变化。每年大约有10天，价格不变的股票的占比下降到15%或以下。从1928年至今，这种情形历来都是大利空，S&P指数在以后的12个月内回到大约低于标准10%的水平。另一方面，一年中大约有10天，不变动股票的占比为30%或更高，那么在以后的一年里，市场将是牛市，涨幅约比正常情况高出10%。这种现象偶然发生的概率低于1/5000，显然，其中有一种真正的现象在起作用。

我把这种趋势的结果归因于市场因素，就是说，“利润之神”喜爱许多股票价格不变动的日子。在这些日子里，做市商[①]总能保证一定的利润，因为大众在昨日收盘价之上买入时，他们就卖出；当大众在昨天价位下卖出时，他们就买入。如果价格不变动的股票占比低时，靠大众获得的场内交易员会对市场不满意，通常会打压价格。华尔街的“古训”说“绝不在风平浪静的市场上卖出股票”，至少要显示出在股票市场上是有效的。我试图概括它并把它用于其他市场。我的经验是它适用于固定收入市场上。在外汇市场上交易，有许多类似的回归前一天的价位的情形。纽约市场上的波动幅度常常恰好等于东京或欧洲市场上的波动幅度。当期货开始大量借贷时，纽约的现货报价总是对它不予理睬。有时，股价不变动，其影响力极为强大，以至于一整天的交易中既不可能在低点买入美元，又不可能在高点卖美元同时获得利润。这时候，对交易者来说，正是赚钱的好机会。

我研读探讨市场和投资的书籍时，常常吃惊地发现，一些作者放弃了对常识性观察予以初步量化的尝试。两本流行的投资书上所举的例子证实了我的观点。一个例子中，一群美国中西部的妇女建议购买某家糖果商的股票，因为她们都喜欢吃这种糖果。另一个例子中，一位已退休的基金经理退出了市场，因为他意识到自己最近两年没有读任何书。更糟的是，他甚至从未参加过一场足球比赛，因此他建议购买他女儿们常去光顾的购物中心的股票。要是高中学生在化学课上也这样来观察，会得到怎样的分数呢？如果我们对买一台计算机或VCR比买一只股票做更多的关注和研究，会得到怎样的结果呢？

我非常幸运，在哈佛念书时，我结识了奥斯伯内，他是美国海军研究所的高能物理学家。他比我在过去35年里认识的所有金融学博士、计量分析专家以及金融学教授都更富有创造性和洞察力，只有一两个我最杰出的朋友，才是少有的例

① 做市商是指在证券市场上，由具备一定实力和信誉的证券经营法人作为特许交易商，不断地向大众投资者报出某些特定证券的买卖价格（即双向报价），并在该价位上接受大众投资者的买卖要求，以其自有资金和证券与投资者进行证券交易。做市商通过这种不断买卖来维持市场的流动性，满足大众投资者的投资需求。

外。总有一天，他会被视为有效市场和理性预期领域的权威。他的论文《股市中的布朗运动》（刊登在《作业研究》第七卷第二期——1959年3/4月号，由剑桥市麻省理工学院出版社出版），至今仍是这个领域中最有生命力和最有实用性的一篇力作。一天，他看着江水思考着大马哈鱼的回游习惯时，创立了这个理论，他注意到它们的运动与股票市场价格有类似性。然后他回来，好比自己是站在火星上观察，来研究股票价格的随机性问题。他认为股价波动“非常类似大量分子对位形成的综合形态”。

我们接触后，展开了长达15年的合作。这期间，我们挑战最受尊敬的经济学家和博弈论专家。奥斯伯内喜欢说：“有的人将做使自己丢脸的事，虽然难堪，却无可奈何，但丢脸的人不会是我。”他总是对的。奥斯伯内曾和奥斯卡·摩根斯特恩争论——摩根斯特恩对股市行情的了解程度，就如同我对非线性矩阵——最后，摩根斯特恩只有求饶的份儿。

出于对奥斯伯内的尊敬，我在此提供关于股票市场的小幅变动是牛市信号还是随机信号的测试（见表5.1）。

表5.1 尾随每日变动大小的S&P波动

大于	小于	说明	次数	次日平均变动	五日平均变动
0	1.00	小升	354	0.16	0.37
−1.00	0	小降	347	−0.10	0.83
1.00	2.00	中幅攀升	260	0.09	0.13
−2.00	−1.00	中幅下跌	227	0.12	0.70
2.00	3.00	大幅攀升	185	−0.14	0.18
−3.00	−2.00	大幅下跌	140	0.27	0.67
3.00	4.00	巨幅攀升	118	0.09	0.42
−4.00	−3.00	巨幅下跌	102	−0.13	0.17
4.00	5.00	陡升	80	−0.04	0.63
−5.00	−4.00	陡降	60	0.68	2.75
5.00	∞	惊人攀升	106	0.76	1.05
−∞	−5.00	惊人下跌	92	0.37	2.91

上述结果具有一石二鸟的功效。小于1.00点的上涨后，第二天的平均变动趋近于0，小幅下跌也与此类似。而且，大幅正向变动多于大幅负向变动，这驳斥了下跌比上涨更为猛烈的说法。这是一种有趣的状况。S&P指数单日下跌超过5点的有92次，5天后平均变动为2.91点。在这种条件下，5天里的变动是令人震惊的267.72点。但是，由于在大幅波动的日子后会有激烈震荡，而且股价在这段期间都大幅走高，单纯就概率来说，像这么极端的情形，出现的概率大约为1/10。

进入哈佛

我跟随班上其他运动员兼数学才子的脚步，申请就读哈佛。升学指导老师做了她所能做的一切来阻止我申请，我的校长写了一封信，要哈佛大学“不要接收我”，结果却适得其反。一些面试老师已经投了反对票。我附加了我的爱好是玩股票，这意味着某天我将成为一个向母校捐赠大量资金的人物。

我成为极少数被哈佛录取的布鲁克林公立高中的学生之一。我的总成绩仅1300分，在毕业班级排名236位，而且在布鲁克林地区还有很多同样优秀的中学，考虑到上述这些因素，我把我的录取视为奇迹。

当我1961年进入哈佛时，它已有320年历史。如果不能持续保持活力，它不会如此成功。在选择时，我和学校双方都做了点让步，但我相信，最后我们的关系变得更紧密。

与今天的学生不同，1964届的学生必须得自我谋生。当时，母校也不提供奖学金，校友联谊会也不会帮助支付生活开支。我得工作，虽然当时我的学费和食宿每年只需3000美元，但我老爸只能从警署领到10000美元的年薪，远不够用。

哈佛的邮差

我在哈佛谋到的第一份差事便是在学生邮局工作。我负责把信分类，沿着线路负责校园北边各部门信件的投递和收集，报酬是每小时1.8美元。

几天工作过后，我成为全职邮差。我的老板是一位来自老式学校的爱尔兰人，皮鞋擦得锃亮的，领带勒得紧紧的。在一个波士顿典型的秋日，风雨交加，我出去投信，他给我的指令一清二楚，“头脑要清醒，而且不管怎样，一定不要忘记取走生物院瓦特森实验室的信。那个教授获得了诺贝尔奖后，就目空一切，要是一天没有取两次邮件，他就打电话告状，上次我们忘了取信，后来不得不向学校董事会的副董事长道歉。”

我一向不惯于遵照命令行事。相反，我认为邮差不适合我。我向往的职业可能是当大学里的女子壁球教练，或者是在感兴趣的实验室做研究，但我又迫切需要靠邮差工作来赚钱。有几次，我可能被下雨所分心，或者是在想着刚刚碰到的女秘书，又或者是在满脑子想着我的研究，因而忘记取金·瓦特森实验室的信了。老板理所当然地开除了我。

“你被解雇了。他们怎么会让你这样的笨蛋进哈佛，我真想不通。你甚至冒雨到一个我千叮咛万嘱咐的地方去取几封信这样的事也做不来。出去，永远不要再回来。”

30多年后，瓦特森和我通过我们之间的朋友——“投机魔王”索罗斯以及我的好友波博士——好心帮忙，真正认识了。我问他是否打了那个令我被解雇的电话，“绝对没有。那时我很忙，要做我的研究，在两个试验室之间来回跑，还要在我的学生和助手之中找一个老婆。”

混出哈佛

任何进入哈佛的学生几乎都能保证顺利毕业。一个班级中有99%的人能在哈佛获得学位，与此相比，其他常春藤盟校只有95%的毕业率。相当一部分哈佛学生几乎一半的课程没上过，而其余大多数学生也因大量参加课外活动，根本没时间看什么布置的功课，更不用说有空看课外阅读材料。这样一比较，99%的毕业率高得惊人。

要不是有这个优势让我感兴趣，我肯定不会熬到毕业。我总是不愿去上大班的课。大多数本科生的公共课由著名教授在500至1000人的大讲堂里讲授，大讲堂里的味道让人作呕，我无法忍受在那么多人呼出二氧化碳的污浊空气里呼吸。另一方面，高强度的训练后，我非常难以保持清醒的头脑，同时，我喜欢交流的方式。对我来说，理想的教育方式是同博学的教授一边散步，一边探讨我们共同关心的东西。如今，投影仪和桌上印刷如此流行，如果只有讲授，就不会有交流。笔记应预先准备好，分发给学生，这逼迫老师使讲义更加简明扼要，因为印刷的文字要求必须比口头授课更具逻辑性和严谨性。我发现只有著名大学和秘密的集会，演讲者才会拒绝提供印刷好的讲稿。

许多教授似乎是被人连哄带骗，才去给本科生上课，或者是由于犯了某种错误之后遭受惩罚被迫走进本科课堂。另外一些教授躺在过去的成绩上睡大觉，处于走下坡路的境地。最后，还有政治类型的教授，他们以前当过大使或高官，显然对专业领域的最新技术发展缺乏了解。由于还没有掌握欺骗检查者的艺术，我唯一能在课堂上保持清醒头脑的办法，就是买一份最新的赛马场马经，在上课时好好研究一番。

自求多福

在伏尔泰的小说《坎迪德》的结尾部分，潘诺斯回顾了坎迪德一生的经历，既有心酸又有成功。

> 所有这一切事情结合起来，构成了你最美好的一生。因为，如果你不曾爱上坎公德小姐，你就不会被人用脚踢出贵族的城堡；如果你不曾被押上宗教法庭，如果你不曾徒步漫游美洲，不曾用剑捅死男爵，不曾在黄金城土地上丢掉所有的羊群，你就不会在这里品尝这苦涩的糖的甜蜜。
>
> “话虽如此，”坎迪德回答，“可是我们必须耕耘我们的花园。”

为了在哈佛应付考试，我学会了一种生存的方式，这为今后的投机生涯打下了基础。

在哈佛大学的基础课程中，每周固定有一场由知名教授演讲、由两位外国学生指导的讨论课。这种学生叫做“系导师”，他们的薪水只够日常开销，生活显得很拮据。他们的回报，仅是以后进入劳动力市场时有一张由哈佛提供的教学经历证明和学历证书。

当时哈佛精心营造了一个高明的体系，来维持助教的低工资（“想想这种荣耀”）。哈佛还禁止雇用本校毕业生，除非他在其他学校有5年的教学经历，这一政策导致大名鼎鼎的数理经济学家和诺贝尔奖得主保罗·萨缪尔森[①]的离去。萨缪尔森于20世纪60年代编写的教科书，使凯恩斯经济理论得以广泛传播。他是典型的从哈佛出身的经济学家，不管政府的支出和税收如何变化，他都会拿出学术证据来争辩。萨缪尔森1948年在哈佛攻读博士学位时，提出了消费与投资在产出上相互影响的数学模型，至今仍被认为是经济学上最重要的论著之一，但这仍不能打破哈佛不雇用本校学生的禁忌。

但研究生在哈佛可以获得补偿。他们用低薪和考试过关后，可以换来非常高的成绩毕业，平均成绩为A-。当前，这是个很高的分数，因为那时，分数还没有膨胀，也不存在很多只记考试通过或未通过，不记分数的课程。自那以后，分数膨胀使它就像股票图上的线条一样毫无意义。

我很快了解到，如果我以本科生的身份去参加选修研究生的课程，即使一直获得班上最差的成绩，我也能得到B+。对于我的学习习惯，无疑是非常适合的。

这个方法我用得非常成功，最后经济专业的学生排名时，我在150人中居然拿到第二名。我的方法当然不会白白淹没，没人发现。任何时候，当一位明显能力有限的本科生选修研究生课程时，就会有人称他或她为“像尼德霍夫那样混学分”。

多年以后，在索罗斯的聚会上，我偶遇投入—产出经济学的创始人华西里·列昂惕夫[②]教授。他曾是我研究生课程微观经济学的主讲老师，那次我得了B+，是班上的最差成绩。这位教授的基本思想是，经济的产出与人力和财力的

① 保罗·萨缪尔森，美国凯恩斯学派著名经济学家，1970年诺贝尔经济学奖得主。

② 华西里·列昂惕夫，美籍俄裔著名经济学家，1973年诺贝尔经济学奖得主。

必要投入之间，存在着固定的技术关系，就像在俄国那样，华盛顿那些有天分的计划制订者就能对美国超级市场货架上各种各样的货物做出计划和安排。我听说列昂惕夫已经放弃了这一理论，他本该这样。然而，列昂惕夫是我遇到的人中头脑最敏锐的一位，即使过去了25年，他也一下就认出了我，他对我说："现在，你靠着捡索罗斯交易的碎片，又在商品市场上'尼德霍夫'式地混了，就像你在我课上做的那样。"每次，当我在交易中表现完美，恰好在最低点买进，在最高点卖出并及时全身而退时，我的搭档就会脱口而出："你'尼德霍夫'它们了。"

营养学会

德不孤，必有邻。在混学分的过程中，我学到了解决财务问题的方法。进哈佛的第一个星期，我注意到一帮粗声粗气、虎背熊腰的学生，他们大概有两倍于我的体重，紧紧地跟着一个瘦小、戴眼镜的金发绅士。这一群人，大部分是足球队的，跟着那个小块头走进一个教室。我问其中一个运动员到底是怎么回事。

"哦，我们在足球队里，一天大约花4小时训练。不像你们贵族式的壁球运动员，我们练习时，身体冲撞得很伤害。到了训练结束，我们非常累，有时间做的最后一件事，就是学一些简单的功课。正好，那个我们跟着的人叫托尼·汤米，寻找简单课的专家。他老爸在哈佛教书，曾经设计出一种标准化的智力测验。他根据他孩子的平均成绩给他们钱。汤米是桥牌队队员，所以不得不时常旅行。他把他所有精力和经验都花在每一学期开始，找出简单的课程。我们球队的人也跟着他，以便可以一起登记。"

显然，这是聪明的大学部学生自然遵循的传统，史蒂夫·威斯顿比我大约晚20年从哈佛大学毕业，他指出："我念书的时候，职业曲棍球选手威尔就以带大家找简单的课程而出名。好比在沙漠里看到草，就明白水在附近一样，威尔出现在哪个课堂上，我们就知道这门课容易得高分。由于他这方面相当出名，校报给了他一个外号叫'傻瓜头'。"

有一次，史蒂夫很担心一门非常重要的经济学课程，因为他从没上过课，也没有念过指定的教材。然而，当他看见威尔走进桑德斯大厅参加期末考试时，他心里坦然多了。史蒂夫有大量那样的经验，因为他念哈佛大学的成绩没有一两门是低于“A-”的。

如何混学分

今天，混高分实际上已被制度化，亚当·罗宾逊无疑是运用逆向思维拿高分的专家。他是《普林斯顿评论》的共同创办人，他的关于如何通过决定试题设计者的议事日程来提高考试成绩的书籍每年销量超过50万册之多。

罗宾逊和另一位也是这方面的高手，也就是我的兄弟罗伊，共同拟出一张摘要表，说明如何选课过关。由于所有的投机客或他们的孩子，在某一个时期里，都需要选课和参加考试。我特意将这张表附在下面：

1. 总是在寒暑假期间选重要课程。你的竞争对手是那些以前没通过或对它不重视的人。

2. 上课前没做准备的话，早点说出来，这样在讨论指定问题的时候，你被叫起来回答问题的可能性更小。如果在考试中碰见一个毫无准备的特殊问题，写上你自己的问题并回答它。

3. 选课绝对不要选由男老师任教、前排坐着漂亮女学生的课程（反之亦然），一个相关的原则是老师对异性学生给分比同性学生更宽容。因为两个性别的老师都是对男生比女生严格，男生在报告和试卷上，要尽量隐藏自己的性别，女生则要暴露她们的性别。

4. 选择选课人数逐渐下降的课，教授会因为让这门课继续开设下去而给你高分。

5. 不要选那些由研究生助教任教，而且他们似乎想跟你或其他人谈恋爱的课程。

6. 尽量常在上班时间拜访教授，对于一个清楚了解你的教授来说，他很难给你苛刻地评分，尤其是在3条和5条同时存在时。

7. 如果知道课程是根据学期内的进步表现来评分，你就得慢慢地进步。首先在你的首篇习作和首次考试中故意露出一些系统性错误，以便你的进步能被注意到。

8. 在你的论文或考试中使用教授喜欢的名言和常说的话。

9. 研究过去的考试。考试时，以前的问题或论文题目常常重复出现。

我很幸运拥有很多精明能干的朋友，他们把历久弥新的投机原理运用到日常工作中去。没有一个人能比罗宾逊更适合这个位置，他担任了我家的首席家庭教师——这可不是简单的工作，我的6个孩子要不断接受标准化的测验，从出生时的APGAR考试到GRE考试。

我问我的首席家庭教师，请他说出一些最近流传参加标准化测验的秘诀，他说出了以下几点：

- 大多数多项选择的标准化测验题目安排时，大致是根据答对学生的数目多寡而定——这是一个反向思考的典型例子。对大家（大多数学生）来说，前面（容易的）问题的答案是十分明显的，而后面的问题答案总是出乎意料。换句话说，前面部分问题的答案是引人注意的，而后面部分问题的答案却不太引人注意。再换种方式来说，前面问题的答案是“似乎是对的”那一个，而后面部分问题的答案往往是“似乎是错的”那一个。
- 在标准化测验里，“有点拿不准时相信第一感”的老规矩往往会导致犯错。每节后面的问题是大多数学生都出错的，也就是说，这些问题是凭大多数人第一感觉会错的问题。
- 标准化测验跟视力检查表和跳高比赛一样，目的是找出一个人能力所不及的水准。除非你的目标是一个完美的高分，否则，不要对每一个问题都细致研究，要肯在一些花费过多时间的问题上赌赌运气来换取做剩下问题的时间。不要在最简单的问题和最难的问题上耗费太多时间，将大部分时间花在“中间”问题上。

这些规则也适用于在有组织的市场上进行交易。一个波段开始时，要随着大势走，但在波段结束时要违背大势。没有把握时则退出，把时间花在你更具有洞察力的市场上，忘掉那些有200个分析家跟随的交易。

我在哈佛大学念书时，足球队的队员显然是混学分的先驱。但为了替他们天生的智力说句公道话，我发现我们毕业25周年的纪念册上，球队中的20位成员里，有5个医生，好几位教授，6个律师和6位公司总裁。那些想在生意上成功的人现在又可以由这些人提供购买股票的消息了。

开辟坦途

我发现应该立刻认识汤米。我们结成了朋友，接下来，我教他打壁球，他则教我怎么赚钱。

汤米在校外租一间公寓，每周在公寓里举行一次扑克游戏，请许多足球队的朋友参加，他建议我也参加。

我接受了他的建议，那个时候我就很有耐心，我等到长达24小时的马拉松赌局，终于得了一手极好的王牌。到了这个时候，我的很多不耐烦的对手已经十分失望，因此他们开始加大赌注以使他们能有机会扳平。急切地想扳平对于投机客是个很坏的习惯，而不幸的是，它又是一个最常见的习惯。那就是为什么在价格不利波动后会出现反弹，而且反弹很远。至少每次我在几天内亏掉10%或20%的资本时，等到接近回本时，安心地退出市场，想不到出手之后几秒钟，就看到价格继续波动，展示出如果我不脱手，一定会赚到惊人利润的趋势。有些投机客能通过量化这些趋势来碰碰运气。

借风使力

从我靠短拍壁球骗钱的日子开始，我一直善于化阻力为优势。我骗钱的方法包括坐在椅子上打球，或者拿垃圾桶的盖子来当球拍。在哈佛大学旁边的士兵运动场上，持续不断的每小时30英里的强风从查尔斯河吹来，吹到网球场上，我们对此已习以为常。这风产生于南方，来自空气稳定的大西洋。

在哈佛大学的网球场上，我的策略非常高明。我通过在有风的日子里参加挑战赛，成为新生网球队的第一名。第二名是弗兰克·李普莱，后来他成为全美40岁以上组的双打冠军。尽管他在能力上远比我有优势，但我仍然设法击败他。

网球场通常是南北走向，这样，球员在挑高球或发球时就不会正对着太阳。我在北边半场击球时，拼尽全力向对手界外抽击，知道风会把球朝界内吹；而在南边半场时，我采用旋转发球，因为顺风会增加球速，使发球就能直接得分。

我交易时经常考虑不对称性。上涨的趋势通常会形成“U”形，经过一天或两天的正常上涨后，通常有足够的时间加入主升段的列车。但下降通常是一个倒“V”形，它们同时发生而且很快，往往没有给你一个逃上船的机会。因此，在强势时卖出是必要的。但我从来不仅仅凭有可能发生的感觉，在没有接近定量指标的情况下抛售股票。我已经用无数种方法来测试过这个现象，发现没有任何证据支持这一点，另一个投机谣言销声匿迹了。

风雨交加的日子在哈佛大学太常见了，因此，秋季网球赛只有几天，网球选手就会把注意力转向壁球。出于典型的尼德霍夫式风格，我通过阅读关于壁球的书籍来尽力提高自己，这些书描述了像阿默鲍伊这样的伟大选手，他的球拍全力向后挥，并且高过头顶达2英尺的地方。我也模仿这种精彩的击球动作。

我在练习这种挥拍方式时，被教练巴纳比看到了。他看了看我的书，说我是在缘木求鱼，我学习的是关于软球比赛的书，而未涉及我参加的美国式的硬球比赛。巴纳比建议在接近肩部的地方竖起球拍用较短的回球动作，这样可以达到精确、奇袭和欺骗的效果。

对大多数快速的活动来说，比如投机等等，同样的原理也适用。最好的机会通常像晴天霹雳一般在你意想不到的时候来临，而且稍纵即逝。如果你要通过较长的时间准备才下单，你可能已不是那些动作迅速的竞争者的对手。

巴纳比没收了我的书以后，把我领到他的办公室，训了我一顿："你要记住，你不是在站着不动打高尔夫球，你正和你的对手比赛。单独一个人打球时，球沿着左边的墙壁往后飞，碰到后墙弹回1英寸，可能是很厉害的球，只要你的对手不是站在左后角那个准确的点上。"

"用你的头脑和你的……屁股。"（他说"屁股"时，瞄了瞄四周，确定屋里没有敏感的女性，免得这个下流的词冒犯到她们。）

在《壁球取胜之道》一书中，巴纳比详细解释了这种策略：

> 我曾在波士顿公开赛中利用我的屁股击败对手。我先利用发球得分，他又靠在我的反手的击球把分追了上来，比赛变得越来越紧张，但我马上又回敬一记三墙球。比分对我有利，2比1，而且这一盘到了13比11，我要怎么打，才能再得2分呢？我决定先与他打6个回合，然后等一个好机会上假装（而不是真的）打一个三墙球。我们正常地打完6个回合，球从墙上弹回来落到对我有利的位置。我以我平常的方式准备着，但我击球前故意把臀部晃动的幅度加大了2至3英寸，仿佛我有一个击边墙的秘密计划。他上前准备接我的三墙球，但我却直线抽击。他猝不及防，我干净利落地拿下1分。我还需要1分。我们又打，经过五六个回合之后，我又把屁股扭动了一下，打出强劲的对角长球。这是一个普通角度的球，但它结束了这场比赛。在顶级比赛中对抗最厉害的高手，头脑清楚是最重要的。

我看到商品价格的波动，想让交易者走上错误的道路时，常常想起巴纳比的屁股。市场连续六天都在开低、走低、收低，第七天，它开始晃动它的屁股上升。交易者以为它将持续上升，纷纷入市购进，但相反，它却停下来开始下跌。下一次，它又晃动屁股上涨，但这一次，行情震荡得很厉害，涨幅很大，并且收于最高价位。

我一定是在壁球运动中学到如何掌握蛇行前进的正确时机。巴纳比写的那本《壁球取胜之道》，无疑是有关壁球书籍中最好的一本。他在送我的那本书上题字，写道：“我教你的一切……你绝对不能依靠我替你做你该做或我该做的事情。我教你的每个观念，你都要牢牢记住，变成你自己的理念，配合你自己的动作，而且要常常发展它，完善它，超越我教你的东西——好比你那种‘自我练习’，将对你大有裨益，使你自成一派。”

我的“自我练习”始终持之以恒，而且已融入了我的投机生涯。我常常目不转睛地盯着显示器72小时，等待着最好的那波行情。

回绝哈佛募集基金

所有想要筹资的人都应向哈佛学习。哈佛校友搬迁新址，一周之内肯定会收到来自哈佛基金会或其附属机构的第一封来信。你大学时期的某位室友会一年打两次电话给你，用拉关系的方式，替学校募集基金。“你女儿怎么样？盖尔特现在的年龄是……20，还有你那可爱的（看看屏幕）……苏珊。”在哈佛，比尔·盖茨、沃伦·巴菲特、乔治·索罗斯，或者大国的酋长，或者全球10大富豪中的另外7个，将很快收到，或近期收到，或已经收到了一个有声望的演讲会邀请。每年你会受一次邀请，邀你与哈佛地方俱乐部总裁或者学校本身的总裁一起共进晚餐，一起谈论“改进学校”所迫切需要的新项目。

难怪哈佛大学的基金拥有70亿美元，远远超过世界上任何一个学术机构。

过度的财大气粗，使哈佛的设施略显“臃肿”。20世纪90年代初，哈佛需要一个新的网球场地。他们找到我，要我捐赠600万美元，以便盖20个复合场地（只有哈佛才这样花钱不计成本，用30万美元修一个场地），我说如果以我老爸的名字命名的话，将会非常合适。我一开口就还价，说只捐100万美元。基金募集助理用一种鄙视的目光看着我，仿佛我带了一个流浪汉朋友一同上豪华餐厅就餐。一两分钟后，她甚至没有打个招呼就离开了我的办公室。

哈佛投资

哈佛弥漫着难以克服的顽固和傲慢作风，这种气息也延伸到投资组合的管理上。

《福布斯》杂志在一篇令人震惊，而且对本书每一章都有影响的报道中指出，哈佛大学的捐赠基金会是世界上最大的衍生金融证券的购买者。到1995年6月30日止，哈佛持有的头寸，票面价值高达353亿美元。而净资产为77亿美元，杠杆比率远远高于乔治·索罗斯，哈佛爱好的一个战略是在同一产业中，买入低估的证券而卖出高估的证券。例如，1995年6月30日，哈佛做多西尔斯·罗巴克公司的股票而做空彭尼公司的股票，这一交易的赌注是大约10亿美元的短缺头寸。华尔街上的投机商利用了哈佛的短缺，他们买入哈佛所需借入的证券然后“迫使哈佛支付给他们”，可能预期地承担高利率。

哈佛管理公司董事及商学院的一位教授杰伊·莱特在讨论这种策略如何降低风险时指出：如果市场下跌，“我们的损失将低于，不高于，几乎确定低于我们把资金投放在国内股权时的损失。”我希望凭着我离开哈佛已经31年的间隔来回答上述问题：“并非如此。”我把这篇报道念给妻子苏珊听时，她问：“这是什么意思？”然后开怀大笑，笑得滚倒在地上。

我应该提醒哈佛记住昆士兰公爵的故事。昆士兰公爵和他的同僚在18世纪初期打赌说他能把一个消息在一个小时内传到50英里以外，而不借助马、信鸽等其他工具。他的贵族朋友同意和他赌一次。公爵收到了巨额的赌注后，把消息封在一个板球里，让24个优秀的板球手在一个小时里传完了全程。我只是希望进出配对证券和买进麻烦的并购证券（看起来高估的放松标的总是会出现后续变化）所产生的不协调，不会使哈佛那些专家无法达成目标。

第六章 / CHAPTER 6

游戏与投机：相同的本质

童年我玩大富翁游戏时，培养出了买卖银行股的偏好，今天，我做着同样的事情。

——乔治·索罗斯向他的一个朋友介绍的成功经验

顽童

“维克多！”

我不回答。

“维克多！”

还是没有回应。

“这臭小子到底钻哪儿去了？哎哟，维克多！”

我发出窸窣的响声，老妈一步赶到，抓住了我的上衣。要不是因为我嘴馋去偷一块西瓜，我肯定早就跑到门外去了。

“小家伙，你还想往哪儿跑？去，你必须练钢琴，昨天夜里你答应我要练的。”

“但是，妈妈，这是夏天。我到外面先玩会儿，然后一定练。”

“这种话我听多了，现在就给我去练——”

“妈妈！看你背后有什么？”

她一转身，刹那间，我已溜出门，跑到街的另一头去了。

我当然知道爸爸回来后肯定没有好果子吃，但是这个星期六，和我童年时代的无数日子一样，我玩了一些非常值得一提的游戏。

我上衣口袋装着我的棒球卡片，裤子口袋里放上一个淡红色的球，一只手拿一片西瓜，一只手拎着一袋玻璃球，开始尽情享受暑假里的一天。同时，也在大西洋岸边的布莱顿城的人行道上，上了人生旅途上非常生动的一课。

“什洛莫，”我一边叫，一边从我住的巷子里跑到了布莱顿的第十教堂，“我来抛硬币，看看谁先开始打斯托普球，人头的话就我先。”在我正式成为投机客的30年里，就已经恳求幸福之神眷顾我。罗马历史学家泰西塔斯指出，古代日耳曼人经常用掷骰子来决定他们的自由，“输了的人将接受奴役，并且允许他自己在市场上被自由买卖……同样，撒克逊人、丹麦人和诺曼底人对这种游戏也同样着迷。”但是即使我输了这场比赛，我唯一的惩罚不过是像个傻瓜一样看着什洛莫投一个更快的球。

斯托普球

斯托普球（Stoop Ball）要在公寓建筑外面的台阶上玩，玩法是在球弹两次之前接到。弹一次就接到球，得5分；球还在飞的时候接住，就得10分；球碰到台阶边缘还没落地就接到，得100分。谁先得到1000分，谁就赢得比赛。考虑到方方面面，像其他任何比赛一样，玩这个游戏，你必须在机会与技巧间求得最佳平衡点。玩这种游戏的最根本策略在于在冒险与谨慎之间求得完美的结合。

夏普为了测量每一单位风险的回报，发展出投机游戏的夏普比率。所有评级机构和客户都密切注意这个比率，以便判定谁的操作业绩最好。玩斯托普球的人同样广泛地注视着平均边线得分率。

在布莱顿的变种斯托普球游戏中，胆怯主导一切。或许这就是我能够成为壁球高手，打得完美无缺，也希望投机能够屡屡获胜的原因。在投机中，在灾难性的下跌旋风袭击之前，我常常保持12个月连胜不败的纪录，对于那些有时我差点忘掉的大波动，总充满了不确定性。在斯托普球中，这种不确定性是混乱的。失之毫厘，谬以千里。假若我冒险将球击到了底线，这个球很可能击中房门，而这屋子的主人可能会出来痛骂我们一顿。假若球打到中间台阶的边缘弹回来，就可能飞过街，飞进柯亨用篱笆围着的院子。那里有一只猎犬，等着咬烂我们的裤子。为了让罪刑相符，我们规定每当球滚进有猎犬的院子里的时候，谁最后碰球，谁就得把它捡回来。

大多数小孩都选择冒险，因为如果我们过于谨慎，把球掷向比较低的台阶，对手就很可能先得足1000分。如果球是个旧球，还可能破裂，我又没有钱去买一个粉红色的新球。更重要的是，我当然不希望拐角处那所大公寓里我所喜欢的那个女孩看到我输球的狼狈样儿。

这次我小心翼翼，瞄准靠下面的台阶边缘，这样我就可以避免被狗咬。但是这房子的主人晚上要当清洁工，白天需要休息一下。球打中了公寓的大门，一声巨响，于是房主叫来了警察。他们威胁说，要是再不停止喧闹的话，要把我们给铐起来。即使警察来了，我也会说："嗨，警官，谢谢你的光临，我不是故意这样做的。"极尽谄媚之能事。但是，跟警察先生打交道的这个经历，对我将来的赌博和投机，是一次最深刻的教育。官员们陶醉于自己权力的那种体面神情，和玩弄我们命运于其股掌之上的政府代理商的作风如出一辙。每当我们害怕得直滴汗、低三下四求饶的时候，他们却在那儿张牙舞爪地狞笑着。

中庸之道的危机

"黄毛，抽根签，"我被叫住了，"我们正在玩躲避球的游戏，要分边。"在这个游戏中，两个不同派别的小孩互相传着球，而站在中间的人则要设法拦截这个球。

投资在风险交易上的资金，大部分都经过中间人处理。在我们这行，这种中间人被称作资产分配家和交易经纪人，他们每年收取资产总额的2%到4%的费用，让客户免于做最终的投资决策。中间人的经验和专门投资知识将证明最终的经纪人是合乎要求的，他们将挑选有最佳业绩的顾问为您服务。但在顾问收取了昂贵的费用，再加上中间人的收费之后，你还剩下多少？

人们在选择风险投资时，喜欢处在人群之中，因为这样让人安心。如果有机会负责一个积极成长型共同基金主要持股的交易，10个人中有9个将选择抛售该股票，而不是去买进它。谁会买进一家没有任何盈余，却要支付每个博士数百万薪酬的公司的股票？但是基金持有的多元化、基金的规模、基金的信用评级以及过去的业绩，消除了人们本已察觉到的“投资”风险。大家都想走中间路线，这种心理使他们难以做出正确的买卖指令。我自己也一样，股票直线下跌时，由于太害怕，不敢用市价买进。股价笔直上升时，也太害怕，不敢以市价卖出。当某一市场行情下跌时，我总是做出妥协，以低于市价有限地购进一批。这可能是最糟糕的。这种委托单有一半的成交机会，我可以想象趋势跟踪派和其他积极进取的对冲专家进场时，我很可能遭到沉重打击。而当我不是多头的时候，很可能又会有一个离谱的暴涨。

高尔顿从他在非洲赶牛的经验中，了解到人类的这种群居或奴性倾向。牛在傍晚会匆匆回到牛栏。而当用牛群去运送包裹时，面临的最大困难就是找一头牛。要是有一头牛被从牛群中挑出来的时候，它会表现出痛苦不安的样子，直到它找到牛群并重新回到它们中间。别的不说，光这一点就让牧牛人安心：他们只要看见一头牛，就知道整个牛群是安全的。

高尔顿断定：“没有能力依靠自己，又对其他同类有信心，正是使野兽群居的原因。”将这个道理用到人身上：“大多数人有一种逃避责任和不敢单独行动的自然倾向。即便他们知道舆论只不过是一群乌合之众的空谈，他们仍然高举它。”

牛的天性说明了大多数人的群居行为。总而言之，从事投机和选择彩票号码一样，跟着大家走，结果可能很糟糕。就像抽彩票一样，人们都神经高度紧张地期待着奇迹发生而能中奖，然而大多数人只能是无功而返。

交易中走中间路线，随大流，是通向灾难的最确凿无疑的通行证。你要是和大众一样居于中间，注定要扮演失败的角色。你选择了居于中间，你会感到一种群居的舒适感、跟随的安全感和一种价值感，但同时，你很有可能抽到下下签。

队长手里抓了一把牙签，外表看上去都是一样，但其中有一根是断了的。我挑了中间那一根，果然，它是最短的一根，我得处在中间抓球。

这个游戏现在使我想起了新债换旧债期间的情形，当大的操纵者彼此掏出几十亿美元买债券时，像我们这样的小人物，只能做“夹心层”。一家大型的政府债券经纪商有个习惯，在新债换旧债期间编造一些虚假的报价，从而将市场逼到了尽头。有几次，我根本不知情，报价已经出现在我公司的户头上。最不人道的伤害是我的空头头寸遭到逼空，损失惨重，一部分原因就是给我的这种报价往往是用来引导市场来打击我的。有关主管机关的官员沾沾自喜地出现在了我的门前，我只好卑躬屈膝地向他们保证这事我根本没有插手。他们离开时，一再重复着一句话：“你看我们是多么公正。”当我在网球比赛中因为紧张而打不好，将球切到中场而输了球的时候，老爸经常愤怒地向我摆着手，说：“出力打，加点油。”

1996年5月10日，当批发物价指数上涨0.5个百分点的时候，我一意孤行，在开盘时大量买进，并且在股票和债券价格指数疯狂上涨1个百分点时，我大赚了一笔。我经常说我的同事们没有勇气，不敢冒险，胆小的人永远不会赢得财富和美人的心。

玩躲球游戏时，如果站在中间的人没有拦截到球，惩罚是“过长矛阵”。大一点的孩子历来不喜欢我，当我从阵式中爬过去的时候，他们经常用戴着黄铜戒指的拳头打我。等我爬到那个该死的出口的尽头的时候，屁股总是青一块、紫一块。

中央银行干预市场，对我不利的时候，我设法等到某些知道内情的人获利时，才奋力一击，躲开那些追杀我的人。通常，在晚上的交易时段，我要躲避的只有三个主要猎手：日本银行、英格兰银行和德意志联邦银行。

我在1995年8月15日做空美元做多日元时，遭到了中央银行的伏击，目前任职美国财政部的一位哈佛大学前主管，说明他们修理我的情形时说，“你不能杀了他们，但你可以让他们怕你。”

我被自己的头寸所困，知道这次可能完蛋。我转而欣赏电影《泰坦尼克号》，告诉我的助手罗帕兹："请告诉苏珊，我玩的游戏就快完了。"此时影片中的沉船前半部已经没入水中，古根海姆与伙伴们最后惜别的音乐在回荡。此时，古根海姆将运动装换成了燕尾服，说："我想像个绅士一样面对死亡。"我和他不同，在这种情形下，我喜欢穿宽松的衣服，以减少紧张感和少流点冷汗。假如我也在泰坦尼克号上，我会毫不犹豫地用最后的时刻（在照顾了苏珊和他的6个孩子坐着救生艇离开以后）去玩我的壁球，这艘"不沉"的巨轮上盖了一坐壁球场。船下沉的时候，一位幸存者遇到了壁球专家，他用一种英国人惯有的幽默说："我想我们最好取消明天的日程。"而船上的一些百万富翁，则在打着最后一场牌，船下沉的时候依然在抽烟室甩着他们的扑克牌。乐队继续演奏着优美的交响乐，抒发着令人奋起的赞歌，一直到最后的圣歌"秋天"。

抓住时机

接着我们玩"官兵捉强盗"的游戏。"官兵"要数到10，直到其他人都藏好了，才能开始行动。"强盗"被抓住时，会被放到"监狱"里去。但俘虏如果被同伴碰一下，就可以逃脱。在半个小时之内，哪边抓到的俘虏多，哪边就赢。

小鬼小鬼在哪里？
抓到小鬼放这里。

我起先没有被挑上，于是负责分边的队长又说道："一、二、三，挑上他。"他学会了说顺口溜和加上后面六个字，所以我跟这个街区的恶霸艾维索没有分在一边。艾维索非常强壮，抓人的时候，把人抱得脱不开身。当你从事科技工作或投机或忍受忌妒的时候，最好盘算一下。但我是一个机会主义者，当发现自己被架上准备挨打的时候，我假装成瘫软的样子。队长害怕弄出太大的麻烦，那样的话，我老爸就会像上次他们打破我鼻子时那样，关他们的禁闭。老爸在布莱顿海边沙滩上玩刺激性很强的橄榄球时，由于没戴头盔，鼻子破了5次，现在我正步他的后尘。

投机客必须随时准备适应变化无常的环境。在我的重大胜利当中，有一次是1995年，我和一位印度网球运动员共进晚餐时，得知孟买的写字楼每平方英尺的租价相当于纽约的10倍，但是股市的收益率只有美国的一半。我相信一定会有什么变化，因此在印度股市上大量购进股票。

投机客对如何看待“官兵捉强盗”，简直可以写本书。

> 最简单的秘密在于耐心挑选冲到基地的时机。
>
> 千万不要自作聪明，让别的对手看见你的脸。
>
> 发现对方一不注意，趁机赶紧把队友救出来。

这次我没有策略。艾维索和另外三个大孩子看见了我，我只在他们前面10码远的地方，我跑得很慢并且减着速。但我历来擅于预测和躲避，只剩下一条逃跑线路了。我躲到巷子里，跳过篱笆，并且溜进猎犬的窝里去了。

我这样做是重演一次科尔特的逃跑方法。科尔特大胆而勇猛，是美国开疆拓土的英雄，曾陪伴刘易斯和克拉克去探险。1808年，他被黑脚印第安人抓住了，剥光了衣服，但是给了他一个从500个发誓要将他折磨至死的印第安人手中逃生的机会。他能够成功逃生，靠的是在25分钟里跑了5英里，杀死一个追兵，然后潜到一条小溪的底部，藏身于水獭的巢穴里。大家都知道，水獭的巢穴一般外面是密封的，唯一的入口在水底下。他用不着费事地去脱衣服，他像水獭一样在夜晚里冒了出来，游到了安全地带。

科尔特的追兵曾经踩在水獭的巢穴顶部，但是并没有发现他。一个人躲在水下的水獭巢穴里几乎是不可想象的。同样，追我的人也不可能想到我会躲进猎犬窝里。我很幸运，那只小猎犬喜欢西瓜。

30年以后，当亨特兄弟开始拉抬白银价格的时候，我做空白银，金额大约是我本金的20倍。白银的收盘价在两天内从10美元/盎司直线上涨到45美元/盎司。连续两天都涨停，我找到了一个像水獭巢穴那么窄的逃路。通过首先以高出当天市价1美元的价格买进即期白银，然后卖出即期并买进远期交易白银以转换我的头寸。在我高明的操作1秒钟之内，白银从涨停转为跌停。有人放出谣言，猎手们要抛售的谣言传开了。我从未如此为自己高兴过。是啊，如果我没有以11美元/盎司的价格回补我的空头头寸的话，我确信我将一无所有。

圈鬼游戏

什洛莫拿出一叠牌："来，我们玩圈鬼游戏。抽到最小牌的人当鬼！"他洗了洗牌，发给每个孩子一张。艾维索拿到梅花3，当鬼。每当他捉到某个人时，他们连起手臂抱成一团，这样，团就越来越大。就像脱氧核糖核酸（DNA）和核糖核酸（RNA）一样，当我们和女孩子一起玩时，这条链凑齐4个人就停业了。当20个小孩被捉住的时候，这条链不再转变。和没有被捉住的孩子的背景混在一起，我们看起来就像是大多数生物课本上的蛋白质图表一样。这种游戏和所有的链式游戏一样，对策在于速度与力量，同时还在于与你的伙伴好好合作。但是当我被抓的时候，我放慢了这条链的速度，直到我们能抓到比雅并且和她一起跑开的时候，我们才恢复了速度。

优秀投机客从单一的基础上强化自己的位置，再接上一个有弹性、由很多交易构成的长链子。以下是每年会出现一两次的老套话题，每次足以容纳数以万亿计美元的公开交易。每当大选来临的时候，因为政府想保持低利率从而增加就业机会，所以美元将趋于疲软。德国马克将是主要的有利可图的货币，让我们买进马克吧，市场将增强对德国股票和债券的需求，让我们也买进一些这种股票和债券吧。英镑和里拉将被迫保持同步，做空英镑、里拉及其股票和债券。整个支持系统很可能发生混乱，这将对墨西哥很不利，做空比索，并且如果你身处其中的话，做空印度全球储蓄存单并通过在芝加哥证券交易所发电传指令平仓。

DNA和RNA是生命的基本链式分子，由4个简单单元组成，摩斯电码①则由两个基本单元组成。如果你对你的头寸添加了太多的独立单元，它将变得非常笨拙和难以控制。如果德国联邦银行认为美元过度贬值，采取行动对付你，就可能导致你的交易链从根本上遭到破坏。你的头寸中要是有一些环节破裂，将带来致命的后果。

马龙·荷格兰德和伯尔特·窦德生在一篇优秀的生物学经典论文中描述了癌症的机制："有时候，一个细胞变坏了。成了反社会的分子，任意分裂，肆意肆虐它的邻近的细胞并且向更远的地方扩散。这种杀气腾腾的细胞就是癌细胞。"假若在德国联邦银行放风而使美元下跌的时候你仍能保有美元的话，你恐怕早已成为亿万富翁。

遗憾的是，这些形态总是在重新变化和结合。过去我们常向队友大叫："搅浑这塘水！"也就是要他们不断变化，迷惑对手。市场的功能恰恰就是在"搅浑这塘水"。只有最大限度地对不断变化着的循环原理保持关注才能使你处于主动。

快速反应的游戏

队长大叫："让我们玩'女士，是我干的'游戏吧。"

有一个人速度奇快，大吼："我捡东西。"另外两个喊道"我来扔石头"和"我来清扫战场"。他们都安全了。但是我太慢了，必须到公寓的二楼去按一位女士的门铃。游戏的目的是去按门铃，待那位女士把门打开，然后叫道，"女士，是我干的"，然后，不等她关门，还没有想通发生了什么事情的时候就逃之夭夭。我鼓起了所有的勇气去做。一位非常漂亮的年轻女士将门打开，我还没张口说话，她连声说道，"女士，是我干的。"真叫人泄气。

游戏结束了。我打电话给交易商要求获得报价的时候，也有同样的泄气之

① 摩斯电码是一种时通时断的信号代码，这种信号代码通过不同的排列顺序来表达不同的英文字母、数字和标点符号等。它由美国人艾尔菲德·维尔发明，当时他正在协助萨缪尔·摩斯进行摩斯电报机的发明。

感。刚说完“你好”，还未来得及说“请帮我买进1000万美元”，期货价格已朝不利于我的方向下挫。但毕竟我听到了“你好”。当你接通了电话，交易商很可能让你拿着话筒等一会儿以确认你不是在同时打两个电话和他们开玩笑。

杰西·利弗莫尔秘密地向佛罗里达的一个交易行的电报员发出指令要卖出美国钢铁公司的股票时，也有同样的敌手要对付。来自芝加哥的一些退休的商品投机客，能够把打字员敲的摩斯电码翻译出来，截听他的信息。

1979年到1980年间，黄金、白银市场出现多头走势的时候，很多交易商雇用谍报人员建立一个商业间谍网，以便事先得知邦克·亨特的经纪人何时登上世界贸易中心的第8层——纽约商品交易所的总部。当他刚踏入这层楼的时候，在得克萨斯人自己去抬高市价之前，价格一定已经上涨了半美元。

传递信息

天色已晚，团队游戏结束了。妈妈们吹着口哨、喊着、招着手示意孩子们回家吃晚饭。

弗瑞迪的妈妈也在叫他。他不予理会，继续玩，他妈妈提高了嗓门并且伸出手摆出一个打人的手势。

25年以后，我站在芝加哥证券交易所的楼上，那儿总是充满了疯狂的气息。当我俯首凝望交易大厅各个交易场组成的同心圆时，不禁想起了但丁《神曲》中层层叠叠的地狱。

这里到处都是叹息、哭泣和凄厉的叫苦声，
这些声音响彻那无星的夜空，
乍闻此声，我满面泪痕。
不同的语调，可怕的呼嚎，
惨痛的叫喊，愤怒的咆哮，
有的声高，有的声低，还有手掌拍打声与叫声混在一起，

一直回荡在这昼夜不分的昏天黑地，

犹如旋风卷起黄沙，把太阳遮蔽。

场内交易员为了在场中嘈杂的悲哀声传递信息、完成交易、赚取佣金，都在使用手语。现在，所有交易员都抓耳挠腮，就像神灵不期而遇地降临在阿其朗河堤上似的。吉姆·鲍德西，一点儿也不鲁莽，刚卖出了2000手。

现在，交易员都在拼命捶打着他们的颈后，令我想起了“暴力灵魂”，正是他弄走了熄灭大火的甘霖。一位“脖子疼”的经纪商又大笔卖出。

接着一家大型对冲基金又卖出一笔。这家对冲基金是我的主要对手，交易员打着十字架的手势，这家基金总是要求“圣洁完美”的成交方式。

我看到上千名经纪商都兴奋异常地向一个人挥手，他很可能是横越“沸腾血海”的恶魔。他们环绕着他，就像一个新罪犯要被一群跳跃着的精灵吞没了似的。接着，所有的交易员都挥舞着手臂，艰难地、有韵律地摇摆着。我畏畏缩缩地靠近导游，“他们现在做的手势，代表哪种可怕的恶意？”结果发现那人就是我的经纪人，这个“屠夫”的手势，起源于他喜欢大砍一阵的委托单。他刚刚替我的公司成交一笔限价单，现在被其他的经纪人围着，要求他透露一点关于这次交易的信息。我的另一位主要经纪人是“口袋”，他的手势是模仿从口袋里拿出皮夹。

我带着酸楚的泪转过身去，

带着沉痛的悲哀、我向上帝怒吼；

我的眼睛贴满了愤怒的标语：

“没有了希望，生命还有什么意义呢？”

妈妈叫我的时候，有时候会用手模仿在钢琴上弹奏奏鸣曲的样子，“维克多，练琴的时候到了。”30年后，场内经纪人的大师是汤姆·鲍德温。当他操作1000张的单子时，场内交易员会用我妈妈同样的手势，把这个消息告诉楼上的业余爱好者。1995年时，我为鲍德温的5个附属公司中的一个管理资金，但由于我在日元的第一波走势中操作业绩不佳，他们弃我而去。

不公平

我找一位陌生的小孩比赛抛棒球卡。第一个人叫出卡片的号码，并且将卡片抛到人行道上。第二个人丢的卡片，号码必须跟第一个人的相同，正面和背面都一样。这个街区的陌生小孩，刚好是来自金斯高速公路的无赖。他穿着一件羊毛衫，戴着帽子。一开始，他就赢了开头的所有7次抛投。当我计算他的输赢时，我发现了他的秘密。他最后抛的一张卡片显得有点奇怪。这个卡片被动了手脚，卡片的正反面都是人头。他将构成卡片面和背的两层分开并且将它们重新粘合起来形成一个双面或双背的卡片。到比赛接近尾声，他能抛投合适的卡片以创造完美的匹配。当我们发现他的骗局后，没收了他的卡片，还把他打得遍体鳞伤。这样的坏蛋经常在交易场内进进出出。

1992年，芝加哥证券交易所也出现了一位这样的坏蛋交易员，他戴着假发和墨镜走进大厅。他的骗局是下一些大单，如果交易获利，就说出正确的清算公司名称；如果交易亏损，则说出错误的清算公司名称。当他卖完了所有的债券，价格直线下跌，我这个多头遭受了巨大损失。不久，场内工作人员发现了这个坏蛋，于是全力购进，因为他们知道这家伙所在的清算公司会回补空头头寸的。这个混蛋被送进监狱后，芝加哥证券交易所在大厅出口处安装了一个高技术数字式摄影识别系统，以便识别进入交易大厅的人。

近年来，每一个造成公司巨额亏损的投机客，均被媒体称为“坏蛋”。我把这些坏蛋整理成下表6.1。

表6.1 坏蛋投机客

姓名	数目（$）	工具机构	名称
尼科尔斯·内森	14亿	日经指数	巴林银行
托夫海德·依古奇	11亿	T债券	戴华
罗伯特·雪铁龙	20亿	债券	柑橘庄园
戴维·阿斯金	50亿	抵押	格兰耐特基金
麦托尔·吉赛尔·夏夫特	10亿	原油日程表	麦托尔吉赛尔夏夫特
乔·伊特	10亿	返回抵押券	基德·皮波迪
简·帕伯罗·戴维拉	10亿	黄铜	智利政府
维克托·古麦兹	700亿	墨西哥比索	化学银行
杰·古丁格	1000亿	债券	资本透视
滨中泰男	26亿	铜	住友公司

每一次我的交易员当中有人损失惨重时，我的合伙人和我会把他叫做“坏蛋”。但是我跟其他同行不同，不会写信给客户，把最近的损失归因于一个未经授权、胡乱操作的坏蛋。我害怕他们问我是否我以前的一些盈利也是未经授权的结果，“不，先生，这是经过授权的。”

失而复得

我很想正当地玩游戏，赶紧去找舅舅豪伊去挑战哈维。哈维是这个街区的第二号扔纸牌高手，一种非常靠近墙的游戏。

小时候，小孩子财产的多少，是通过他收藏的卡片多少来衡量的。邻居的小孩和我为了找到一张杰克·罗宾逊的卡片，宁愿横渡大西洋去寻觅。这种全世界通行的游戏在布鲁克林是这样玩的：2个选手坐在屋檐下并且向6尺外的楼房墙壁上扔卡片。谁扔得离墙近，谁就会赢得同时扔的2张卡片。我拿了200张卡片，超出我所有卡片的80%，来到我舅舅身旁。舅舅的丢法是用姆指和食指压住卡片的边缘，这样，卡片会向墙壁弹去。起先他赢了。但当卡片玩旧了，失去弹性的时候，哈维所采用的简单的后手掷卡片的方法就相对好一点了。真是风水轮流转，1个小时以后，舅舅输光了他所有的卡片，另外还加上我的199张。就在此时，他赢了一次，从而又有2张卡片了。胜者有决定7次比赛的卡片张数的权利，因此他说："比2张。"我看着自己绝对会"破产"，我开始哭起来。舅舅则继续比下去，没想到时来运转，一直差不多把我的那些卡片都赢了回来。

游戏结束时，我们几乎没什么输赢。血液周而复始地循环，像候鸟南来北往，而我们从"死亡"的边缘又回到了初生的状态。"每一个生物循环，不论是蛋白质链分子消耗糖分子的行为还是交换物质和能量的任何复杂的生态系统，都像蒸汽机一样会展现一种自动反馈及校正的倾向。"

事后我埋怨舅舅孤注一掷的冒险。他告诉我："你要赌博，唯一的路就是去赌。获得利润的独一无二的方法是背水一战。"

我从来没有忘记这句话。通常，如果我的一些投机活动令自己损失惨重，我会通过另一次交易把损失挽回。妻子苏珊会问："你要马上进场吗？"非常时期需要采取非常的行动，虽然我吓得要死，但还是回答："我要孤注一掷。"假若过去这句话对舅舅来说是对的话，那么，43年后的今天，它也同样是正确的。

我在细细回味挣回我卡片的乐趣。没有任何一种胜利比起死回生还令人满意：没有任何一种损失，比失去你所赢的东西那样更令人恐怖。心理学家研究了这种倾向，把它称为"禀赋效应（endowment effect）"[①]。当你拥有了某种商品时，你会期望以比买价高很多的价格出卖它，但是当你真卖这样东西的时候，却要采取套期保值的态度。1995年8月，我在之前的15个月里替客户赚了150%，但却在一天之内亏损了20%，客户对我非常恼怒。而1996年3月，我又成了他们眼中的"金不换"，因为我在一天之内亏损了30%后，而到月底时，将这一数字降到了5%左右。

① 禀赋效应是指当个人一旦拥有某项物品，那么他对该物品价值的评价要比未拥有之前大大增加。它是由塔布勒（1980）提出的。这一现象可以用行为金融学中的"损失厌恶"理论来解释，该理论认为一定量的损失给人们带来的效用降低要多过相同的收益给人们带来的效用增加。

动物本能

小时候我喜欢玩游戏，成年后，我发现游戏仍然令人快乐无比。

动物也喜欢嬉戏。水獭会一再从泥泞的岸边滑进水里。棕熊会从山上翻筋斗滚下山去，然后又爬上来再滚下去。海獭会将它们的幼仔抛向空中并接住它，再抛再接。幼狮喜欢玩它妈妈的尾巴，以学习怎样高视阔步和突袭猛扑。猩猩温顺地和它们的幼仔嬉戏。海狮会抛石头上天并去接回它。我养了一只猫，一半的原因是看它们玩耍：玩绳子、玩球，或者玩它们的食物——老鼠。

动物和人类一样，似乎也有规则。像约翰·赫伊津哈①在《游戏的人》中指出的一样，“小狗会通过一种特定的态度和姿势邀请另一只来玩耍。它们保持着一种规则：不能咬你兄弟的耳朵或者不要咬得太厉害”。

人生就像一场游戏

我们也像动物一样在游戏中学习。为什么从游戏中获得的教训，是我们日后走向成功的关键呢?

也许我们可以从马克·吐温②在《哈克贝利·费恩历险记》的序言中找到答案。序言说：“想从这本书里找到一种什么动机的人，应该被绞死；想找出一种道德标准的人，应该被放逐；想从中发现一种阴谋的人，应该被枪毙。”但是我担心那些不深谙游戏本质的人会破产而死，所以我坚持从游戏中吸取教训。

玩家，甚至大多数学术界人士也承认：人生就是一场游戏。在《游戏的人》中，卡尔·西格蒙德提出了人生就像一场游戏的基本观点，说人生经常是由赌博性的结局和交易所构成的。竞技和游戏可以协助我们探索和了解世界并征服自然。假若你在游戏人生的话，请记住以上忠告。在《简单与复杂》《游戏的智慧》

---

① 约翰·赫伊津哈是荷兰语言学家和历史学家。出生于荷兰的格罗宁根。《游戏的人》(*Homo Ludens*)是他在1938年写的一本著作，讨论了在文化和社会中游戏所起的重要作用。作者在书中认为游戏同理性和制造同等重要。

② 马克·吐温是美国的幽默大师、小说家、作家，亦是著名演说家，堪称美国最知名人士之一。

中，斯鲁泡特金认为，游戏的简单本质已经涵盖了整个文化的核心。游戏者的目标是达到一个完美的标准，这恰恰就是人生所要求的。

在学术领域，运动社会学是一个金矿。有很多重量级的论著探讨怎样在团队游戏中寻找、辨别朋友与敌人，就像我们在生活中一样。分析社会学的奠基人乔治·齐美尔①，和通俗社会学的始祖诺贝特·埃利亚斯②，都写过大量论著，使我们加深对国际交往中各方相互依赖性的理解。

我猜想任何一种运动——不管是高尔夫、网球、空手道还是钓鱼——都有与人生游戏相联的书或论文。约翰·厄普戴克③曾写过："高尔夫就是人生，人生就是教训。"彼得·比约克曼得出关于棒球的结论："棒球比赛中的季节性和日常性的风水轮流转，也会反映在人生中；漫长的夏季波动的步伐和重复的循环，就是人类日常生活的本质和映象。"

这种比喻在棒球运动中用得过于频繁，以至于被人们认为是陈词滥调。《棒球名言百科全书》是我看过的最有建设性意义和趣味性的书籍之一，所有把棒球比喻成"人生、地球、宇宙秩序、一切崇高事物"的话，都被该书视为"老套"说法，全部删去了。然而威利·梅斯④关于游戏的论述是如此精妙，不应该删去，他说："棒球是一种游戏、也是一项事业，但最为本质的是它所隐藏的战斗性。虽然这项运动充满了绅士风度，步调近乎闲散，但只不过是对暴力的包装。"

20世纪80年代耶鲁大学的校长巴尔特·吉姆提在1988年担任棒球总会的理

① 乔治·齐美尔是德国著名哲学家、生命哲学代表人物。曾长期在柏林大学任教，后任斯特拉斯堡大学教授。齐美尔和狄尔泰都曾经是新康德主义的信徒，后来转向生命哲学。

② 诺贝特·埃利亚斯是20世纪德国著名社会学家，1918年在布雷斯劳大学获哲学博士学位，1930年担任法兰克福大学卡尔·曼海姆教授的助教，从此开始其社会学研究生涯。1933年纳粹上台后，埃利亚斯辗转流亡国外，先后到过英国、法国、荷兰以及加纳等国，战后应德国明斯特大学之聘重返德国。埃利亚斯一生历经坎坷磨难，其社会学思想被重新发现后，立即对德国社会学的重建产生了巨大影响。

③ 约翰·厄普戴克是美国知名的高产作家，作品广泛包含长篇小说、短篇小说、诗集、文学及艺术评论。厄普戴克凭最著名的兔子系列小说"兔子五部曲"中的《兔子，快跑》（*Rabbit, Run*）和《兔子归来》（*Rabbit Redux*）两度夺得普利策小说奖（Pulitzer Prize）。

④ 威利·梅斯是世界公认的最优秀的全能棒球选手。

事长，他的话或许最佳地把握了萦绕在心头的游戏与人生的本质。论及他是如何成为一个理事长时，他说："但丁本应当为此高兴……很多认识我的人，都不能理解为什么我会干棒球这样不够严肃的事情……要是他们能够理解就好了！"

游戏影响人生。在超级杯和世界棒球大赛之类的重大比赛前，像自杀和零售交易等这样完全不相干的活动都会减少。

有人说，玩游戏可以放松神经。除非像南美或欧洲的足球比赛，赛场上常常看到运动员死亡，而你又沉迷在对立的势力当中，则另当别论。更常见的，显然不是这种情况。《全美瞭望》杂志报道说佛罗里达的一个期货经纪人的客户们被逮捕起来了，因为在遭受损失后，他们把该经纪人折磨至死以示惩戒。像恐慌一样，这些惨剧是不可预测的，而且似乎越来越普遍。在1995年印度的一场曲棍球比赛中，7人死亡、数百人严重受伤，由于我在印度有长期资产，我损失了不少。

表6.2列举的是1986年到1996年间主要期货市场的恐慌性上涨和恐慌性下跌的情况。像运动中的致命对手一样，货币的巨幅波动变得越来越流行。过去5年中，外汇市场8次最大的周线变化，5次发生在1995年。

瞭望者

投机游戏是人类所知最普遍和最受人喜欢的一种游戏，它以瞭望者这一人名而命名。瞭望者是古罗马时期的人，他的职责是站在船的后部寻找好的渔场。我们玩的这个游戏有史以来就存在。《旧约全书》提到，约瑟夫曾提到有丰年和荒年的7年循环规律。他说服法老王，在丰收年份把多余的粮食储藏起来，以备歉收时平衡使用。他因为善于投机，变得非常富有和具有影响力。

投机把机遇和技能结合起来，并且涵盖猎取、欺骗、合作、竞争、创造力、节奏和体力等基本要素。简言之，需要所有我们小时候玩游戏所必备的素质。下面是一个关于游戏的提纲：

表6.2 1986-1996年主要期货市场单日及单周最大涨跌（经过涨跌停板因素调整）

	单日最大涨幅					单日最大跌幅				
	商品	星期	日期	变动	上升	商品	星期	日期	变动	下降
单日	债券	星期二	1987.10.20	694	6.9375	债券	星期五	1996.3.8	−343	−3.4375
	铜	星期三	1988.11.23	1180	$0.1180	铜	星期五	1996.6.14	−1125	−$0.1125
	原油	星期一	1990.8.6	356	$3.56	原油	星期四	1991.1.17	−1056	−$10.56
	德国马克	星期四	1995.5.25	216	$0.0216	德国马克	星期四	1995.5.11	−229	−$0.0229
	黄金	星期五	1986.9.19	184	$18.4	黄金	星期四	1991.1.17	−301	−$30.1
	热油	星期一	1991.1.14	1162	$0.1162	热油	星期四	1991.1.17	−2964	−$0.2964
	英镑	星期五	1990.10.5	548	$0.0548	英镑	星期三	1992.9.16	−800	−$0.0800
	白银	星期四	1987.9.10	94	$0.94	白银	星期一	1987.4.27	−186	−$1.86
	大豆	星期四	1988.7.14	645	$0.645	大豆	星期一	1988.7.18	−1095	−$1.095
	S&P	星期三	1987.10.21	4200	42.00	S&P	星期一	1987.10.19	−8075	−80.75
	糖	星期三	1990.1.3	120	$0.0120	糖	星期二	1988.7.26	−241	−$0.0241
	瑞士法郎	星期四	1995.5.25	334	$0.0334	瑞士法郎	星期四	1995.5.11	−341	−$0.0341
	日元	星期一	1994.2.14	454	$0.000454	日元	星期四	1993.8.19	−404	−$0.000404
	单周最大涨幅					单周最大跌幅				
	商品	星期	日期	变动	上升	商品	星期	日期	变动	下降
单周	债券	星期一	1987.10.26	1041	10.4125	债券	星期四	1986.4.24	−619	−6.1875
	铜	星期三	1988.11.23	2660	$0.2660	铜	星期三	1987.11.16	−1760	−$0.1760
	原油	星期一	1990.8.6	784	$7.84	原油	星期一	1991.1.21	−1020	−$10.20
	德国马克	星期二	1995.3.7	470	$0.0470	德国马克	星期三	1992.1.15	−473	−$0.0473
	黄金	星期五	1986.9.5	381	$38.1	黄金	星期一	1990.3.26	−357	−$35.7
	热油	星期四	1990.8.23	2078	$0.2078	热油	星期一	1990.10.22	−2740	−$0.2740
	英镑	星期一	1990.10.8	1022	$0.1022	英镑	星期三	1992.9.16	−1876	−$0.1876
	白银	星期五	1987.4.24	242	$2.42	白银	星期三	1987.5.27	−204	−$2.04
	大豆	星期四	1988.8.4	1195	$1.195	大豆	星期五	1988.7.22	−1410	−$1.410
	S&P	星期一	1987.11.2	3750	37.50	S&P	星期一	1987.10.19	−11010	−110.10
	糖	星期五	1988.7.1	254	$0.0254	糖	星期二	1987.7.26	−324	−$0.0324
	瑞士法郎	星期二	1995.3.7	711	$0.0711	瑞士法郎	星期一	1995.5.15	−568	−$0.0568
	日元	星期二	1995.3.7	808	$0.000808	日元	星期三	1995.8.16	−702	−$0.000702

游戏目标：依靠低价买进、高价卖出某种东西而赚取利润。

场所：有组织的股票或商品交易所，诸如纽约证券交易所或芝加哥贸易协会。

设备：一部电话和一笔资金。对于一些高级玩家，需要租一部行情终端显示器或股票行情自动指示器。

运作：在交易所开放期间，安排一个交易所会员代为买卖。你可以融资来做这一游戏。除非你自己是交易所会员，否则，在规定的时期内，如果你欠会员的钱超过了你可偿付的资产，就会失去进一步交易的机会。

策略：要小心权衡潜在的风险和收益。大多数玩家都是亏损的，所以，当你发现自己是亏损人群中的一员时，你也许应该改变计划。既要和你的朋友紧密合作，又要和你的对手加强竞争从而获得有限的筹码。

拼搏意识：19世纪一句流行的谚语说："小孩不能去拼，是因为他太年轻。而正是因为他年轻，所以他可以去拼。"初生婴儿都是无助的，但他们都自己学会了在这个既竞争又合作的社会生存的本领。大自然赋予我们成功的基础，但是需要我们专注、磨砺和强化这些因素，以迎接人生游戏中种种荣辱成败的挑战。

的确如此，拼搏是极为根本的事情，因此在我们描述游戏的文字语法中可以看出端倪。正如赫伊津哈指出的：

这点岂非表示拼搏具有极为特殊和独立的性质，因此属于正常行为范围之外？在正常的语意中，拼搏不是用"做"的，你不是像"做"木工、捕鱼、打猎或跳莫里斯舞那样，去"做"一些事情，你是在竭尽全力地"拼搏"。

拼搏是人类最为根本的特性，因此，诸如预言、神话、宗教等，其文化根源都深植于此。赫伊津哈说："在神话和礼仪中，衍生出文明生活重要的本能力量，如法律与秩序、商业与利润、雕刻与艺术、诗歌、智慧与科学，所有这一切，都深深扎根于古老的拼搏意识的土壤里。”

游戏绝不容易，游戏中的朋友、敌人都有他们自己的目标。有时，你达到目标的唯一方式就是打倒他们，他们的目标也是要打倒你。在另外一些场合，合作是双赢的关键。

拼搏是基本的，使我们和自己的人性、文化、历史、自然循环。大自然任何事物都有周期性，并且任何季节都会在预定的时间内再次到来。

游戏的基本形式——游泳，打猎，捕鱼，射击，抛掷，奔跑，攀爬，躲藏，计算，欺骗，创造和歌唱——是许多秘诀的最好原料。大自然仁慈地为我们提供了一个极佳的场景来尝试这些游戏：有最适合游泳的水，有为攀爬而准备的树木和山峰，有星星、天空、海洋和土地，还有尽情歌唱的鸟儿和青蛙。人生本身就是来自相同原料的一顿精美的晚餐。游戏似乎充满着竞争与合作，机遇与技巧，不变的策略和权变的机会主义，循环及趋势。赚钱谋生的活动同样需要一种永无休止的应变和不断改变比率的技巧。律师擅长打猎和战斗，建筑工人擅长攀援，演员们精于表达情感，教授们长于计算，科学家和设计师富于创造，投机家们则熔众家之长于一炉。

荷格兰德和窦德生列举了所有生物的16种共同形态（见表6.3）。我发现我从事的游戏，已经把这一切全教给我了。

表6.3 生物的16种形态

生物形态	投机形态
1. 生命由低级向高级发展	了解市场创造过程
2. 生命通过食物链组织起来	股票—货币—债券—谷物
3. 生命有内部环境和外部环境	交易者相对于投资大众
4. 生命运用少数几个主题创造了大量变化	每天以下列四种形态之一开盘： 昨天上涨，开盘上涨；昨天上涨，开盘下跌； 昨天下跌，开盘上涨；昨天下跌，开盘下跌
5. 生命通过信息组织起来	价格提供信息
6. 生命通过重组信息鼓励变革	市场每天调整不同的主题，吸引对手耗用最大量的精力
7. 生命和错误一起创造	今天公布的数字，下个月会彻底修正
8. 生命源自水	股票下跌时，不要购买它
9. 生命靠糖分延续	大众提供活动
10. 生命运动是循环不息的	月的盈亏和市场的极端状况很相似
11. 生命会把它使用的一切东西循环使用	贪婪而残酷的人削弱你后，会把你的筹码送回经纪商和大型对冲基金
12. 生命通过灾难而得到发展	大众一定拥有希望，于是他们回去告诉朋友加入
13. 生命倾向于优化而不是最大化	投机是由风险与报酬构成的复杂舞蹈
14. 生命是机会主义的	保持灵活性与警惕性，你会发现投机中令你大发横财的东西
15. 生命在合作的框架里竞争	经纪商需要投机客，投机客需要经纪人。你亏损时，应当为你所做的而感到高兴，就像有999999个精子不能和卵子结合而只有一个和卵子结合一样
16. 生命相互联系、相互依赖	只有将股票、债券、货币、谷物和金属综合起来看，你才会发现它们之间的关系

第七章 / CHAPTER 7

下棋与投机：棋盘如市场

每下一盘棋之前，要问自己：我可以防卫对手的攻击，但是谁会来保护我不受自己的伤害呢？

——汤姆·魏斯威

我与棋

如今，心理学家一致认为，人类早年的记忆通常是最重要和最愉快的。我记得的第一件事，便是在康尼岛的一个公园里看着老爸与一位和蔼的对手下棋。对我来说，生活中没有象棋，好比没有了爱和艺术。投机，如果没有能够从下棋中吸取的教训，肯定会使我痛失一切。

坐落在曼哈顿区第30号大街的纽约证券交易所大楼里，特意为人们开辟了一个棋艺室，供投资者在市场清淡时下棋用。老爸对下棋倾注了爱和热心。在大萧条时期，下棋是最廉价的娱乐方式。1944年，乔治·索罗斯在匈牙利躲避盖世太保追捕时，靠与他老爸下象棋消磨时光，并且以饼干为赌注。他老爸赢了并且吃完所有的小甜饼后，两人就改玩大富翁游戏。大富翁涉及建筑、出租、兼并和出售上百万元的“财产”。这种替代性游戏的乐趣，是当年大家所能得到最接近现实状况的娱乐。

索罗斯到美国后仍继续下棋，他最喜欢在一盘棋里（如果他输了第一盘，那就是两盘）忘记他的头寸和善行。当我第一次遇见他时，他要我与他下一局。我们开始对弈，但我输了，于是开始上课学棋，但没有太大帮助。虽然我投入了很多时间，但棋艺都不见提高。但上课学棋对索罗斯帮助很大。我安排国际象棋特级大师亚特·比斯基尔给他上了一系列的课。索罗斯后来曾赢过亚特2次，而我却赢不了他。

我猜我知道了棋艺不能提高的原因。我习惯于将交易所视为棋盘：棋盘上的棋子是移动到邻近的黑方格里，但我无法看清所有长长的对角线和棋子的后退。通常，当投机客进入一个全新的竞技场时，总摆脱不掉已经习惯的旧的参考框架。例如，对股票而言，买入和长期持有当然会取得优良业绩；而对期货来说，则是通向灾难的通行证。当我和一位与华盛顿有广泛联系的投资银行的研究主管一起参加一个讨论会时，领略到了这个痛心疾首的教训。这位主管说："我们的研究表明，在前几个月里购买商品将会获得与股票一样的12%的复合回报率。事实上，在前一个月购买石油，将会在后12个月内获得100%的回报。"他这样说的时候，向我这边投来蔑视的眼神，使我想起耶鲁大学一位尖刻的网球对手，也曾经这样看过我。我回应道："当你离开这次讨论会后，我会立刻行动并做空一些石油。显然，你这种人毫无羞耻之心。上次我听到这种期货策略时，一个庞大的欧洲公司亏掉了20亿美元左右，就是因为采用了这种策略。我相信你肯定知道这些——加上朱利安·西蒙和埃尔里奇广为人知的关于80年代商品价格将会大幅度下跌的打赌的结果——都在你的计算之中。"

索罗斯经常和我一起下棋。我们都能跟棋艺高我们很多的棋手对弈，但是下棋让我们重新体验自己家庭传统中的种种奋斗及由此带来的乐趣。当我前后移动，通常是我陷入越来越深的麻烦之中的时候，我会记起老爸和我下棋时是怎样妙招连出，让我根本无法抵挡。我和老爸下棋，我差不多都输了，但因而保持了对我爸爸的怀念。索罗斯和我比赛时一声不吭，1987年10月19日股市崩溃之后的那个周末，他连续赢我三盘棋，让我明显地感受到了他所积蓄的巨大力量。

老爸上班时，会带着他的"棋经"，一本是《英国式24子象棋指南》，另一本是拉斯科写的《怎样下象棋》。午餐休息和夜深人静地坐在巡逻车里时，他会潜心研究下棋的策略和智谋。工作之余，他会在康尼岛的海滨公园里下棋。最后，他得出结论：下棋占用了他的时间，以至于他未能在其他更有潜质的领域获得发展。他同意西格伯特·塔拉奇的观点，像生活没有音乐一样，生活没有象棋是毫无意义的，但他同时认为应该有个限度。他称这段时期为“休耕期”。棋类游戏是一项消耗性很大的活动。对于我来说，它们为我的生活提供了一片理想的乐土。

然而，下棋与人生有一个重大的差别：棋类游戏是零和游戏，只有一个赢家，一个输家。而人生却往往是双赢局面。当你和你的对手博弈时，你会希望出现双方都更美好的结果。

赫胥黎[①]的下面这段话，可能是把棋局和人生等量齐观的最著名的名言：

> 棋盘就是世界，棋子就是宇宙间的现象，游戏规则就是我们所称的自然法则。另一方的对手躲着我们。我们知道他会公平、正当和耐心地下棋。我们同样也知道，而这往往成为我们的障碍，对手永远不会放过一点小错误，对你的疏忽绝对毫不留情。

世界最著名的投机商沃伦·巴菲特和赫胥黎一样，几乎用完全相同的方式把市场拟人化，认为市场是无所不知、无所不能的对手。有时，市场先生会以很便宜的价格购买你的商品；在另一些场合，也会以很昂贵的零售价格购买你的商品。问题是：你能够充分利用市场的性情，从中获得优势吗？

我略微进一步，把对手和我们玩的游戏形态分类。在我玩的每盘棋中，我把棋子的位置，特别是小兵的位置，分为封闭式和开放式。封闭的位置是指我的棋子正和对方棋子交上了火并且在我们的子集团中间留有非常少的空隙。此时策略起关键性的作用，为一个好的终盘留一个兵是非常必要的。开放的位置是指棋子

① 赫胥黎，英国著名博物学家，达尔文进化论最杰出的代表，世人誉为“达尔文斗士”，为英国学术界享有盛誉的科学家之一。

分得很开，并且棋盘中央没有安放进攻或防御的棋子。此时，时间是重要因素，积极的战术主导一切。美国培养的世界级水平的棋手中，斯当顿擅长封闭型态势，而保罗·墨菲则选择开放型态势。我见过很多擅长于封闭型位势的棋手和另一些伟大的开放型位势棋手。真正的冠军，10亿人中才出1个，这种人既能适应封闭型态势下法又能适应开放型态势下法。

鲍比·费雪在国际象棋方面能够成就斐然，原因就在于能在开放型与封闭型态势的下法方面同样精通。他赢得世界冠军之后不久，棋坛盛行开放型态势下法时，他选择了激流勇退，在封闭的宗教团体中任职。

欧洲美元市场现在是世界上最大的市场，可以视为封闭型市场，交割至少要达到100万美元的最低限额。欧洲美元一个星期的波动幅度通常不到5个百分点。战略性长期交易是其所期望的，而S&P500种股票指数期货市场或咖啡市场则是最接近开放型市场的两个典型，平均每天每笔合约的交易价格在3000美元以上范围内波动。

我认为索罗斯高明的地方，就是他能灵活地改变不同的策略，从他擅长却不愿展现的均衡、领先和快速的行动当中，获取最大的利润。在开放型局面下，比如英镑贬值时，他充分利用了杠杆融资，及时做出调整，以使波动朝着正确的轨道，并且替量子基金赚进几十亿美元。但在封闭型局面下，价格在一组组政府干预中前后波动，通过在一个市场轻微地兴风作浪而在另一个市场加强平衡调整，于是索罗斯成功地每个月都榨取了一点利润，然后谨慎地玩起了终局游戏。

针对每种状况选择正确的战略与战术，或许可以视为人生的奥秘。跟教育、职业、恋爱、婚姻、家庭、住房有关的重大投机行为，可以被看作是开放和封闭的众多组合中的不同局面。我们应对这些局面是否妥善，可能被认为是决定成功与否的因素。从一两个象棋高手身上学习经验可能是十分有益的。高手在这种状况中，不会在意和棋。“维克多，如果我在门关闭时能够维持接近平手、而且在门开了的时候能够准备‘将军’，我就很高兴了。”

棋手的乐园

我平生第一次下棋是1950年在康尼岛海滨公园的公共下棋场。康尼岛当年是很热闹的娱乐场所，海滨公园每天吸引着数百位棋迷。户外的桌上画有棋盘，供大家下棋，承纽约市公园与休闲设施管理处的好心，没有什么办法比这样还便宜。从来都没有比这种娱乐方式更便宜了，消磨一天时光，你所需的就是花上1角钱去买一副24子象棋。

公园里有很多第一次世界大战前就移民美国的老前辈。一半以上下棋的人来自苏格兰、爱尔兰或威尔士，那些地方气候寒冷，加上他们的生活都很俭朴，为下棋的风靡一时创造了理想的条件。今天，每次我到那个地方，要是自己不带一盘棋，就找不到人下棋，那儿的苏格兰人太节俭以至于舍不得用自己的象棋。一幅24子象棋比一幅16子象棋更便宜。布鲁克林一直是象棋爱好者的圣地，连续夺得25年自由式国际象棋世界冠军的汤姆·魏斯威，以及他的前任米拉德·霍普，还有其他一些高手，都是从海滨公园出道的。那些桌子依旧在那，只是光顾者多是90岁高龄的老者。

我爸爸一向轮值下午4点到午夜的班。早上起来后，他打打网球，然后到海滨公园去玩。有一天，我跟在他后面。

“嗨，沙利，你好了没有？”

“好了，但是从今以后，我要穿皮裤子，它们烧不起来。”

“发生了什么事，爸爸？哪儿着火了？”我问。

“噢，沙利下棋时很专心，有时他要考虑30分钟才下一步棋。有一个家伙想跟他开个玩笑，点了根火柴放在他的屁股上。当时沙利正在专心思考棋局，火烧到了皮肤并且烫伤了他。可是他一直到他走了那步棋并按下了计时器之后，才将火扑灭。如果你想赢的话，也一定要像他这么专注。”

另一张桌子上的两位棋手也沉迷在棋局之中。

“嗨，麦卡锡，你看你的咖啡怎么了？”

“什么意思？”

“嘿，你拿着棋子而不是汤匙在搅拌你的咖啡。”他太专注，没注意到。

一个绰号“组头”的人喜欢在附近的桌上，跟65岁的诨名叫做“学生”的人下棋。这人从八年级开始就一直赌博，绰号跟着流传了下来。

有人邀我比试一盘。老爸鼓励我上。我还没搞清楚，就已经和一个脸上的毛比我的头发还多的人面对面地坐下来了。老爸告诉我：我前五着下得跟对方势均力敌。一位旁观者摇了摇我的肩膀并且在我身后警告说：“小子，你输定了！”

我今天从事投机时，常常听到这些话，这种话总是同样让我心惊胆战。情形通常是我在某种并不十分熟悉的市场里做一笔交易。像索罗斯一样，我同样深信，应该在没有完全了解陷阱之前，就先跳进去。“先投资，再调查”是索罗斯的至理名言。每次总是我刚刚划拨一张支票，震荡就出现，以至于我在片刻之间就至少损失10个百分点。我只是在我跳进去之前没有考虑这个大卖主与价值模型上暂时的不一致。当我在一周内损失20个百分点且确信损失无可挽回的时候，我吓出了一身冷汗。情形就是这样，我玩完了。

“你看到那位苏格兰彪形大汉吗？”老爸指着一位40岁多岁、面色慈祥但衣衫褴褛的人，“他老婆赶他出家门，现在他只好睡在公园。我不希望你跟他一样。”

“他做了什么事？”

“他老婆结婚前并不知道他非常痴迷于下棋。他们结婚后不久，他便在第96大街的魏斯威的棋迷俱乐部里玩到很晚才回家。他老婆打电话去，他会说，‘我马上回家’，她要是再打电话，他叫俱乐部秘书说，‘他不在了，已经回家了’。

“最后，她再也受不了了，就跑到96街的俱乐部，绕过乒乓球运动员，走到坐在象棋桌边的丈夫身边，把棋盘上所有棋子都扫在地上，当着众人的面，把丈夫拉回去。于是，她丈夫便邀请棋友们到家里去讨论象棋。

“他们经常喃喃不停地念着棋谱，比如4-8；23-18；11-15等等，并将它们写在书里面，还常给魏斯威或山姆·戈诺斯基之流的专家打电话，了解最新的赛况。他老婆觉得自己瞎了眼嫁了个赌徒，于是这段婚姻结束了。

“今后，不管你做什么，要娶一个理解你职业的妻子，而且，也不要每天晚上都邀请朋友到家里来。”

我相信从现在的情形来看，我百分之百地遵照老爸的忠告，就像希腊人谨记德尔斐神谕一样。我在追求未来的老婆时，她不仅理解我的职业，而且充当我的帮手，协助我开创了这番事业。我觉得我应当将她也置身于我过去的生活经历中。我带着她来到华盛顿广场公园的棋桌旁。少年时，我曾和老爸在那儿玩过游戏。我说服老婆等着我去跟别人下一盘棋。这个公园里的老手们不愿意和一个陌生人下棋，因为他们不愿意浪费时间在一个生手身上。我向很多人发出邀请，但他们都拒绝了。最后，有人说：“朱利亚会跟你下。”

结果，朱利亚是一个衣衫褴褛、浑身发臭、年逾70的老酒鬼，显然他在公园里住了多年。我屏住呼吸，非常自信地坐下来。看上去我的棋艺还是挺不错的，于是乎吸引了一群人来观战。不久之后，我发现了一个机会，可以用一个子去换他两个子的机会，就走了一步，只听到围观的人群里有人说：“哈，哈，哈，他用‘雅各布天梯’①赢了你。”当我带着惊慌去看时，朱利亚已经利用我的棋子搭了一个梯子跳到国王那一行去将军了。

再度下棋感觉真好。跟人斗智，而且发现能够势均力敌，的确令人振奋。不过失败也很痛苦，所以我下决心改进我的棋艺。像我老爸一样，他是个形式主义者，我总是在特定的框框里干事。

围在我们身旁的那帮人很快就建议说：我如果真的想改进棋艺，就应该多听听汤姆·魏斯威的教诲（他当时已经71岁了）。魏斯威退休前，连续25年赢得世界象棋冠军，所向披靡。我找到了他并请求他每周给我上一课，课程从1981年开始，每个星期二，他在纽约我的办公室里给我上课，这个课程一直持续到1995年。

---

① 雅各布天梯，《圣经》中创世纪二八章11-19节中，雅各布做梦见到从天堂来的天梯。后人便把这梦想中的梯子，称为雅各布天梯。

董事会开会中

在这15年里每周一次的课程中，魏斯威从未漏过一次课。想想他开始教我时，已有71岁高龄，这点正是他毅力坚强的明证，也是下棋能够延年益寿的明证。1988年，克里夫兰的琼斯和拉夫林工厂的一个前任领班亚沙·农，以88岁的高龄赢得全美国际象棋冠军。他曾经于65年前的1923年赢得过这一称号，那年他23岁。

魏斯威来上课的时间总是固定的。他通常在下午2：00左右到达。亲切地利用70岁老人的特权，向女性做性暗示，却不必担心遭到性骚扰的指控。他会跟我的女职员说："要是我年轻一点认识你这样的女孩……不过这样，我大概就不会连续25年赢得世界冠军并且写17本著作了。"或者，"我想和你玩一个游戏……我们也可以一起下象棋。"他喜欢向我的办公室主任—— 一个瑞典的前模特儿说："亚莎，给我一个吻，祝我好运。"

魏斯威和我们公司里比较容易接受他教导的人安排了一两场私人游戏之后，正式的棋局会在东部时间下午3点开始，这时也正是芝加哥期货交易所收盘之时。

我们下棋时，禁止任何人来打扰。我们会印一张告示"董事会开会中"，并且准时在下午3点将它放在门上。当电脑显示"原油新低"或"你受到轻度损失"时，魏斯威喜欢提醒我们说，从前的国王约翰正在下棋时，助手跑来报告说鲁恩城正在被菲力浦·奥格斯塔丝围攻的时候，约翰国王赶走他的助手，直到他下完棋才叫助手进来。"为了向约翰国王致敬，至少你能做的是不受干扰地下棋，然后直捣黄龙。"如果电脑在提醒我们市场正在对我们很不利的时候，魏斯威则会提醒我们说，很多国王在他们玩象棋时接到了死刑判决，但他们绝不允许别人中断他们的棋局。波西在书中曾写道，撒克逊人伊莱克托在监狱里玩游戏的时候听到了他的死刑宣判，他诅咒了所有的不公正，用他惯常的机智下完了棋并且表达了他在取得这些胜利时的满足感。

24子棋高手朱利斯·李奥波经常参加我们的棋会。我们的来宾可能会嘟囔：“我以为24子棋是小孩玩的游戏。你说有关于这方面的书？真有人以此维生吗？”对此问题，李奥波给了一个打赌式的回答：“棋盘上有5个棋子。轮黑棋下，要逼和这一局。如果你能够在一个星期内能解决这个问题，我给你120美元。”另外，他出价100美元给对手，不管后者是赢还是输都可得到这100美元（一个漏洞能逼和这一局）。但是，至今仍然没有人敢于应战。

魏斯威的智慧

魏斯威每次来上课，都会带上15条说明棋局和人生游戏有关的格言。课程的第一部分就是讨论如何把这些格言运用到人生和市场中去。15年来，他写的格言超过1万条。每次游戏之前都有一个开场白：“答应我一件事。如果我打败了你，我们仍然是朋友。”

经历过市场一整天的震荡，下棋课程当然会使我和我的同事们松弛下来。对我这样的人来说，投机事业的本质就是市场即使在封盘钟声敲响之后也不会关闭。更糟的是，很多业务上的事无法在白天做完，只有晚上来做。

魏斯威偶尔会谈到这些格言。他说：“仔细地研究这些话，我花了一辈子去钻研，发现其中很多都是很有用的。”偶尔他也会说漏嘴：“这是我写的最后一本书，但它会是最好的一本。”最后他一共写了20本书，包括畅销书《大家来下象棋》。

跟大多数人一样，我也会犯东西多了就不懂得珍惜的错。很惭愧地说，在如此激烈的交易时代和如此充足的超过1万条格言面前说这些，我没将魏斯威的努力当一回事儿。接着有一天，他15年来第一次没有来给我们上周二的课程。第二天他打电话告诉我说他迷失在电梯里，并且记不起我们在哪一层楼。这句话居然来自一个能在一星期前从1万个不同的棋局中记得棋谱的人嘴中说出的。他不断地升上来降下去，“维克多，我需要你帮忙，你是我唯一能够依靠的人了”，随后几天，他不断地打电话说这些。而我刚遭受了从未有过的最惨重的损失，在1个小时里至少损失了40%（还是日元的缘故）。我没有像我原本会那样做，或者在别的情况下应该做的那样，照看魏斯威。

不久之后，他被人从住了50年的布鲁克林家里搬到老人院里去了。他不再现身之后，我逐渐明白自己失去了一座金矿。

魏斯威敏锐的思想代表了一个伟大心灵最后的努力。这个人在千百万人玩的国际象棋中所向披靡，连续25年拿到世界冠军。而且我相信我已经说得很清楚了，人生和投机一样都是游戏。一旦拥有了这种认识，我面临的唯一问题是怎样去组织和运用魏斯威的金玉良言。为魏斯威的格言进行分类，对于我来说曾经是一个头疼的问题。因为游戏像人生一样广博，它所涉及的主题同样无穷。我的做法是将格言桉游戏阶段的不同予以分类。

首先是游戏规则——棋盘的技术层面、移动步骤和规则，其次是下棋前的准备技巧，第三是游戏中不胜枚举的制胜之道。同时我从制胜技巧中抽取一部分，创造出第四类——欺骗的技巧，这点跟大多数投机客的心理和财富有着密切的关系，显然棋手比较了解这一点，而且比投机客更常考虑这一点。格言的第五类向我们展示了关于赛后的一系列问题。毫无疑问，魏斯威试图通过对棋手们终局的分析，从而推展到他们的人生，也同样推展到他日益逼近的死亡。我发现其中有些格言很难读懂，因为回想起来，我知道他心中萧索的思绪。最后，有很多格言并不涉及制胜技巧而是关于一个胜者的品质问题，这是关于任何制胜追求的永不会失败的显著特质。

我相信，任何人研究了这些格言，很快会像和上帝同行，提升境界，在他或她参与的任何游戏中得到振奋与提高。

对我来说，要对魏斯威的格言加以评价的话，我认为它可以同莎士比亚的诗句相媲美。我知道我没有查尔斯·兰姆的天才。我当然也知道，像我这样的凡夫俗子，试图去改变或总结一个不朽人物的心血结晶，其中必有风险。那些曾经改编过贝多芬和狄更斯作品的人最终成了历史上的小丑，因而放弃去著我的书而将我的余生去按适当形式最大限度地传播魏斯威的作品可能更为可取。但我并非在将游戏、人生和投机联系起来方面一点儿实际感受都没有，但这些却都是魏斯威格言的主旨所厌弃的。我想，出于个人爱好，对魏斯威的格言做简要的注解和表达一些这些格言所引起的特殊共鸣，并不是对它的作者的不敬吧！

下棋的规则

这些格言叙事说理，具有教育和治疗的功能。一开始便是魏斯威最推崇的一句，“走对自己干扰最小而对对手干扰最大的一步”。人一生追求的东西跟竞争和奋斗、开拓自己的局面、得意忘形、疏于维持适度的防卫有关。大部分的追求不可能用唯一的赌注去赢得它。每往前走一步，就会多暴露一分弱点，问题的关键是否追求成长与发展。

有一个主题贯穿于很多格言之中，那就是，细节很重要。这些细节包括伺机而动的棋步、悄无声息的棋步、把其他事情抛之脑后、在两难选择中做出正确决策。你有多少次疏忽了细节而招致全盘皆输呢？

魏斯威说，如果你想确定自己当前的情形，你首先应该怀疑它。在交易中，必须保持警惕，因为任何事情都可能发生。当你对自己的头寸感到太满意时，这通常是该脱手的时候。做了一连串顺利的交易之后，常常会使人忽略细节，被胜利冲昏头脑，进而带来最终的亏损。市场经常会找到一些方法将那些高傲自大的交易商拉下马来。

走对自己干扰最小而对对手干扰最大的一步。

两个人坐下来，移动棋子之后，棋子才会活起来，乐趣才开始。

世上最容易的事情就是学下棋，但最难的事情是学会如何正确地下棋。

在很多棋局中，你只有两种选择：不是这样下，就是那样下。最重要的事情就是做决定。

和棋对双方来说都是一个胜利，因为双方都成功地避免了失败。

计时钟是你的天敌，但是没有理由不能化敌为友：只需要守纪律、头脑灵活、有高超的洞察力和钢铁般的意志!

输是常有的事，赢是神的境界，逼和则是艺术。

每一步的效率通常用一个中立的指标——时间去衡量。走两步才达成一步就能达到的目标，那就输了一步。如果一个棋手能够迫使对手这样消耗时间，他可以说是赢了一着。

下棋的走法无数种，但是你只对今天的棋局感兴趣，明天又是另外一盘，后天的棋局又不相同……

简单的下法复杂之至，复杂的下法简单之至。

一些棋手在背诵一些游戏要旨方面一点儿问题也没有，但当开始思考问题时，他们就陷入了困境。

记住，一次不能走两步，但你可以思考再思考。如果你不利用这个权利，那么你就错了。

比赛的胜利者并不常由谁是对的决定……而常由谁坚持到最后而定。

国际象棋中，小兵能将国王的军，平民可以打败势力强大的君主。

试图求和的着法往往会导致失利，试图取胜的着法往往会导致平局。棋局总是变化无穷的。

开局时不要看得太远。把远见留到残局，这时要看得远就容易多了。

失败的精灵一旦被从瓶子里放出来，就很难再将它收回去了。

每个人都会有输棋、和棋以及赢棋的日子，但并不代表每一天都是输的日子，并不代表每一天都是和的日子，而且，尽管我们不愿接受，并不代表每一天都是赢的日子。

很多大师都有自己的“情报网”和“间谍”，他们了解最新棋局的方法，知道一群未来可与鲍比·费雪媲美的新人当中，每一个人的状况如何。当真正的鲍比·费雪决定反击的时候，他们可能是第一个知道的……尽管这不会成为一个长久的秘密。

国际象棋有两条基本原则通常是正确的：(1)占有或控制中央；(2)从边上下棋往往太软弱，“马靠边，是死路”。

架桥通常是通向成功的捷径，抑或是失败后的归路。我住在一座大桥附近，同时我也经常在游戏中搭桥。

每位大师背后都有很多提供妙招的分析家和棋手、加上谋士和教练。仅凭自己一人之力达到棋艺顶峰的人，少之又少。

落子无悔！

终局剩下最多棋子的人是胜者；但有时候，剩下最少棋子的人是赢家。

前进或者不前进，这是一个问题。下国际象棋为了实现进攻的目的，最好速战速决。但是下美国国际象棋，最好不要抄近道。

开局前

知道开局前该做什么事情比较要紧，是这一部分的主题。充分的准备工作、系统地研究前辈大师的棋谱，勤学苦练，再加上好的教练，将决定输赢结果。简洁、谦恭、克制、想象力、洞察力和调查能力是构筑成功的基石。当然，还有一句老话需要再次强调：失败乃成功之母。过去我打壁球经常赢，今天碰巧在投机中占得上风。因为我事先有准备，游戏在开始之前就已经结束。

开局是计划阶段。你坐下来开局时，就应该已经相当了解棋赛的这个部分。下棋有计时钟时，更应该如此。如果你已经研究过了如何开局，下棋时就好像你下方有一层安全防护罩。

我将古老的标准开局法称为“经典”，因为这些方法在开局时很有用，并且经受住了时间的考验。

新手应该专心注意弱开局：高手能自己照顾自己。

并非所有的棋局都是在中盘或终盘阶段输掉的，很多棋手在开头的10步就陷入了迷途。

并非只有你知道的东西才重要，你不知道的东西也很重要，不了解这一点就代表无知。

怎样开始做棋谱？一开始，你可以记录下你下过的所有棋局，包括赢棋、输棋和和棋，特别不要忘了那些输了的棋。将高手们的棋局与你的棋局做一比较，如果你赢了且未在棋书上发现这种着法，你就有了一种“绝招”，日积月累就会形成你自己的“武林秘笈”。好好照看你的棋谱。棋谱也会对你有用。如果你不写的话，那么你就错了。从今天开始，而不是明天，去记你的宝贝手册吧！

下得越多，输得越多，就学得越多，这是学棋的三大法宝。

如果你想和大师下棋，要熟悉他们的棋风、优点和弱点。他们下棋时，你要注意观察，他们说话时，你要注意倾听，和他们下棋之前要读他们写的书。

不要大吃一顿以后去下棋，饥饿的棋手是好的棋手。

最好的着数往往不是刻意追求到的。因此，你要经常注意观察，因为你并不知道自己什么时候会遇到什么最好的着数。

好教练胜过100个七嘴八舌的观棋者。

如果你想要避免龙困浅滩，在对弈之前先画好你的蓝图。

年轻的韦利·莱恩经常输给山姆·戈诺特斯基，这么多次输棋只是他将来走向成功的基石。

有些大师似乎过着令人神往的日子——能够避免某些必败的棋局，或者赢得毫无希望的棋。但这种令人神往的日子背后，是多年的奋斗与钻研。

你的知识也许没有对手那么丰富。但你确实拥有和他一样多的想象力——运用它。

只要你的对手没有见过，即使最古老的着数也是全新的，我用老着数赢得的比赛比新着多。

要在下棋中运子如神，赛前的研究对你有所帮助。

你自己发现了绝招，你会比记别人教的绝招记得牢。去查古谱，它们帮我赢了很多的比赛头衔。

好着法是现成的，等着你去下。你只需要将这些着法找出来，把你的手放在正确的棋子上并且将棋子放到正确的方块里。然而，即便是伟大的棋手在做如此“简单”的动作时，也有犯错的时候。

研究一着棋时，要查阅各种正确的和错误的资料。

与顶尖高手对弈时，他们往往都是工作狂，但他们乐在其中。

如果你不想全力赢棋，要想精通它，是不可能的。

好的棋手不是用心记忆，而是用脑记忆，这样才能记得多，记得牢。

当你渴望赢一局时，中庸之道不应该成为你的信条。现在已到了背水一战的时刻了。

要做到在移动棋子之前，你已经完成了90%的工作。做好了充分准备的棋手才是赢家。

要想取胜，你必须会设圈套。

别想着记住走出你消化能力的棋局。知道得越少而理解越多，反而会比较好。

中局

如果赢棋那么容易的话，应该早就有数不清的冠军了。技术都很简单，永恒不变的是如何在耐心、谨慎与冲动之间求得平衡。交易商们经常建立一些不能长久维持、未来的事件可能迫使他们退出的头寸。每走一步就会引起变化，或许最重要的是，宁可做错，也要比什么都不做更好。

时光总是无情地流逝。魏斯威说明了很多方法，可以把时间化敌为友。如果像下象棋那样坐在那里，在把订单送给经纪人之前签下一笔交易，投机客的运气可能会更好一些。投机与时间比赛的游戏就像下棋与计时器比赛一样。市场通常一天只交易6个小时，目标是在不做决策和迫不及待做决策两大敌人之间求得平衡。我相信魏斯威建议迅速行动但缓慢思考的说法，很可能是看清正确路线最明确的建议。但是请注意，当你显得很安全时，你其实处于最可怕的危险境地。警惕送礼和许诺100%回报率的经纪人。在我和魏斯威下棋的这些年，我从未见过他因落入圈套而损兵折将。诚如他所说的："你快要得到一些免费的东西时，要做好舍弃它的准备。"买者当心：切勿松懈。

在交易上，决定交易时机，和事件的全部准备工作以及思虑周详，都是同样重要的。如果一笔交易在开始时没做好，交易者应该马上改弦更张。只要对促成交易的有利因素仍在起作用，交易者就可以保持原位以静制动。

运用判断、警觉和耐心；最重要的是要运用。

优柔寡断是致命的。做出错误的决定比形成不做决定的习惯要好。

要力争后发则先至。

好棋手才真正了解赢棋何时变成和棋，和棋何时变成输棋。

力量不是解决问题的方法。

胜负往往只有一步之遥。

像国际象棋这样更注意细节的游戏很少。

不要让冒险的恐惧挡住你的去路。

胜利者绝非靠机遇；相反，技术、科学和研究才是制胜法宝。

聪明的棋手能在警告信号出现之前看到它们。这就是高瞻远瞩！

跟大师对弈时，要用你的眼睛；冠军谈话时，要用你的耳朵；最后，跟任何人下棋，不管对方棋艺如何，都要注意你想摸的每一个棋子。

许多原本可以和棋的棋最终成了输棋，最简单的原因就在于没有在恰当的时机去求和。

下棋的真正艺术不只是要在正确的时间里走正确的棋步，还要在关键的时刻不要走出错误的步骤。

我很少用“不可能”这个词。如果你下棋的时间够长，你会发觉，在棋盘上，什么事都可能发生。

一着不慎，满盘皆输。

边线的棋子是不祥的警告。

跟每一步棋都下得很高明的人对弈，想取胜很难。

开局时，必须小心狡诈的对手做出高明的走子，否则即使你用不同的方法下棋，仍可能输掉。

好棋手很少拿着棋子在棋盘上空盘旋。当你决定了着数后，就牢牢抓紧棋子，并将它们移动到恰当的方格里。盘旋显示你紧张不安，没有主见，而且对自己的着数没有信心。这给了你的对手一个决定性的优势，并且将直接导致你的失败。

开局的成功可以导致中盘的软弱和最终的失败。

不要放弃看起来无望获胜或求和的棋局；相反，可以放弃个别的棋子。它可能会和棋——甚至赢棋。如果出现了弃子取势或弃子取胜的机会，绝不要放过。

骗局

看过规则之后，谁会怀疑骗局总是暗藏在表面下呢？好棋手从不落入利诱、伏击、伪装、欺骗的陷阱。当我移动棋子却发觉自己陷入对手的恐怖陷阱时，我真想狠狠踹自己一脚。不幸的是，欺骗无时无刻不存在，投机时一定要考虑这一点。

在交易中，你的对手往往不是这个人或那个人，而是整个市场。市场状态看起来近乎完美的时候，要心存怀疑，小心谨慎。一些看似虚弱无力的波动，结果往往很强劲。在交易中，有时一个人最好的交易就是那些从损失中逃逸出来的交易。

学会拒绝自动上门、可能有害的东西，是一种艺术，注意培养它。

开局时的弃子战术可能导致赢棋、输棋或和棋，但有一件事是肯定的：这样做通常会增加棋局的趣味性。

无论你的局势有多恶劣，绝不要让你的对手看出你的不安。

每一个好棋手都会设计一些圈套；否则，他们不可能赢棋。

最好的陷阱就是对手看不出来的陷阱。

有时候，你让对手引导到他希望你去的地方……这时回头就已经太晚了。

牺牲一个棋子的时候，要设法留下逼和的余地。

对手让你走一步看起来很诱人的棋时，记住蜘蛛和苍蝇的故事①。

棋局显得非常安全之时，你可能正处于极度危险之中。

有时候一盘棋似乎下得行云流水，所有的着数都天衣无缝——结果却是壮烈的输棋。

你可能知道一个陷阱，但却没有看出它的前奏或准备步骤：这就是通常所说的没有识破伪装的失败。

我可以忍受陷入别人的陷阱，但难以容忍因为自己而招致失败。

让冠军陷入困局和战胜他是完全不同的两件事。冠军都是逃生高手，熟知很多避免失败的方法，所以要小心！

① 《蜘蛛和苍蝇》是一个寓言故事，讲的是美丽的苍蝇姑娘来到蜘蛛家门前，被狡猾的蜘蛛邀请上楼去坐。苍蝇警觉到危险，没有上楼。蜘蛛又请她在小床上休息，到食品室吃东西，她都没有动心。后来蜘蛛请她去照镜子，看看美丽的身影，打动了苍蝇的心，结果被蜘蛛当了食物。故事的寓意很清楚，就是告诉读者：要了解自我，认清事实，别因为小人的甜言蜜语而上当。

对手免费奉送一颗棋子让你吃掉的时候，你最好说“不”，因为代价可能非常高昂。

虚张声势可能在扑克牌中奏效，但在国际象棋中则不会奏效，至少对顶尖高手来说不会奏效。

警惕那些讨论棋局时示弱、下起棋来却强而有力的人。你是在下棋，不是在玩判断棋手的游戏。

如果某一步棋看起来十分诱人、非常自然、极具威力，它不是好棋，就是陷阱——只有高手才能对此做出区分。

要牢牢记住，你的对手可能和你一样阴险狡诈（或者说足智多谋）。

失败的困惑就在于它经常看起来像胜局或平局。

聪明的赌徒从来不赌，大师牺牲一个棋子的时候，你通常可以准备认输了。

当你看出某个陷阱时，一定要确保你是胜利者，而不是受害者。

“很显然”的一步可能是赢棋……也可能是和棋……也可能是输棋的走法。

对手让你吃掉一个小兵或无用的棋子时，要记住这句古训：买者小心。

一步棋不符合你的审美情趣，并不代表它就是一步坏棋。看起来糟糕的一步棋可能导致和棋……甚至赢棋。

小心，送上门的机会很可能是披着胜利外衣的失败。

终局之后

魏斯威在晚年时写下了这些对棋局与人生的深刻反思，即从71岁到85岁这一段时期，这本身就预示着他自己的人生游戏的终结。魏斯威在写很多格言时，心里想到的是投机。首先，看见棋手们在赛后复盘的情形是令人欣慰的。复盘花的时间通常会比比赛本身多10倍。如果一个投机客能花1/10用于完成一笔交易的时间去分析它的话，他们可能会遭受更少的损失。

你走一步时，可能不知道原因，但是输棋后，原因就会一目了然。

我们今天可以下出和棋，可以期待明天的赢棋，但不应忘了昨天的输棋。

谁是我最难对付的对手？这很简单；它是“时间老人”。最终，他会把每个人都“将死”，这一点毫不令人惊奇。但是像亚瑟·农这样伟大的棋手，在接近90岁时，仍继续奋战不懈。

我已过完这一生，完成了我的工作，现在，我要拿起帽子离开了。

身边棋书的作者，我经常孑然一身，但我从来都不寂寞；要写作，要解决问题的话，你必须使自己独处。

当我还是一个年轻的生手时，一位老前辈就对我说：“你是天才，你是会下笨棋的天才。”他是对的，但很快我就打败了他。

失败不看人，所有的棋手都容易遭到失败。

惨败之后请听一听优美的音乐。

输棋的棋手会说：“明天我会仔细检讨。”其实很少人真的会去检讨。不要向后推迟，今天就要研究它并且确信要记住它。

要想成为自己一心企盼的冠军，从任何时候开始都不算太晚；但是日积月累，在你不知不觉中……你的梦已随风而逝。

胜利在你随手可及的地方：不要忘记你的失败，收好它们，并且记录下胜利，以对付你将来的对手。经验是个好老师。卡帕布兰卡曾在1916年到1924年间保持了8年的不败记录，这个记录从来都没有遇到过严峻的挑战。

在艰苦的比赛中丢了一局会让你难过，但根据我的经验，即使领先两局，也可能被别人翻盘；你必须排除杂念和干扰，奋力反击。

当你坐下来下棋时，不见得一定要赢，或一定要和棋；如果你堂堂正正和不失优雅地输棋，对你将来的比赛会有积极影响。在我的字典里，“输”并非一个不好的词。

你会下一些独一无二的棋局，找到它们并将它们编辑成册存入你的记忆库里，这将会是你明天的胜局和平局。

下或者观看一盘高明的棋时，见到一步绝妙好着，要马上把它记下来，否则，它会消失在风里的。

经过一段失败期之后，为你下一个棋局、下一场比赛、下一场联赛开始做准备吧。每个高手都会失败……并且接着所向披靡。

赢棋之后，我们会变得年轻一点；输棋之后，我们会变得老一些；而经过一场平局后，我们依然故我。

什么时候输棋很值得？就是当你学到了一些新的和重要的东西的时候。

在丢了一场艰苦的棋局后，只剩下一件事去做了：将它们抛之脑后，重新开始。

连续赢棋之后，你很可能会连输几局，上升之后必然是下跌。

收回拳头，是为了更好地打击敌人。

我知道有些棋手宁可输棋也不愿思考，很多人都这样。

你不可能永远处于巅峰状态，输了棋，有些人往往会强颜欢笑，但其内心的痛苦可想而知，这种事早晚都会发生在所有人的身上。

我建议你花一定的时间去研究你的胜局，花两倍多的时间去研究你的败局。你从后者学到的会更多一些。

赢或和一盘棋时，我们往往感觉到再没有研究的必要了；而当我们输棋时，我们往往感到研究已为时过晚了……的确如此。

今天研究昨天的大师下的棋局，而它们将成为明天的天才棋局的关键。这就是顶尖高手所做的一切。

你可能不知道，但你的时间很可能用完，要看时钟。

美妙的棋局是观棋者认为赏心悦目的棋局，这个人通常是赢棋的人，但是绝妙的棋局是输赢双方都欣赏的棋局。

棋局的分析不会有太多事实，只有容易变化的判断和意见；多疑的人总是在和想象中的敌人作战，而且到处赢得胜利。

在你刚走了一步缓手之后——你突然意识到本来还有一种聪明的制胜组合！除了你之外，房间里的每个人都看见它了。

有时候，我赢了一盘美妙的棋局后，会认为自己要么是一个天才，要么很幸运，但我知道自己不是天才。

记住，每次失败之后，不论怎么悲伤，你可以重新开始一个崭新的棋局。夜晚之后，有一个“新的开始”。

乐观者通常是好的输家，因为他们预期下一盘会赢；悲观者通常是痛苦的赢家，因为他们“知道”下一盘会输。

赢家特质

我在读下面这些精辟的格言时，常常想起贝多芬、莎士比亚和杰斐逊。

有志者，事竟成。

最强的棋手才能在寄生鲨鱼横行的大师的海洋中自由搏击。

成功不会一蹴而就，即使对于大师，它也是经年积累、水到渠成的结果。

你的胜败完全取决于你自己。

一些棋手不只是最终走向了失败，他们经常是半途而废。

每个棋手都需要自信——另外再加上自我批评与自我怀疑。

好的棋手就是那些知道自己还要不断补充知识的人。

不能从经验中学习的棋手，其他东西也学不会。

为了赢棋，你必须分析棋局，你需要分析棋手，并且首要的是你必须分析你自己。

大师有如大将，危难时刻方显英雄本色。

冠军们通常以最好的顺序走出最好的妙着，因而给他们的对手制造了混乱。

你不能把成功完全归功于自己，你要大大地感谢这么多年来的很多对手，他们帮助你、教你如何去赢、去输及去和。

你不可能期望在短期内成为一个高手。你必须去拼搏、去学习，并勇往直前。

一个生手除了能打败自己，不能打败任何人。我们开始时都是生手。

幸运的胜者通常是能较败者更早发现聪明点子的棋手。你必须在棋盘上反应敏捷。

有耐心的棋手偶尔会赢棋，主要就是靠耐心这种美德的力量。不要低估耐心的作用。

在棋盘上，幸运和机遇没有任何藏身之地。可能会有一些奇思妙想，但知识和决策起决定性作用。

武断是自大的迹象，是无知的宣告。

知道怎样去求和的棋手，也就是知道怎样和为什么能赢的棋手。

直觉偶尔可能会引导你走出正确的着数，但在你找到原因之前，它对你不会有真的帮助。

好棋手在每一步棋、每一个棋局、每一场比赛上都全力以赴。

没有发展一种惊人记忆力的棋手不会成为一个强有力的棋手。

棋风通常可以分为两类：攻击型和防守型。攻击型棋手是浪漫主义者。在中盘，他将全力压境给对方国王施以重压，其他子力和兵没有意义。防守型棋手则是象棋中的机械的现实主义者。

用你的脑子，用你的眼睛，用你的想象力，它们能带着你任意遨游。

那些才气纵横却懒惰的棋手通常无法发挥自己的全部潜能。相反，那些天分较差但是比较勤劳和耐心的棋手，会像乌龟一样，慢慢地在成功的阶梯上攀越。

成为一个强有力的棋手当然很好，但更重要的是要成为一个公正的棋手。

精明的棋手会赢很多棋，但太精明的棋手会输掉很多棋。

总而言之，见多识广是高手们最有力的武器，一个人可能会甚至肯定会不时犯错；但从对古今实例分析中所获得的经验，无可争议的是一个人在赢得世界冠军的道路上最主要的资本。

盲目的运气和我称为“用心的运气”的确存在，前者纯粹是运气，后者则是努力的结果。我不羡慕前面那种运气，我宁愿相信后者。

棋着的重大改进往往是棋手们在僻静处发明的，很少会在中盘、比赛或锦标赛中发现。

大师们确切地知道什么时候应该袖手旁观。

在通往胜利的漫长道路上，只有不畏艰辛而到达更为险远的地方的棋手，才会在棋局中走出拍案叫绝的妙着。

如果你有先见之明，你很可能会赢；如果你有洞察力，你很可能会和棋；如果你只有事后诸葛亮的理解力，你很可能会输，而我们都只会得到赢、和、输三种结果中的一种。

受欢迎的棋手输棋时不找借口，赢棋时表现优雅，和棋时报以微笑。

有的棋手保持开放的心胸，在必要时准备改变计划而临场发挥，以便赢棋或逼和；不过，也有一些棋手顽固不化，不管结果如何，都埋头硬干。后面这种哲学或者说是没有哲学，通常会导致失败。

第八章 / CHAPTER 8

赌博与投机：前者是老师

我年轻时，大家叫我“赌徒”，后来我的生意越来越大，我便成了有名的投机商，而现在，我的身份是“银行家”。其实，我一直以来都在做同一件事。

——欧内斯特·卡塞尔，《银行家》

投机客注定在冒险与躲避风险之间摇摆。

——华希顿·弗勒，《华尔街十年》

赌博是投机的老师

同天下所有望子成龙的父母一样，我老爸希望自己的儿子成为一名教授，而绝不去做投机商。在一位退休警官的聚会上，有一位官员谈到他的子女，他的女儿是医生，另外一位说女儿是钢琴家，还有一位说儿子是天体物理学家。我老爸插话说他的两个儿子都是投机商。“哦，你是说，赌徒吧。”大伙一起大声问，这样的反应的确合乎常理，尽管有些难听。当有人问我这二者的区别时，我答道：“我投资、你投机，他们在赌博。”

无论是投机还是赌博，重在控制好情绪，把握好动机，另外还要熟悉经济学，了解社会学，才能获取成功。任何一次成功的交易，一定是建立在不冒破产风险的稳固基础上的。那么，赌博、投资、投机这三者到底该如何区分呢？这样说吧，老牌赌手和忙于抛出买入的炒股者相比，其行为反而更接近投资。

股票专家有一个老笑话，说买股票是为了投机，如果价格下跌，就变成了投资。这一笑话实际上已经说明了二者的细微区别，尽管它们原本各不相同，却往往会被人们混为一谈。

赌博和投机最大的区别在于，赌博的风险是由“赌场”创造出来的，目的是为了娱乐。而投机则不同，不管最终是否能够积聚资本、扩充商品或买地置宅，他都要为之一搏。投机商会把冒险巧妙地转换为另一种行为——价格发现，它力求从数量、质量和时间上在需要与供给之间求得平衡。赌徒是用辛苦赚来的钱下注，是娱乐，也是刺激，并期待着赢回更大一笔钱。

不管是动机或是效率的不同，有一点我敢肯定，赌博让我学会投机。

我的赌博经历

第一次涉足赌博时，我只有11岁。赌博在布莱顿司空见惯，不知这是由于布莱顿居民受了毗邻的康尼岛娱乐区的影响而暂时形成的，还是因为体育爱好者有嗜赌的倾向，我不敢妄下断言。我只知道，大多数手球运动员绝不在没下注的情况下打球。

布莱顿居民每天的生活通常是以高额赌注的赌博开始的。人们聚集在球手周围，全神贯注于这场巨额金钱的游戏。其中最厉害的赌者便是莫依·奥恩斯坦，他天生使用右手。但他的球技太高强了，为了让球赛赌博公平一点，他必须接受用左手反手击球的条件。在比赛中，他总显得逍遥自在而从容不迫，旁人下注，他不是稳如泰山，就是两腿交叉，显出满不在乎的样子，在网球场上，他更为得意，时常不跃动击球，或者让他的对手在旁边的3个场地同他比赛——他会让比分从15到20。通常，赌注会从1人1美元变为上百美元下注，更加刺激精彩。

一次，在比赛中途，有人叫我在一场赌注很高的比赛中，跟当时的手球冠军乔治·马斯金打球，很多人下了大额赌注。最终我赢了，21：14，赌我赢的人给了我一双拖鞋作为奖赏。老爸下班后，我跑去告诉他：“爸爸，我从乔治·马斯金身上赢了一大笔钱。看，我赢得了一双新的克兹牌的鞋。”

“幸好没让我看见。”老爸回答。

“你这是什么意思？难道你不喜欢这样吗？”

老爸答道：“是的，我不愿看到这些。太可怕了，我真该揍你一顿。在我看来，世上最可怕的事情莫过于你长大后成为一名赌徒。我有一个很要好的朋友，是个有头脑的人，而且有份好工作。可后来他经常着了魔一般地在午餐时间玩牌，当老板告诉他已遭解雇时，他还央求老板延缓一天，以便打完那天的牌。我还曾看他在同一时间打两局牌。甚至在他坐火车去结婚时，他还在车上沉迷于扑克牌，以至于耽误了婚礼，未婚妻一怒之下取消了婚约。现在，他成了无业游民，这便是顽固不化的赌棍的可悲下场。所有的赌徒死时都一文不名，而且大部分人早已变成了废人。我不想这样的事发生在你身上。以前，我把这件事讲给很多的朋友听，他们的家里或周围也有不少赌徒，对此的反应通常是沉默几分钟后开口，‘是的，我老爸也是个好赌之徒，所以死时一文不名。’为了缓和气氛，我便补充道：‘啊，不过，最起码他还没有成为废人。’话音未落，对方回答：‘我想恐怕是这样的。’”

第二个教训是件小事，但至今仍时时萦绕在我心头。我上大学以后，外公外婆（他们的儿子，我的舅舅，是一位大赌徒，名叫豪伊）和我们毗邻而居。他们把地下室可居住的房间租给那些穷困潦倒的人。有一次，我找其中一名房客玩“五色牌”，赢光了他的钱。第二天晚上，他妻子回家，一怒之下将他推到窗口，大声哭喊：“你输光了所有的房租！”声音极为恐怖，哀怨中带着愤怒和无奈。直到今天，那个女人哀怨的哭声还回响在我耳边。每当我被套牢时，苏珊总会问我，为什么还不跳出来，我便会想起那个女人。“为何不抛一半出去？”苏珊问。对此，我总是羞于回答，那是因为我总怀疑在我卖出之后的第二天，股市就大幅上涨。

赌徒下场

以上我提到了青少年时代我从赌博中吸取的两个教训，而不幸的是，这样的灾难偏偏降临在我最崇拜的网球教练吉姆·洛睿列身上。他的击落地球是我见过的最高明的。每天，我老爸都要开车送我去他那儿训练两个小时。洛睿列在阿里斯特尔·库克房地产做主席，他德高望重，可以任意使用美观的室内网球场，作为交换的条件，他只需教库克的子女打球就行了。洛睿列以传统的方式击反手球——古典而优雅，很有当年唐·巴吉的遗风，洛睿列曾将这一手教给东部最好的两个学生亨·菲茨基宾和巴瑞·尼格里。现在，轮到我了。

为了能按时上课，我老爸和我加速向贝尔特帕克路驶去。当我们到达库克房产时，洛睿列心神不安地跟我们打招呼。一开始，他说他刚刚和唐·巴吉、杰克·克莱姆打完表演赛，十分疲倦；一会儿又指着天空中随处可见喳喳叫着的小鸟说：“听见了吗！就要下暴雨了，而且我必须到贝尔蒙特赛马场去接一位朋友，今天的课就暂停吧。”

老爸和我很熟悉人深陷泥淖、积重难返会表现什么样子，或许我们更了解鬼迷心窍的赌徒的心思，他们在输赢之间迷失了自我，发疯般不惜拿家庭、事业做赌注，孤注一掷。洛睿列替我上的网球课就此取消了，老爸和我驱车到了布鲁克林。最后，洛睿列深陷赛马和其他赌博游戏中，并且输得精光，只能靠在他从前学生的手下做网球顾问，勉强糊口。

有一次，我看到《全国咨询》有篇这样的报道，说一位名人在拉斯维加斯赌城想要捞本，不肯离开牌桌半步，和前来寻他的妻子打成一团，看到这里，我不禁想起洛睿列不幸的遭遇。纵观历史，也曾有许多大人物因小失大。我最喜欢的一个有关赌徒的故事是卡特·马泽瑞的，他在临死前还不忘掷硬币来决定谁出钱办葬礼，看到结果之后才咽下最后一口气。

我在哈佛大学的同班同学安德鲁·贝尔准备参加最后的毕业考试时，贝尔蒙特赛马场有一场他认为稳赢的赛马，而且他觉得，在贝尔蒙特赌赢的概率远大于顺利通过考试的可能，于是义无反顾地去了贝尔蒙特。直至如今，他从未对这一举动后悔过，现在他已是世界上声名显赫的赛马场评论专家。在《华盛顿邮报》上有他的专栏，文章颇有见地，深受欢迎。

王不见王

大约40年以后，也就是1994年7月2日，通过基德·皮巴迪的凯文·布莱顿介绍，我有幸同前乒乓球世界冠军马蒂·雷斯曼打了一次球，地点在西50道街第八大道的纽约乒乓球俱乐部。这个地方，妓女、贩毒者等三教九流者数不胜数。尽管马蒂的基本原则是只对自己下注，却依然不失为此项运动的赌场高手。而我，一旦涉足，总觉得力不从心。

马蒂热身时，先表演了几下花哨的球技，包括在球台的边缘分散放置烟头，用球击灭，还表演了用球拍边缘，而不是用拍面击球的绝招，让人咂舌。当我为自己打出的好球欢呼雀跃时，他却不屑地转身走开，以胜利者的姿态骄傲地等待。

一开始我用左手打球，让他相信我甚至比他想象的还要糟糕。马蒂先让我15分。比赛开始后，我换成了右手，而且赢了他几块钱。

接着马蒂又让我10分，并且是坐着打，我赢了他。然后我按照尼德霍夫家人真正的风险，把赢到的钱全部赌在看来稳赢的比赛上。马蒂让我5分，但是他只有把球打到桌边的一本书上时才能得分。他发的前九个球，每次都打在书本上，到了第十个球时，我知道我必败无疑，就把99%的赌注买下来，结束这天的比赛，只赢了1美元。

那天晚上，马蒂向我讲述了他忧伤的往事。从13岁起，马蒂就靠着乒乓球赚钱，获得过17次全国冠军以及在日本举行的世界冠军表演赛的第一名，并随着哈林篮球队巡回演出三年。后来，他成了一家中餐厅的投资者，餐厅紧邻西96道街的乒乓球俱乐部。接着马蒂开始投身于股票金融事业，做一名投资商。在温哥华和丹佛交易所，他四处收集低价股票，并怂恿朋友买进。他用4000美元起家，后来获利高达150万美元。在他鼎盛时期，他一天狂卷50万美元，而这一切皆来自当初他仅以每股10美分甚至更低价格买进的股票。他时常想："这些都是怎么来的呢？"

马蒂是个股票操纵者，种种题材都让他受惠。例如，极有希望跟擅长并热衷于乒乓球运动的中国人合作，大捞一把。此项协议得到了摩根集团的资助，并由斯坦德和索罗斯提供专款，并有了专利。

我问他："那些股票的佣金是多少？"

"噢，我付全额的佣金，每股2至3美分。当我买进报价2至3美分的股票时，比这更高的佣金，我绝不买入。当我退出交易市场时，便一并抛出。"我根据抽头的规则，估计这种抽头（或者说是经纪商强制收取的费用）的比率是100%。在这种情况下，交易者和经纪人的钱统统进了期货者的腰包，无论交易双方有多精明。

我又问道："最后的结果如何？"

"哦，这样说好了，我持有的时间太长了，我套期保值，在萧条时期，获利较少，但原始股都上升50%。现在我投机的规模小多了，但我的朋友都大赚了一笔，他们很早就退出交易市场，我很佩服他们。"

"那你的经纪人最后怎么样了？"

"他的情况也不错。事实上，就我4000美元本钱的投资来说，我想我付给他的佣金超过了100万美元。"我没有继续追问下去，其实心里早已算出，利息是最初的2倍。

赌王摩尔在自传体的职业赌徒回忆录中，把抽头深入而有力的影响描述得很清楚。书的开头引用了其好友老博的一段话。老博大字不识，但依然有自己的人生哲学，"要赚钱，而且要诚实地赚钱。但如果不能同时做到这两者，那么，还是要选择赚钱"。建议几个人合伙算计克里欧，他们所谓的另一位"朋友"。

摩尔对克里欧没有什么特别的好感，就跟老博合作。两人在摩尔屋里安装监视装备，老博向摩尔传递情报。一旦摩尔赢了，老博便可从中获利10%。当然，克里欧极想捞回来，此刻，老博又倒戈朝向克里欧一面，而摩尔仍蒙在鼓里。就这样进行了五六次，克里欧和摩尔同时发现，每次他俩你来我往，即便胜利，也是入不敷出，而老博却坐收渔翁之利，老博让二人相互争斗，明目张胆地从他们眼皮底下捞钱。无论倒向谁，老博每次获利10%，经过五六次后，克里欧和老博只能赢回本钱的一半，老博拿走的钱却等于任何一个人的全部本钱。

我把这本《歧路亡羊》送给马蒂。第二天他把整个交易记录带来，微笑着说：“我还忘了我老爸曾说的一句话，金钱才是永恒的。”

大凡在赌场中玩过的人都了解一种不寻常的现象，通常赌桌上没有任何人能够赢钱离开。赌场每一锅抽头2%到5%，一小时玩四十手牌，头钱冷酷无情的累积，抽头的比率非常小，庄家又很灵巧地把筹码移到抽头箱里，使大多数赌客几乎都没有注意到头钱在累积。低价股和期货的经纪人同样高明，每一锅抽走的头钱是赌场的五倍之多，却不会让人特别注意。这种交易活动特别变化多端，尤其期货交易只需要5%到10%的保证金，提供了绝佳的娱乐。同理，很多白吃的午餐，性感的服务员经常嗲声嗲气地打电话来，精心制作的研究报告像子弹一样扫射过来，邀请你参加专家研讨会的说明会的请帖，以及会场中总是附带提供的各种舒适享受，都是很好的娱乐。

赌注与抽头代表毁灭

在衍生商品市场上，经纪人对于报出含有25%抽头的差价，丝毫不觉得良心不安。3天清仓的现金套期保值交易抽头通常为交易值的0.3%到0.4%。在这个市场上，有一家最大的经纪公司竟然按套期毛利的100%收取抽头。我试图说服经纪人做一些让步，我向他们抱怨说：“请不要把那些价格写出来，如果我的客户们发现我在考虑接受这样的报价，他们会把你我送去监狱关起来。”如果他们仍不妥协，我就会关闭账户，并给他们寄一份摩尔写的英雄故事的节选。

除了股票市场的开盘价之外，大众在任何交易市场上都是根据单一的价格。价格分为内盘价和外盘价，在纳斯达克证券交易系统中，一股10美元的股票内盘价和外盘价的价差为1/4美分，即股票交易值的2.5%。如果一年周转4次，一年就整整吃掉10%的股市长期投资利润。典型的内盘价和外盘价的幅度是这样的，比如说期货市场的银器或大豆每股票面价为5美元，用半美分就能买到，其幅度为0.1个百分点。在世界最活跃的债券市场上，报价100美元的东西，内盘价与外盘价的幅度为1/32美分，即0.03%。这些小小的浮动幅度，加上类似数量的佣金，孤立地看似乎不会在内盘价与外盘价之间造成巨大的需要克服的障碍；对于股票而言，所有这些加起来还不到股票票面值的1/10。这实际上是虚幻的假象！内盘与外盘价幅度加上佣金，再加上差劲的执行，很快就成了一种无法承受的负担。

要看清为何投机交易经常支付抽头会导致毁灭，请考虑有经纪公司参与的下面这笔交易：你每天抛投一枚硬币，如果正面朝上，你就赚1美元；如果背面朝上，你就赔1美元。但每抛投一次，经纪人都在其中抽取20美分。如果你连续抛200次，你赢钱的概率有多大呢？答案大约是十万分之一，而且从1美元中赚20美分还可能是对近年来“抽头”的一种保守估计。不久前，佣金的数目在50美元至100美元之间浮动。在大部分经常交易的商品，如黄金、谷物和股指期货中，标价与竞价的浮动幅度是每纸合同50美元，然而在大多数交易频繁的债券合同上幅度降到了32美元。因此，20世纪70年代至80年代，在每笔完整的交易中，抽头数额是82美元到100美元。考虑到最近的佣金折扣，我们姑且就假定80美元好了。

虽然最近期货公司开始打折，对每天交易5手或10手合约的一般大众，来回买卖一次的服务费和佣金降低为15美元，结果并没有太大的改变。

高额的抽头，价格波动幅度不大，相形之下，会逐渐使大众的财力枯竭。但是，有时候杠杆融资的力量会给先发制人，胜过抽头的力量。期货市场中，融资比率通常是50倍，这就给了上市公司大量机会见识一下赌博者破产的机会。

表8.1显示了20世纪90年代中期，交易活跃的合约每天价格波动的平均百分比，每天变化0.8%是正常状况。“近期对近期”期货的变动平均值从英镑的0.36%

到铜的1.42%，中间值为0.8%。

假设一位客户在银行的户头上有2000美元存款，他拿出1000美元，控制一个面值为5万美元的期货合约。这个期货合约每天的价格变动为400美元，价格变动占到这位客户银行存款的20%（400/2000）。如果出现对这位客户很小的不利变动，如每天平均变动1次，连续变动3天；或每天连续变动3次——这种变动就是以导致该客户边际利润100%的损失，或是银行存款50%的损失。

表8.1 1994-1996年每日平均交易价格（近期对近期）

	美元（$）	变动百分数（绝对平均数）
债券	500	0.47
股票	1250	0.36
德国马克	400	0.21
瑞士法郎	550	0.36
日元	675	0.49
英镑	350	0.36
黄金	140	0.35
白银	300	1.20
铜	510	1.42
原材料	220	0.96
原油	269	0.97
无铅汽油	290	1.12
大豆	350	0.60
玉米	125	0.80
蔗糖	157	1.24

看出来了吧，即使能够克服经纪商20%的抽头，赌徒末日也会发挥作用，使一般投机客几乎不可能长久熬下去。真正的问题是大众输给我们的朋友：大众敌不过“抽头”和“杠杆融资”的双管齐下。依我个人的经验，“杠杆作用”应负20%的责任，“抽头”则应承担80%。

我在哈佛念书的时候，书架上和统计有关的书只有寥寥50本。今天，光威利一家公司，就出版了160种关于概率及其应用方面的书。20世纪60年代，有关概率论的书只有一本——威廉姆·怀勒的《概率入门》，凡是对概率感兴趣的人都必须读这本书。其中关于久赌必输的章节，让我记忆深刻。

实际生活中有很多故事，说一些赌徒被财力雄厚的对手击溃，谈到本钱增加可以使赌博的结果发生重大变化，其中一部分还对自我保护措施和自我盈利欲望做了对比。如果人们都避免了不公平的赌博，“那就意味着保险行业的终结，因为那些投了保险且十分谨慎的司机很显然处于不公平的境地。”

这点和投机的基本问题——比如，何时应根据优势和多样性去投机、最初投入多少本钱、赌什么、何时应该停止——相通之处实在太明显了，令人毛骨悚然。

怀勒的著作里，充满了真实质朴的小故事。比如，他探讨起初拥有雄厚启动资金的投机商，经常会得到一小笔合理回报，但相比之下，遭到毁灭性打击的机会也会比较小。怀勒讲了如下的故事：

> 某人每年都去蒙特卡罗，而且总能成功地赢回度假的花销。他坚信：有一种胜过运气的魔力存在。实际上，他的经历不足为奇。假设他开始投入最终资金的10倍，那么任意一年的成功概率接近90%，连续不断地连胜10次的可能性大概是0.37，因此连续成功并非不可能。而且，偶然一次失败可以归咎于看走了眼或发挥欠佳。

赌徒末日这个由来已久的问题，可以用下面的方式表达，适用于所有的投机情况。一个投机商与赌场对赌，最初的启动资产为C，他每赌一把赢1美元的可能性是P，输1美元的可能性是Q，Q=1-P。投机客计划赌下去直到他的资产增至A或贬值直至破产。在这样一场赌博游戏中，赌徒破产的可能性可用下列公式表示：

$$\frac{(Q/P)^{A}-(Q/P)^{C}}{(Q/P)^{A}-1}$$

把数字代进公式里。假设一个在每次赌博中都有60%获胜概率的投机客，以

1美元的本钱开始赌博，并试图赢10美元，则整个回合会面临66.1%的破产概率；他也有33.9%的概率赢得10美元（100%-66.1%），他最终的银行存款可能为3.39美元，减去他最初的1美元投入，因此他可期待获利2.39美元。

表8.2说明一场赌局中预期的收获。最初的本钱为C，每日盈利的可能性为P。如果赢钱的概率有60%，那么，本钱的大小变得至关重要。换用4美元的初始投入，投机商的期望盈利由2.39美元升到了4.17美元。这种情况类似于一场扑克牌牌局中本钱雄厚的赌客占有赢钱的优势。若初始投入超过4美元，破产风险会下降，但与此同时，实现10美元盈利目标的可能性也减小了。比如，投入9美元资本，输光的概率很低，但预期盈利也只有1美元（10美元-9美元）。

表8.2 赌博预期收入

	本钱（$）								
概率	1.00	2.00	3.00	4.00	5.00	6.00	7.00	8.00	9.00
100%	9.00	8.00	7.00	6.00	5.00	4.00	3.00	2.00	1.00
90%	7.89	7.88	6.99	6.00	5.00	4.00	3.00	2.00	1.00
80%	6.50	7.38	6.84	5.96	4.99	4.00	3.00	2.00	1.00
70%	4.72	6.16	6.21	5.66	4.86	3.94	2.98	1.99	1.00
60%	2.39	3.65	4.16	4.17	3.84	3.28	2.58	1.78	0.91

久赌必输问题的理想化公式显示，在实际交易中，会出现权衡与取舍的问题。与本钱相比，投机客希望下的赌注较小，但从理想回报率角度他又希望自己的赌注足够大。不幸的是，在现实生活中，投机客在每次交易中并不知道自己真正的赢利概率，所以无法在表上找到最适当的下注水准。

成功的概率低于50%时，情况就有所改变。优势的投机客下的注应该要小，设法挤出利润来。处于最劣势的投机客最好别做“保底性”生意，赌一笔大的，因为这是他能盈利的唯一办法。这部分解释了为什么赌博游戏中对下注数额有限制，而投机客可以用这个限制对抗赌博，同样解释了交易所为什么要对大众所持股份数做出限制。

我偶尔会遇到在股市上交易积极的人，我会向他们解释为什么久赌必输以及交易所的“抽头”和“杠杆融资”双重作用，使盈利机会变得微乎其微。我通常会在说明时，在这种合力上再加上更为恐怖的因素。一个交易日内股价有可能毫不留情地跌至最低点，而一旦投机客买入便又直线反弹。我碰到的反应起初都是怀疑，等到他们了解我的基本说法确实有道理时，他们的幻想破灭和愤怒情绪取代了此前的怀疑。我的听众们终于忍不住发问：“你的意思是在我做生意的过程中我只是在让我的经纪人和他们的下层交易商发财？”当我说在市场生态系统中他们可以用一种相当和谐的方式完成他们的工作时，他们通常三缄其口，不做评价。

最后他们回家，伤心地看着经纪人给的以前的交易记录，然后来找我说：“维克多，你是对的。我觉得好过多了。在实际的交易中，我做的并不算太差，之所以亏损，原因就在那些佣金。”

我有位朋友在白银交易中变得一无所有，他开始了解这点时，承受不了这种震撼。“对，我输光了。可我一直在想，当初若是抛出而不是买入，我一定已经赚了大把的钱了，就像我赔的一样多。”

“但是，不管你是买进还是卖出，都没有差别，总之你一定会输。”当他终于接受这个现实后，他回去种圣诞树去了。

如何在本钱金额及投机头寸规模、交易者的优势多寡和价格变动程度之间做出明智的平衡，对于投机交易而言是非常重要的问题。如何在每张牌上下注而避免承受过大的破产风险，在所有畅销的精装书中都被写作一种至关重要的变动性因素。在扑克牌的赌局中，根据应承担的风险、你的技能以及对手的情况下注是如此重要以至于其被视为成功的基本要求。

每场交易丧失一小部分优势的趋势，长期而言（比如做50次交易或更多），一定会造成亏损，这是投机中的重要规律。谁忽视它，必定会自食其果。相反，通过减少交易数和降低交易所与经纪商的“抽头”，就可提高成功的概率。

“我们必须拥有一些优势。”这是赌场通常回答反对者和其他聪明人质疑的说词。令人眼花缭乱的歌舞、低价甚至免费的佳肴、高档奢华的旅馆、随处可见劝诱他人赌一把的场地经理，在这样的背景下，他们这样说，的确有一定的道理。当你离开赌城拉斯维加斯时会看到一幅标语——“下注吧，乐趣无穷”，但如果下很多的赌注你就别指望赢。例如，赌场只抽头5%，赌美式轮盘1万次，获胜的概率几乎为零。拿赌场和一般期权交易的获利概率相比，经纪商的优势通常介于12%到50%之间。请问，在任何一种语言中，有哪个词汇能表达比零还差1万倍的那种赢的机会？

把背景扩大至人生，我们每天都面临着输赢的机会——例如，和小伙伴一起参加学校的活动、与意中人约会、找工作，或者决定什么时候退休，等等，都是如此。去参加学校的会议，你可能不得不开车去，这样你可能会拿到一张罚单或者更糟一点，出一场车祸。而你想约会的那个人没准会拒绝你的邀请，打击你的自信。人生本来就是一系列的投机，要成功地过一生，你至少必须平衡好下面的六个变动性因素：最初的本钱、下注的大小、抽头的比率、玩法的变化、退出时机和持续时间。

爱拼才会赢

在陀思妥耶夫斯基[①]一本描写赌徒的小说中，主人公把手伸出去，让年纪较大的情妇按摩，然后下注，却连续输了好几把，这一经历完全验证了“赌场失意、情场得意”这句话。弗洛伊德[②]对陀斯妥耶夫斯基的反英雄的解释是：早期的手淫行为反映的畸形心态，成年后则表现为染上赌瘾，沉溺于赌场不能自拔，明知故犯，这相当未成年人由于心理、生理不成熟而表现出的手淫，陷入之后，不可

① 陀思妥耶夫斯基，俄国作家，其文学风格对20世纪的世界文坛产生了深远的影响。陀思妥耶夫斯基常常描绘那些生活在社会底层却都有着不同常人想法的角色，这使得他得以描绘19世纪暗潮汹涌的俄国社会中小人物的心理。部分学者认为他是存在主义的奠基人。

② 弗洛伊德，奥地利精神分析学家，犹太人。精神分析学的创始人，著作包括《梦的解析》《精神分析引论》等。他提出“潜意识”“自我”“本我”“超我”“俄狄浦斯情结”“性冲动”等概念，其成就对哲学、心理学、美学甚至社会学、文学等都有深刻的影响，被世人誉为“精神分析之父”。

自拔。埃德蒙德·贝格勒是美国一名弗洛伊德学派的学生，他在原有基础上发展了弗洛伊德学说：赌场中风云突变，大起大落带来的刺激足以与具有强烈恋母情结的少年心理波动相提并论。对一个成年人来讲，赌场的沉浮反而成了潜意识中的自我惩罚。在这种修正心理的驱动下，赌徒们似乎需要借输钱来求得在与自我道德准则背道而驰的行为中的内心平衡。

形形色色的赌徒一心一意看着赌桌上骰子的旋转，透出一种气息，衬托出赌徒绝不是十足的禁欲主义者。在令人窒息的空气中，永远没有保持头脑清醒坚韧不拔的智者。进入市场同样如此，交易价格的起落从不以商人的意志为转移。每当我的朋友来访，要提前赶回，我总会破例邀他留下，尽管当时正忙于交易，而他也毫无例外地接受，并乐意参与我的部分活动。

我经常碰到一些投机商似乎走上毁灭之路，无法自拔，其中有一位还是我好朋友的兄弟。1987年纽约股市大崩盘后，他坚持认为，这以后的经济状况将同1929年危机过后的经济相仿。按常规，应该出现反弹和经济复苏，但事实却恰恰相反，等待他的依旧是市场的一蹶不振。一旦股市暴跌，他就大量做空S&P指数期货，经过连续12次交易，他亏损严重，本钱减少了80%。我建议他买进其他限价货物，放弃短期期货，以此将损失降至最小。从最坏处打算，即使限价货物最终毫无价值，他所损失的也只是最初付的保险费，与做短期期货相比，风险自然小了许多。在我的劝说下，他尝试做了6期期权交易，又连续遭到6次亏损，情况到了如此地步，我认为此时退出市场是最佳选择，“无论你什么时候回来，市场总是还在，你不在市场里，思考起市场会清楚多了。”

他回答说：“我能离开市场，在大萧条过后，一定会有大的复苏，我不希望那个时候自己不在场。”

我看过很多在类似状况下的赌徒和投机商，我请他们把生意转移到别的地方，他们总是充耳不闻。

我少年时听到了太多类似这样的破产商人的故事，在人生的阶梯上攀爬时，又亲眼目睹了商场中你死我活的竞争悲剧，于是，我变得善于避免风险。无论何时碰到险情，哪怕濒临破产，脑海中总会浮现出亡命赌徒的悲惨结局。我清晰记得一位有名的食品经纪人，专营糖果和咖啡，在竞争中破产，走投无路，最终自杀了却一生。他的理论是：糖果价格低于5美分时买进，8美分或更高时卖出，这样持续了很久，效果不错。直到有一次，糖的价格涨到了每磅40美分，就他的保证金而言，他亏损了30倍。

投机与赌博

投机和赌博都同样能够把好端端的人送进救济院。要补偿童年时期的罪恶感，投机和赌博同样容易。

威廉·华希顿·弗勒在1870年出版的一本经典之作中，把投机的危险说明得一清二楚，是对付过度风险和抽头很好的对策，而这两点是走向救济院的坦途。下面是弗勒对沉缅于此道的人们的训诫。

> 这些人主要的事业是股票投机。他们一旦来到华尔街，绝对不会离开，除非是装在松木棺材或黄檀木棺材里，是哪一种棺材要依情况而定。
>
> 你听他们谈话，会以为他们生活在理想中，而不是醉生梦死的酒肉之徒。他们总是神采奕奕，彬彬有礼。在他们想到交流和各自的生活中，最沮丧但也是口头及书面使用率最高的一句话便是："情况本应该是……"在他们的词汇字典里，"如果"和"但是"是最常用的连接词。他们的一生是一系列的懊悔，而这些遗憾大大出乎意料，却又远远不及他们真正意义上的推动。
>
> 循规蹈矩地在股票上赌博，无异于小酌波尔多红葡萄酒之后再接着痛饮白兰地，新鲜而刺激。一个人相当坚定地涉足投机之后，他的想象力很快就会大为增加，对于自己追求的目标会产生一种虚无的幻想，似乎有一种邪恶的精灵掌控着他。他不再有任何时间概念，时空中唯一一个分节点，那就是破产和巨富的界限。他们一次次从欣喜若狂的天堂跌

入痛不欲生的深渊，在岁月的流逝中，生活日益失去了初始的新鲜，直到有一天，他终成金融巨头，蓦然回首，当年的梦想如影掠过。等到毁灭的丧钟敲响，不切实际的虚荣消失时，他才警觉到现实的悲凉。

整个这群人的各种经历，只不过是凄凉寂寞的亏损目录。他们失去的，不仅仅是金钱，更多的是健康、人格和纯洁的心灵。

大家来到华尔街，满怀自信，身携财富，气宇轩昂，自信而充满希望和力量。可当他们离去时，他们不但失去了金钱，而且也失去了信用和名誉，衣衫褴褛，精神沮丧。他们失去了一切，股市上疯狂地买进和抛出，经纪人合作者的欺诈、骗局、痛苦、虚假的市场，除了虚伪的人性，他们什么也没有。

现在投机之路比以前更加凶险，和八年前相比，市场上充满了灌水五倍的股票。华尔街人士在还没完全冷却的熔岩地壳上交易，底下是一座金融火山，火山喷发随时可能使大家全部毁灭。

我把这些话和其他文字贴满在我交易室的墙壁上。今天，新上市股票灌水的程度，有时让弗勒也大跌眼镜。新股的价值不知是营业额或哲学博士数量的多少倍了，这些新股根本没有盈余或负债可以灌水。《巴伦金融周刊》和《纽约观察家》以及无数投资新闻，经常刊登一些可怕的故事，提到大众在买这种股票时很好骗。这些报道结束时，通常会叫人做空某些股票，并且指出最后的目标是0。但是这些新股的整体业绩研究显示，在承销时购买这种股票，投资回报率和购买上市股票相当，也就是一年10%。我认为做空头也是一场赌博，一开始，经纪人就要拿走利润的3%以上，而且有一年10%的涨幅跟我作对，还要对付一年可能达到50%的股价变动。在这样一场赌局中，我如何能获胜？当然，没有人能够永远在扑朔迷离的涨落变化间保住本，或赚一笔，而有时候，我们往往不会准确估计形势，对困难和损失估计不够，总会造成大投入、小产出，甚至零产出。

每次，空头头寸的走势开始对我不利时，我的胃就隐隐作痛，也会想到老爸的告诫和那些为此自杀的人。在事业达到顶峰时，我反而能心平气和地承认和接受失败，这不过就是个时间问题。我在购进大量期货合约时，早已做好一切失败的准备。但当我将20张合约做空头时，获利少得可怜，我感觉自己像是被人推进了无底洞，没有反抗的能力。我相信，我身体的反应具有重大的生存价值，在这方面，我和索罗斯倒很相似。他的背开始痛的时候，他就知道该撤退了。

到目前为止，我因为害怕做空后亏得一干二净，因此能够免于毁灭，但也使我自己失去一些功成名就的大好机会。在壁球运动上我也存在同样的问题，我的竞争对手总说："尼德霍夫谨慎而坚韧，但他绝不会变得非常杰出。我总觉得在我某日发迹时，一定会彻底击败他。"

我可以打完整个比赛而不犯任何错误，并且是用反手——和那些有幸在杰克·巴诺比手下练过球的人一样——我虽并不熟练，但手长腿长，身材占优。这种优势加上我的招牌切球，再加上我能够把球打到很高，然后从侧面墙壁急速下坠，这使我在壁球上具有能够争夺世界冠军的能力。

但是，我始终无法经常打赢乔瑞夫·康恩，尽管他常常一局失误四五次，远远超过我一场比赛的失误。康恩曾获得5年北美公开赛的冠军，但1975年被我赶下王座。他的边线球失误多，但一旦成功，比分便会直线上升。单靠这个，他就能打败我。我对他的战绩是3胜10负。我想，倘若自己不在比赛中打得那么保守，应该有更大的胜率。但我是个地地道道的保守主义者，从不愿承担任何风险，哪怕是主场比赛，也是如此。

同样地，我也永远不会变成索罗斯。孤注一掷要有职业赌徒的天性，就像索罗斯的量子基金现任首席操盘手斯坦尼·米勒所说的："当笨蛋也要有勇气。"

职业赌徒

所有高明的职业赌徒，迟早都会彻底破产，或是经常如此，因为他们乐于孤注一掷，即使是为了投机性的打赌，也是如此。对我来说，就好像要我出一百美元，赌下一个进酒吧的人会叫一杯波旁威士忌酒加冰一样。

但是请注意，大多数打赌的赌徒，会在事前操纵结果。艾玛里洛·斯林曾跟人打赌，说他的猎犬能扒出一块石头，并将它扔到池塘里，这件事就是个很好的例证。人们在石头上做了“X”记号，参与者纷纷在这块石头上下注，而前一天晚上，斯林在池塘里的每块石头上都做了同样的记号，大家自然必输无疑。安东尼·侯德在《大赌注——职业赌徒忏悔录》中描述了希腊的约翰·摩斯和绰号“希腊人”的尼克著名的扑克牌局。据说这场赌局持续了5个月之久，以尼克获胜告终：“摩斯先生，你走，我留下。”但尼克的胜利也是以耗资200万美金换来的。

职业赌徒随时准备面对彻底的破产，摩斯同众多投机客一样，不可能逃脱失败破产的结局。侯德跟摩斯的妻子弗吉尼亚交谈过。弗吉尼亚告诉他，她和摩斯的新婚之夜是在牌桌边度过的。摩斯赌了几个小时后，把所有的钱都输光了，却面不改色，四处寻找，总算碰到了站在他身后妻子的左手，毫不犹豫地扯下订婚戒指，做了赌注。侯德问弗吉尼亚当时是否勃然大怒。“当然，”她说，“但如果不把戒指给他，约翰就彻底完了。”不过到最后，摩斯赢了那一场赌局。顺便提一句，60年后，弗吉尼亚仍带着当年的戒指，丝毫无损。

蓄势待发

我在哈佛大学玩牌的成绩有好有坏。最初一两年，我一直靠做投机生意和赌博赚些学费。但是到四年级时，我在牌桌上输得精光，那是一局对高手的牌局。为此，我老爸不得不到哈佛来救我。他坚持要将2000美元直接付给赢我钱的那些人时，我窘得无地自容。现在回想起这件事，我就想哭，我居然因为自己的愚蠢行为，害得老爸把全家一辈子的积蓄拿出来。幸亏，我还能及时悔悟，那毕竟不是故意所为。后来在芝加哥，我和鲁斯·谢尔德进行了一次两人牌局的比赛，鲁斯是我上哲学课的同学，聪明绝顶，而比赛的结果是我空前绝后地大获全胜。鲁斯来自堪萨斯州，自幼受着家庭严格的训练，家人指望他今后能在商场大有作为。他家里是做钻井生意的，到了15岁，他就已经负责150口油井的钻探、提炼和贮存。为了提高工作效率，他学会熟练地在IBM存储装备上存储信息。

鲁斯在维奇塔乡村俱乐部旁长大，学会用推杆打高尔夫球，能够靠着只用推杆，跟人挑战打九洞高尔夫球，赚到零用钱。此外，鲁斯还赌牌局，赚了不少。他善于观察别人出牌，并能就此做出精确的推断，常在赌局中立于不败之地。

他念康奈尔大学时，鲁斯靠着跟同学赌牌局，很容易赚到生活费用，并赢了一辆漂亮的轿车。可惜，鲁斯并不走运，其中一位输家是学校董事会董事的儿子（那辆轿车是用于抵付赌输的现金的）。董事的儿子赌博大输的消息传到院长耳中，校长便勒令鲁斯退学了。他回到维奇塔大学完成了大学学业，在那里，校方亲戚、裙带关系不再干涉他的所作所为。

他到芝加哥去时，把他在计算机上的才能，施展在蓝十字公司在当地的一家分公司里，负责更新所有收费和赔偿的记录。鲁斯是个勇于迎接挑战的人。他向老板建议，自己将芝加哥地区50万个用户的资料统计成册，并圆满完成了这项工作，同时，鲁斯还在芝加哥大学国家信息中心兼任副主任，这使他在计算机方面的天分大放异彩。

鲁斯不但是有经验的赌徒和混吃混喝的运动员，也是一位出类拔萃的程序设计人员，精通所有IMB电脑的机械语言，《时代》杂志请他编辑征订程序时，看来无比复杂的工作到他手中，迎刃而解。

我欣赏鲁斯，每次看到他，总有一种惺惺相惜的感觉。我们成为朋友，但是因为我们同样具有不畏艰难的背景，使我们不可避免地将牌桌上的赌局无休止地延续下去。

诈牌成功

“鲁斯，我拿好牌了，我赌1000美元，你要出多少？”

“1元吧。”鲁斯回答。

“你说什么？好，既然这样，我不换牌……鲁斯，我得提醒你，把钱统统拿出来。”

“维克多，我认为你什么牌都没有，我要像老爸喜爱的英雄威灵顿公爵在滑铁卢大战时，把最后一师部队投入战场时所想的话一样，‘一不做，二不休’。我有一万美元。”

“鲁斯，这位铁胆公爵从来没有打过败仗，你不是威灵顿公爵，现在谁也救不了你，我这手牌你必输无疑。”

“好了，维克多，别开玩笑了，说正经的。你出什么牌。”

“3个老K。”

“噢……我输了，只好写一张欠条给你。”

“鲁斯，因为这是你我之间赌的最后一局牌，我会把秘密告诉你。我设计了骗局，你需要再看看赫伯·雅德礼写的《扑克玩家的教育》那本书。几天前我们赌博的时候，我让马龙坐我旁边，我没有换牌，却故意让他看到我不要的牌和一手烂牌，诈了你50块钱的底。我知道马龙很讨厌我的勇气，所以他一定还会告诉你，我什么牌都没有了。其实，他反而无意中成了我的帮凶。在赌局中，我心平气和，也不强加于人。如果我的确是在虚张声势的话，我知道你是指望我一惊一乍的，因为诈骗者总是吵吵嚷嚷，以声势压人，以防对方留心自己的叫牌。”《扑克玩家的教育》那本书早就指出了这一点，我不过是依照行事罢了。

和鲁斯赌博过后，我认定对投机客而言，扑克理论的实用价值胜过当时大学流行一时的统计分布研究。随机性的结果加上不能确定对手手里的牌，根据自己的筹码，在可以接受的风险和回报之间做明智的搭配；计算概率的重要性，同时判断对手的心理，以及庄家抽头规则——两者之间相似之处非常多。我相信，世上无数赌场对手都有过相同的感受。

赌之真谛

我曾在芝加哥大学进行过这种研究工作，度过了一段平静的生活，而且自己已经成为大师。不久之后我昏了头，跟奥斯瓦德·雅各比赌上了。他是美国桥牌名人堂的终生大师，正好也是布鲁克林出生的扑克高手。我下的每一注，他都加码追击我，我放弃后，他就让我看他一手烂牌。偶尔我占优势的时候，他也不虚张声势，他拿了一手好牌。

在某一次赌局中，我输光了财产的125%，大约输了5000元，而且丢尽颜面，必须向老婆借钱还债。但这次失败给我敲响了警钟，从此我便洗手不干了。直到今天，我再也没玩过一次牌，或是赌其他什么。一旦我在投机生意上栽了，我会想到雅各比，想到老爸把我从哈佛接回去和当年布莱顿那扇被打碎的窗。一想到这些，沉重的负罪感会把我推向绝望的深渊，难以自拔。但是，职业赌徒和投机商似乎是由同样的东西构成的，大输之后，他们唯一感觉到的似乎是难堪。而我，从没想过也不可能成为亿万富翁。赌场上沉浮多年，也算是深知其中真谛了，这种切身体会是上百所学校的学习也换不来的。出于自我鞭笞，或说是期望改进自身做投机生意的方法，我读了大量有关赌博技巧的书。其实，到底出于什么心理，我也说不清楚。我以前并没有意识到，成为这方面的行家，较之我当年做牌桌上的老手，更需要费一番功夫，因为任何缺乏专业知识的所谓建议是多么的浅薄和贫乏。为了拓展我自己的知识，了解扑克如何能够有助于现代世界的投机商，我求助于约翰·康诺利。他是纽约《市井新闻》的前任总编，也是当代威名远扬的牌坛泰斗。我们从赌徒书籍读书会的清单中，找出150多本谈论扑克的书籍，共同研读了几十本经典之作，整理出和扑克有关的主要教训以及投机成功的规则。下面的表8.3详细地做了二者间的对比。

表8.3　扑克和投机的规则

A：打扑克牌	B：投机
害怕时不赌。	交易时要留够储备资金，至少是预期盈利的5倍。
烦恼时不赌。	在参加葬礼前后或跟配偶吵架后，不要进行交易。
了解其中的风险。扑克高手很可能在一年、两年甚至更长时间内牌运不济，而新手反而会好运连连。	考虑造成久赌必输的抽头。一笔交易或一系列的交易可能出大问题，确保你的本钱和后备资金足够应付。在扩大自己的回报率上下限度时，一定要确保自己的本钱能够应付各种震荡。

（续表）

A：打扑克牌	B：投机
几小时不玩不要烦恼，谁也没有义务陪你玩，而且你不必始终沉迷于赌局。你没有优势时，风险越小越好，只有时机到来，才有必要承担风险。记住，与期望值同时升温的，还有你越打越糟的可能。	市场永远向你敞开，等待最佳时机，然后全力出击，但是要注意抽头造成的久赌必输现象。
别玩幸运换牌式的抽签。碰运气是你获胜最大的敌人，用你的技巧克服运气的影响。	不要为了交易而交易。
从中等赌注的牌局变成大赌注的牌局，风险和本钱相比会增加得不成比例，因为大赌注的牌局通常“底”会高得不成比例，因为改变了赢钱所需的技巧。	在日元市场交易要小心。那里的固定价格式的交易使佣金高得不成比例，除非你的交易量非常大。但是，如果你的交易量非常大，经纪人又会用价差坑你。
如果连续输钱，要适时考虑暂时放弃，因为此时，你的对手不再对你心存畏惧，会更大胆地使用欺骗手段。	交易中一旦对手初尝胜果，你的困难便接踵而来。
稳定的赌博高手高明之处表现在冒险的技巧上，他们决不会赢得天翻地覆，也不会接连大亏。	持有获利的头寸时，要全力出击。
你必须以行动换取行动，要学会和精通各种扑克赌法。成为通才，要得到某种赌法即使自己并非最精通，也照赌不误的名声，这样不但增加你在自己最精通的赌法中参与的机会，也会使你击败不熟悉某种玩法的人。	在一些小额交易上，让你的经纪人赚相当高的利润，即使你知道自己没有优势，也接受一些小额交易的报价，这样会改善你的流动性，在必要时，要提高你的隐蔽性。
被视为傻瓜的名声极为珍贵，除非你确实是傻瓜。	始终低调处理操作的获利，而把亏损夸大。
如果你在牌桌上没有发现半个傻瓜，那么你就是那个傻瓜。	谁替成功的玩家支付买游艇的钱和八位数字的奖金？
一般的赌客知道得够多，都懂得牌桌上的骗术，因此，他抓到一手差牌时，总是表现出很强的样子，反之亦然。当他发怒扔掉筹码时，也无非威胁别人而已。	考虑改变开盘上涨大买的习惯，改为开盘上涨时小额买进。
如果牌手在摆弄筹码，两腿弹动，那一定是等不及了。此时，要谨慎从事，不要下大注。	如果市场在某一个消息宣布前几分钟上涨，注意不要随便卖出。
当牌手做出不寻常的动作时，很可能拥有一手大牌，以此掩饰而已。	开盘大涨，涨幅是六个月来最大时，很可能不是虚张声势，因此不应该反向操作。
记清自己的牌，或是第一次看过之后就封起来，不要再看。一再看牌中，会告诉你的对手，可以吓唬你放弃一手好牌，还会引诱他更勇猛地对付你。抛弃一手好牌时，动作要快，迟疑会让对手认为你处在困境里。	不要与朋友分享你的交易策略，你不必让经纪人知道你有多么精明。你结束某个头寸的亏损时，动作要敏捷。

（续表）

A：打扑克牌	B：投机
切勿透露消息，别展示你不必显示的牌，尤其是你把一手好牌放弃时，不要自吹自擂，显示你的好牌。在出大牌时趾高气扬，只能告诉你的对手，你成不了大气，他会在更激烈的竞争中打败你。如果有大牌，快速无声地出就是，当然也不要犹豫，这会让对方看出你的紧张。	不要打电话给经纪人要求报价，这样会泄露你的秘密。
玩牌要勇猛。一手好牌要得到最大的价值，通常是靠下注，而不是靠检查牌。记住，先叫高赌注比加码反打对方的下注，需要更好的牌。	占优势时，即使优势很小，也要勇猛地交易。
在很多人玩的牌局中，如果跟拿最好牌的人相比，你的牌只略逊一筹，要叫高赌注。虽然牌最好的人可能会再加码反打，但是，你可以把一些牌力较差的人赶出局，这样你只有一个人要对付了。	如果你持有想要卖出的头寸，或者是拥有对你不利的头寸，通常加码一倍会对你有利，这种交易可能鼓励他人跟进，让你用比较好的价格全身而退。
在最后一次下注时，不要因为你认为自己的牌最好而下注，唯有在摊牌时你的牌一定最好才下注。	不要保留某种头寸，除非这些头寸是近期发生不利波动时，你仍然愿意保留久一点的头寸。
骗术最好用在只有一个对手、赌注不大的赌局中。在大赌局中，人们并不会为虚张声势而吓倒。在很多人玩的牌局中，不是每一个人都会被你唬住，但只要一个人就可以逮住你。	别想在经济信息被确认之前强行操作，大家都已经十分熟悉这时的操作方式。
对付弱手不要使用骗术，他们连你正常的思考方式都不能了解，更不可能了解你迂回的思考方式。跟他们竞争，无须掩饰。	操作顺利时，不要退出，以为退出后可以用比较好的价位追回来。自作聪明只可能阻挡你前进的步伐。
有大注可以赢，要立刻吃掉，在赌大钱的牌局中，绝对不要给对手任何可乘之机。在中等赌注的牌局中，也尽量少给对方这种机会。你有大牌的时候，要给别人抽自由牌的机会，以便获得更多玩牌的机会。	突如其来的好运照顾你时，收盘时要获利落袋。
专心致志，保持冷静。不管你在玩牌或是在当庄家，都要注意观察和倾听，不要和旁人交谈。要了解对手的习惯。	在交易中，不要浪费精力去自吹自擂，或者花时间从事其他任何事情。
在自由式牌局中，拿一副对子或牌力很小的两对，牌的价值会降低。好牌，例如四张同花或门前顺子，价值会升高，因为赢钱的机会增加。虚张声势，甚至是半诈牌（有可能拿到一手好牌时虚张声势），都会变得可疑。	震荡极为剧烈的时候，或是在一系列经济消息宣布之前，除非你的理由很好，又能承受最初对你不利的波动，否则不要交易。

（续表）

A：打扑克牌	B：投机
抽牌决定谁不能参与牌局，抽输给不应该参与赌局的人时，不要生气，要高兴，要恭喜他有勇气，鼓励他继续玩下去，你会彻底击败他的。	要是跟你不能相比的对手某一个月操作业绩良好，要恭喜他，鼓励他筹集更多的本钱，送给他们特殊的礼物，庆祝他们的成就。
有些人在很多人玩的牌局中，表现比较好，有些人在两人牌局中玩得比较好。要知道其中的差别。	有些交易在流动性大的市场中表现比较好，有些交易在只有一种市场开放时表现比较好。例如，债券市场开放，股票市场休市时，你不必担心债券价格下跌会导致股市崩盘。
势均力敌时，诈牌和半诈牌的价值会提高，但是标准牌价值会降低，某一些牌的价值会大幅下降。	在风平浪静的时期，如果你拥有巨大的优势，要勇猛地交易。
拥有看似弱牌的好牌时，要敢于下注，你的对手一定以为你在虚张声势。如果他们自始至终保持瞬息万变的出牌，他并非有大牌在手，而如果总是出看似平常的牌，他一定胸有成竹。	当宣布的市场消息明显对你不利，但按这些头寸却出现对你有利的走势时，要勇往直前，也许实际情况并没有表面现象那样显得糟糕。
初上牌桌的新手的表情完全是内心情感的反光镜，你必须控制自己的情绪，才能控制你的表情。记住，一手牌下去，没什么大不了的，最重要的是正确地把握形势。	如果你在市场上占有某种优势，要相信一笔交易的结果不重要，重要的是依据你的优势交易。
在牌局中至少要思考以下几个问题：我认为对手有什么牌？对手认为我有什么牌？他会想我如何看他？仅此而已。	在市场中，交易者只需思考以下几个问题：市场信息带来了什么影响？期望值是多少？如何应付可能出现的优势或劣势？是否在什么地方疏忽了？
在大牌、小牌分别比的赌法中，除非你大牌和小牌都有一些赢的机会，否则不要参加这一盘。只有一边有机会赢却还玩下去，就像被抽头50%的头钱一样。	让自己在一笔交易中有一种以上的获利方式，例如，两天后或一周后获利出场。
如果能够达成某种特定目的，上述的所有实战规则都可以违反。违反规则的原因通常是为了传递错误的信息——跟你的牌或跟你的玩法有关的信息。	让你的竞争对手认为你不过是个傻瓜，总是亏损，但事实上，你却拥有雄厚的资金。这样，会鼓励他们跟你直接交易。

鲁斯复仇记

我和鲁斯打完最后一次牌后，以为我们不会再玩这种牌，但我错了。那之后不久，鲁斯就休了学，接管了芝加哥蓝十字的程序管理工作，也在泛联公司前身的信用局系统公司从事信用核查。他还把业务扩展到了在此基础上建立起来的

SEI公司，这是一家咨询公司，拥有300名雇员，营业额达2.5亿美元。在这段时间，鲁斯也替几家移动电话公司研发出专用的账单软件，并作为中央情报局的安保系统的特邀顾问，赚了不少钱。

再次见到鲁斯时，距离当初那场不值一提的游戏已20年有余。他走进我的办公室告诉我，说我是唯一在牌局上赢过他的人。他欣赏我的精明，所以邀我和他联手创业，当时他的新创办事业正处在生死攸关的关键时期。他的这一要求让我进退两难，我一旦同意，那就意味着鲁斯新成立的公司在不久的将来将他的计算机网络遍布美国各地。所使用的软件系统均以鲁斯的名字命名，甚至它还可能就是当年鲁斯在完成博士论文而进行的调研活动的成果。

鲁斯后来把这种分类科技用在自己的顾问公司，成就斐然，事业蒸蒸日上，如日中天，最后找到一个令人极其兴奋的领域，几乎可以造福于每一位美国用户。大多数汽车驾驶员要么浪费大量的时间来寻找路线和方向，要么就彻底迷路了。那么，把全国街道和高速公路网纳入系统编辑，不就解决了这个棘手的难题了吗？这样，驾驶员就可以不费吹灰之力直抵目的地。而运用这个系统，通过口头或键盘输入，就能使车手得到卫星传送的地面导航绘图表和资料吗？并且还跟以往的自动导航系统不同，不仅仅用于飞行。这些，都是关键问题。

“维克多，你愿意投1000万美元吗？”

“好，鲁斯，因为你始终是我认为班上最聪明的人，现在我们看到自己的同学有的腰缠万贯，有的飞黄腾达，还有的获得诺贝尔奖，那么我敢肯定，如果还有人能做出一番事业的话，毋庸置疑，那就是你，准没错。”

10年后，在投下几亿美元研发费用后，鲁斯精密的计算机系统得以建立，并且在整个美国，乃至欧洲推广运用。几乎可以肯定的是，到2000年，差不多每一辆美国人的私人轿车都会装上几十年前鲁斯设想的导航装置，《读者文摘》1996年8月号上有一篇文章预计，到那时，这种电脑地图会像现在汽车上的收音机一样普及。

但鲁斯和我在这个计划上仍然有一些分歧，我认为鲁斯第一次来找我投资时，蒙骗了我。当初他向我保证至多1年资金就能回收，实际却并非如此。他是了解我的，我历来全力以赴、贯彻始终。

我偶尔有幸利用我在赌博和投机上的知识，直接大捞一笔。我的朋友经常带着某些投机计划找到我，想从我这里找到灵话周转奖金和保证回收的诀窍。我会说："你们总是资金大笔支出，我不是自我标榜，有了系统的帮助，回报率达1/4。"

通常我的朋友会咕哝道："我想，你一定是怕说出来，别人就抢了你的好处。"

这些话总是让我怒火勃发，于是反驳说："对，想求我不是这么容易，因为我在这一行里，拥有计算机网络的支持以及其他可供利用的有用信息。如果说我有时并没有使用竞争手段，不过是因为我早已调查过，发现它毫无价值而已；从另外一方面来说，如果有人利用某种高明的计量方法，得到期望的结果，你以为他们能够维持这种优异的预测能力多长时间？一个人又能在领先位置保持多久？永远吗？"接着，我会送给他们一本培根写的《循环不断变化的原则》。

如果到最后我的客人还不信服，我会要求他能否给我机会，只做空一个单位他考虑投资的基金。在客人接受我这种建议的少数案例中，我每一次都能在我开玩笑式的赌注中赚到大约50%的利润。我收到支票时，会打电话给客人，要求他们除了这50%的利润之外，必须再寄一张支票给我，金额是在我做空这只基金之前，他本来不必投资下去的100美元所能得到的利息。这样做，我的客人自然被我激怒——当然，我会将支票还给他，告诉他，无非玩笑话而已。

第九章 / CHAPTER 9

赌马与投机：把握市场循环

要是大众发现任何赢钱的秘诀，一点都不会有危险，疯狂的赌马者和投机狂热一定会造成这种结果。但是，如果大家知道现实状况，循环不断变化的原则会立刻改变大众已知的状况。

——罗伯特·培根，《职业赌马秘诀》

每次我口干舌燥，每次我火气高得像六月酷暑一样，每次我开始祈求上帝，把报给我内外盘价差很大的交易员消灭时，每次我发现自己在一天里，教训两个以上的场内经理，教导他们如何进行限量定货，并解释为何自家已进入饱和状态时，每次交易厅的职员告诉我：“只有场内交易员可以成交”，说明我的单子为什么没有成交时（我恨不得把他的帽子打下来）；尤其是我因为怕走势会让我损失5%而不敢拿起电话做交易时，我会选择一个合适的时机，退出市场，去赌马。在激烈的市场竞争中，作为一名投机商，偶尔到赛马场赌一把，是再惬意不过的事。其实，我自己不赌马，但我喜欢学习，也喜欢那种刺激。在赛马场，我能体会到一切在投机市场的感受，那些视赌马为生命的职业玩马者与投机商的心情如出一辙。在19世纪，偷马是要被判死罪的，而对投机商来讲，不抽空去赛马，与其说是欠缺，不如说是在对自己犯罪。但是，记得把信用卡留在家里，一般来讲，做债券的散户会在赌马中欠下六位数的信用卡债务，最终无力偿还，遭到起诉。

赛马很刺激，骏马和马场令人赏心悦目。充满不确定性的概率，是赌马者一道难以逾越的障碍。他们的激情和希望也因此而停留在看台上，直到赢回来的梦想在万人狂呼的呐喊声中化为泡影。总而言之，赛马确实是帝王的运动。大家这么热爱赔率低的大热门马，就像成长型共同基金热爱高价的狂飙股一样。这种股票的预期盈利很高，利润率也很高，政府又没有管制它们，也没有让它们倒闭的计划。大冷门、赔率高的马，就像价值型股票一样，这种股票市盈率低于十倍，能够用比账面值低的价格买到。逆向操作投资专家，比如大卫·德雷曼①和备受尊敬的隐含价值理论家本杰明·格雷厄姆②，都喜欢这种股票。大家热爱、备受关心的成长型股票，在盈利方面的确经常胜过大冷门的价值型股票，但是利润上升的时候，成长型股票的回报并不出色，价值型股票的回报却好得惊人。另一方面，偶尔成长型股票获利不尽如人意，期望值调低的时候，可能造成惨重损失。价值型股票获利不尽如人意的时候，经常只会造成小幅损失，因为大家本来就不看好。

驯马师像公司高级主管一样。驯马师的收入来源于比赛奖金和平时的训练费，但这笔钱还根本不足以支付小孩上大学的学费。为了达到目的，他们总让马在表现上显得很有实力，好让下注者一眼瞧中。实际上，最成功的驯马师并不只靠赛马者的显性收入过活，同样，大公司高管得到高额的薪金和绩效奖金，但他们真正的大钱来自股票投机生意和股利分红。公开交易中，公司大股份的持有者——诸如戴尔电脑、特纳广播和韦格里公司的股东，都像驯马师一样，让财源从经营场外滚滚而来。

赛马场上的大众一定会输钱，没有人怀疑这一点，只有这样，赛马场才能

---

① 大卫·德雷曼长期研究整个股票市场的心理学基础以及其对股票市场估值标准的影响。他认为，股票市场经常在投资者感情的驱动下表现为价格脱离其内在价值的现象，而不是用传统的学术理论来推测市场。因此德雷曼认为战胜市场的最好办法就是追随逆向投资原则。

② 本杰明·格雷厄姆是一代宗师，他的金融分析学说和思想在投资领域产生了极为巨大的震动，影响了几乎三代重要的投资者，如今活跃在华尔街的数十位上亿的投资管理人都自称为格雷厄姆的信徒，他享有“华尔街教父”的美誉。

够支付彩金、场地保养费、租用设施等各种费用，这些累加起来是一笔大开销。20%以上的赛马场相当豪华，而且昂贵。赌马的人们不惜代价前来，为的就是亲身体验冒险的惊险和刺激。每一场比赛，都按法国式的分彩法进行，赢家除交百分之一的手续费外，可平分所有下注者的赌注。因此，绝大多数人是白白赔钱。一旦你是这绝大多数人中的一个，必输无疑。

赌马的大众包括在看台上下注的人以及外围赌马的人，和用5%的买卖差价购买纳斯达克股票的股民一样——在市场交易低潮期，以低额股票交易，以便获取杠杆利率或电话购买低价珠宝做存货，等待远期盈利。

专家在《赌马》杂志上预测的成绩，就与《巴伦金融周刊》或《华尔街日报》上对最好的股市投机商的刊载，并没有本质上的区别。如果说乔治·索罗斯是投机之王，那么，史维普就是赌马之王。

只要稍作想象，就可以看出投机市场和赛马的共同模式。付给生意场上经纪人钱，就像参加赛马付保养费一样天经地义。芝加哥商品交易所与纽约证券交易所就像好莱坞公园和贝尔蒙特公司一样。谁是最终的物质承担者？不是每年拿走200亿美元的经纪人和交易商，也不是场地交易商和大型对冲基金，仅仅是你和我。

以此类彼

投机商应该到赛马场去，主要理由就是在赛马场里，可以认清推动商业巨轮持续运转的主要动力是什么。在赛马场上的重要性丝毫不亚于商业竞争，赌马者眼里只有比赛。同样，在生意场上，瞬息万变的情况和市场的风云突变是一样的惊心动魄，市场有它自身的运作规律：先行者未必就是获利者。无论是赌马还是做投机生意，保持头脑冷静都十分重要。交易日就像赛马，不同的股票竞争领先的地位，参与者密切注视形势的变化，每隔15分钟一次的敲铃声提醒着大家竞争随时可能决出最后结果，一切都让人提心吊胆。当然，二者也有着观念上的区别——赌马时，你周围是一群和你一样的押宝者，而交易场上，你完全是在同野兽打交道——尽管结果都是暴跳如雷或一蹶不振。

每一天，赛马场的状况都会有所变化，而且每一匹马的命运都直接受其他马匹的影响。一匹马，可能在速度的角逐中，被人相中，再养起来，或者一举成名，从此被人视为宝马。一只股票的价格也可能受另一只股票打压。同样，债券和股票又可能影响货币市场，后者再影响原油价格，每一部分推动着另一部分，赛马场里，市场上，乃至人生莫不如此。

我在赛马场里，从一位绝顶聪明的人身上，学到了与投机有关的一切。下面，让我向您介绍这位为我打开赛马这个神奇巨轮的人。

布克和小赌徒的教育

布克先生在布鲁克林的羊头湾长大。他生平赚到的第一笔钱，是替本地一位驯马师铲马粪、做其他卑微的准备工作。没多久，他辛勤的工作有了回报，他有机会负责为驯马师下注。这在今天看来是可笑的，但在75年前，赛马场的情况和现在大不一样。当时有初级的赌场为下注者提供直接竞争的场所，并以法国的分彩法进行游戏（获胜者除交纳10%手续费外，可平分所有赌者的赌注）。当初的规则允许口头和实际下注不一致，驱使参与者去大捞一笔。同时，赌马者可以事先了解下注的具体金额，而不像今天，通用的规则是赌马者在最终赌注明确之前是不知道注金比例的。

今天，在大部分的期货市场中，仍然有类似布克的人存在。任何一个人，要是能够推测市场交易中报价是否与实情相符，或许可以获得比较丰厚的利润。

布克很精明，可以在片刻之间进行即时心算。他会利用上午的时间计算各匹参赛马的奔跑时间，还在场内设立岗亭，雇人观察在练习场亮相的马的形体语言，并及时向他汇报。他有一条始终遵循的规则，即绝不赌那些在练习场就有发情征兆的马，他觉得这种马肯定赢不了。最要紧的是，布克深知什么人会在什么样的马身上下注，并能在此后调整自己的布置，以此击败对手，他运用的手段与当今体育赌博中人们为增加获胜机会的所作所为同出一辙，较之市场投机商见机行事，巧妙利用交易高峰和回避低谷的做法更没什么两样。

布克精于判断，经常把赌注分别下给8至10位马票商。因为下给每一位马票商的金额相当小，他的押金始终保持低额，而马票商又不及他那么精明，因此，每次他从赛马场赚走大笔财富，马票商却丝毫没察觉。

布克最喜欢的赌法是跟着驯马师，一起下注在上次比赛成绩不好，但驯马师依然派出去比赛并争取胜利的马身上。很多马在比赛前半程还领先，之后便实力不济，蹒跚到终点，让下注者大失所望。但这并不影响布克在以后的比赛中在它们身上下注，因为驯马师就会在自己驯的马身上押宝，认为这才能增加保险系数，也增加收入。对驯马师而言，没有什么比押宝在自己的马身上更能保证赢钱了。鉴于前几场的不佳表现，一般人是不愿下注的，但驯马师却开出比以往更高的价钱，通常会获胜。

明眼人一看就知道，在最近若干令人失望的获利表现后，公司内部人员和固定收益证券的交易者中，可能受着固定的规则支配。

通过多年的积累（加上几次时机恰当的下注），布克有了一定的积蓄，他开始跟人合作联营，买下一匹价格低廉的马。可惜他对马的鉴别能力远不及在赌桌上表现出色，他所下注的马经过登记后，开始比赛，连续四次都远远落在后面。第五次参赛时，在220码的标杆处撞断了腿，在场上痛苦挣扎，直到死去。赛马场工作人员勒令布克自费抬走马尸，并赔偿一切损失。

羊头湾赛马场于1993年倒闭，但在此这前，布克认为自己必须转而从事其他职业，因此，赛马场的倒闭对他来说也没有什么损失。他发现，在形形色色的骑师、驯马师和下注者中，只有一种人永远立于不败之地，那就是职业赌马者。布克决定，加入到他们中间去。

换了工作之后，布克最大的收获莫过于他的赛马生涯使自己变成了心理学家。“客户向我下注时，会跟日常生活表现同一步调。如果是个行事谨慎的人，会选中最热门的马下注；如果是个敏于思考、目光长远的人，就会赌大冷门，为长远的成功做打算。”

布克常对我说，他干的工作是世界上最好的工作。每一次交易他都能够保证获利，他不必留有存货，就在布林顿露天的地方办公。应收账款几乎不成问题，因为他有一位体重225磅的退役手球双打选手来替他收款，谁也不敢惹他。当然，布克的毛利并不能和那些经纪人的收入相比，他们通常的开价要求是利润为0.2%至0.6%——实际上赚了2倍的钱。不过，布克的客户也不蠢，和他一样，期望着毛利为5%至15%的好生意接连不断。对布克来说，既不用依靠谁，也无须冒险太相信冗长的所谓秘密经济文件。要是有这种争执，可以由收账员在双方互利的基础上圆满解决。

要是投机大众像赌马的人一样，花那么多精力来注意我最欣赏的赛马专栏作家马克·格莱梅尔所说的“抽头的影响”，那么他们有更多取胜机会。布克很早就看到了这一点。他对和他一块儿下注的同盟者说，15%的毛利太不可靠，无法稳操胜券。实际上，他总是在每周结算的时候，给客户打了九折。与此类似的事在市场交易中也时有发生：经纪人和银行家惯于联合起来开价，控制市场，推荐种种所谓的“避免风险”和“避免震荡”的策略。光是写这些事情，我都有些义愤填膺，但也许激烈的竞争和交流的压力是会有效影响市场交易健康发展的。

布克自认为是致力于重组濒临破裂家庭的真正慈善家，“我的赌友们总是想超脱烦闷而平凡的生活，他们希望活在不可能的美梦中。没有我的帮助，他们会酗酒沉沦。我所做的一切，不过是想让老爸留在家里，和妻子儿女共享天伦，享受正常的一日三餐和性爱，并且防止孩子们在无人照管的情况下学坏。”

但他也是第一个承认，即使你不可能打败赛马，也可以靠着在马场下注而降低亏钱比率的人。你和布克下注时，你并不能预测下注的马是领先还是垫底，并且所有的赌注在赛前就已登记，无论形势如何变化，当你看到自动收报机上的种种统计结果显示出你亏了一大笔时，也只能望而兴叹，不可挽回。

20世纪50年代中期，我在棋桌上刚刚认识布克的时候，他显得有点不合时宜。不管天气多热，他都身着银色上衣，系着配套的围巾，外加一件长外衣。布克不仅具备精确的计算能力，记忆力也十分惊人，他能准确无误地回忆过去5年内每一场体育比赛的结果。布克对我印象很好，有一天，我便问他成功的秘诀是什么。

“噢，我会告诉你的。你舅舅豪伊会和我结伴参加5英里马拉松游泳比赛，终点是洛克威岛。下次你何不跟我们一块游，这样，我也好教你。其余的事情，你舅舅会照顾好的。”

“我可以游过2个浮筒，然后就得游回来，或许你可以简单地跟我说一下。”

“那就这么定了。”布克说。

第二天，当我们以仰泳姿式游过第一个浮筒时，布克对我说：“最重要的是正直，必须让客户相信我们公平无私。如果他们对我们的人格品质产生了怀疑，就会毫不迟疑离去，永不回头。

“第二点同等重要的就是勇气。你必须对自己的信念有勇气，偶尔下很大的注，即使到了比赛前的一刻，也不应该犹豫而放弃。

“最后，你必须要有创新精神。你应当经常给客户以刺激，否则，他们会感到厌倦。通过激烈竞争获取的胜利对我和客户来讲，极富魅力。每场比赛，我可以收回成本，而我的客户则有了‘小投入，大回报’的获胜机会。”

这时，我已经游得很累了，但我设法吸足气，问道：“布克，人们都知道你经常赢钱而且所冒风险又很少，能告诉我原因吗？”

“要过健康而平衡的生活。我参加终点到洛克威岛的游泳比赛时，总是找一个伴，哪怕是像你舅舅那样傲慢的人。中途可能出点什么意外，一旦有麻烦，总有个帮手。我凡事力求稳妥，平时开车的速度从不超过90英里/小时，那样太危险。如果在日常生活中，我就是个爱冒险的人，那么，赌马时也一定如此，最终一败涂地。我必须像我做生意那样，在日常生活中，培养规规矩矩的习惯，这已成了我做好每件事的原则。找个伴参加洛克威岛的游泳赛，就已经是我冒的最大风险了。因此，被突发事件打乱阵脚的可能性太小，就像此刻我根本不可能被电劈死一样，概率几乎为零。”

这时，我们已经到了第二个浮筒处，我很累，必须往回游了。我从海滩游出去，游到深水区时，总感觉鲨鱼就在我的下方游来游去，恐怖极了。我可不是浪里白条，于是急急向岸边游去。在返回的途中，布克建议我和他合伙赌马，到时，他会让我知道什么才是一流的赌马。

“我老爸要知道了，会打死我的。”

“那要看你自己怎么想了。我知道，你已经涉足股票投机，是吧？在赛马场，你能体会到许多做投机的奥妙，这可是所有金融图书加在一起，也比拟不了的。”

和布克一起游泳的第二天，应该是我生平第一次到赛马场。头天晚上，我躺在床上，想象着当我提出到赛马场去玩一次的要求时，老爸会是什么反应，他肯定会说：

“不行，告诉过你多少次了，我不希望你长大后成为赌徒，那会毁了你一辈子的前程。”

幸运得很，老爸的工作是从上午8点干到下午4点，因此管不了我。自那以后，我就成了布克的学徒。他做日常业务的时候，我紧跟在他身旁。每天，布克先在西四街公园去跟人下一盘跳棋。然后穿过康尼岛大街，到西五街手球场停留一下，看看那里有没有什么活动。之后，我和他在国王大道和西十一街碰头。再到安克达克赛马场上，一睹赛马场的波澜壮阔的比赛。

的确，布克和我老爸都没有说错。布克说得很对，在赛马场，我学到很多跟投机有关的东西，收获远远大于当年在芝加哥和哈佛大学念的所有经济学课程，更胜过在加州大学做老师的那段时间所学到的东西。当然，老爸也说对了，我和大部分赌徒一样，整天泡在赛马场，耗去了大量的有效时间，还扔掉了大把大把辛苦赚来的钞票。

但是，邪恶的风不会吹来任何好处。布克鼓励我在赌马上运用老爸在手球赌博上采用的同一种统计计算法。没过多久，我详细地列出了表格，整理出了以往每次赛马的各项指数，不放过任何一个细节，追求永远难以掌握的优势。

布克告诉我怎样做到冲销赌注。方法是在某一边下注，然后以更高金额押另一边，这样，不管哪一边赢，他一定都有利可图。

他说："这就叫两面下注。在马场决定垄断下注之前，而赌注已登记之后下注，我所有的钱就是这样赚来的。在我们无须冒险时，为什么要去担风险呢？不过，现代人是越来越聪明了，我恐怕已落后于时代了。"

下注的因素

布克雇用的观察员特别注意马腿上的绷带。如果是第一次发现，通常表示马很僵硬，而最重要的信息是马的脾气。马不可能直接告诉人们它是否愿意参赛，但它可以跟马夫或赛马师对抗，变得难以驯服，也可以表现为拒绝前进或暴躁不安。看到这些信号，我绝不会押注在这些马身上。

看到马有气无力地走向起跑栅门时，我总会想到最近有过大波动的市场。市场大量缺货，交易清淡，买卖双方都在埋怨市场价格，好比赛马场上的马在说："我不想比赛。"

布克运用的另一种技巧是，下注在最近跑输的热门马上面。他特别喜欢的一种变化方式，是赌由一流骑师驾驭且最近在极为令人瞩目的赛马中表现很糟糕的马。布克的想法是，专业人士的腐败会给比赛造成很大的影响。根据这个原理，他就在前几次比赛被淘汰的马中选出将要押注的马。布克向下注者指出，这些马有了以往失败的经历，在以后的比赛中，会千方百计避免犯同样的错误。因此，应该对它们寄予厚望。不幸的是，从那时候开始，赌上一次跑输的马，这一招已经被用滥，如今被看作是最劣等的技术。相反，随意选择，赢的概率更大。比如《运动观察》之类的报刊，对赛马在每一阶段的比赛成绩予以记录。1996年冬季比赛中，这种马获胜的概率是20%，而所有赛马的平均概率是12%。

我在投机市场上见过无数有如下注在跑输的热门马身上的押宝方式。我的一位朋友史蒂文·柯根使用的方法，就是购买那些价格至少下跌了50%，而且被报纸极度不看好的股票。他在选股技术上，加上一些注意事项后，获得了比市场高15%的回报。另一个押宝方式，就是购买已经大幅下跌之后内部人士开始买进的股票。20世纪70年代我对这样的公司进行了一番研究，结果表明这样的公司回报甚丰，但是这个统计并不为多数人接受。

迈克尔・奥・希吉斯[①]在他的经典著作《跑赢道指》一书中提供了很多对照表，显示某些系统的投资业绩。这些系统包括：购买股息最高的道琼斯指数样本公司，或是购买预估计盈利变化最差的公司，或是目前性价比最低的公司。这些回溯性的系统，我把这种方法运用于债券和股市投机中。价格大涨后，大众开始考虑购买这类股票和债券。下跌不可避免，人们幻想破灭。在这类“宠物”显出为大众瞩目的倾向时，我就该抛弃它们了。

从我迷上赛马的日子到现在，已经出现很多书籍，分门别类列出概率和过去马匹表现的投资回报率。其中，《赛马数学》是编辑得较好的一套。《运动观察》上载有很多关于赛马的文章。我在表9.1中列举了影响获胜的诸多因素，遗憾的是，统计数字并不能涵盖所有的因素，即使过去的表现是极好的向导，这些成绩表格也不能用以赚钱。

有一天，我把我对股市因素和获利预期所做的粗浅计算拿给布克看。他不为所动地说：“这些只能用于玩文字游戏，在选择股票等投机中，情况瞬息万变，你不能用一个系统概括所有的情况。读一读罗伯特・培根的《职业赌马的秘密》吧，你会发现这才是真正的好书。”

布克的话十分有道理，我认为培根这本书是我见到的最好的书。每次我陷入单调、平凡的状况时，就会再看看这本书，寻找新的点子，而且我规定公司所有的员工都必须读这本书。

对于将来的投机客，我极力推荐他们细读此书。本书几乎所有的内容，都可以追溯到我从这本书中学到的规则，以及如何将这些规则运用于实践。

---

① 迈克尔・奥・希吉斯，美国基金经理，于1991年提出“狗股理论”（dogs of the dow theory），这是一种跑赢大盘的投资策略。具体的做法是：投资者每年年底从道琼斯工业平均指数成份股中找出10只股息率最高的股票，新年伊始买入，一年后再找出10只股息率最高的成份股，卖出手中不在名单中的股票，买入新上榜单的股票，每年年初年底都重复这一投资动作，便可猎取超过大盘的回报。

表9.1 赛马和市场制胜因素

赛马因素	获胜率	市场相对状况
胜率最高	0.19	最常上涨
赢最多钱	0.20	表现最佳
最近比赛中平均速度最快	0.21	最近的相对表现最好
比赛中最高明的骑手	0.17	高级主管买进
比赛中最出色的训练师	0.17	大股东买进
泥泞跑道上胜率最高	0.15	熊市上表现最好
上次赛马紧跟在后	0.16	收盘时有买盘
上次赛马以一个马身内的距离落败	0.16	类股中表现第二
上次赛马中的热门马	0.20	看好共识最高
失败后又在近期同一层次比赛中获胜	0.16	下跌后第二次上涨
上次比赛出问题	0.10	消息宣布后下跌
落后群马	0.10	下市
资格赛中引人注目	0.11	路演中引起高度关注

抽头

赛马场营运费用中的每一分钱，都是靠抽头，由大众支付的，包括骑手的工资、跑道保养费、折旧、税收和工作人员的薪水，这些费用占到赌金收入的15%到25%。因此，马会还得克服种种不利因素。20%的利润可以视为超过一般水准的回报率，但马迷光是为了收支平衡，就必须克服20%的障碍。因为马会还要支付执照、印报纸、运输等种种费用，其中任意一项都会使马会的财政摇摇欲坠。

一般的赌马者既然负担面对如此沉重的抽头，成为大输家也绝非偶然。一般赌马者在短期内可能赚钱，但是终究会败给抽头和彩金差额（支付彩金时，删去尾数，删去多少视各州的法律而定），彩金给付的比率也使一般赌马者耗尽资本。因为删去尾数的关系，下赌注跑第二和入围的抽头比率更高。一般赌马者如果不赌赢，更不可能赢过赛马场。

令人惊奇的是，根据培根的说法，每一个赛马场中，都有一些赌客能够长期获利。这些职业赌徒具有什么样的特质，使他们如此与众不同呢？培根总结道：

"任何时候……下注时都跟大众相反。"这是因为既然大多数赌马者都是输家，那么赢家一定是在下注时与众不同的人。大卫·德雷曼的书和专栏中一再强调了做一个持相反意见的人的重要性。

《赌马秘笈》是一本比较新的内线人士指导手册，书中对一般赌马者提出一些认真的建议，"如果你坚持经常赌马，最后一定输钱。我所能给你的唯一建议很清楚：少赌几次，你亏掉的会少一点。"

共识

今天大约95%的马迷，都根据完全相同的信息做出判断。一般的马迷，一手握着每日马经，另一手举着马票，跟马场里的其他竞争者对抗。但是，大多数人就像其他人一样，分析同样的数字和相同的文章，最后得到的当然是相同而又肤浅的结论。

我在苏弗克·道恩兹马场里流连的时候，有一天下午，我对一匹从马里兰运来的马下了注。根据几天前的每日马经的报道，这种马十有八九会在比赛中获胜，而且其中的3匹马押下的注已超过了20美元。此外，该品质出众的马在第一轮中跑出第二名的成绩，而且它状态极好，对第一的位置跃跃欲试。

马匹在起跑栅门一字排开的时候，我信心十足地笑着。大众的意见也热烈地支持我的选择，以至于在最后闪动的统计数据中，赌注已由2元赔5元跌到2元赔8元。我忍不住兴致盎然地对坐在身边的一位老者说："4号马绝不会输。"他看了我一眼，说："孩子，你一定是看了赛马单啦。"

后来，我目瞪口呆地看着那匹稳赢不输的4号马惨落到第四的位置，而我身边的那位先生赢了12美元。直到若干年后，在赌输了一大把钱后，我才开始真正懂得了这位老者所做评价的英明。

赛马场上的许多马迷，都是随便看一看每日马经，或者研究一下一般赌客的共识之后来做出自己的选择。他们对辛苦赚来的钱毫不在意，毫不迟疑地把半天劳动所得，赌在十分钟漫不经心的研究成果上，好像这些钱得来不费工夫似的，然后，他们对自己的损失归咎于“霉运当头”。

许多人认为赌马投机是一种闲情逸致。在长期输钱、天真而顽固的马迷的眼中，那些依靠赌马赢钱过活的人，好像在马神那儿登记了似的，他们不费吹灰之力便可赢钱。

大众不了解的是，职业赛马分析师一天要花16个小时研究马经、亲临赛马场、分析数据、观看赛马录像、熟读参赛者资料，进而形成对每一位赛手的判断和估价。大多数人认为这太费神了，却没有看到这是一场只有极少数人获胜的比赛，丝毫的疏忽和失误将带来巨额的损失。这一领域总有新兴的杀手埋伏在旁边，他们比前辈行动更快，更高明，而且配备着最新的科技装备，前人的经验成了他们大展身手的翅膀。

自制

前国际象棋世界冠军伊曼纽·拉斯克①曾经对有希望的竞争者提出如下建议：“当你发现一着好棋的时候，先等一等，看看还有没有更妙的着。”人总是可以获得更多的信息，做更充分的准备，获得更高明的能力之后，再做出决定。

赛马场的输家里，有一些是十分热衷赌马的人，对赌马和马匹本身拥有丰富的知识。他们拥有记录、录像带和经验，但缺乏一种根本的要素：自制。赛马小说家威廉·默里称为“铁屁股”，也就是能够坐在那里不下注。你可能有敏锐的洞察力且命中率极高，但是如果没有自制能力，不能克制自己一天只赌两三场最有希望的赛马，那么你绝对不可能持续不断地获利。成功的运动员、企业家和赌徒都将大量的时间和精力花在发现和培植自己的优势上。在大多数情况下，胜败仅一线之隔。不幸的是，赌马者除了要与其他赌者竞争外，还要克服马会20%的抽头带来的障碍。为了赚钱，必须有极大的优势才行。

与市场创造者相比，下注的人拥有一种优势，就是有机会选择。所有类型的

---

① 伊曼纽·拉斯克，德国国际象棋选手、数学家及哲学家，连续27年夺得世界国际象棋冠军。拉斯克在青年时期便已是举足轻重的冠军，也被公认为史上最优秀的选手之一。

书商（不管是赌场、银行，还是街边的各种类型）都会反映市场双方的意见，以便两头获利。投机客让他们赚走自己的钱之前，必须注意很多种价格，选择最适当的交易。

假设高尔夫球选手能够消除所有他打得很差的洞，或者强打者只面对他能够打得非常好的投手，高尔夫球选手的缺点应该会改进，而打者的平均打击率也应该会提高。

有一则格言从赛马场起源，其中的智慧可以普遍运用在许多不同的竞争场合中，那就是："你可以赢一时，但不可能赢一世。"所以，优势显现时，要全力追击！否则的话，就该耐心地等待。养精蓄锐，等下一次高潮的到来。

情绪与自我怀疑

在任何赛马场的大看台走一趟，研究那些马迷，观察他们的姿态、神情和声音和面部表现，体会他们的情绪，了解到处弥漫的焦虑、愤怒、沮丧和震惊，以及极为稀罕的状况——赢钱之后的喜悦和对骑师的好感。

赛马好比让你的情绪在坐过山车。当马群四蹄踏地，冲向终点时，人群的声音突然鼓噪起来。在终点线上，两匹马似乎并肩冲过了线，人们简直沸腾了。几分钟之后，照片显示热门马以一蹄之差落到了后面，有些马迷会愤怒地将赛马单甩到空中。他们显然认为，这位骑师害他们损失了辛苦赚来的血汗钱。还有的人认为这结果是早已安排好的，也有的人无法接受这个事实，就好像忽然没了刚到手的遗产或买菜钱。另一方面，还有三个人仍然自作聪明地互相打气说："我知道6号马不会输的，米基，这可是个宝贝呢。"明天，这些人可能又和大多数人一样，咒骂自己倒霉的赌运，祈祷有一天能时来运转。

有一件事情可以肯定，就是在这些情绪激荡的赌徒中，你找不到哪怕一位长期的赢家。赢家到哪去了？根据培根的说法："这些安静的专家相当不显眼，不愿抛头露面，除非是你刻意去找他们。因为市场中有太多粗心的赌徒和疯狂的业余人士，他们在希望和担心中摇摆不定。"我常用这段文字告诫办公室里犹豫不决、喜形于色的交易商，告诉他们，三思而后行方为上策。

很简单，你一定认为：赛马投机客在决策过程中，必须消除所有的情绪，所做的决定才会客观。其实，说起来容易，做起来难。就像证券经纪人在一场严重的下跌途中，以较低价卖掉指数，然后，他面对一大堆账单，其中包括住房抵押金、分期付款的汽车费用和牙齿矫正费用，这位老兄在最困难时刻往往失去了耐心。面对危险，人们常常违反理智，根据直觉行事。

专家不怕亏钱，因为他对钱没有情感，他的银行存款只是计算成绩的工具。他们信心十足，相信自己一定会愈久而弥坚，对钱绝不多愁善感。不论情形如何，他们都会做出客观的选择，当然偶尔也有火气上冲的时候。

投机客因为成交问题，对经纪人高声尖叫，看着屏幕上的价格表一页一页变化时发怒，或是悲哀地摔门而出，或是满怀期冀地打开报纸，注视自己买的股票和国债指数是升还是降，此时，他们所感觉到的情况，跟马迷没什么两样。我常常看到录像中来我这儿的投机商们一根接一根地抽烟，对经纪人大吼大叫，或怒骂自己的下属，这些情绪化的行为埋下了他们失败乃至毁灭的种子。

为了对付我公司里的情绪问题，我禁止所有的人开玩笑或发脾气。同样的原因，我尽量不接任何电话，除非是关于我孩子的紧急电话。我甚至不愿接我老婆的电话，因为这样会使我神经紧张。遗憾的是，她比我更懂得市场，所以她的意见总可以弥补我的不足。

我的恩师欧文·雷德尔传授我一些控制情绪的好建议。每次有人，不管是家里的什么人，问他交易业绩如何，他都回答：“还行。”就他的家人所知，不论是在1979年金价暴涨，他每天利润不超过七位数就不算好业绩的时候，还是在1996年年末的大牛市中，金价连续好几个月都陷入5美元的箱型波动时，他的答案都是一样的。偶尔幸运之神眷顾我时，一个朋友问我：“现在怎么样了？”我就说：“不算太糟吧。”谁知道我的朋友们太了解我了，现在他们总回答：“那一定是好得不得了。”

有人直言不讳的时候，我会有一种共鸣的快乐，虽然我知道，想要获胜必须压制激情。一次，一位年轻人踌躇满志地走进我的办公室，要我给他一份工作。我仔细听了他的介绍。他在哈佛的论文题为《关于赛马速度评估和计量经济学分析》，和我30年前一样，他用赛马赌赢的钱资助自己的学习和生意。在这方面他的表现是如此突出，以至于参加了为那些志大意满的投资家召开的研讨会。在高中，他擅长5种体育运动，读哈佛时还是高尔夫球队和足球队的队员。这种人正是我想要的人，我立刻聘用了他。1995年，我请他到萨拉托加，参加从事投机事业的训练。我给他取了“计时器”的外号，以下是他的报告：

“为什么2号马的赌注是1赔13？”我一边自言自语，一边努力寻找自己有什么疏漏的地方。果然不错，它的最后两圈跑得很糟，但上上次赛马中，它是陷入了困难的双马竞速中。上次赛马，则在拐角的场地上失去了迎头赶上的机会。现在，它无人问津，状态很好（具有短程草地跑道取胜的明显优势），而且它还有全世界最棒的草地骑手——萨恩，毫无疑问这会是匹黑马。

2赔3变成了5赔7，又变成了5赔6，嗡嗡的人声显示出大众的宠儿是9号。赔率每跳动一次，赌热门马的一般马迷信心便会提高一些。“9号准赢。”我旁边的人吹牛说，“上次我就给它下过注，它起跑快，步子大，只输了一鼻子的距离。”其他人也应声附和，“它可是个角色，上次就跑了第二。”还有一个人说，“克罗恩和奥特都不是好惹的（这是骑手和训练师的名字）。”另外一个补充道，“这两人培养出了40%的优胜马。”现在1赔1了！显示赌注的屏幕反映了大众高昂的情绪。

我知道自己昨天晚上就排除了9号马（我在自己马票本的空白处，用红色的大字注明：“傻瓜的选择”）。但是他们也对，这马从资料上看上去真是气宇轩昂。“它身材矫健，不出意外必胜无疑。”既然我一天没下过注，应该对这宠儿下个注，赢点钱回来。

5赔4，赌注纷纷下在9号马身上，但是，现在我把注意力拉回到了2

号马身上。昨晚我花了三个钟头来研究它，难道这么快就倾向于选热门马了？真没主见！我已受过这种骗千百次了，竟还会被这种陷阱迷惑。这匹宠儿总喜欢自找麻烦，而且经常屈居第二。在29次比赛中只赢了2次，却有9次跑第二！

现在我重振信心，走到窗口，买了2号马几张独赢的彩票。1赔15！我是否遗漏了什么？算了，太晚了，比赛已经开始了。“没事，2号马会跑到前面去的。”我看着这2匹齐头并进的马对自己说。跑到后圈时，骑手们握紧缰绳，将催力踢打保留到最后一圈，没有其他的马敢和这2匹马一比高下。

马匹进入远处的弯道，两匹马始终紧紧相随。第一个半英里只花了48秒和45秒。太好了，彼此只有些微的差距，两匹马一定会体力充沛地跑完全程。

到了直线跑道，热门马9号飞奔向前，拉近差距，超越一匹又一匹，从第12位赶到了第4位，比领先的马落后两匹马。

“9号，冲呀，朱丽！”我身边的人尖叫着，并把马单卷成一筒抽打自己的屁股，疯狂地模仿骑师抽马的动作。马匹通过第8号标杆后，所有的眼睛都盯在最后一搏上。可2匹马仍并驾齐驱。萨恩挥舞着马鞭，冲到了前面。9号马绝望地试图作最后一试，但是太晚了。当它们冲到终点时，我已踱步到了窗口，注意到在9号马上下了注的人一脸失望，又一匹傻瓜爱选的马跑了个第二，大家的钱又泡了汤。我花了2美元，得到了32.8美元的回报。这一天真是阳光灿烂，我挖苦地对身边的人说：“这钱真好赚。”

小心变数

马场和金融市场都有一种怪异的力量，会在柔弱的人赚到利润之前，先把他们淘汰出局。培根的书籍第四章叫做“远离那些机关”，以下是其中的摘录：

> 一般马迷形成了很多习惯，使他对市场做出的贡献，远超过20%的抽头。其实他们不应亏损这么多，看起来几乎好像他故意在亏钱。
>
> 打败大众的是机关，而不是正常的波动。职业投机商直奔胜利的宝座。虽然这样做，他们也有这样或那样的风险，但是他们不为表面现象或虚荣所迷惑，这是他们高于一般人的地方。
>
> 业余马迷为了赢钱而下注，却看到自己赌的马仅跑了个第三。他赌第三名时，却看到马跑出第二名。他又在第二名的马上下注，却发现它又跑了个第三。最后，他赌冷门马入围，结果这匹马勇夺冠军，热门马也只跑了个第二或第三。赌冠军的彩金是44.8美元，赌入围却只有2.4美元的彩金。
>
> 接着，他改变下注的金额。业余马迷让贪婪和恐惧改变他下注的大小。他在热门夺魁马身上下大注，这匹马却输掉，然后，他对价格较低的马下很小的赌注，这匹马却赢得比赛。他对马的状况的了解，总是落后一场比赛，在掌握比赛结果的脉动方面，落后好多场比赛。永远跟不上马的脚步。
>
> 他要求马保持一贯状态，自己却出尔反尔。

所有的投机客都应该研究这些明智的看法。在市场上浮浮沉沉的人们应该为此而敬重培根，以他的话为指导。

不幸的是，似乎有一种神秘的力量在支配，培根的那梦魇般的剧情总是毫不留情地在现实生活中发生。以下是我一连串交易的真实体验。

德国马克略微上涨了一点点，但日元却大幅上扬，于是我做空日元，孰知日元随后竟一下上升了100点。

翌日，开盘的情况与头一天相同，日元强劲多了。我做空马克，以避免趋势跟踪者。这一次，美联储干涉了日元，它在一天里下跌了100点，而德国马克纹丝未动，风平浪静。

这种损失令我把平常交易的单位规模，从100张合约增加到200张，希望能够补回来。

第二天，我买进瑞士法郎，因为我知道，在所有主要货币中，瑞士法郎的震荡幅度最大。但是收盘时，它只上升了几点。我认为我的合约规模太大，最好获利落袋。

那天夜里，瑞士中央银行降低贴现率（纽约收盘强劲时，经常发生此类事件），使我失去了获利的机会，也不可能弥补以前的损失了。

经过这一连串的亏损，我把操作单位降为25张合约，这样我就能坚守我的位置。我买进英镑，英镑飞速上涨。如来我保持原有购买规模，我本可以全部补上以前蒙受的损失。

我尝试我忠实的朋友——美国国债市场。我做空美国国债，出现了3点的利润，收盘时获利颇丰。第二天，国债开盘下跌16点，因为随着美元开盘疲软，欧洲人大举抛售国债。

到了第三天，我又采取行动，做空国债，收盘时国债下跌3点。这次我没有变现利润，让利润留到第二天。纽约股市收盘后，美联储一位官员在日本声称，美国已经控制了通货膨胀。于是，国债在东京股市狂升16点。

我决定最好的事情是休息一下，只做些纸头贸易。回到起点，参考一下计算机。我假设自己在12桩贸易中获利，在纸上谈兵的练习中，我再次鼓足劲出击。

我恢复操作自己容许的最大交易规模。市场的走势对我有利，我把所有的亏损几乎都赚回来了。这次，我打算遵照交易系统的指示来操作，不再预期任何事情。就在我要被套牢时，国务卿在星期二下午2时宣布："非常遗憾。"伊拉克丝毫不屈从盟军的要求。

市场在片刻之间一落千丈，我所有的资金几乎被洗光。

我回想起自己一辈子就在这些机关里打转时，我真不知该哭还是笑。

我唯一期望的是牢牢记住：

1. 机关是致命的。

2. 坚持某一稳定的合约数量。

要遵循有系统的方法。正像魏斯威喜欢说的那样："即使是坏的系统，也比完全没有系统要强。"

其中的教训是：避开那些机关。培根说过："这些机关打败了大众，而不是赛马本身。"用一整套书，也不可能详尽描绘出业余人士会遇到的各种机关。

相形之下，培根写道："职业赌徒用一种保险的方法来躲离这些机关……他们根本不会过度下注……他们不赌每日赛程中早上和晚上差劲的比赛，他们不赌没有把握的比赛，如此而已！"

1929年10月，道琼斯指数崩溃，一个月内从360点跌至200点，然后反弹，1930年4月回升至300点，却又在1933年2月跌至50点，直到30年代末，才艰难地爬升到100点。当1987年10月19日道琼斯指数4个小时内从2500点跌至1700点时，一些头脑僵直的人认为同样的剧目在上演。

但是，道琼斯指数不但没有从崩盘后的低点，跌到只剩1/4，反而在后来的8年里，从1987年股灾后的低点上涨了3倍。

投机是一项高贵而又复杂的活动，它需要你全身心地投入。但是为了维持这个行业的高贵，你首先必须学会生存。要随时记住，不是投机本身，而是各种机关使人落入陷阱。

风水轮流转

投机最重要的原则，在培根的书里说得清清楚楚，还列举了大量的实例。我后来看到，这一原则被应用在世间一切可想象得到的领域，不论是钓鱼、棒球还是剑术、政治选举，都用得上。如果你理解了它，不管是公司资金，还是热门经纪业，你都可以使自己逢凶化吉。

我们借用培根在赛马方面的解释来说明这一原则，然后在市场投机方面，我们一起探讨无数的应用方式。

> 大众集体的“心灵”有一个想象，认为要是能够找到打败赛马的要诀，就终生受益无穷。人们也相信根据过去的数字和业绩，可以找到这样一把开启密码的钥匙。有了这把钥匙，一切问题似乎迎刃而解。尽管在每一长距离的赛马中，可以看到起伏和波折，人们仍很少考虑结果处于不断变化的循环圈中这一原理。

请考虑一种能够赚钱的简单系统：

> 现在（培根谈到一个类似的系统），我们可以看看不断循环变化的原则是怎样自动运转的。没有人让比赛结果和大众的选择方式相背离，也没有人制定什么规定，让比赛结果出现革命性的变化。实际发生的情形是这样的：首先，当大众找到了系统的获胜方式，人们蜂拥的赌注会把赌胜者的回报压低。

下面这个赛马的例子，能够抓住循环变化不定的精髓。

大多数马迷都认为，获胜潜力最重要的指标是：（1）过去的评级（过去此马在哪一级中竞争）；（2）马匹目前的状态（此马近来跑得如何）。尽管方法不同，我们还很容易查明它以往所属级别。有些人会去查马的出场费，有些人则会去看马主是谁。总之，这之中并没有什么秘密可言。

另一方面，马匹目前的状况是相对主观、难以衡量的。一般可以通过最近取胜的次数，前半程和后半程的速度、测验结果、驯马师的方法等予以反映，其中最重要的莫过于它在最近一场赛事中跑得多快。

赛马的全场耗时是一种粗糙的数字，厉害的马迷总是不敢拿来当成重要的指标。因为跑道的状况不同，比较不同赛马场上的比赛结果，没有什么实际意义。所以，20世纪七八十年代，职业赌徒开始将“跑道变数”作为剔除偏见的参考因素。理论上，如果将变数加在其他衡量因素上，人们是可以决定谁跑得最快的。结果是，那些拥有准确“速度指数”的人，比其他人对马的现行状态有更好的了解。

20世纪80年代中期，很多赛马服务业者宣传本身速度资料的正确性。随后，速度专家遭到了真正的打击，赛马日报开始刊出安德鲁·贝耶尔数值。贝耶尔在70年代推出这一概念，启发了许多有远大志向的投机客。最后大众有了可靠的途径了解速度图形。

假设这个系统原来7匹马当中，平均有2匹马会赢，赌这2匹马的人有1赔3的赔率，这意味着每赌1美元，有两匹马各赢3美元，而另外5匹马各输1美元。这些当然都是平均值，这样每投入7美元就可赢1美元；而价格拉至5比2之后，这个赢值就消失了。系统刚刚保持平衡。最后，当赔率降为2赔3时，赢钱的人比率仍然相同，还是7人当中有两人赢钱，但这个系统在每七个人各赌1美元的情况下，会亏损2美元。

但是比率并非依然相同。赛马是一种搭配很均衡的比赛，一匹马想赢得赛马，要耗尽全力。如果它赢了一场，那么赢下一场的希望就会很小了。马主在1赔3的情况下，会让马全力争取胜利。到了2赔5时便会失去热情，并且告诉骑手：“别把马逼得太紧，如果能够轻松赢的话，你就赢吧。”到了2赔3时，他会说：“只当是练习一下而已，我们赚不了多少钱。”过去是7场中赢2场，现在10场里也赢不了1场。大众又一次成了不断循环变化的受害者。

在决定赔率时，速度资料仍然扮演着重要的角色。连最没有经验的马迷，也会选择上次比赛贝耶尔指数中获高分的马。我们的一位交易商在1995年9月花了两周的时间，在纽约和加州的赛马场上进行研究。结果发现，对上一场赛事中速度最快的马下注，会招致38%的净亏损。过去的摇钱树如今成了吃钱的“老虎机”，时过境迁，只因大众对它普遍看好而下注太多。

但是不断变化的循环会继续变化。马迷会对自己永远无法获利深感痛心，他们可能会弃贝耶尔指数于不顾，改用下一个流行的指标。这样，速度指数居高的马匹又会回到一个合理的赌金比例上。

请记住，无论是近期还是远期，循环不断变化的原则同样会发挥作用。培根指出："40天内，肯定有一次剧烈的变化，60天内会变化至少两次，有时甚至一个月也会变化两次。"

培根举出了若干的赛马场，这些场地在一个赛季的头10天至15天，某些跑道总是那些热门马获胜。随着马匹从全国四面八方运来，大众没有任何根据，不知该如何下注，于是开始研究所有资料，寻找冷门马，而不是以不利的赔率下注在热门马身上。培根说："这种情况下，骑师只用走上前来拿走人们的钱袋……只要大众不理智地下注，这些马会一而再地表现胜绩。"

等到人们终于下定决心，要做出合理的选择时，已经远远落在圈子外面了。早期的胜利者已疲惫了，它们体重下降，失去了再获胜的机会：其他的马休养完毕，开始突发神威，赢得大把的钱，于是大众开始寻找灵感，寻找可能意外获胜的马和冷门马，于是又陷入落后循环的状况中。

前面状态良好的马匹现在可以休息了，它们掉了一些体重，带着中等程度的赔率阔步到家乡。如果人们看好的马第一次没有赢的话，第二次、第三次、第四次或第五次选择或许会有胜率。

培根说："在不断循环变化的赛马法则中，上述状况只是几千种变化方式中的少数几种。你随时都在记住这一点，尤其是当胜利在望时。"

培根的说法具有惊人的力量。

过去我运用这些原则的时候，不知道自己是在利用不断变化的循环。我跟着巴纳比学打壁球时，学会了不断循环变化的道理。首先，我发出长球，迫使对方后撤，当他退守后方，我会吊一些短球。这样，由于对手防守空间增大，而我直接得分的机会增多，胜率也就更大。接下来，我的对手会往前移，这时我改变了，又开始往深处打长球。到比赛临近结束，对手会全力以赴接我的短球。此时往深处击球可能更为合适。正如巴纳比所说的那样："你不是在打高尔夫球，你是在打壁球。"

这个原则在运动场上随处可见。经验老到而聪明的投手发现击球手准备好姿势等待低速球，他就杀出一个高速球；下一次，击球手想起上次的教训，鼓起全身的力量准备痛击球时，投手投出纯粹的变化球，让击球手措手不及。击球手简直不敢相信，摇头叹气。如果不改变对策，仍以最初的状态接球，击球手本可以稳稳当当击到球。

商品投机商们注意到，那些趋势跟踪者刚刚赚了一大波段，坐拥大笔资金，等待下一个趋势。但是，赚了太多轻松赢来的钱之后，投机客喜欢故伎重演，而研究股市的商人却知道形势要变了。跟风赚钱的机会大大减少，那些盲目追随潮流的人这次掏钱就远没上次愉快了。

大众永远无法追上循环的变化。他们准备追随一种系统的时候，往往时机又错过了。

从这里可以看出，受欢迎的市场大师何以经常换来换去。有些专家有时确有成功的预言，如鲍博·普瑞奇特、马里奥·盖伯里等人，都曾预言到1987年的股灾，似乎成了先知。追随他们的人扬扬得意，还会把他们的新发现告诉自己的朋友。但是，随后他们遵照大师推荐所做的交易，业绩却差多了，因为他们带着一群追随者一起交易。这样通常会限制他们，只能选择流通性较高的股票，而这种股票定价合理的机会大多了。

我买进共同基金或选择投资顾问代我处理资金时，总是去找前一段时间表现最差的那位顾问或那只基金，而不是寻找最好的。以1996年我最成功的投资为例，我买了一只在头一年跌落60%的印度基金，当时其他基金涨幅平均都有25%。基金经理打电话问我为什么选择了它，我只能调动我所有知道的关于印度的知识回答说：“选举将至，加上7月季风对谷物的影响，也为了浪漫的孟买，以及那春日的婚礼节，我的直觉让我信任你。”我几乎可以看到他在电话的那一端表现出怎样的诧异神情。

1987年股市崩盘之后，许多人等待1929年那种大崩盘再度发生，而不是凝神思考当时的局势。

我从事投机时，经常运用这些原则。世界上最成功的投资人把自己的投资公司股票以净值三倍的价格卖掉，同时，几千家很好的基金却以净值销售，还不收手续费时，我会赶着去做空头。相反，在极少的情况下，当我掌握有一些世上最被看好的股票时，只要没有脱手，我总要为此捏一把汗。

培根和我所言不虚，从我开始寻找不断变化的循环时开始，我赚了大把的钱。每次1987年10月大崩盘的景象似乎要重演时，我就进场大量买进，几乎很少失败。不过现在舵手累了，循环看起来似乎又要开始变动了。我能说的唯一的一句话就是：“大众永远是落在圈子后面的。”

重温旧梦

我在哈佛念书时，经常光顾赛马场。近几年来，我洗心革面，晚上一定要与家人共度良宵，而不是去重温旧梦。

到了1996年，我认为在这个电子时代，我应当重新认识赛马场。

我踏进赛马场的时候，有如大梦初醒一般，醒来后面对的是全新的时候。我对赛马场原本非常熟悉，现在，我看见了许多陌生的面孔。即使当时我的胡子垂到了膝盖，我也不会比现在更感到自己的过时。当我走近这小天地时——我是说当我呆呆注视眼前一切时，一个售票员跟我打招呼，仿佛是对一个提着啤酒参加百年庆典的人一样。我走进可容纳5万人的体育场，四面八方都是电视屏幕，正播放各种赛马信息。简陋的小屋已没了，代之的是拔地而起的宫殿。

我最初以为自己找了赛马场关闭的晚上来。环视这雄伟的体育场时，似乎觉得自己是唯一的顾客。接着，眼前的屏幕显示着一匹正走向门口的马匹。扩音器里人声鼎沸，“比赛要开始了！”看看其他的屏幕，我见到价值20万美元的把手，做得真精致。第一个涌到脑海的念头就是，“他们哪儿来的这么多钱？”

我当然知道，这么大的赛马场，90%的收入来自外围赌马和全美国通过电子转账同步下到这里的赌注。

赌马也进入太空时代了。要分辨出赌马和投资的区别，已经越来越难了。

过去，马迷们挥动3×5尺寸的彩色海报，现在，他们可以利用电脑软件和900开头的电话号码，从电脑中查阅《赛马日报》《华尔街日报》《运动观察》等杂志提供的精确赛马场照片图表。不仅有照片，而且有各种数据显示各马的位置等。马迷们可以拨900向“全天报道”咨询，此类系统数不胜数，“今日赌马最佳选择”“和马对话”，仅供胜者使用的服务，等等。当然，《投资日报》也大做广告，推出“费用最低、报价质量最高”或“经纪人如今已过时”诸如此类的栏目，没有什么不同。

连马迷的抱怨都受到信息时代的影响。《美国赌马周刊》总编辑伊恩·布莱尔在1996年2月号里抱怨说，一年都不走运，赌马的每场结果都让他大为光火，并且“每一次赛马，都会被圣安尼达来的同步下注事件打断”，使他无法进入良好的状况。这句话显然让有钱人难堪。

但有些事情依然没变。反对者依然在喋喋不休地规劝着人们不要到赛马场去，老马迷们依旧徘徊在栅栏外面，窃窃私语。马儿依然绕着同样的圈子跑，这些永远不会变。当然，职业马迷仍然和一般大众截然不同。

一般的马迷装备很少，职业马迷可能配备一系列的资料，包括极为精细的失足资料，骑师和驯马师最新的趋势分析以及赛马速度情况和习惯。他往往会滔滔不绝地跟你介绍哪位骑手最被看好，哪匹马又名不副实，还能详尽说出赛马的跑姿、距离、年龄以及跑道的状况是否利于比赛。

职业赌徒记录和追踪影响赛马结果的任何信息。我甚至知道有一位马迷，保有靠近一处海边赛马场的详细潮汐资料。拉斯维加斯赛马者在全国也是数得上的富翁。

为了向布克和培根致敬，我们公司的训练课程中，总是有到当地马场参观。由于我们都在白天工作，通常只能到草原马场去看马匹练习。

为了充分体会希望、焦虑和财务管理，我们总是坐巴士去。巴士上一半乘客大多已经在当天下午的阿克达克马场赌过。

“我选中了阿克达克马场每天连赢的马，但是，那部糟糕的破车竟坏了。”

“我原本打算把所有的钱都下注在‘红河’马身上，但是到最后一分钟，我决定赌它入围。赌它赢的彩金是38美元，赌它入围只赢2.3美元。”

这么多年来，马匹的名字和人的脸孔已经改变了，但是仍然可以听到赌徒失望之余熟悉的说法。这是一首由希望、恐惧、孤独和绝望构成的歌，曾经在赛马场、赌场、交易所或任何下注机构流连的人，一定都能跟着一起唱。他们都深刻理解对方，就像走入了自己的内心世界。新的一代登上了舞台，物是人非，可仍是同样的旋律在等待奏响，音乐响起来了。

第十章 / CHAPTER 10

欺骗与投机：诡道者立于市场

他喜欢的招数之一，是在人们围绕着他的时候，询问（他不打算走的）一些道路和水道的方向，甚至下令画好地图、铺好道路，好像马上要利用一般。然而当人们议论纷纷，猜测他的意图时，他却从容不迫地从相反的方向溜掉了。

“神秘，神秘，成功的秘密！”

——一位弗吉尼亚州崇拜者，《斯通沃·法克森传记》

一滴水可以折射太阳的光辉。如果我老爸也像马蒂·雷斯曼的老爸一样，以赌赛马为职业，而不是警察，那我走投机这条路，一路走来，可能比现在富有多了。老爸总是教导我说：“做人要坦诚、正直，做事要踏实、勤奋。”而马蒂的老爸则经常揶揄地对他说：“孩子，这次我可帮不上你什么忙，我很遗憾。大学里的比赛往往事先已经安排好结果，就像所有其他的比赛一样。”

欺骗无处不在，从最低层的病毒到最高级的人类，每一种生命形态都具备欺骗的能力。如果无视这一点，必将导致灾难。我很惭愧地承认，我第一次研究市场时，把一些建议当成圣旨。这样的建议包括“我发现使用长期趋势分析图表对于了解未来至关重要，让我们看一看，投机实际上是一种具备高度可视性的活动……找一找那些不断重复的周期和循环。当箭头向上或向下运动时就把它标出来，然后测一下波峰与波谷之间的时间间隔”，又如，“市场会经历活跃和沉闷两种时期，出现有趋势和无趋势的状况。拿出一把尺子来，画出趋势线，并且开始跟随趋势。虽然市场发生了变化，技术指标却不会变”。再如，“通过态势分析，比如观察价格及其他变化就可以看出市场运行的趋势，所以你可以使用不同的指标来确定这一趋势”。

这些简洁有力的说法并不是我编造的，是我从本地书店里六本最畅销的技术分析书籍中摘录下来的，其中一两处说法经过我调整，以免读者看出作者是什么人。

35年前，我完全相信这些“高明”的指导。今天，恐怕许多人同样会把这些话奉为金科玉律、至理明言。我曾经遵照这些建议行动，却发现那些掠夺者像鲨鱼一样聚集在我的周围。

我经历了5次重大教训才知道，事物的表象和实际很少是一样的。

教训1：大自然的秩序

我第一次跟欺骗“亲密接触”，恰好是在布莱顿湾。

20世纪40年代，布鲁克林的房地产价格还很低，低到足以让布莱顿湾海水浴场保留三英亩的沼泽地，当地人戏称为“荒漠”。老爸总是喜欢领我去那里，在大自然中散步。而我对此却没有太大兴趣。

“老爸，在这‘荒漠’里向大自然学习，到底有什么好处？不如我们一起去打手球吧。”

“我们快快走过去，然后歇一会儿就去游泳。我想让你明白的是，大自然不仅美丽，还可以让你从中学到很多东西。”

“谁稀罕！我住在城里，喜欢人群和高楼大厦，不喜欢那些昆虫。”

“我们换个角度来看好了。每一种高超的竞赛技巧都源于自然。隐藏、诱杀、麻痹、转移视线、装死、特洛伊木马等，在所有运动员中，它们是生存或取得最终胜利的关键。”

“老爸，你说的是什么意思？”

“你看看那片灰绿色的树叶，一只蝴蝶刚停下来。树叶上方有个东西看上去就像是另外一片绿色的树叶，你很难看出它是活的，它和周围的环境融成了一体。但是，如果你碰到它，你猜会怎么样？它是变色龙。如果它碰巧靠近一片黄色的树叶，它也可以变成那种颜色。

“再看看这株草茎上的叶子。草根中间有一只绿色的昆虫，它叫螳螂。它看上去十分像一片树叶，但如果有哪一只蝴蝶不幸停在那只螳螂所在的树枝上，它就死定了，这只螳螂会用脚把它抓住然后再吞下去。不过，螳螂也有敌人，我们动一动它，看看会怎样。”

“看啊！它竟然长大了一倍，而且又生出两只眼睛。”

“不，那是两只假眼，用来吓唬你和那些鸟儿，”老爸继续说道，“你有没有想过，为什么像克雷维斯这样脾气坏到极点的人，居然能够赢得这么多的比赛，可是他的技术似乎不如别人，甚至不具备最基本的赢家素质。”

“没错，老爸，你甚至可以在单打中打败他。”

“但是他的脾气在比赛中帮了大忙。他装出非常危险的样子，让每一个人都很困扰。就好像你看到这种全身有100种不同颜色的昆虫，你就不敢轻易惹它，同样它的天敌也不敢。这叫做混乱色，当你想要真正躲藏起来的时候，完全没有一点颜色是比较好的方法，就像你在新闻纪录片里看到的丛林战士一样。这就是克雷维斯在比赛中总是不停地争吵，要求暂停，又重新开始比赛的缘故。他想让对手无从下手。而在自然界中，那些被捕食的对象能够让它们的身体及其颜色和周围的环境融成一体，这样，只要它们不动，也就很难发现它们。

“看一看那树枝上的飞蛾，它看上去就像一根小树枝，想想看，它为什么要装成这个样子？”

“我想，是为了欺骗那些小鸟和蜘蛛。它看上去像是死了，对吧？”

“对，你是否注意到，维克·赫西科维兹在比赛时喜欢后退，假装他对刚才打的高球很满意，于是他的对手也就把球挑回来，但是维克突然快速冲到前面，打出致命的杀球。这是同样的道理。他故意掩饰自己的位置，看上去似乎一点都没生气，但是突然间发起进攻，给对方致命一击。

“你记得我们去看巨人队比赛吗？查理·康纳利假装传球给队友，先传给后卫，又传给中卫，对方的球员冲过去，在争球线中央附近，把后卫和中卫压倒在地上。”

“是的，然后康纳利把球传奇乔·摩里森，达阵[①]成功。”

“不错，康纳利耍了个花招。他装作一幅败局已定的样子，当圣路易斯红衣主教队的球员放松警惕时，突然恢复了生气，完成致命一击。他们管这一招叫作‘负鼠装死’，因为据说负鼠经常玩弄像康纳利所使的那种把戏。

“整个自然界都这样，如果你不会这种欺骗和掩饰的手段，那么你就无法成为一个优秀的手球运动员或者橄榄球运动员。”

老爸发现，把低级生物的诈术跟各种游戏运动联系起来，非常容易，把我们学到的大部分自卫技能，用在人的生存上，却很难。

教训2：下棋欺敌

在布莱顿画有跳棋和国际象棋棋盘的石桌上，我第二次领悟了欺骗。

20世纪40年代以前，中宫直进是国际象棋中流行的进攻手法。但等到我下棋的时候，每位棋手都知道如何防御这种进攻。为了保持主动，棋手们开始下超现代的进攻着法。他们在比赛中好像在侧翼迂回活动，这种间接的进攻或防御模式，往往会出其不意地取得胜利。19世纪的欧洲旅行家把这种走法称为“印度式进攻”（或防守），他们发现，印度那些国际象棋高手就经常使用此着。那些传统的模式已经过时了，比如用中间的兵推进，再用象在棋中央抢占一个位置。而实际上在发现对手的意图之前，中央兵的行动总是受到阻碍。

---

① 达阵（Touch Down）是橄榄球比赛中重要的得分方式，即“触地得分”。在英式橄榄球比赛中，触地得分是得分最高的方式。美式橄榄球比赛的得分方式有三种：达阵（Touch Down）、射门（Field Goal）和安全（Safety）。

棋手都善于欺骗对手。一种看来无害的做法是常见的错误，就是在走一步棋之前，先写在记录纸上。

俄罗斯人创出这种做法，以便防止错误。几分钟之内，这种做法就传到布莱顿。但是狡猾的对手喜欢在对方写的时候，看写下来的棋着，以便得到额外的思考时间。真正高手的棋手，会故意在纸上写下错误的着法，最后一刻却改变走法，使对手的希望破灭。

朱利·李奥波特是布莱顿湾的传奇棋手，也是美国谜语协会的理事长。他不在本地的协会下棋时，喜欢到各个城市旅行，和他从纽约各个协会征召的一群专家，专门解答当地报纸上的谜语游戏。他的一个经典的杰作，就是给一个字谜游戏的设计者写了一封匿名信，声称他是一名住在佐治亚州奥古斯塔城的90岁老人。他在信中还附了一本市面上罕见的字谜书，这本书开始写作于19世纪晚期，目前已不再发行，他说如果这位设计者感兴趣，那么只要付10美元就可以得到它。于是这名设计者在以后创造的字谜游戏中几乎完全依赖于这本书，而李奥波特每一次总是能预先知道答案，因为他手上还有现存的另外一本同样的书。他骗得太厉害了，以至于人们称他为“骗子波”。

好棋手都受过训练，下棋时面无表情，这样，他的对手就无法从他脸上看出什么意图，以便设陷阱突袭对手。大师级的棋手经常设计出一些着法，使对手在下棋时放松警惕。世界冠军麦克·泰尔用下面这段文字，说明棋盘风云大起之前虚假的宁静：“我的做法是在时机成熟以前不动声色，步子不要迈得太大，不要摆出明显的进攻态势，而是设法造成一种很平静的气氛，要知道，蓄意已久而又不让对方察觉的进攻往往是最有效的。”

大师齐诺斯科·波诺夫斯基在讨论那些高手下棋所使用的策略时这样说道：

> 我们经常必须掩饰自己的意图，引诱对手昏昏欲睡，甚至引诱他犯错……如果能够给对手造成一种恰好和我们真实意图相反的错觉，那么这才称得上真正的艺术。

教训3：钩心斗角

我第三次体验欺骗，是在手球场上。有一天，我和安迪·沃尔夫比赛，他是手球史上发旋转球最厉害的选手。他发球的速度虽然只有世界冠军维克·赫西科维兹、奥斯卡·奥伯特这些人球速的一半，但同样非常有效。我甚至连一个球也接不住，这球看似朝我飞来，但突然一下就转到另一个方向，我也知道这就是所谓的钩旋球，但问题是无法事先掌握球旋转的力向，我想凡是和安迪·沃尔夫打过球的人大概都有同感。

发旋转球的诀窍在于掩饰手臂的挥动，这样，不论你怎样发球，手臂的动作都一样。要做到这一点，发球时，你首先从正前方抛起球，这样你的对手就无法判断你手的摆动方向；然后，如果你想让球旋转到右方时，那就要从上方击球。在这过程中，你手移动的方向还必须和球最终要旋转的方向相反，这样你就会造成对方判断失误。打双打时，你可以依赖一位有经验的伙伴，看球是向你旋转还是离你而去，是出内旋还是外旋。但在单打比赛中，你只能靠自己了。

第一流的手球选手中，老爸发旋转球的威力仅次于沃尔夫。他还只有十几岁时，就是最擅长此道的选手。他当时效力于奥兰多海滨队，并且曾和很多大明星打过比赛，如拉尔夫·阿德尔曼、莫蒂·亚历山大和乔·盖伯等。老爸后来学打橄榄球时，因为一再冲撞，手部受到严重的伤害，因而发球时，推动了自然挥动的能力。但他的旋转球余威犹存，让人想到他过去很厉害的时候。由于他以前受过良好训练，他仍然可以在双打比赛中出色地配合那些年轻人，比如我的舅舅，他在这方面具备的知识和经验，使他总能判断出对方钩旋球旋转的力向。

老爸7岁的时候就看惯了运动场上的欺骗手法。那时，他老爸在狂飙的20世纪20年代，用融资大量买进股票赚的钱都还存着，有钱买票，于是全家去观看在森林山举行的1925年戴维斯杯网球锦标赛。在预赛中，他观看了澳大利亚队和法国队之间进行的一场激烈的双打比赛。场上双方已经各赢一局，而这场比赛的获胜者无疑将直接进入决赛。代表澳大利亚队出场的是派特森，他曾夺得温布尔顿网球公开赛的冠军，是网球史上击球最有力的选手。与他搭档的是善于截球的约翰·霍克。他们的对手是一对很受欢迎的搭档——古恩·保罗塔和拉科斯特。打到第五盘时，澳大利亚队以6比6跟法国队不分伯仲。之后，派特森一记扣球击中了保罗塔的太阳穴。保罗塔当时便栽倒在地上一动不动，霍克和拉科斯特急忙喊人抢救昏迷的保罗塔，但派特森知道保罗塔喜欢假装昏迷，就拿球拍刺他几下，看看情况如何。

他这样做是正确的。保罗塔在比赛中经常装出一副筋疲力尽的样子用以迷惑他的对手，似乎他再也无法坚持下去。然后，到了极为关键的时刻，他会敏捷地冲到网前，让对手大吃一惊，然后连续打出八个杀球，轻松赢得比赛。他这一招是他赖以成名的撒手锏，而且屡试不爽。以前他还从来没有像今天这样故意装死，然而一群官员和医生还是从体育馆的看台上冲了过来。但是不用担心，实际上这只不过是保罗塔玩弄的又一次的骗人的伎俩。几分钟后他醒了过来，并且和队友以10比8赢了受到影响的澳大利亚选手。在剩下来的六盘比赛中，澳大利亚放慢了攻击速度，以免造成更大的伤害。

20年后，也就是第二次世界大战结束以后，保罗塔被禁止参加温布尔顿网球公开赛。20世纪40年代初，德国军队占领法国时，他曾担任维希政府的体育部长。到了大战末期，他却神奇地消失了，英国人怀疑他是卖国贼。

1975年，保罗塔突然现身，打电话给了我。当时，他在联合国教科文组织找到了一份轻松舒适的差事，主要任务就是弘扬体育运动道德。我被他们选中，得到这个组织的年度奖章，理由是前一年我因对手康恩受伤，拒绝接受世界冠军的称号。当时我告诉康恩，我愿意等他治愈眼伤后再比，不愿意接受他弃权。该组织同时还希望我出席当时的一个会议，这将会对在世界范围内提倡运动员风格产生极大的推动力。于是我用光了所有的积蓄参加这次会议，到了会场，才知道自己被利用了。美国政府已经断绝了联合国教科文组织的经费，因为这个组织一再跟美国对着干，让美国政府失望。很快，该组织的主席也被捕了，因为他与那个迷人的助手一起，用纳税人的钱过着奢侈的生活。

教训4：灵长类擅于欺骗

1970年世界贸易中心在曼哈顿盖好之前，华尔街三一教堂以西的地区密集分布了许多家外观壮丽的进出口业务公司。其中一家由亨利·特弗里奇经营，专门供应野生动物给动物园。亨利从非洲收集各种动物，然后用船运到美国销售。他惯常使用的方法就是故意把那些野生动物放出来，然后任由它们窜进城里。接着，第二天报纸的头版头条便会刊登相关新闻，这无疑是对他的生意做了一种宣传。于是我开始对笼子里的猩猩、狮子和蟒蛇产生了浓厚的兴趣，接下去，我就买了一只日本短尾猴。

我到芝加哥上研究所的时候，喜欢到53号街和大学路交叉口新开的购物中心，在巴斯金罗宾斯冰激凌店，替我的宠物猴洛里（这是根据我的论文指导老师的意见所起的）购买它爱吃的美食香蕉片。洛里喜欢用勺子吃香蕉片，但是它对自己的那份总是不满意。每当我带它出去时，别人总喜欢逗它玩。为了在这个场合增加点欢乐气氛，我就让洛里在一边做些表演，而这是我从耶克斯动物训练中心学来的。其中之一是用细线把一个重物和一根香蕉捆在一起，然后看是否能把香蕉拿出来；另一个问题是把一根香蕉绑在一个树枝上，高度比猴子伸手上去还高约二英尺，然后在大约八英尺外，放一张凳子，看看猴子会不会去搬凳子，到树枝下拿香蕉。洛里一定会解决所有的问题。

我5岁的弟弟罗伊有一次到芝加哥大学来看我，为了保护他不受伤害，这次我特别谨慎。我替罗伊买了一个汽水冰激凌，然后四处寻找洛里。它显然是躲在床底下了。当我一离开房间，它就偷偷溜出来，把我弟弟推开，抢走冰激凌，大口吞下去。它知道如果我看到它，一定会把它关在笼子里，所以它躲起来等我离开后再抢冰激凌。

20年以后，我得知研究学者发现，灵长类动物里一再出现欺骗行为的例子，并且断定在进化上，灵长类发展出大型的脑部，主要原因是不断从事这些具有欺骗性的活动，而这又增强了这些灵长动物寻找配偶和繁衍的能力。

在这方面理查德·伯恩和安德鲁·怀特恩这两位苏格兰的灵长类动物学家做过典型的研究（他们的研究最先刊登在《灵长类报道》杂志上，詹姆斯·谢里夫在1991年6月号的《探索》杂志上加以报道，文章题目叫做“不择手段的猴子”）。伯恩和怀特恩在南非的龙山山脉研究巨型狒狒的觅食行为。怀特恩看到一只叫梅尔的成年母狒狒弄到了一点吃的东西，而此时另一只叫保尔的幼年狒狒爬了过来，它四处看看，发现周围再没有别的狒狒，于是它就突然大叫起来，不一会儿它的母亲就跑过来，把惊慌失措的梅尔赶到了一处山崖上，而保尔就开始不慌不忙地享用那份食物。

怀特恩看到这种他童年经常干的事情，感到惊讶不已，于是向伯恩和其他灵长类动物学者提及了这件事，并发现每个人都碰到过类似的情形。他们觉得自己可能会有重大的发现，就把这个疑问寄给全世界的灵长类动物研究专家。很快，他们就拥有了一个欺骗数据库，显示几乎所有的灵长类动物都诡计多端。唯一没有半点欺诈行为的例外就是狐猴类，狐猴是人类的“近亲”中脑部最小的一种。

这种欺骗行为变化多端，从简单的欺瞒，到令人大开眼界，似乎显示动物能够了解另一只动物处境的欺诈行为。比如，当人们给一只非洲黑猩猩一些香蕉时，它就会把这些香蕉藏起来，以免让其他猩猩发现并抢走。有时候这种行为则以其他形式表现出来，例如，荷兰灵长类动物学者弗朗斯·布洛奇通过电动控制的一个金属箱子为饲养场里的黑猩猩提供食物，当然，这个饲养场只有这一只黑猩猩。在一次试验中，当箱子打开，从里面出现了第二只黑猩猩，原来的第一只黑猩猩就会立刻关上盒子的门，一直等到第二只黑猩猩消失为止。第二只黑猩猩走开后，躲在一棵树后面，第一只黑猩猩很快又打开盒子。这时，第二只黑猩猩就会很快从隐身处蹿出来并拿走食物，伯恩和怀特恩把这种以计克计的能力叫做“诡诈的机智”，并且提出假说，认为正是这种适应行为，才有利于人类发展出巨型的脑部。

如果一个脑部大的原始人在觅食或求偶上胜过另一个原始人，拥有这种脑部的人就会生存和繁衍下来。因此，一个原始人为求胜过另一个原始人，显然是大型脑部的成因。学者们认为，在黑猩猩和人类智力的进化过程中，这种欺骗性的能力无疑起到了决定性的推动作用。

教训5：骗人的技术模型

1964年3月，我来到伊利诺伊州的斯普林菲尔德，在那里拜访了分析大师约翰·迈吉，这次重要旅行纠正了我天真的思考方式。迈吉是《股市趋势技术分析》的作者，这本书号称“技术形态分析的开山之作”。他的办公室在一栋陈旧古老的大楼里，戴着滤光镜片的人站在绘图桌前，把《弗朗西斯·埃默里·菲奇股票交易报告》中的价格记录在图表上。《纽约时报》和《华尔街日报》堆得到处都是，但这些杂志至少是两星期前的，所以要想凭这些来把握瞬息万变的现实，未免有些力不从心——那些阴冷的空气让我的脖子都僵了。办公室里安装了空调，所有的窗户都被木板封住了，据说这样可以减少阳光和气候干扰技术人员的客观性。

迈吉先生为每一只个股发明了一种初步的贝塔（β）估计值，他非常好心地同意让我来检测它们的一致性。

“迈吉先生，非常感谢您让我利用这里的几千张图表来检验随机漫步理论，尤其是您根据其中的预测模型，对外提供收费的咨询服务，还让我利用，更是令人感激。”

“维克多，跟我到我们保存的档案这边来。看看这张图，跳空上涨，交易量增大。接着，量价齐缩。第三次，第四次，又是这样的循环，一切都很对称，价格始终在一个既定的趋势方向上移动，现在，你该相信随机漫步理论在这里并不能成立。”

“但是，迈吉先生，一定有其他的图表，价量像这张图一样，但是，价格突破趋势线。”

“维克多，这就是技术分析的目的。技术分析是把交易记录在图表上的科学。股价波动有趋势，价格配合趋势起伏。人类的行为不会改变，这就是为什么精神病医师在所有的职业中被认为是最没有效果的。市场的运动实际上是对以往活动的不断重复，这已经成了一种定式。知道供需原则后，我就可以解释这些箱子里几千张图表中的任何一张，却不必知道它们的名称。”

“但是，你能预测吗？”

“市场反映希冀和恐惧、悲伤和疑虑、需要和资源，一切都反映在价格上，这就是最重要的东西。”他回答道。

“同样的技术在商品中有用吗？”

“这就是他们在商品市场中应该受到谴责的地方。政府的操纵和管制扭曲了正常的趋势。这很糟糕。这些是农民必须出售、你我必须买来维持生命的基本粮食。在商品交易中，你还需要对趋势线补充做一次移动平均，当价格在移动平均之上，你买进，反之你就抛出。”

“技术分析科学会随着时间改变吗？”

“一样的，支撑和阻力在任何一只活跃的股票或是在范围较大的指数上，都会一再出现。”

“什么东西能使你判断出两点，在两点之间画出趋势线，让你做出预测性的推测？”

“噢，我们有这么多经验丰富的绘图员，在绘图桌上忙碌，原因就在这里。他们用铅笔画出实验性的线条，随着后来的价格发展，有一条会最适用。这是令人赞叹、神秘，也很惊人的东西。不但是小幅波动，连延续多年的大波动，都好像是事前用尺连接起来一样。”

“我注意到那个柜子里的图表，上面贴的标签表明它们可以回溯到本世纪初的，这些图表不过时吗？”

“正好相反。图表经得起时间的考验。同样的旧线形一再重复，就像这张1935年托米加公司的图表。价格在一个通道内起伏，但是如果跌破趋势线，就会持续下跌。”

情形就是这样。我知道自己正和这一领域内备受尊崇的人物谈话。他被人称许为“宗师”“专家”“思想源头”“学术界的先驱”“著名的实干家”“百万投资人念过的畅销书的作者”，经由他协助，发展出健全完美原则的投资人，比任何人都多。

可是，即使是我这样衷心相信形态的新手，仍然能够清楚地看出，如果飞蛾、猴子和人类都在运用欺骗手段，那么，投机客对此更应极度注视，而不是被迈吉先生那种天真的推测和解释所迷惑。为了使我的投机事业顺利发展，我决定对欺骗做一次彻底的研究。

我觉得我研究欺骗时，应该先从最小的生物研究到最大的生物。我从病毒开始着手，然后转到蚂蚁，但我很快就明白了，欺骗是无所不在的，于是我停了下来。病毒利用欺骗来侵入人体，蚂蚁利用欺骗来奴役另外一些同类，飞蛾用欺骗来保护自己不被鸟儿吃掉。将军靠欺骗打败聪明的将军，战士用欺骗来多活几天，男孩和女孩用欺骗来互相吸引，骗子用欺骗来榨取别人的劳动果实，魔术师用欺骗来吸引观众。大金融家用欺骗击溃第二天他们甚至都不会记得的傻瓜。扑克牌玩家用欺骗大声恫吓。经济学家用欺骗作为主要变量来解释厂商的活动，投机客则用它来聚敛自己的财富。

欺骗不仅限于游戏、战争、生存竞争、猎食与猎物之间的关系，求偶、哄骗、欺诈或经济交易，艺术本身可能可以定义为：使一种东西看来像另一种东西。一名画家运用欺骗，以透视的方式使一个两维画面显示出三维空间的效果，演员也利用欺骗把观众带入另一个世界。神秘故事的作者以此让读者始终保持一种悬念，小说家也依靠它来构造一个又一个扣人心弦的情节。艺术的最高境界便在于欺骗，亚当·斯密在他的论文《论模仿艺术》中，发现歌剧是最高层次的艺术，因为歌剧代表人在做日常生活中很少做的事情：用歌唱的方式沟通。

欺骗的生态理论

动物学家花了相当多的精力，发展出解释欺骗原因、时间、地点和方法的理论。

肉食动物选择猎物时，并非根据猎物出现的次数。少见的猎物和独特的稀少性相比，反而常常被掠食者忽略，可能的原因之一是肉食动物对比较常见的猎物，会形成一种搜索映射，以便增加捕获成功的可能性。因此，许多被捕食的对象就相应发展了一种保护色，使它们看上去就像是那些罕见的动物。而根据这些肉食动物的捕食思维，它们不会浪费气力去抓这些具有欺骗性的“稀有物种”，因此它们不得不饿着肚子而眼睁睁地看着它们溜掉。

当然，除了隐藏性的保护色之外，有很多方法可以欺骗肉食动物。但隐藏性的保护色似乎是最节省精力的有效方法。约翰·安德勒把肉食动物的捕食过程分为以下几个阶段：

1. 遭遇猎物，就是走近到可以看清猎物的地方；
2. 侦查，就是看出猎物和背景的差别，分析猎物周围的环境；
3. 确认，就是猎物是否可吃，从而决定攻击；
4. 接近（展开进攻）；
5. 抓住猎物并将其杀死；
6. 开始进食。

任何阶段都可能使捕食过程中断。例如，斑马可以在受到狮子攻击的阶段，通过聚集、狂奔和干扰色（形成一片条状的墙壁跑过去）来躲过灾难。臭虫在被抓到之后会分泌一种有毒的化学物质来向对手反击，而河豚的报复则要等到它被吃了之后才会发生。

选择哪一种防卫方式，要看比较成本和利益，以及这个种群的进化史而定。越早中断这种捕食过程，所消耗的精力就越少，被捕获的危险性就越小，如使用保护色。

举例来说，如果狮子压根儿没看到斑马，斑马的风险就会降低。奔跑需要大量的体力，如果路上还有另一只狮子大开口，斑马就没有力气再跑了，也就在劫难逃了。

但欺骗也是有成本的。用在欺骗行为上的精力，会排挤其他求生的特质，所以这两者之间需要保持平衡。

谨慎与不信任：欺骗的经济理论

社会经济学家奥利弗·威廉森，提出一种经济行为理论，假定企业根据大致相同的原因，表现出与动植物相似的行为。他的理论被称为“交易费用经济学”，认为“交易成本的经济因素，是选择某种资本主义组织，而不选另一种的主要原因”。

他提出三层的结构，解释企业组织或机构如何取得效率：那些基于个人信念和行为支配下的契约关系，必须受到机构环境的以制度为表现形式的管制。

詹姆斯·麦迪逊是第一个研究这一主题的美国人。他在《联邦主义者报告书》中指出：“由于在人类中总存在一定程度的堕落与邪恶，所以猜疑与谨慎从某种程度上也就是必不可少的了。”

威廉森把这种堕落与邪恶称为“机会主义”，就是利用阴谋诡计追求私利的行为。组织发展出限制和管理规则的目的，就是尽量扩大利润，同时考虑到人类交易行为中的狡诈，或者，换一种说法，一种人性中的机会主义的性质，“减少机会主义在交易成本经济学中扮演重要的角色”。

交易成本经济学指出，个人的买卖决定，包含三个要点：(1) 价格；(2) 风险（包括阴谋诡计）；(3) 对抗风险的保护措施。如果一个社会的规范、风俗、产权、契约法律和法庭能够成功地抑制机会主义，那么用于防范风险的那些保护措施也就成为多余，而这又会大大降低交易中的成本。相反，如果在一个社会中机会主义盛行，这便会导致成本高昂的防范措施，经济组织则会倾向于通过一体化来把尽可能多的交易纳入一个组织内部。当然，组织里的雇员仍然存在机会主义的问题，但这种一体化的等级组织可以先发制人。换句话说，内部事件都在内部解决，不必诉诸法庭。此外，组织可以改变限制因素，或制订新规定，用命令控制员工，也可以尝试从雇员的内心世界来改变他们，如通过各种宣传来影响雇员的思想，以此来引导他们服务组织的管制。

欺骗的原则

欺骗的生态和经济学理论可以运用到任何领域。我决心专心研究人生中三个最常见的领域——战争、运动和大自然——以此拉开研究市场中欺骗的序幕。

我的个别研究很快就衍生出一个假设。一开始时，两个集团进行激烈的生存竞争，大部分的精力都耗费在直接战斗上。猎食者与猎物在它们各自的攻守战术上，都变得极为高明，因此，间接的手段可以使双方都节省精力。

在每个领域中，都有花样繁多的欺骗技巧，这样让生命可以延续，不必全浪费在直接对抗上。但是接着有一些“天才”，发展了一种更好的防卫或者进攻技巧，不管这是深思熟虑的结果，还是偶然的运气。这一技巧通过基因遗传、规范、语言等形式一代代延续下去，同时这些利于生存的欺骗技巧本身又在不断地演化。

但是最后，另一方对这种新策略，也会发展出对策。攻守双方经常不断地进化，以保持均衡。这种交错式的发展，在军事上称为军备竞赛，在生物学上称为共同进化。

兵不厌诈

许多动物演进出一两种欺骗的手段，但人类是高等动物，需要时，随时可以想出欺骗的方法。人类常常随心所欲，把基本欺骗方法混合和搭配运用。不需要欺骗时，人类可以节省他们大量的精力。

对于人类这种特殊才能的明显例子，最容易找到的地方是在战争中。

许多军事专家一致认为，担任伦敦《泰晤士报》战地特派记者40余年的李德尔·哈特是这方面的最高权威。他对于他称为迂回方法的效力和广泛运用，提出以下的结论。迂回方法至少可以视为是欺骗的“兄弟”。

> 我在研究一系列军事战役的过程中，首先看出间接方法胜过直接方法。我原来只是想寻找战略上的启示……却开始了解到迂回方法的运用范围大多了，它见于生活的每一个角落，它是人生法则，也是一种真实的哲学。在一些人为因素控制的问题中，在一些由于过度强调自身利益而导致的意志的冲突中，迂回方法则是在实际中解决这些问题的关键。在这些情况下，直接的攻击往往会带来顽固的抵抗，这增加了解决问题的难度。当你想让别人接受不同的观点时，你最好采用一种不会引人怀疑的渗透方法，或是从侧翼展开进攻，这样便能轻而易举地把事情扭转过来。这种迂回方法在政治领域中受到普遍的欢迎，在商界有一句格言："如果你劝说你的上司接受一种新观点，最稳妥的方法就是说服他相信这是他的观念！"就像在战争中一样，目标是不战而屈人之兵；而要达成这一目的，最好的方法是让对方自动撤除防御。

哈特检讨了古今数十场著名的战役，引用了许多篇章和诗句，说明欺骗怎样带来重大的胜利。纵观历史，我发现有三个例子可以说是成功战役的典范：诱饵、致命礼物和拦路打劫。

诱饵

《旧约》士师记第四章第十二节中，提供了一个古代军事欺诈和诡计的例证。一支由西西亚率领、装备了"900辆铁战车"的威力强大的迦南人军队，准备攻击以色列。迦南人的计划很快传到以色列人那里，于是女祭司狄波拉建议伯拉克国王立刻组成一支由1万以色列人组成的武装力量，并带领他们藏在泰伯山的山腰上。狄波拉派出一小支军队引诱西西亚的大军沿河岸进入泰伯山下的一片沼泽地，在那里所有的重型战车都陷入淤泥，无法移动，这时伯拉克的军队从山上蜂拥而至，把迦南人打得落花流水。

致命礼物

木马屠城记的故事家喻户晓。希腊人经过10年浴血奋战，运用数万甲兵，获得最有力量的神的帮助，运用最先进的武器装备，再加上依靠阿奇利斯、尤利塞斯、艾格米蒙等英雄的努力，仍无法攻陷特洛伊固若金汤的城防。尤利塞斯最终不得不采用欺骗的策略，他设计出一只木马并把军中20名最勇猛的士兵藏在马腹里，其他军队拔营而归，坐船行驶到田纳多。木马被特洛伊人运进城内，到了晚上，希腊人从木马里钻出来，杀死守门的卫兵，打开城门，终于摧毁了特洛伊城。

我研究和特洛伊木马有关的主要资料，如荷马[①]的《奥德赛》、弗吉尔[②]的《埃涅阿斯纪》和奥维德[③]的《变形记》时，最使我震惊的便是希腊人实施的并赖以取得战争最终胜利的层出不穷的欺骗技巧。我大致计算了一下，发现至少有5个地方值得欺骗者模仿。

1. 设计木马时，加了精美的雕刻，使木马看起来像件战利品。尽管城里的祭师拉奥孔曾发出警告，要人们小心希腊人礼物中包藏的诡计，但特洛伊人的贪心作祟，无法拒绝这样精美绝伦的礼物。

2. 希腊人留下双面间谍西尼，给了他大笔的报酬，要他漫天撒谎，解释希腊人留下木马的原因，并预言如果特洛伊人拒绝接受木马则会带来非常可怕的结果。他还说，如果特洛伊人想要把木马拆毁，这在某种程度上就象征着摧毁特洛伊城，但如果他们把它搬到城内，就等于在精

① 荷马，相传为古希腊的游吟诗人，生于小亚细亚，失明，创作了史诗《伊利亚特》和《奥德赛》，两者统称《荷马史诗》。

② 弗吉尔，被誉为古罗马最伟大诗人，留下了《牧歌集》(Eclogues)、《农事诗》(Georgics)、史诗《埃涅阿斯纪》(Aeneid)三部杰作，其中的《埃涅阿斯纪》长达十二册，是代表着罗马帝国的巨著。

③ 奥维德，古罗马诗人，与贺拉斯、卡图鲁斯和弗吉尔齐名。代表作有《变形记》《爱的艺术》和《爱情三论》。

神上打倒了希腊人，并旦彻底征服那些与他们世代为敌的希腊人的子孙后代。

3. 希腊人设计木马时，运用巧妙的反心理，以至于特洛伊人如果不拆除掉城墙的一部分，这只木马就无法移入城内，而那被拆除的部分恰恰是在希腊人10年的包围中使特洛伊城得以保全的靠山。在这里，有一个巧妙的逆向思维，正是由于这样的礼物越不可能被接受，特洛伊人就越认为希腊人不会在这里面藏匿一支攻击部队。

4. 希腊的战船躲藏在田纳多附近不远处，躲过特洛伊哨兵的监视，木马腹中的武士在里面一声不吭，偶尔盔甲之间的摩擦声也被外面特洛伊人庆功宴上的笑声所掩盖。

5. 特洛伊的先知拉奥孔曾经对着木马掷长矛，证明木马中间是空的，并且有可能藏有战士，为了使别人不相信他的话，希腊的神灵放出一条大毒蛇吃掉了他的两个儿子，并造成一种假象似乎是他的谎言激怒了上苍，于是被蛊惑的人们便把他也吃掉了。

拦路打劫

我最欣赏的战争计谋是一种类似于装死的技巧。

1940年5月初，英国商船“科学家号”小心地在非洲的西海岸航行，它装有包括1150吨铬和2500吨玉米在内的大量货物，从南非的德班港出发，终点是利物浦。“科学家号”的船长一遍又一遍地观察海面，以防备德国U型潜艇和战舰的突然出现。但他什么也没发现，只发现一艘锈迹斑斑的悬挂日本国旗的船向他们慢慢驶来，当时日本对英美等国名义上还是中立的。通过双筒望远镜，这个英国船长看见那艘船的前身标着“卡西马日”的船名，一些脸上满是疤痕，衬衣下摆露在裤子外面的日本水手懒洋洋地靠在船舷的栏杆上，一个女人心不在焉地在货船破旧的甲板上推着一辆儿童车。

突然间，一声巨响，“科学家号”的无线电系统在炮火的轰炸下失灵了，船立刻停了下来。几乎是同时，“卡西马日”号降下太阳旗，升起纳粹党的“卍”字旗，并再次击中了“科学家号”的舰桥。“科学家号”被迫停船，开始放下救生艇，船员开始撤离，片刻之后，这只弃船被鱼雷击中，整船宝贵的货物都葬身海底，全副武装的德国人抓住船上的幸存者，然后离开。

人不如蚂蚁

我认真研究人类欺骗行为的各式各样的例子后，仍然不敢说我们人类是“骗术之王”。蚂蚁欺骗方式的轻松和彻底，仍然让我印象深刻。

在发展巧妙的欺骗技巧方面，体积微小的蚂蚁无疑称得上是巨人。举例来说，一种蒙特洛的寄生蚁，如果离开它们的宿主草地蚁，它们就无法存话。这种寄生蚁能模仿宿主蚁所具有的气味，从而可以混入宿主蚁的巢穴，因为气味是蚂蚁识别同伴的唯一方式。这种寄生蚁没有工蚁这个阶层，蚁后经过演化，腹部凹陷，脚上的脚掌和肉趾很大，适于骑在其他蚂蚁的背上，又能够本能地抓住其他蚂蚁，特别是蚁后。“我们观察到多达8只寄生蚁，骑在蚁后的身上，他们拥挤的身体和伸长的脚，遮掩住宿主蚁后的身体，使之动弹不得。”

它们靠宿主维持生命和整修仪容，甚至把那些专供蚁后食用的流质食物也吃掉了。成熟的寄生蚁后1分钟能产2个卵，这些卵以后又成长为蚁后和一般寄生蚁，尽管如此，蒙特洛寄生蚁仍然非常稀少罕见。

不管动物的嗅觉、听觉、视觉或是触觉多么巧妙，它仍有可能遭到肉食动物的捕猎。由于有被发现的危险，动物发展出各式各样的欺骗策略。

拟态

拟态是一种生物为了防卫或攻击，变得像另一种生物。在防卫性的拟态中，一种美味可口的动物会使自己看上去像很难吃的那一种。例如，一些蝴蝶身上的黄色斑点，让它们看上去好像黄蜂，许多无毒的蛇看上去酷似眼镜蛇或者响尾蛇，此外还有许多昆虫和蚂蚁长得很像，而蚂蚁恰恰是大多数动物最不喜欢吃的食物。

在进攻性的拟态中，掠食者把自己伪装成猎物。典型的例子就是一种雌性的萤火虫，它可以发出一种闪亮的信号，把其他种类的雄性萤火虫诱入一个致命的温柔乡。有时，攻击性的拟态会把自己装扮成猎物的朋友，牙齿锐利的鲇鱼看上去好像隆头鱼，而隆头鱼则是许多寄居在珊瑚礁上动物的“清洁工”，但是一旦鲇鱼游至可以进攻的距离，那些动物则全部完蛋了。

拟态通常会发展出变化多端、富有精力的网络。在热带雨林和珊瑚礁上，这种情形随处可见。那么，我们在市场的每个角落发现同样的现象是否也应感到奇怪呢?

真正的拟态——不只是伪装、掩饰或伏击，必须存在三个要素，即模型、模仿者，以及受骗的傻瓜。在大多数市场状况中，你可以猜得到，傻瓜是由你我组成的一般大众。

1987年纽约股市崩溃是极佳的模型。1987年之后，多头们每到星期五都很紧张，如果星期五收盘下跌，证实了他们的恐慌之后，那么随后的星期一则会带来更大的骚动。

事实发生的情况正好相反。在1987年之后的9年里，S&P有44次模拟了1987年的股票危机，即在某个星期五收盘时下跌4个整点以上，但是到了下一周的星期一时，有28次出现了反弹，在1996年的那些星期一中，平均上涨了3.5点。

如何解释这种变化？1987年大崩盘之后，力量薄弱又能够生存下来的多头少多了，能够存活下来的是比较坚强、本钱比较多的多头。那些傻瓜被迫回补空头头寸，彼此争相回补时，互相倾轧。

1995年12月18日，3月国债期货从开盘到收盘，跌了一个整点，而在此之前，国债期货几乎直线上涨了13点。这次下跌一直跌过支撑线，以前的牛市似乎也已经成为历史。这次下跌非常类似于1987年7月17日的跌势，也是在同样的直线上涨之后大跌，7月17日的那次下跌导致随后的两天跌落2.5个点，这种低迷的趋势持续了近一个月，最低点要比上一次的峰值低7点。

两次的跌势太像了，让人无法安心。脆弱的多头把这种相似情形当成偶然现象，拒绝活活地被吞下去。这些多头在12月19日盘中下跌到117.6点被迫离场，但市场收盘时，几乎把前一天的跌幅完全收复，并且在1月6日突破122点，才开始另一次下滑。

装死

负鼠是欺骗大师。当它受到威胁时，它装死装得像极了，以至于曾经使许多生物学家以为它已经进入一种昏睡状态。现代的研究结果显示，即使在装死时，负鼠也非常清醒而且高度警觉。经验表明，负鼠在装死状态时，你对它绝不能掉以轻心。谁要是想抓住一条“死了”的负鼠尾巴把它运走时，他很快便会领略到这种动物第二道防线的厉害—— 一嘴像针尖般的牙齿。

装死有效是因为很多肉食动物只吃活的猎物，它们从自然的经验中得知，活的猎物不可能满布蛆虫，而身上爬满蛆和其他虫豸的死了的猎物，会很难吃。同样，装死还可以运用于进攻的一方，那些猎手躺在一个隐蔽的地方，一动不动，然后突然从埋伏的地方冲出来。这种技巧是如此有效以至于它被广泛地运用于自然界的各个层次。例如，当一只豚蛇受到惊吓时，它会仰面朝天同时把舌头也伸出来，就像死了一样。如果你把它翻个身，它自己仍然会翻回去。此外，从埋伏处发动突然袭击也被很多生物采用，从海鳝到捕蝇草。

在市场中，伏击极为常见，很难找到一个不存在伏击的市场。每周的交易时间里，常常会有重要的事项宣布。大家知道这类宣布会使市场的波动性大幅提高，但请你注意：数据可能有错或者将来会修正、采用的季节因素可能错误，因此，数据完全没有意义，但是数据至少可以让紧张的人有了依靠。在债券和货币市场，正常的市场波动是不会遭到什么怀疑的，这两个市场上最重要的相关公告是就业人数（每个月的第一个星期五发布），以及PPI（生产价格指数，通常是每个月的第一个星期五发布）；在股票市场上，股票付息季度的最后一天以及股票期权到期日（每个月的第三个星期五）往往会给市场带来很大的波动。在货币市场上的另一个重要公告就是每月的贸易赤字；在农产品市场上，美国农业部的粮食报告则是一个关键影响要素。所有的投机客都在等待公告发布那天带来的市场变动，但他们却忘了提防公告发布的前一天，有时则是后一天，而这时市场会冷不防把他们击倒了。1993年9月9日，星期四，就发生了一个经典的伏击战例。当时的批发物价指数预定第二天上午8点30分宣布，市场在焦急地等待，因为美联储警告说，如果通货膨胀的迹象开始显现，他们就要采取紧缩政策，然而那一天的实际情况是，在公告发布以前，市场就已经开始变化了，而那时候没有一个人做好准备。

依我的经验，通货膨胀指数是政府公布的指标中，少数在宣布前始终能够保密的指标之一。交易人士总是注意每一个机会，已经全盘考虑到这种趋势。大家都知道，通货膨胀指标发布的日子，是不利的日子。

1993年9月9日星期四，债券价格下降1.5%，是6个月来最大的一次下跌。第二天开盘时，消息宣布前十分钟，债券开盘又继续下滑0.5个百分点，但10分钟后，也就是上午8时30分，政府宣布PPI指数创下空前的跌幅，债券价格立刻暴涨1.5个百分点。几个月前，政府已宣布把香烟批发价格下调一部分，结果导致菲利普·莫里斯证券市场交易减少近1/3，并且由此波及各上市消费品公司的股票价格，使大部分股票价格下降10%至15%。这次下滑最终影响到劳动部发布的每季调整的指数，极大地歪曲了PPI指数。

为了测试这种现象，我仔细研究了政府就业公告发布的前后几天（伏击日）价格绝对值的平均波动，以及其他所有日子的平均波动。伏击日的价格绝对值平均变动，比正常日子高出10%。

市场上的伏击现象经常在政客的行动之后出现。1996年1月25日，星期四，德意志联邦银行一名官员在一次谈话中指出目前的德国马克价格过高，他感觉到目前美元与德国马克的汇价不应该是1.49马克兑换1美元，而应该接近1.60马克。结果，德国马克的汇率上午11点时还是1.4765，到了中午就升到1.4870。当时我持有的日元，遭到池鱼之殃，有一些损失，但是许多在货币市场上投机的日本公司，则遭到更为惨重的损失。

伏击是攻击性装死的一种形式，我学会要注意这种情形，得益于路易斯·阿穆尔的著作。在我寻找智慧、知识和冒险时，他总能给予很大的帮助。阿穆尔解释道："当你看到过度震荡时，要小心；而当没有看到这种过度震荡时，则要加倍小心。"

要在市场和西方生存，阿穆尔的话一样有用。在1995年5月2日，我注意到连续8天，债券价格都在105点上下起伏，接下来的一个月里，债券价格激涨6点，创造历来最惊人的涨幅之一。

我的经纪人打电话告诉我说："市场像一潭死水，没有半点波动，空头已经停止做空了。"我知道危险就在不远处了。

翌日，一个相当不重要的数据预定在上午10点钟发布，交易大厅的一位职员说："此数据很可能对市场状况毫无影响。"我明白危险已经迫在眉睫，但我还不能准确地判断这个危险是熊市抑或是牛市。固定不变的价格看上去更像是牛市而不是熊市的特征，于是我毅然决定停止卖空。

我觉得投机商们宁可去打高尔夫球（这样的事情往往在交易沉闷的时候发生），而我总是做好应对伏击的准备。通常我都猜得很准确，但我和其他大部分投机商同样不能准确地知道，敌人是打明枪，还是放暗箭。

发生任何偶发事件，都会有人设法获利，可以赚钱的市场就在低迷和震荡中发展出来。

现货市场的交易商固定报出内盘和外盘，造成震荡。在市场"装死"后的一段时期这种波动性几乎很少，而一旦注入一些活跃的力量，波动便开始了。

比较低迷的市场状况会使大家放弃一切希望，随之而来的却是惊人的波动。在市场上，这种情形像苍蝇一样常见。白银市场就特别喜欢表现这种特色，1979年，白银价格从5美元急增到50美元，而在此之前，白银市场一直十分萧条。1995年的最后几个月市场又玩了一次"装死"的把戏（见图10.1），1995年年末，

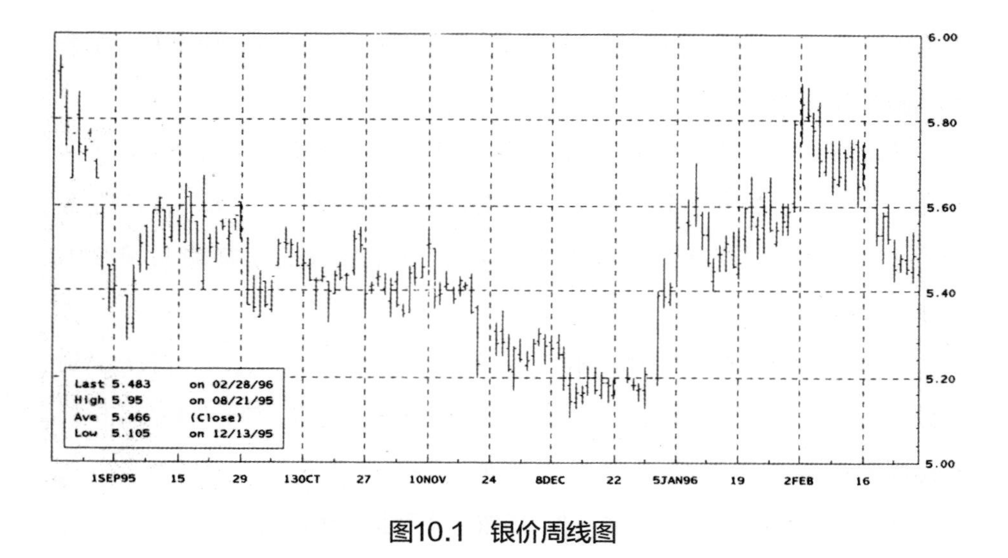

图10.1 银价周线图

白银的成交价是每盎司5.20美元左右，翌年3月以5.20美元购入白银的期权价格是6美分，考虑到前两个月白银的价格一直在5美分的范围内波动，这个期权价格还是很合理的。然而，在接下去令人难忘的一个月的牛市中，白银价格攀升到5.60美元，因此相应的3月份以5.20美元购入白银的期权价格也涨到50美分，几乎增长了10倍。

白银空头不理会沉闷的市场状况，只是自寻死路。多头只是装死而已，空头遭到引诱，产生虚假的安全感。然后也许不到几个星期，市场上的波动和价格变化就会给他们致命的一击。

同样的情形也曾在香港股市出现。在1995年的最后一个季度，恒生指数一直在10000点左右1至2个百分点内徘徊，就好像陷入昏死状态，然而到了1996年的第一个星期，平均股票价格迅速攀升5个百分点。

软性商品也以善于装死著称。这种商品的种植周期很长，通常会使价格变动的影响力扩大。从1993年到1994年，咖啡市场看上去也在使用“装死”的策略，当时的价格一直在75美分到80美分之间波动。从当时情况看，出售咖啡远期合约期权的空头是应该可以赚一笔钱的，而那些买进者注定是要受到损失的，但在其后的两个月中，咖啡的价格突然增长了4倍，把那些志得意满的投机商的美梦击得粉碎。想想负鼠装死之后，如果再度受到威胁，会狠狠地把抱着轻率态度去动它的人，咬上致命的一口。

我总是不愿意举出一些例子来证明一个理论。我相信“装死”始终是市场欺骗中的一个核心主题。但是，如果我的看法正确，那就应该有办法把我的想法进行量化，于是我着手研究从1987年10月发生金融危机的那天到1996年6月30日之间整整9年的国债市场的单日波动。

如果市场有装死的倾向，那么，在价格小幅波动的日子之后，绝对值的变化应该大于价格大幅波动之后的交易日。研究结果有力地证明了我的“装死”理论。我观察到，国债市场上有1296天的单日波动幅度很小，而其后5天的平均波动幅度为1.29个百分点。但在其他197次单日波动超过1个整点的情况下，其后5天的平均波动幅度仅为1.05个百分点（见表10.1）。换句话说，在小幅变化之后，震荡幅度提高22%（这种差距在统计上已经接近有意义，大约是5%的概率）。

表10.1　债券价格平均变化（%）

	单日波动		
后续波动	小幅波动	中幅波动	大幅波动
1天后	0.52	0.49	0.43
5天后	1.29	1.16	1.05

保护色

采用这种欺骗手段的动物不胜枚举：北极熊、美洲豹、雪兔、花豹、欧亚小鹭以及著名的花斑蛾。欧亚小鹭在芦苇中筑巢，受到干扰时，就会伸出长长的有条纹斑点的脖子，跟着那些芦苇一起摆动。而花斑蛾在工业革命改变了它们栖息地的颜色后相应也改变自己身上的主要颜色。

前面提过，蚂蚁是比较有趣的例子。蚂蚁分辨敌我的唯一方法是靠气味。许多捕食者和寄生物种在进化的过程中就逐渐具备了伪造这种气味信号的能力，并以此来麻痹、役使和捕食这些蚂蚁，上百种别的蚂蚁和上千种的昆虫因此得以混人它们的群体并被接纳为其中的成员。柏特·霍勒多布拉和爱德华·威尔逊引用威廉·惠载的话说："就好像人类家族打算邀请巨虾、迷你乌龟以及类似的怪兽来参加晚宴，而且根本没有注意到其间的差别一样。"

保护色是自然界中最有效、最常见的欺骗手段。动植物与周围的环境融为一体：飞蛾看上去就像一根树枝，蠕虫看上去就像是土块，蚱蜢看上去就像是根杂草。

我喜欢借用类似情形，把跟保护色相关的性质量化。我每天密切关注市场变化，选择跟今天情况最符合的过去的波动。我的假设是今天之后的市场变化趋势与和今天变化极度相似的去年的某一天之后的变化趋势相反。试以瑞士法郎为例，1995年4月17日，瑞士法郎从87.60上升到89.08，上涨了1.48。再让我们看看此前的一年，1994年3月31日也发生了一次极为相似的增长，从85.91到88.88，上涨了2.97点，而到了第二天，瑞士法郎进一步攀升，从88.88升至89.61，增长0.73点。因此，我预测第二天（4月18日）应该要下跌。

事实上，1995年4月18日，瑞士法郎上涨0.95点，升至90.03，因此，我的预测出现了错误。但不要着急，在截至1995年6月30日为止的连续8年的检验中，这个假设得到了证明，两者之间的相关系数为-0.1。标准统计检验也表明，在100次运动中至多有2次预测结果与实际不符，因此可以证明在瑞士法郎的变化中，"保护色"是起到作用的。

瑞士法郎市场特别会骗人。在我试验过的100种不同的类似关系中，分析过去Y天里最类似的X天，只有一天的后续波动显示出正相关。

想到以相似性作为基础的交易技术如此盛行（例如相关分析、中枢网络系统、簇分析等），我们也就不用奇怪为什么那些投机商能一年赚到数以亿计的利润了。

干扰行为

干扰行为是欺骗手段中最壮观的一种。鹌鹑善于采用“病鸟”技巧，使天真的猎人追踪好几英里。乌贼在碰到它的天敌逃走时，会喷射出一大团浓浓的黑墨汁，以分散敌人的注意力。没有人能两次从一只臭鼬身边走过，至少他自己不愿意这样做。

但为了找出最贴切的例子，让我们再来看看蚂蚁，铺道蚁能够使用一种化学武器，当它们要袭击其他种类的蚁穴以捕获一些奴隶时，它们就会向这个蚁穴喷射大量的化学物质。该化学物质与蚁穴中蚂蚁用作警告危险的信号有十分相似的气味，于是这会使巢穴里一团混乱，然后铺道蚁从容不迫地抓走一些牺牲品。

想了解商品市场中干扰行为的情况，不妨看看1987年10月19日股市崩盘前后的情况。10月19日，道琼斯工业指数下跌508点，降至1738点，10月20日，道琼斯股票指数以1856点开盘，然向很快跌至1723点。此时。远期期货的交易几乎已经中止了，这种干扰行为把多头吓得灵魂出窍，而那些仍然能坚持下去的

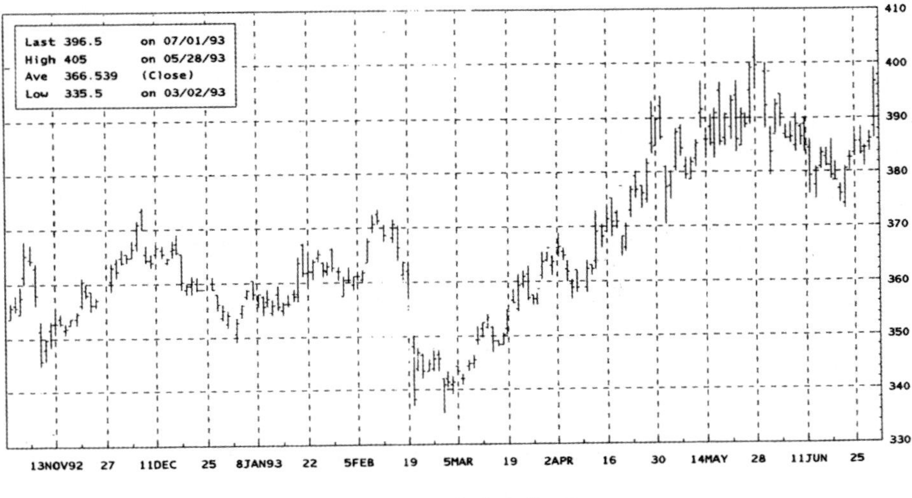

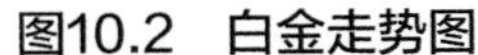
图10.2 白金走势图

人，则可以分享到以后9年内持续高达250%的增长所带来的收益。

1993年4月的白金走势图（见图10.2），也出现了吓坏多头的干扰行为。1993年2月20日，白金的价格下跌7个百分点，从357.5降至337.5，所有想要吃定空头的多头，都吓得平仓退出。当这些软弱的“捕食者”被吓走后，白金的价格又开始显示出持续的暴涨。

最常运用干扰行为的市场是谷物市场。跟气候有关的事件发生后，谷物经常连续很多天涨停或跌停。在这种时候，因为谷物没有即期月份交易可以让价格正常化，连电脑也无法记录下来有意义的价格记号。因此，毫无例外的，胆怯的投机客会急忙仓皇撤退，而那些留下来的勇敢者，则会从中赚得盆满钵满。

陷阱

陷阱就是拿出假礼物，使猎物处在危险的状态。可能人类最常采用这种骗术，他们设下一个诱饵，而后把猎物引诱到一个易受攻击的位置，在低等动物中这种本领并不常见，但仍有许多其他物种能够对此运用得得心应手。

琵琶鱼善于在自己喜欢的珊瑚礁栖息地中设下这样的陷阱。琵琶鱼的脊柱前端有一块软骨，当它在小鱼面前移动时，这块软骨看上去就像是一只虫子，当猎物来捉这只虫子时，琵琶鱼就把软骨吞回去，并把小鱼咬成碎片。许多物种都独立地发展了类似的技巧。蜘蛛用一种看上去非常美味可口的食物来引诱昆虫，但是，当昆虫打算来尝一尝美味时，陷阱的门会打开，蜘蛛爬了出来，这只昆虫很快便完蛋。

在市场中，这类陷阱极为常见，例子多得可以让我写满整本书。我经常接到一些投机商打来的电话，他们手上碰巧有几百万多余的股票，并且愿意以一个非常诱人的价格出售。一旦我吞下这个诱饵，陷阱会在片刻之间出现，在另一个相关的市场，这种股票被源源不断地抛售。

货币市场的开盘大跌经常是陷阱，陷害喜欢逢低买进的人。在1995年，日元有20天开盘下跌50多点。第一个小时的交易中，日元反弹5个点，对此人们欢

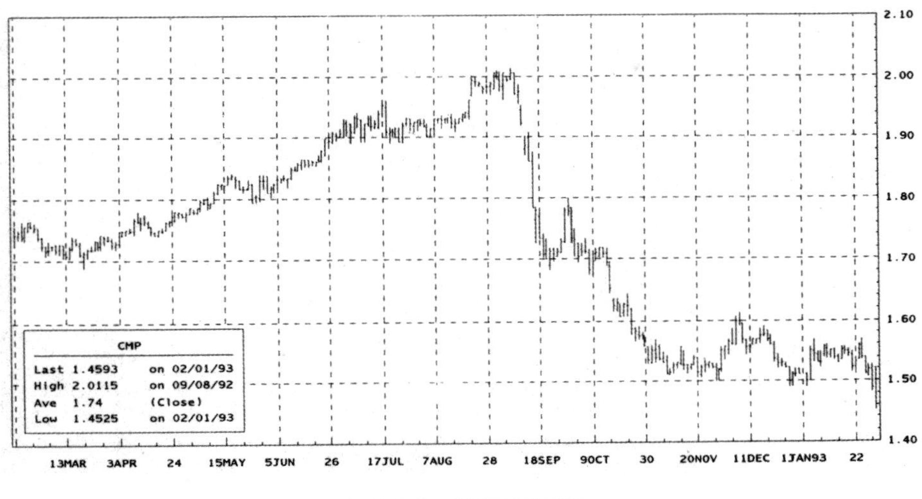

图10.3 英镑走势图

欣鼓舞，似乎买进的决策完全正确。但到那一天收盘时，平均下滑为30点。

英镑是另一个例子。1992年9月，英镑突破5年来的最高纪录，汇价超过2美元（见图10.3）。这是投机商们等候已久的购买信号，陷阱已经设好了，买空者纷纷补进。

随之而来的狂跌可能是近几年来任何货币最快速的跌势。仅仅4个月之后，英镑就跌到1.40美元。这60美分的跌幅使得每份合约损失4万美元。对许多投机客来说，也包括我自己在内，这种情形无异于生吞活剥。

类似的市场行为极为常见，陷阱出现的次数太多，多得让你正在得意的时候，也许就已经落入陷阱。1990年5月1日，在可怕的4月份就业报告准备发布的前两天，市场像正在焦急等待婴儿出生的老爸一样紧张。一家大银行在对市场公开发表的声明中声称：由于削减与亚洲的贸易往来，美国国债的价格出现一定程度的波动。在4月份就业报告公布前，交易几乎停顿，这主要是考虑到这个数字会导致国债价格的下滑，就好像2月和3月的就业报告所造成的那种后果。接下来的两天，大众的抛售使得国债的价格在就业人数公布以前就下降了2个百分点，但是卖空投机商很快就被骗进一个恶毒的陷阱，当就业人数被放宽时，国债的价格不是下跌，而是在其后的一个星期内急剧地回升。

改变节奏

市场运用的欺骗手段中，向自然界学习的情形，不计其数。很幸运的是，我身边有一些运动场上的欺骗大师。我的前任助手强·诺米尔曾两度荣获全美击剑比赛的冠军称号，他认为要想在欺骗中有所收获，最好的方法就是采用伪装、干扰，反击，第二次、第三次攻击和改变节奏。他在一封备忘录里警告我：

> 以1992年9月声名狼藉的英镑事件为例，当时你做多，在急剧的下跌中，几乎赔掉了整个公司，我个人把它解释成“改变节奏”的一个很好的例子，刚开始上升，但又突然出人意料地下滑。
>
> 击剑有一种类似的状况，可以为这次事件提供另一种说明。在击剑中，要想使一次攻击奏效，一个办法就是改变节奏。例如，击剑手可以把攻击速度由慢变为快。这样做，使自己跟对手不同步，对手在片刻之间，不知道会发生什么事情。就在这种危险的片刻之间，一剑得手的机会之窗便打开了。
>
> 在12月份的英镑这个例子中，市场借着延迟实际行动的方式，改变了节奏。这一延迟给许多投机客带来错误的预期，或迫使他们撤出市场，而不管是哪一种情况，投机客们都受到了损失。
>
> 这种“改变节奏”的另一个例子，出现在12月加拿大元的走势图中。在这个例子中，我们看到空头市场从1992年9月7日开始，从0.8310持续降低到1992年9月29日的0.7910。在事后的解释中，似乎对直线下跌的趋势走向没有什么怀疑。然而在市场整个运行过程中，也曾经一度改变过其运作的节奏，如它在9月13日后的一周内一直就在0.8175的价位附近徘徊。这段停顿期间，市场发出种种令人困扰的信号，然后才恢复原来的走势，

继续下跌。

击剑方面，攻击之后立刻发动二度攻击是有效的。如果一次进攻就已得分，这当然最好，但即使你的攻击落空了，你的对手针锋相对地给予了一次还击，你第二轮更有力的攻击仍然会攻得对手猝不及防。同样，在加拿大元下跌的那个例子中，跌势中途暂停，很可能使很多投机客预期反转在即。然而当加元又恢复到最初的下跌趋势时，每个人都受了重重的一击。

市场与飞蛾

用这种描述方法谈欺敌之道有一个大问题。我所举的例子都是事后选出来的，目的是表明：市场现象和其他自然界中的现象之间，存在相通的地方。市场里有非常多的例子，足以证明或反驳所有这些简单的现象。我举的这些例子在预测方面并不具有太大的实际价值。这个问题伴随着许多由进化论学者提出的争议，诸如“这样那样的特征或策略对于它们的生存具有重要的价值，而它们本身的存在就是最好的证据，它们依靠这些生存下来”。在讨论有关进化的证据时，甚至许多信奉者也承认：“它在预测上的能力相对较弱，而唯一能够提供强大预测证据的地方就是实验室里的试验。”

物竞天择的理论遭到批评者指责，说这是一种无法反驳，又不足取的套套逻辑。这种指责也吻合我所举的一些市场中的例子。

我们看来是欺骗的例子，其他人可能认为是完全不同的现象，例如可能是趋同的进化现象，或纯粹是小概率事件。

由于欺骗在许多领域中极为常见，而且表现方式也五花八门，那么现在的问题是如何去预知欺骗发生的时间与地点。为了找出问题的答案，让我们看一看低等的天社蛾的情况：

它用伪装和妨碍性的颜色作为第一道防线，用各种形式的威胁以及纯粹的力量展示，作为第二道防线。它绝不放弃，而是用各式各样的防御方法去应付，以便熬过攻击，一直到猎食者离开，或者自己被吃掉为止。因此，一只小鸟碰上这样一只飞蛾并且最终战胜它，这种精神是值得佩服的。

既然一只普通的飞蛾都能运用这么多令人困扰的防御方法，让我们想想看，市场在千变万化的价格走势图中，会展现出多少伎俩，来伪装、隐藏、威胁、恐吓、装死。那么，对他所表现出来的比飞蛾更高明的骗术，我们也就无须大惊小怪了。

市场上的确危机四伏！

第十一章 / CHAPTER 11

性与投机：欲望的掌控

他们像响尾蛇一样咬着电话，两分钟之内便抛售一空，轧平了头寸，赚了680万美元。填完报单后，他们坐在那里筋疲力尽，但压抑不住喜悦的心情互视一笑。莎拉让他们的情绪吞噬了她。那种感觉几乎跟性快感一样。于是他们关掉电视机，决定共同庆祝一下。

——琳达·戴维斯，《毒蛇窝》

成双必乱

英国文豪毛姆曾说过：“性是最重要的事情，我们不做这件事时，就在谈论；不谈论时，就是在想；不想的时候，恰巧是因为我们在做。”人类的活动中，几乎没有一种缺乏性的意味。但是，性与投机似乎并不能和谐地共存。几乎所有的投机商在他们的回忆录里都提到：一笔成功的交易要比性生活更让人兴奋。如果在一次舞会上，一名女士想知道我是干哪行的，我总是回答说：“我是个投机商。”谈话很快就结束了。唯一比这句话糟糕的回答是：“我是个统计学家。”

这么说来，投机难道是人生中唯一处处与性无关的领域？这似乎说不通。贪心和肉欲常常是近亲，说明文明一点，或许这两种冲动——获得和生殖——是亲兄弟。性可以使生活更加丰富多彩，而投机则为生活提供保障和物质基础。然而这两种活动都属于个人隐私，原始的冲动是人们从事这些活动的原动力，但由于人们心中存在的些许羞耻的心理，所以没有人愿意向别人揭开这面纱。

这点是否说明大家避谈这个主题的原因？我全力寻找所有有关性和投机的学术文献时，不得不承认这种努力是徒劳的，根本就没有一本相关的著作。目前唯一可以把投机与性联系起来的就是众所周知的“裙摆指数”（hemline index），意为市场的运作是与裙子的长短直接相联的，即与裙子底边距地面的高度有密切关系。

这种理论所提的证据，通常是20世纪20年代和60年代股价飞涨时，妇女们流行穿紧而短的裙子。接着，30年代和70年代股市长期处于低迷状态时，妇女通常穿着长裙或开叉的衣服。一些人解释说：“做这样的假设判断并非完全没有道理，裙摆的高度和股票价格的增长反映了一种社会心态和氛围的改变：更加生机勃勃、我行我素。由于裙子的长度是有限度的（不可能高出大腿的上端），所以接近一种极限意味着在情绪上获得一种极强的刺激。”结论是：出现美女穿着性感迷你裙的肉感现象时，就预示牛市的来临。我看到的所有研究都是在妇女解放运动之前做的，因此我也必须指出：大多数这种理论的作者，心里都有一种不可告人的希望，希望道琼斯指数不要涨得太高，以免迷你裙短到无法形容的程度。

艾拉·科布雷做过一张有趣的图表，叫做“牛市与裸膝”，把1917年到1967年间道琼斯指数的波动线与七种裙摆的图片重叠在一起，他断言：“我们现在可以相当确定地说：在股票与裙摆高度之间存在一个可以证明的关联，甚至可以说裙摆的高度就是股票市场的晴雨表，现在，‘在你看见她们大腿前先别忙着抛售’似乎已经成了华尔街的新的座右铭。”

因此，为了忠于科学，我打算牺牲自己的隐私，曝光一些家族的历史，和大家分享一些我个人的爱好，以便在人性这个黑暗的角落洒进一缕智慧的阳光。在此基础上，我还将向你们介绍两种新的市场指示器（这个成果是建立在1878年至今的深刻研究上）：性与投机的比率，以及性与莎士比亚著作的比率。或许这一章能够开启新的讨论，抛砖引玉，鼓励其他人直言无忌，从而为人类的思想进步做出贡献，甚至有一天它会引起一场新的革命：性革命。

我爷爷的嗜好

性是我爷爷最喜欢的话题。爷爷书桌附近，总是放着一本布朗尼斯劳·马利诺斯基写的《野蛮人的性生活》。他还有一本克拉夫特·艾平写的《变态性行为》，还熟读塞德侯爵的作品。如果有一位迷人的异性给了爷爷一次机会，他总喜欢引述布朗尼斯劳或克拉夫特·艾平的作品来作为聊天的话题。我姑姑珍妮回忆道，每当她老爸在离他公寓20码远康尼岛的海滩上，教那些年轻美貌的女子游泳时，他总喜欢讲述一些古老原始的性风俗。但如果不小心在这些场合被我奶奶发现了（奶奶要比爷爷高8英寸），她就会愤怒地把他拖到岸上。我23岁时，历史重演，我的另一半抓到我做出类似的举动。她在我头上倒了一大杯果汁，使我从此再不敢越雷池半步。

爷爷喜欢把音乐、性与投机联系在一起，他跟从斯科特·乔普森学习钢琴，而且毫无疑问的，他告诉乔普森很多有关痛苦、恐慌和欢乐等情绪的细节，让后者写进《华尔街拉格曲》之中。乔普森教爷爷两首拉格乐、“波萝拉格曲”和“三色紫罗兰拉格曲”。当乔普森来访时，爷爷总是关上所有的门窗，想让邻居们以为他正在演奏。我的爷爷很想模仿乔普森演奏拉格曲乐的风格，虽然他还不能很熟练地识谱，但他仍想让乔普森提供一个可以模仿的模式，他总是说：“弹和弦给我看，我会跟着弹。”

斯科特·乔普森才华横溢，是音乐史上精通旋律和节奏的顶尖大师之一，但却像教堂里的老鼠一样穷困。爷爷时常接济乔普森家一些衣物，他把自己家里人不穿的衣服收集起来，然后送到乔普森在哈莱姆的家中。尼德霍夫家族从爷爷的这种义举中似乎获得了一种温馨的满足感，爷爷总是告诉他的家人，乔普森的妻子和孩子是多么需要这些衣服，因为每次到乔普森家中去时，他都会发现那些姑娘常常只是用一个毛巾裹着身子，有时甚至更少。大家听了，心中行善的感觉更是增强。

75年后，真相大白。一位研究乔普森一生的学者证实，当年爷爷送衣服的真正动机完全是为了乔普森的妻子，他的妻子经营着一家妓院。如果奶奶当时发现事实真相的话定不会饶过爷爷，然而已在九泉之下的爷爷现在再也不必为此担心了。

老爸的暗示

“唉嗬！唉嗬！”高根马靴的步子踩在地板上，震动传到我坐的椅子上。老爸唱着："向舞伴致敬！向队友致敬！”他坐在凳子上，在两个舞动的方阵面前，用小提琴拉着疯狂的音乐。“现在，大家手牵着手，向右边绕圈，再转到中间，组成大方阵！”他身旁8名男士身穿牛仔裤，打着领带，跟着他的节拍，一边拍手一边跳着爵士舞，还有8位穿着裙子的漂亮女士，她们摆动着长裙，看上去就像是夏季里盛开的花朵。

那些美丽迷人的女子对老爸的关爱稍微多了一点，这样对谁都不好。也难怪，老爸对别人总有一种磁力般的吸引，他少年时期曾学过芭蕾和踢踏舞，而他那优雅的举止和完美的节奏感却是与生俱来的。

在这场舞会上，他与长得最漂亮、穿着低胸丝织华服的舞者爱德琳谈得很投机。爱德琳最近刚报名参加一个柔道学习班。即使是在20世纪40年代，妇女们也开始学会依靠自己的力量来保护自己。

“阿蒂，我现在敢一个人去任何地方，毫不害怕，因为我可以打倒一个男人。”

“这样保护不了你。听我说，如果有劫匪攻击你，千万不要抗拒，把你的钱给他，一定不要激怒他。”

“但是，阿蒂，我已经学会了如何把一个男人摔倒。”

“你太天真了。你根本不可能打得过男人，他们远比你强壮。”

“不，阿蒂，让我露两手给你看看。”

“好吧，但是我警告你要当心。”老爸一下抓住爱德琳，从她双肩下把她的头按下去。他的技术非常娴熟，让人想到他在布鲁克林学院的校摔跤队中当主将的日子。爱德琳被彻底制服了，但她仍然不停地扭动身体想挣脱，旁观的人哈哈大笑给她加油，但要打倒我老爸220磅的身体无疑是蚍蜉撼树，最终她放弃反抗，大声地喘气，接着开始抽泣，最后大叫一声："叔叔"。

但我母亲笑不出来。之后的整整一个星期，她把气撒在我头上，将我的钢琴练习量加了一倍，而且除非我把功课做完，否则不准到夜晚娱乐中心去玩，于是我幼稚的心灵便明白性所带来的麻烦。

老爸在工作时有太多的机会越轨。有人在社区里游荡，闯空门的时候，他的工作经常带有危险的诱惑性，必须到那些衣不蔽体、芳心寂寞的年轻女郎的家里，甚至到卧室里去检查。"警官，你能不能多待一会儿，以免我一个人在房间时他又闯了进来，这样我会觉得更安全一点。"我经常遇到交易很不顺利的日子，每次到这种时候，我跟妻子玩同样的游戏时，我总是回答说："好吧，也许这会有所帮助……"但是我老爸不会答应年轻女郎的请求。

把性与工作混为一谈总是不恰当的，原因有上百个。老爸总是告诫我："性生活适合于卧室而不是办公室。"基本上我一直是遵循这个建议来行事，除了那一次我实在忍不住去勾引我的女助手，她那时只有19岁，但魅力却让人难以抵挡。现在我仍然为那件事情惭愧，不过，如今我们已经有了6个孩子，并且二十年来和谐美满地住在一起，那个女助手就是我的妻子。

老爸经常与许多美女打交道，他在自己写的一本畅销书《警盾之后》中，用一些很贴切的文字，说明警察是活动的性象征：

> 警察在性的战争中表现优异。他们身强体壮，制服整齐，拥有带有性象征意味的职业工具，加上一种权力的光环，这使得警察在许多女子心中被视为潜在的丈夫。20年前，警察是那些家庭主妇理想的男友，今天，教师和护士也开始渴望有这样的男友。
>
> 和其他行业的人相比，巡警值勤时，会碰到更强烈的性诱惑。某些时候从事性行为甚至被认为是合法的，而性知识也是这种职业的基本要

求。警察是执法人员，需要取得执照，了解犯罪知识。这些可能是这种专门职业的基本标准。

即使是普普通通的警察，被人指责缺乏或丧失男子气概时，也会很快地为自己辩护。

从华尔街的故事来看，交易员在性的战争中也占有优势。参观者参观交易所大厅时，最先注意到的是5000名穿着迷人的女职员。她们的打扮就像梦幻牛仔商业广告里的那个迷人的模特，让你意乱情迷。显然，对她们来说，成功的路只有两条，要么嫁给投机商，要么自己做投机商。我在金融期货上所选择的一个代理人告诉我，在他期货交易部中最成功的一个投机商以前就是一名非常性感的职员，所有的投机商都很照顾她的生意，因为他们喜欢与她在一起共处做交易时的那种时光。

我的性教育

我具有从爷爷和老爸那里学到和继承来的一些特质，因此我现在规定，自己和同事一定要把性和投机彻底分开，这样做一点也不足为奇。有一些极具代表性的事例颇值一提。

我第一次了解把浪漫与竞争混为一谈的危险，是在布莱顿海湾的加伯体育馆，参加13岁以下少年组手球锦标赛。我一直没有精通手球，但在我11岁时，我还是努力打入了决赛。我当时的状态很不错，以21：14、16：11领先，似乎胜利在望，但在一次撞击中我受了点轻伤，我听见围观的人群一片喧哗，口哨声和刺耳的尖叫声充满了整个赛场。

观众围成圆圈，不断跳跃，内圈的男人拍着他们的大腿和手掌，蹦来蹦去，不时发出一阵阵怪叫，就像是一群疯狂的印第安人。圈子中间有一位非常漂亮的女孩，她大约16岁，穿着东海岸上很少见到的比基尼泳装，我很快便认出她来，据说她曾经去过法国的里维埃拉，而在那里，女人在海滩上不穿上衣是很常见的。这个过分自信的少女想在靠近大西洋的地方发表一次公开演讲，一群平均年龄都已超过70岁的男人紧紧围着她，个个难以自制。在比赛的余下时间，我总是不停地想着这件事并不时朝她看几眼，结果，我输掉了这场比赛。

迷人的记者

第二次把性与竞争混为一谈时，我以毫发之差，好不容易逃过了输球的命运。1974年，我在普林斯顿参加全国壁球冠军赛的第一轮预赛，当时的形势对我很有利，大家很看好我，因为我在前一年底特律的锦标赛中以全胜的纪录获得最终胜利。一位来自《每日新闻报》的漂亮女记者计划在我第一轮比赛完后采访我。我打球时想的是浪漫情事，而不是眼前的比赛。接着，等我清醒过来时，我已经在第五局中以0∶5落后。

我比赛时，观众总是替我的对手加油。我想这大概是因为我从来不曾输过，许多人一定想看看我失败后是个什么样子。当我在第五局比赛落后时，全场充满热烈的情绪，除了我许多潜在的对手，就连州壁球协会的官员也冲到看台上欢呼我对手的胜利。

他们大部分人都不喜欢我，但我永远不知道，原因是我总是赢球，还是因为我是他们所声称的那种傻瓜，或是因为我是比赛中为数不多的几个犹太人之一，或者是因为我不愿巴结那些当时控制比赛的势利的亲英分子。但不管原因是什么，我也绝不会给那些人以任何机会来心满意足地看着我输掉这场比赛。

同时，我的对手也在故意拖延时间。每个判罚他都要争论，又慢慢地走来把球还给我。每过一分，他都要求休息一分钟，还装模作样地让服务员用毛巾擦干地上的汗水，总之，挖空心思地使尽一切办法想分散我的注意力，想让我紧张不安。

要是在平时，我一定会耗费精力来痛哭裁判和对手，但在现在这种形势下，无谓地浪费时间和精力都会带来更大的损失。我知道现在最重要的任务就是把眼前的事做好，于是我顶住压力，忘掉美色的诱惑，紧闭嘴巴，狠狠地教训我的对手，最终在第五局中以18：13获胜，赢得了那场比赛。

保持距离

如果你不巧在别人的“性”头上妨碍了好事，那就会带来无尽的麻烦。我进初中的第一天，十分渴望能够参加学校的乐队。于是有一天，我没有得到同意，便推开了乐队指挥办公室的门，我走进办公室，发现指挥很忙（你现在知道为什么学术界人士总是那么啰唆，要求事先约定时间了吧）。他已经脱下上衣，正在与拉拉队的队长热情地拥抱在一起。

“尼德霍夫，你想干什么？”他质问道。

“嗯，我只是想申请在乐队里吹单簧管。我会吹许多名曲：莫扎特、韦伯、勃拉姆斯、罗斯尼……”

“滚出去，你看不出梅内妮不舒服吗？我正在照顾她。”

“但是，我什么时候可以……”

“永远不能，你只配待在单簧管第三组，并且是最后一个，现在给我从这里滚出去。”

我在乐队里待了3年。在那次自我推荐之后，毫不奇怪，我再也没有获得任何提升，一直留在第三组。

性、投机和音乐都是流畅的活动，会让人浑然忘却外在的世界，这也从一个侧面阐明了它们为什么这样令人愉悦。我在自己多样化的事业生涯中，经常有机会遇到一些俊男靓女私底下从事一些流畅的活动。他们当中许多人十分痴迷这类事物，可悲吗？可笑吗？但也许是具有一点浪漫的味道。弗兰克·洛斯在他的抒情诗《俊男靓女》中说得一针见血，这首以赌博和投机为背景的诗说道：“当你看见一个男人打算摘星时，完全可以赌他是为了某个女人而做这件事。”

我偶尔能够运用这种大钱赌小钱的概率防止一些麻烦。一个典型的例子是我十几岁的女儿跟随网球教练盖瑞学打网球，他的服务包括接学生到球场并送回家。有一次我去观摩过，发现这家伙眼中流光溢彩，于是取消了女儿的课程。不久之后，有消息传来，他试图绑架以前的一个学生，并且用铁棒制服受害人。在此之前，他还在卡特斯基尔买了个小木房，里面配有一个用以监禁的铁栅栏，还有一些性工具，当绑架失败后，他用枪击碎了自己的脑袋。那些浪漫主义者在踏入现实世界时总是要摔跟头的。

市场情人

市场是个寂寞的地方，影响市场的因素不可胜数，包括政治、经济、生理、社会和心理因素，造成意识的沉重负担。拥有一块自己的绿洲，一个能让清凉的微风拂去心中郁闷的地方，是很重要的事情。而我的绿洲就是一天两次，通过电子邮件传送的卡罗琳·鲍姆的专栏文章。对我来说，她的作品是我所读过最优美的文学之一，她所表现的风格与创造力简直是弗朗斯·舒伯特、门肯和埃米迪·狄更斯的完美结合。的确如此，我最喜欢的诗当中，有一首是鲍姆小姐写的，跟美国30年期国债的旧债换新债有关。此外，她还精通杰奎琳·苏珊式的笔触。

1996年，《财富》杂志在一篇关于她的传奇报道中，把她称为“债券市场上的才女”，并形容她是华尔街上读者最多、最受尊敬的金融作家。这篇文章的标题下还刊登了她的一张巨幅照片。照片上的她像一个女神，在到处都扔满纸屑的证交所里昂首阔步，而我个人则认为这不过是海恩斯或是卡尔文·克莱恩的一种广告手段而已。

10年来，每天的交易结束时，我都会看她的专栏文章，总共看了大约600万字。除了《国家证券指南》，她的文章是我了解华尔街动态的唯一渠道。她的观点通常遵循资金的流向。美联储准备紧缩银根时，她通常看空后市；而当美联储执行宽松政策时，她便告诉我们股市将要活跃起来。当美联储的政策转向时，你最好也采取相应措施。利率在央行政策没有改变之前会一直保持增长或下滑的趋势。大多数人，也包括我自己在内，通常会忘记10年期的利率是如何无声无息地从1950年的3%上涨到1981年的14%，其间几乎没有任何停顿。接着，又几乎接连不断地跌到1995年的6%，只在1984年、1990年，可能还有1996年是例外。

美联储大部分时间都逆势操作，其中的标准是经济过热时就紧缩银根，而当经济萎缩时就放宽政策。

美联储的日常言行，会在扶轮社和学术会议上透露，也会泄露给华盛顿地区的报纸，使人忘记了货币政策令人难以置信的惰性。观察一些比较客观的事情好多了，因此我检查了自1913年美联储成立以来所制定政策的每一个变化。为求客观，我只考虑了量化的工具：贴现率、法定存款准备金规定以及保证金规定。令人难以置信的是，它们很少改变方向，经济的平均收缩或扩张期大约要持续3年，牵涉到7次连续的扩张和紧缩政策。表11.1显示了从1978年到1996年贴现率变化的大致情况，在这18年间只有10次改变过方向。

表11.1　美联储政策转向：贴现率变化

政策转向的起始日	起始利率	合计宽松的次数	合计紧缩的次数
1978年11月1日	9.50%		5
1980年5月29日	13.0%	3	
1980年9月25日	10.0%		4
1981年11月1日	14.0%	9	
1984年4月9日	8.5%		1
1984年11月20日	9.0%	7	
1988年8月8日	6.0%		3
1990年12月17日	7.0%	7	
1994年5月16日	3.0%		4
1996年1月30日	5.25%	1*	

1*：至1996年9月15日止。

不幸的是，我总是反向操作。当联邦政策的列车辗过那些落在后面的人时，我也经常被轧得粉身碎骨。我一再发现自己在紧缩的时候做多。每天交易结束时，我为了抚平伤口，求助于鲍姆小姐的专栏文章，发现了下面这些文字：

北美自由贸易区（NAFTA）协定签署后，债券市场回归基本面。协定尘埃落定后，债券市场也开始走下坡。

市场人士决定不理会本周大部分时间经济基本面好转的事实，这种否定心态用很多种形式表现出来：

他们说，看看财政部支付250亿美元的利息，这一大堆资金必须找到归宿。

他们说，看看大规模的市政债券发行截止日程表，市场上的财政部国债会无人问津。

他们说，看看美联储可能在公开市场操作，应对季节性因素增加的资金需求。

我们说，请认清财政部不是发出救济金，只是把当初以税收方式从投资人手中拿去的钱，还给投资者。

我们说，请认清发行市政债券机关所需要的国债，不会打乱利率循环……

我们说，请认清有一个像美联储这样对利率不敏感的买主，实在很好。美联储和财政部不同，美联储收回票券时，会创造出准备。（1993年11月19日）

我不是很喜欢束缚，但是亏大钱之后，我经常觉得像被鞭打一样，鲍姆女士的专栏让我能够相当无害地达到这种目的——“那种快感几乎接近性快感”。

1994年2月，美联储在连续6年持续放松银根后，开始提高联邦资金利率，市场很快跌入低谷。只要有大跌的情况，你可以像确定白天之后一定是黑夜一样，预测美联储会提出有力的说辞。果然，美联储急忙让劳伦斯·林达西州长，一位哈佛大学的前任教授，出来发表一番理论，以缓解紧缩银根所带来的紧张气氛。

他说，“一次就够了。”美联储是把投机商当成大笨蛋吗？果不其然，第二天，市场上的情况更加糟糕，因为人们害怕联邦银行会说话不算数。于是联邦银行被迫又抛出第二位州长表态说："一次不够，最多只有2次。"鲍姆小姐用她那独具特色的手法报道了整个事件，最后一句话是："阿门。"

我不是唯一受到鲍姆小姐暗示影响的读者，就连以清心寡欲著称的阿兰·格林斯潘，和性投机正好对立的人（像大多数中央银行的银行家一样），也有同样的反应。当他在一个鸡尾酒会初次遇见鲍姆小姐时，他把她介绍给在场的其他大人物："这位就是世界上唯一能够把收益率曲线说成带有色情意味的人。"

我给鲍姆小姐写了一封信作自我介绍，大意是说我是在埃克哈特某地的一名流动证券商，我非常欣赏她每天对利率所发表的那些评论，并把它们作为行动的指南。我们的扶轮社会员每天都要讨论她的文章，并一致推选我代表他们与她在一年一度竞技场的家庭杂耍节中会面。我告诉她如果她能来的话，那将是我梦寐以求的事情，她回信答复说："美梦可以成真。"

我们见面的情形非常融洽。她像富达公司前任基金经理人彼得·林奇一样，经常到购物中心去，以便评估经济活动的力量。而我与林奇先生则有些不同，他经常依赖他妻子的报告来把握市场的动向，这使他可以获得400%的投资回报率，而我在每下一次赌注前都习惯自己做些定量的分析。这次能与我们的偶像取得直接联系使大家兴奋不已。

我们开始合作，写一篇有关希拉里·克林顿做活牛交易的文章。你或许还记得，希拉里·克林顿以1000美元资本起家，在短短10个月内，其商品交易额就高达99537美元。我们的结论抓住了其中的内涵："我们仔细检查了她每一笔交易，并与当日的最高价、最低价以及收盘价相比较，我们不禁感到有些疑惑，希拉里从账户中合计提款99537美元，那么另外463美元到哪里去了呢？"

英国的固定收益市场也不能免于出现那些性投机事件，连最高层的人物也不例外。1995年3月22日，星期三，鲍姆小姐报道了以下事情：

我们对贸易统计的兴趣，通常限于出口……但是有时候，国际性的事情太重要了，不能忽略。英格兰银行副总裁雷伊先生在他脱掉裤子时不小心被抓住了，这完全要归功于他的前任情妇，她把他们之间的风流韵事稍稍向新闻界透了点风。

在每个人都走向阳光的此刻，他即将走上末路。

根据报道，雷伊先生在银行关门后，跟他适婚期的年轻情妇，在银行总裁乔治的化妆室里嬉戏。

这位英国人在推行无通货膨胀的货币政策方面，记录可能不好，但要说到娱乐方面，他却具备极高的天赋，没人干得比他再好。你能想象同样的事会发生在美联储，或是发生在德意志联邦银行的大楼里吗？一位观察英格兰银行的分析师报道说："如果这种事发生在法兰西银行，他肯定会受到晋升，因为在法国，这是光荣的事迹。"

雷伊先生在消息曝光后不久辞职。在英国人的心目里，主要的错误似乎是不规矩行为发生的地方是在英格兰银行董事会会议室里。英国人对性很开放，只要这种事情发生在一家廉价旅馆的房间里，就没问题。我想说明的是，这种不谨慎的行为完全是因为选错了行事时机，如果是在交易工作完成之后，他们就不会受到那些苛刻的传统道德的谴责。

1994年某位证交所的主席的脱身，多少证实了我上述的假设。一家小报报道说，"这位主席晚上经常和一群以前的同学光顾一栋装饰豪华的建筑物，跟那里的女服务员扮演儿时的游戏。"但他并没有因此辞职，第二天仍旧公开出现在证交所里，得到大家起立欢呼。

我总是希望就我所写的主题做一些实验或是观察，但在这方面，我找不到量化研究的机会。也许是为了能够继续深入研究这一课题，在我50岁生日的舞会上，妻子特意安排一名脱衣舞女来举行一次表演。为了尊重我6个女儿的意见，这场演出最后安排在我纽约的办公室里。为了安全起见，我把演出的时间定在星期二下午的四点一刻，也就是当日交易结束之后。平时在这个时间我通常跟朱利斯、里奥波、魏斯威和阿特·比斯卡尔学国际象棋的课程，15年来，年年如此。这些先生的平均年龄都在80岁以上，我想这足以让由这件事带来的流言蜚语不攻自破。

就在脱衣舞女开始表演时，现货债券市场的走势开始对我不利。传呼器里，我的证券代理人哭丧着声音说：“债券下跌——创下新低——跌破整数关卡——不知道要跌到什么时候——索罗斯抛售债券。”完了，我离开表演，没有再回去。但是事后我看到一则报道，说我85岁高龄的国际象棋老师魏斯威，居然觉得这次表演特别令人振奋。

芝加哥商品交易所债券业务部最近遭到性丑闻的震撼。1995年，一位脱衣舞女郎溜进交易所大厅，据说若干交易员看过表演后，这位女郎在楼上的一间办公室中安排了一场别开生面的演出。交易委员会因此指派了专人负责调查这件事情，而其后的指控也无非就是诸如“做出与身份不符的行为”之类。

在某些情况下，我认为调查性投机唯一的方法，是访问芝加哥商品交易所的主席柏特·艾伯，1995年12月5日，我在纽约的四季饭店里约见了他。

访问一开始，柏特先生透露说，他并不是没有性投机的经验。20年前，当他还是交易所会员时，就遇到一场确认生父的诉讼，被控和一位著名的黑人《花花公子》夹页女郎生了一个女儿，他输了这场官司。之后不久，他的女儿凯莉就在《花花公子》杂志的彩色夹页中一脱成名（1996年2月的《花花公子》杂志在交易所附近的报亭里销量几乎比平时增长了一倍）。他说他不适宜对投机商的性课外活动发表意见。他的立场我可以理解，他觉得最好不要给别人造成一种感觉，认为你是对性很随便的人。然而同时他也承认，从20世纪80年代开始，许多著名的证券投机商都有一种嗜好，在婚姻之外还和别的女人保持着性关系。然而几乎毫无例外，纸包不住火，这种性关系很快就会遭到曝光，随之而来的结果也就在意料之中了。在离婚诉讼过程中，除了离婚的费用和会员无力或无心投机获利之外，碰上这种事的所有会员几乎都遭到巨大损失，被迫卖掉席位。

性与投机的历史

从远古时代起，性与投机就一直联结在一起。根据曾任《福布斯》杂志记者的米尔曼的说法，18世纪末，性投机稍微多了一些，甚至可能导致国际金融秩序的崩溃。

约翰·劳常被推崇为开创了现代中央银行制度，却也是1716年密西西比河骗局的直接策划者。他的事业和性可怕的后果第一次结合在一起，是因为爱德华·威尔逊那强壮性感的体魄，吸引了英国国王威廉三世的情妇伊丽莎白·维勒。她跟爱德华偷偷约会多次，而事后由于害怕这件事败露，她就让约翰·劳去刺杀这位情人。劳因此被判处死刑，但他设法逃到了法国。当时他产生了一个大胆的设想，他计划把法国政府的债券转换成一个证券公司的股份，并赋予该公司在法属密西西比殖民地上以贸易垄断专卖权，他设法把这个计划转呈给国王路易十四，结果受到国王的全力支持。

就这样，密西西比公司在投机泡沫中诞生。这场泡沫毫不逊色于17世纪50年代的郁金香狂潮，以及1996年摩特利·傅尔最喜欢的艾美加公司股价暴涨。在这场泡沫的巅峰时期，许多女士频频出入于约翰·劳的卧室，乐于以性来交换购买股票的权利。法国政府为了刺激热潮，雇用了6000名游手好闲的廉价劳力，把他们装扮成矿工的模样，并向大众宣布这批人将很快启程去新奥尔良淘金。但这样做也没什么用，纸终究包不住火，整个阴谋不可避免地被揭穿了，约翰先生回天乏术，穷困潦倒地死去。

根据世界最大银行传真来的信息，在欧洲，各国政府向大众出售债券和股票的同时，创造乐观的气氛仍然被认为是适当的行为，其中的理论是投机商付出较高的价钱时，国家会受益。在美国，这种做法是相当令人反感的，在一次公开的谴责中，哈佛大学教授约翰·盖尔布雷斯指出，在过去的许多欺骗中，一些天生的神经错乱的乐观者和性交易无疑起到了推波助澜的作用。在20世纪80年代，经济出现了小幅度的波动，许多地方为了拉拢顾客采用了各式各样的手段，并且试图把一些垃圾股塞给那些受害者，而这种骗人的伎俩简直可以与密西西比骗局相提并论。

1711年，英国也有过一次令人同情的泡沫，但是盖尔布雷斯教授指出："比较起来，这次泡沫相当正常，只是官员大肆贿赂、腐败和狡诈，引发证券价格剧烈上涨和崩盘。"

我念着这些评论文字时，为什么彩金、暴利和发财的字眼始终在脑海中挥之不去?

到了现代，这些伎俩似乎也更新换代、更难识破了。吉恩·马修讲述了一个关于瓦尔达的传奇故事。瓦尔达是一位性感的褐发女郎，她在把其持有的在纽约证券交易所上市的一家大公司的所有股份转让给欧洲的投资者之后，聚敛了超过2000万美元的财富。这其中的决窍便在于：利用性感的魅力，让顾客达到兴奋的高潮，然后立即成交。她在一次谈话中说道："把握住时机就等于拥有了一切，就像做饭要掌握火候一样。提问同样也要把握时机，通常我把重要的问题留在关键的时候才提出来。当他搂住我开始亲吻我时，我便会热情地向他撒娇，'你是不是真的要买我100万的股份？'就这么简单，我的方法总是屡试不爽。"

性对繁殖而言是最基本的事情，因此难怪性会很快出现，抓住市场的最新趋势。1995年到1996年间，新上市股票市场热到极点，因为它们到上市交易头一天收盘的时候，价格就往往上涨100%。拥有这类股票的交易员自然变成极具吸引力的伴侣。我的一些熟人告诉我，他们的许多朋友纷纷改行，并用大量的时间和精力来炒这些原始股，而实际上，从某种程度上说这不过是对性的一种渴求。

1996年9月，我想要买进一只热门的新上市股票，并在第一天挂牌交易收盘前全抛出去。30年来，新上市股票第一个挂牌交易日价格上涨20%是常有的事。承销商告诉我，在他们决定我可以购买多少之前，必须确定我不会在购入后马上就抛出去。我的伙伴提醒我说，如果想在这种热门股票市场上从承销商手上获得足额划拨，你必须同意做较长线投资，但我最后还是接受了部分足额划拨。

我收藏的百年古书记录着许多类似的事件。史上最伟大的投机商范德比准将在其事业的后期，曾经受到一对声名狼藉的姐妹代理商的引诱，一时之间成为华尔街饭前茶后的一个话题。凯美琳·库克女士（曾用名田纳西·凯美琳）和她的姐姐维多利亚·伍德哈尔联合创办了伍德哈尔·凯美琳公司，从事股票和黄金经纪业务。这对姐妹对克兰多施加了相当的影响，并利用他的声誉来招徕生意，而克兰多也乐意躺在田纳西小姐刻意营造的温柔乡里。田纳西小姐对待她的老客户总是很照顾。

记录这些事件的历史学家马修·史密斯指出，这两位女士首次出现时，据说情形是这样的：

> 不管多少钱，范德比都准备支持她们。范德比本人否认这一点，但那些声誉很好的绅士因为跟这两位女士有生意往来，去拜访他时，都得到他保证没问题的诺言。这对姐妹经常会被发现在范德比位于华盛顿广场的住宅里，并且总是在晚上，而克兰多的那些生意上的伙伴发现他本人当时也总在场。

在这种情况下，结局有多荒唐、多悲惨，就只能靠想象了。

历史表明，当投机客把性与事业掺杂在一起时，注定会失败。肯尼斯·费雪曾经分析了最终归于失败的7位大投机家的事业。根据费雪的说法，这些人中有詹姆斯·费斯克、奥古托斯·亨斯和杰西·利弗莫尔等人。荒淫无度的生活是导致他们失败的直接原因，真正的赢家是不会在这上面栽跟头的。

最伟大的投资银行家摩根也以喜欢追求女性而闻名。我不禁要问：在维多利亚时代，他怎样能够做得如此漂亮呢？一位曾给摩根写过传记的作家说："他安排好，让自己和太太绝对不在同一时间内处于同一个国家之中。"

证券分析之父、史上最受尊敬的基本面分析专家本杰明·格雷厄姆在私生活上似乎也名声不佳。谈到他的书籍经常记载说，本杰明的密友和邻居的太太见到他时总是十分小心。肯尼斯·费雪在一段典型的描述中指出：

但在惊人的成功和成就背后，在那层光彩夺目、遍体闪烁着成功光芒的美丽外衣下，这个人的生活绝对说不上坚贞和保守。他以喜欢追求女人而著称。他带着他的情妇在法国南部、加利福尼亚和华尔街各地的豪宅里寻欢作乐，歌舞升平，这种生活一直持续到1976年他弥留在人世的最后一天。

弄清楚这位证券分析之父的追随者在进步之后是否也染上了同样的嗜好，这将是一个极富趣味的科学研究。

詹姆斯·费斯克和杰伊·古尔德联手操作，参与臭名昭著的伊利运河公司股票争夺战，也参与造成1869年那个“黑色星期五”的惨烈的黄金挤兑恐慌。费斯克的生活可谓竭尽奢华之能事，他游说古尔德，让他用伊利运河股票争夺战赚到的钱买下帕尔克大歌剧院，然后把办公室搬到那里。更可耻的是，他还让歌剧院的女演员充当自己的情妇，打扮得珠光宝气，过着奢侈逸乐的生活。然而终于有一天古尔德发现被他的同伙愚弄了，于是他就设下一个圈套，在当时的黄金危机中对费斯克做了点手脚。不久之后费斯克破产了，并且只能依靠古尔德的施舍聊以度日，他最终死在他女友的另一个男友手上，那时他才36岁。而古尔德却专心干事业，他一生所积聚的财富如果按照今人的标准来看，足以使他成为一名亿万富翁。

亨斯因为试图轧平联合铜矿公司股票的空头，成为1907年恐慌的祸首之一。亨斯最喜爱的三样东西是女人、酒和纸牌。费雪说：“他放纵无度的夜生活似乎从来不妨碍他功成名就——也就是说，一直到无节制的夜生活逐步渗透到他白天的活动时为止。”

他把办公室变成了娱乐中心，举办的各种宴会用“奢侈”“豪华”已不足以形容。当大崩溃来临时，他失去了好多家他的银行，名声扫地，财富尽失。1914年，他死于肝硬化，而直到临死前，婚姻问题和不良行为的法律起诉还一直与他纠缠不清。

利弗莫尔是史上最成功的投机家之一，曾四度破产，又赚到千百万美元。最后，大萧条阻绝了他的希望，证券交易管理委员会指控他非法操纵市场。他一生中曾结过3次婚。“同时拥有无数的情妇，一个接一个不停地换，像鱼一样地狂饮不止，并且意气风发地驾着他那艘长达202英尺的‘安妮塔’号游艇到处游弋。”

我有幸在投机生涯中认识很多身价超过5亿美元的伟大投机客。我经常会用一种开放式的替代问题，问投机成功幸存下来的人：“女性是否认为10亿美元是一种春药，惊人的财富是否会产生诱惑力？”为了保护我在文中可能提到的或没有提到的人物的个人隐私权不受损害，我将做出一个综合回答，“是的，的确如此。但我并没有同感，因为这会耗费太多的金钱，而且会在我的事业中产生太多的困扰。”

我拿同样的问题问过很多位我在各种运动中认识的全美冠军：“在你比赛的前夕，是否有女性曾经引诱你，要求到你的旅馆房间共度春宵？”综合性的答案是：如果运动员第二天并不是参加决赛，他们则毫不迟疑地对这位小姐说：“快到我房间里来。”

兔子不吃窝边草

我遵循盖尔布雷斯教授的路线，他是我在哈佛时的老师。他在40年过后，坦白承认他曾和一名学生调过情。他加上了两个情有可原的理由：“在那个年代，表露出这样的癖好并不是什么政治上的错误，而且我们结婚10年以来一直都很幸福。”

我和我妻子在1977年几乎以相同的方式结识。她和我在一起做市场关系的电脑程序时认识，我们共同思考问题，共同组织管理，一起制表画图。和某人一起共同制订计划可能是最亲密的关系之一，当然这种亲密的程度很快就发展到在一起洗浴（很多谈论性的书，推荐“洗鸳鸯浴”是展开更深层行动之前的必备条件）。我们喜欢这种交流，彼此依赖，相互信任。到了某一天，我们不再做什么计划了。

她对我爷爷和爸爸在这方面的历史一清二楚，所以她总爱和我开这方面的玩笑，而她本人看上去似乎一直也不在乎。我们跟其他夫妇共进晚餐，安排座次时，妻子总喜欢对客人说："噢，不，维克多一定不希望坐在我旁边，他总是喜欢坐在像您妻子这样漂亮的女士身旁。"

不错，我发现擅长于做交易的女性，本身非常迷人，而且我相信性和音乐都可以使人类达到最高度的幸福。在我11年的独身生涯里，我也曾向我熟识的一些未婚女性建议一些对两方都有益的浪漫的事情，但得到的回复总是："从来没有人这样要求过我，不过还是不行。我明白你的提议在知性上很有意义，但是理智却不允许我这样做。"1993年我得知，在土耳其的安提阿，要避免约会强暴的指控，一定要说这种对话。一直以来，我在这方面都很精明，事实上，我是个奉公守法的好公民，我从不做任何违法的事情，不管是在情场上，还是投机生意中。幸运女神永远照顾勇敢胆大者，胆小的弱者永远不可能拥有美丽的妻子或是100%的年投资回报率。

但是我规定：有性的意味出现时，不是做投机生意的时机（就这件事来说，这种时刻也不适于做其他令人筋疲力尽的游戏）。如果性让人觉得太美好，这会使人过分得意自满；而当欲望得不到满足时，许多人便会不择手段，而其结果不过是让自己声名扫地，最终被世人所遗忘。

结论是：如果你的妻子忙于家务和照料孩子，不能跟你在一起（我知道许多有小孩的家庭通常都如此），无法满足你的欲望，那么，你的挫折感可能使你过度交易，追求最不可能和最不理性的交易，从而导致彻底的毁灭。"如果你想要有事，弄一张罚单或安排一次约会。"这是围绕家庭生活不言而喻的气氛。

为什么投机与性相互排斥呢？弗洛依德主张一种类似的理论。他认为适度的性压抑是必要的，这样才能使人们留下足够的精力去从事创造性的活动，去推动整个文明的传播。

或许生理因素是最重要的。我们喜欢自认为是智慧型动物，但从人的意义上来说，我们首先是生理的人。身体中最微小的化学变化，会妨碍人们专注的能力。

一个身穿比基尼泳装的少女在我面前走过，可能会使我输掉一场球赛；如果一两顿不吃饭，你就别指望下棋会赢。更糟糕的是，你的思维甚至不知道它受到损害，直到它看见不想看见的后果。

要执行这些个人的规定，并不容易。在我的公司主要经营的货币市场上，似乎吸引了众多迷人的职业女性。

在我们这一行中，相互之间开开玩笑似乎已经是标准招呼的一部分。“嗨，大户，你有什么不舒服，需要我帮忙吗？”一些漂亮的女代理商要问我这个问题上百次。在我眼里，她们全是美女。

我连忙回答：“噢，我恐怕无福消受。”

性的科学

裙摆理论是把市场表现跟性倾向活动量化的唯一尝试。

但在这方面采样，显然有困难。有些年份，裙摆的高度几乎是交迭出现而非一直保持某一水平，此外，裙摆高度的变化趋势少之又少，不足以拿来和任何股市的波动相提并论。

我认定现在应该重新探讨这种关系。为了用图形更好地解释这一现象，我根据西方文化对性和对投机的注意力，计算一种年度指标，并通过对两者的比较，就能够算出股票表现优异和不佳的年度。

现代计算机数据库提供了许多方法，供大家计算某一特定主题获得的注意力。为了衡量社会文明对某一问题的关注程度，我选用了一个颇具代表性的指标，即每年就这一问题所出版发行的相关书籍。世界图书情报检索系统提供了一个书目信息库，这其中包括全世界几乎所有大中型图书馆里约3000万个主题。我计算1886年到1995年间，每年在性与投机方面所出版的书籍数目。图11.1显示这种比率与道琼斯指数的关系。

为了阐述这种现象，我认为考虑跟莎士比亚有关的书籍数目，可能很有意思。我的理论是：大家对莎士比亚作品的关注度，或许可以衡量我们对最美好人

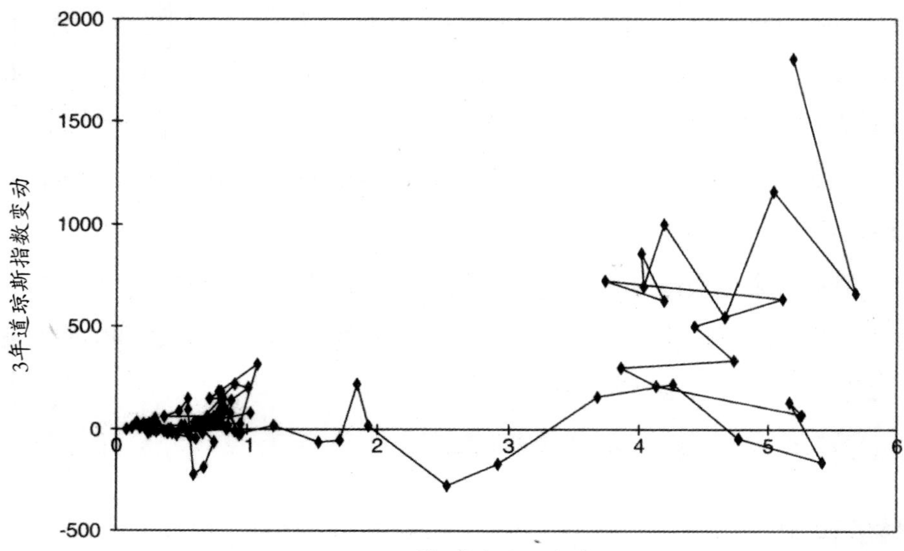

图11.1 性/莎士比亚与3年道琼斯指数变动

生哲理的重视程度，就像杰文斯研究之后，在1864年3月12日以《文库》为名所写的文章中，说得很清楚：

> 这些文字被公认为最能够展示英国语言所能取得的最高成就。比较不同时期这些作品受人注意的程度，似乎应该可以提供一个指标，衡量当时优雅品位的程度。

检视数据后，显示跟莎士比亚有关的书籍数量增加相当缓慢。从1886年的126本增加到1995年的345本。同样的，跟投机有关的书籍增长幅度也不太，从1886年的10本增加到1995年的51本，但是关于性的书籍却从1886年的42本增加到1995年的1842本。这和我们在生活中的感觉是相符的：性成了每个人的话题并出现在每一处的书架上。此外，对数据进行的一些处理可以让我们看见一些更有意思的现象，有关性的书籍与莎士比亚书籍的比例从1886年的0.3增至1995年

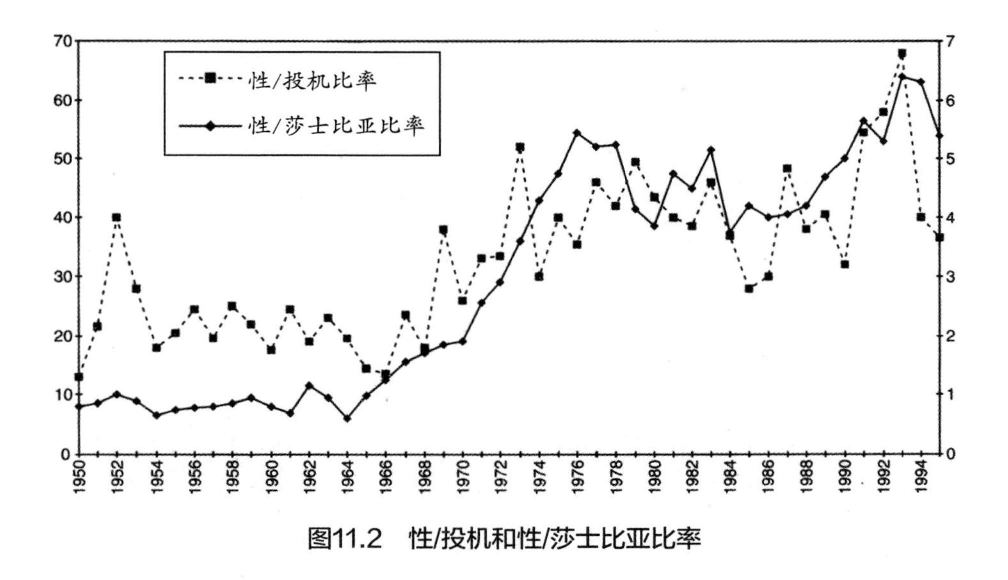

图11.2　性/投机和性/莎士比亚比率

的5.3，而同期有关性与投机书籍的比例则从10.5增至36（见图11.2）。

随着这两个比率的上升，市场在20世纪最后几年，应该会上涨更多。因此，其中有正相关的倾向。但是，结果显示正相关的程度高得惊人。1996年，性与莎士比亚跟市场表现的正相关是0.3，纯粹从随机变化中出现这么大数字的机会是1000比1。

但是其中有一个问题。史蒂芬·斯蒂格勒把这种结果叫做“假相关”。拿道琼斯指数在某一年的变动情况，来预测次年的性/投机比率和性/莎士比亚比率，精确程度跟这两个比率预测道琼斯变动的准确程度相当。要从哪一方面来推断因果关系呢？由于这种精巧的人为因素，用这两种比率做预测时，必须小心。然而随着20世纪最后10年接近尾声，性/莎士比亚比率高达5到6，这么大的数值预测道琼斯指数一年会上涨200点。请注意书评，寻找市场变化的早期迹象。

性与投机客的家庭

我老爸和老妈在他们合写的《警察家庭》一书中描述了警察工作所引起的性

生活紧张：

生活的步调每周突然变化一次，让人想起警察的太太是灰姑娘，午夜是家庭生活秩序轮流变化的关键。她们必须改变自己的生活方式，常常等到深夜来“问候”她们迟归的丈夫。但这个时机并不恰当，丈夫精神奕奕，兴致高昂，而妻子却半睡半醒，提不起精神。如果妻子是个性欲旺盛的人，那么在这些漫漫长夜中，她的欲望仍然得不到满足。

警察深夜巡逻完回家之后，有些人很想做爱，但他们的妻子此时未必有同样的需要，她们也许正在为许多家庭琐事而烦恼，或正在担心明天上班应该穿什么样的衣服。对于警察来说，不管是单身汉还是已婚的风流浪子，他们的职业魅力和大众情人的形象总会带来很多麻烦。

一个警察在下班回家的途中，总会找个地方喝几杯啤酒，这样他可以喝到晕晕乎乎，然后回家倒头便睡。

人们常说孩子总会沿着老爸的足迹前进，奇怪得很，警察和投机商同样要轮值。我老爸像大多数警察一样，隔一周就变换轮班时间，第一周从凌晨工作到上午8点，第二周从上午8点至下午4点，第三周从下午4点至第二天凌晨，三周为一个循环。作为证券与货币市场的投机商，我的工作几乎每天都在这样循环，除了以上我父母所面对的那些问题，我还不得不遭受更多职业的特殊性所带来的麻烦。

我是投机商，值勤的时候当然不需要带枪，然而生意场上的风云突变经常使我受到打击，我因此变得兴奋起来。但并不是渴望性欲那回事，而我的妻子却十分机智，总能想出很多方法诱惑我，使我不至于借酒浇愁，性欲得不到满足。

我不大可能出门，因为我的卧室跟我的交易办公室连在一起，而我也不喝酒。跟大多数交易商一样，我和妻子分房睡，这样一些生意上的电话就不会把她吵醒。当我遭到沉重打击，准备投降时，妻子就会打扮得诱惑力十足，走进我的房间，问道：“亲爱的，我可以做些什么，让你打起精神来吗？”

“不，你帮不了什么忙，任何人都帮不上忙。”

“你听我说，亲爱的，不管发生了什么事情，我们总可以东山再起。我们在别处找一个小公寓，就像以前那样，孩子们不会介意的。即使情况比这更糟，你因为欠别人钱而被抓到牢里，我们也可以每天去看你，并且你在那儿还可以玩各种游戏，像威利·萨顿或者牢里其他人那样，打打手球，下下国际象棋。”

“我不希望你们看我进监狱，你去找一个可以当小孩的模范，也会照顾你的警察吧，假装他现在已经出现在你眼前……说句实话，苏珊，你长得确实很迷人。”

“但是，警官，你根本还不认识我呢？”

“恰恰相反，我们已经监视了你丈夫很长一段时间。我们对你已经相当了解，现在我想再进一步了解你……我的意思是说——私下的。”

“你总是这么多话吗？春宵一刻……”

第十二章 / CHAPTER 12

从象牙塔到华尔街：真我的风采

20岁至25岁，正是黄金岁月！不要满足于现状。全世界是你的天地，继往开来、承担重大责任、再度扬起光荣的旗帜，向那些总是聚焦在人类进程前的，而又注定要失败的敌人发起进攻。应该勇于探索，不畏挫折，但也不要被暂时的成功或认可所蒙蔽。你可能会犯各种错误，但只要你思想高尚，真诚并且执着，就不可能使世界受到伤害，更无从谈及深深地伤害她。

——温斯顿·丘吉尔，《我的早年岁月》

风光的5年

在我20岁至25岁这5年里，我先是在芝加哥大学求学，后是在加州大学伯克利分校担任副教授，我尽情探索整个学术生涯。当时，我对抗的敌人是专家行列中激进的随机漫步理论的支持者，另一个敌人是不让犹太人加入壁球俱乐部的偏执狂。通过冲击他们顽固的信念，我从侧翼撕开正面无法攻破的防线，取得博士学位，并且拒绝离开壁球俱乐部。我的确很勇猛，但是想到自己距离高尚和真诚的理想太远，而且幼稚的错误引起别人深深的痛苦，现在回想起来还有些汗颜。

炸药爆炸需要有木炭、硫磺和硝石作为三要素，而天赋、责任、纪律则是成功的三要素，除了这三要素，还需要幸运火花来点燃它。玛莉·巴特就这一主题写了一本发人深省的书，认为实验法是科学研究中最重要的工具。而除了很少的例外情况，那些有重大发现的人都事先掌握了这一方法。巴特的结论在我身上得到验证，除了壁球，我在哈佛学会的唯一技巧就是如何运用实验法去揭示和总结规律。现在回想起来，这种能力绝不是微不足道的。很多思想家认为，整理个别的数据，建构出其间的关系，是人性本能中基本的组织能力。投机商或其他成功的人必须运用这种能力以适应环境的变动。

苏佛克·唐恩赛马场计时室外小亭中贴的广告，是我的幸运之星，使我有机会从各种联系和现象中总结规律。这张告示开头并没有什么特别之处："连续三年表现最佳的选马专家"，"像专家一样挑选赢马"，"1美元换取1000美元的彩金"，"免费提供45年的丰富经验"，"一年获利1170%"。类似的报道在日常的财经报纸的广告中也比比皆是，同时还会特意加上某个投资学习班的招生信息。

但是计时室的这则告示与众不同，上面有一段奇妙的评论，把赌马的智慧跟投资界扯在一起。这段智慧之言开始时是一段嘲笑："芝加哥大学的吉姆·洛睿说，随意投资在普通股上，每年可以得到10%的回报，但按照我的步骤，每天只需投入2美元，保证你一天的盈利率高于10%。只需30分钟，在日报上填好选项，加入我们的行列吧！"这个广告最后大言不惭地说："教授，留着你的统计数据在象牙塔里吧！像你那种才10%的回报率，完全不适合我的好顾客。"

我狗尾续貂，写信给洛睿，指出我的研究显示，有可能靠着选股技术，使一年的投机回报率超过10%。我告诉他，股市中存在某种规律左右价格及交易量变动的幅度与速度，由于人们缺乏比较新旧事物的能力，并且对心境、情感、清算价值、国家政策推动力的感受小——也就产生了规律。

洛睿回信说，他与大多数同事发现，有证据表明，股价随机变动并且有效率，但是如果能和我一起研究，应该会很好。他鼓励我，说我在壁球比赛中有一种一往无前的决心，并激励我以这种决心去发现股价随机现象中的不规则性。我当时充满着幻想，就向芝加哥大学商学院发出入学申请。

我后来用甜言蜜语说服教务长助理，让我看看自己的申请档案（这是我少数几次成功的不正直行为之一），我发现有一张由一位后来获诺贝尔奖的招生委员写的条子，上面写着，“似乎跟我们这帮怪人同类，争取他入学”（他后来肯定后悔当时写的这句话）。我刚刚在芝加哥大学安顿好宿舍，就一头栽进市场价格的研究当中。那时，学校里有一种躁动的氛围，传统的案例研究方式被数学分析所取代，定量分析成为经济学中进行不确定性研究的必要方法。

洛睿年代

吉姆·洛睿1951年来到芝加哥大学商学院之前，这里还是块处女地。大学部的学生通常轻视喜欢商学的学生，更糟糕的是，周围恶劣的社区环境也无情地侵蚀着学校。

洛睿刚刚拿到芝加哥大学的哲学博士学位，学校聘用他来重振商学院，他的第一个工作是找一位院长，大学的统计系主任艾伦·瓦利斯1956年接受了这一职务。40年后他告诉我几乎是吉姆·洛睿一手促成他接受这一职位。

瓦利斯和洛睿并肩合作，他们的成果现在已经成了历史。他们修正商学院的整个理念，决定不处理企业个案研究的短暂问题，而是寻求多数情况下行之有效的规律。他们的理念现在以“芝加哥大学商学教育法”著称，并且普遍受到推崇，认为是理所当然的，但在20世纪50年代中期，这种思想是相当新颖的。洛睿根本不为自己的健康着想，他不知疲倦地工作，制订出一套研究基金募集及招生工作的10年计划。瓦利斯回忆说：“吉姆说服我成为院长，并且成功地将乔治·斯蒂格勒、乔治·舒尔茨、斯尼·戴维逊、巴里·伯瑞逊以及其他人招入我们的行列。”

结果，商学院的命运出现了重大的转折。无论是师资力量、学生数量还是学院知名度，都蒸蒸日上。芝加哥大学商学院始终在全美排名前5位的商学院中占据一席之地，跨入世界前10位。在过去的25年里，芝加哥大学获得或分享到8次诺贝尔经济学奖，其中5次由商学院的学者获得。

惊人变化

洛睿的招募贤才的技巧已经成了传奇故事。他拜访每一所重点大学，跟某个领域最出名的教授谈话，而且一定问："在您的这一批学生中谁最优秀？"了解到这些情况后，洛睿就邀请这些优秀人才参观他的学院。

但地点是个问题，校园附近居家环境不安全，远非理想的居住之地。洛睿却采用一个大胆而有效的方法，他在机场接到可能受聘的新人之后，首先精心选择行车路线，避开跟战火不断的贝鲁特一般的公寓区。走过这一段路后，参观完芝加哥大学植物园，吉姆就建议他们到离大学几个街区的地方共进午餐。他们下车时，可能受聘的新人总会提醒："洛睿，你把钥匙忘在车上了，我曾听说这里治安不好。"

"那是别人在胡说八道，这里的社区比白宫还安全，我不但把汽车钥匙丢在车上，还从不锁公寓的房门。"

招募贤才的计划就这样进行，终于使得芝加哥大学商学院声誉鹊起，闻名全球。但是院长杰克·古德曾经对这种大胆的策略说了一段幽默的注解："洛睿报的公账项目有时也五花八门、变化多端。常见的项目是3美元的金枪鱼三明治，或是5美元的芝加哥大学圆领衫。但这时账目发生了质的变化。例如被偷的价值8000美元的得索托汽车。但不必紧张，洛睿总是用他在股市上的盈利支付这些支出。

洛睿在校园内外举止文雅、风度翩翩。这些经济学家和金融学教授跟一般人对教授的刻板印象正好相反。他们和任何人一样，都有兴趣在市场中获利，而当最新的学术理论无法解释股价下挫的现象时，他们就会聚集在一起讨论。由于吉姆是股市中的常胜将军，而且学术造诣颇深，这使他成为解释这类问题最受欢迎的学者。

历史性的电话

1961年6月，洛睿忽然接到一个具有历史意义的电话。电话的另一端是校友刘易斯·恩格尔，时任美林集团的营销与公关部经理。恩格尔已经写了一本《如何炒股》，共计销售400万本。这次他想搞一个广告，主题为“股票是个不错的投资方式”，他问洛睿是否愿为这次活动提供研究数据。洛睿谨慎地回答：“刘，这需要大量的研究工作，我会给你一个如何搞好这个活动的答复。”

洛睿回恩格尔的电话时说，他愿意承担必要的研究，以解决恩格尔提出的基本问题，但要做好这件事需要时间、金钱和人力，洛睿计划收集每月的股市数据——包括1926年至今由纽约证券交易所提供的每种股票的价格、交易量、盈利及股息。数据的存储及操作需要计算机，学校的理事会不愿斥资购买必要的计算机设备，但不会拒绝美林公司赠送的Univac，洛睿最终还说服美林投资20万美元资助这个项目。

接下来是辛苦的编写工作，要把价格数据编写成计算机可读的格式。最后，要找一位追求精确，又能够立刻精通所有新电脑的科技天才来负责，进行汇总。洛睿找到了拉里·费舍尔，拉里才华横溢、谦逊有礼、心无旁骛，确实是理想的人选。整个项目开始启动。

恩格尔致电洛睿，催生了证券价格研究中心（Center for Research in Security Prices）的形成，该中心简称“Crisp”。Crisp的研究领域迅速延伸到普通股股价、交易量、股息等数据库开发，并成为现代金融研究领域的主力军。

他们提出的第一批研究跟投机回报率有关，是革命性的发现。股票是绝佳的投资标的，几乎每一个由10种或以上有价证券或股票构成的投资组合，在被持有5年以后，每年将为投资者带来10%的收益，正如恩格尔与亨利·何切特在《如何炒股》一书中所描述的：

> 从1925年底至1991年12月，在全部2211种逐年比较的各种可能组合当

中，只有72种投资回报率为负值，而且这些亏损持续的时间大部分都较短。对于期限至少为7年的投资，仅有5种情况可能造成损失。你应该意识到每项持续10年或10年以上的投资都会或多或少地带来收益……

投资期拉长到10年以上时（就像大部分退休、教育和类似目标的规划一样），过去的规律特别令人鼓舞。在统计列表中10年期以上的1653种股票，95%的投资回报率高于9.1%，90%高于10.6%，50%的超过13.6%的回报率。实际上，这种情况下样本年回报率高于15%的概率高达3/10。

洛睿与费舍尔的研究成果被人向前和向后推算，也拿任何你所能想象到的其他投资标的推演，包括其他股市、类股、固定收益率证券、垃圾债券、商品资本、不动产以及其他投资方式。沃顿商学院的教授杰瑞迈·席格总结这一工作时认为，在过去200年里，美国的股票盈利率都准确地稳定在6%，而其他股票市场的盈利已超过美国股市，从1802年到1870年，实际固定收入增长5%，但从1926年至今，增长仅为0.8%。

洛睿应用自己的发现，建立自己的股票投资组合。他会选择具有优异题材的股票，第二天一开盘就买入，然后持有5到10年，或者等到它被收购。通过广泛接触优质产品，他去寻找这类股票，一旦有所发现，就询问供应商、顾客、以前的雇员、商业编辑以及竞争者，了解他们对股票潜力的看法。令人惊奇的是，竞争者并不喜欢吹捧自己的公司，而更善于对对手吹毛求疵。

我认识洛睿后，看过专家所能想象出来的各式各样选股的技巧。几乎所有人——从伯德斯镇的主妇，到目前最优秀的超级基金经理人，所运用的技巧，都与洛睿的原则相通。

放空惨败

洛睿以极为和善和正直著称。几十个人跟我谈到他奉献良多而多产的岁月时，都毫不保留地对我说：“洛睿就像是我的第二个老爸。”他也是我的恩人，使我一次又一次摆脱债务的纠缠，在我离家时为我提供食宿，我的学位被取消后安排我重修学位，为我谋求第一个全职工作，并且把我介绍给我的第一个客户——鲍勃·基温。

但是我违背了洛睿之流大师的教导，几乎一蹶不振。基温年轻时开始在“阳光”公司当推销员，当时这家公司年营业额只有2500万美元。最终他成为总裁，在“阳光”被卖给伊利诺伊工具公司之前，其年销售额已超出10亿美元。

我告诉基温，我有一个做空高价股票的，理想的卖空对象是霍勒公司。霍勒公司总部设在芝加哥，是一家印刷设备制造厂，曾在19世纪辉煌一时，但近5年内并没有盈利，当时它的市价为每股18美元。同时，我还注意到，霍勒公司的优先股每股股息欠付15美元。那天在“阳光”公司，基温带着我参观整个工厂。我们站在工厂里，看着金属成形机和工人们制造家用电器上的铜线圈，他说：“我给你25000美元，让你用那种策略替我管理资金。”我签下第一个客户，开始做空我的第一只股票，而这只股票几乎成为我的最后一次交易。

接下来几个星期里，我看着这只股票价格冲上20美元，接着30美元、40美元，然后再突破50美元。股价在上涨时，我增大了自己的空头头寸，基温也开始从他的户头卖空。当股价超过50美元后，由于无法忍受这种压力，开始回补。但为时已晚，一场巨大的逼空的狂潮开始了。我在90至95美元的价格之间结束交易，最初的25000美元本金以及追加的50000美元化为乌有，基温与我一共损失了大约10万美元。

在我们结束交易一个月之后，霍勒公司宣告破产。

霍勒公司破产后不久，有一天我在百老汇闲逛，碰到威尔顿·加菲，他是华尔街的投机老手，经历过多次金融风暴。我们谈话时，我无意中说道：“霍勒公司是最近股市中最大的黑马，却又宣告破产。”威尔顿开心地笑着回答说：“噢！没错，我们逼空了这只股票，挺有意思的，把那些中西部没见过世面的土包子，逼到死角里去了。”

空头噩梦

我不得不重新学习老爸与布克先前教导过我的教训：要是有人给你筹码，邀你去赌一件包赚不输的事情，你抓紧你的钱包，把注下到反方。不管赌局的基本规则是什么，在你为一件“确定的事”下注时，一定要清楚你的对手是谁。

一只股票连连获利不佳，跟一匹马赛马惨败异曲同工，通常会阻止大众在下一轮马赛中把注下在它的身上，这时机会就高得足以奋力一搏。同样的原则也适用于解释年终账面价值数十亿的减少，从某一行业的退出、一个主要执行官的解聘、对盈利的悲观预测，诸如此类的现象。要获得巨大的成功，就应深入了解事物的内在本质。

我很幸运，在事业生涯之初就已感受到被逼空的危险，从那时起，我一直避免在没有对冲的情况下做空。我的谨慎终于在1980年获得回报，当时我做多黄金、做空白银时，声名狼藉的亨特兄弟主导了一次白银逼空行动，使我的白银空头头寸深陷重围，但我在黄金市场的业绩，使我免于一败涂地。白银价格一天天地升高，直到不能再高时，我平仓了。但我在黄金市场赚得盆满钵满，如果不是这样在黄金上做对冲，我可能早就被洗光了。

避免做空股票最好的理由，就是在过去200年中，空头交易的年投资回报率仅有10%。要看出这一点，只需参阅股票价格长期平均变动表，《巴伦金融周刊》和《华尔街日报》等刊物经常发布这类图表。总的看来，过去100年里，股价持续上升近100倍，只是在30年代和70年代出现中断，1907年、1929年、1987年有小的下降。平均收益并未包括股息，如果计算股息，回报还应增加100倍。

从那时候开始，我发现因为做空股票而亏损的金额，超过任何其他方式造成的损失，即使在股市大跌的时候，空头通常也不会发财，因为此时股价总会反常升高，使得空头无功而返。当股价确实下跌时，空头又投鼠忌器，没有勇气继续做空。一旦股价进一步下跌，而且人们也恢复从事做空的勇气时，根据常理，应抛出以防止股价反弹。空头经常慨叹，“除非证券交易所禁止25岁左右的投资者涉足股市，否则，你就不能通过做空赚钱。他们太年轻了，根本沉不住气。”或者慨叹，“我告诉朋友们继续做空，但我自己没有勇气进行下去。”

空头喜欢谈论不合理的价值，无法支付结欠金额利息，300万的股票以市价20亿出售，艺术性的计账，诸如此类问题。这些都不是问题，而是音乐家所谓的配乐。空头的问题只是跟投资回报率作对，而投资回报率是企业家付给投资人长期借钱给企业的报酬。

随机漫步理论

我像过去和后来的很多情况一样，在芝加哥大学浑水摸鱼。我习惯混成绩，一学期只听几次学术讲座，然后在期末拿着有创意的报告，阐述自己的思想。在博士阶段之前，这是可行的。但为了获得博士学位，就必须修完MBA课程。这些课程每天晚上都有作业：例如案例研究、资源配置、资金运用，根据学报的记载做财务报表、计算减少的现金流量、查核二项式概率等。这都是典型的MBA知识，确实很有用，但对我来说，要混过去就很难了。

我主修的财务课程中心假设是：股价、利率、盈利——各种各样的数据信息都是随机分布的。主导这种假设的观念是无论资本结构或是股息政策，都无法改变企业的实际价值。这一理论建立在理性思维基础上，所有相关信息在无系统偏差的情况下共同确定当前价格，个体投资者通过借贷行为对公司的负债状况做出反应。一定程度上的实践研究似乎证明了这一观点，由随机数字造成的价格波动和由图表造成的波动相同；分析师与共同基金的表现，还不如闭着眼睛扔飞镖来选股。个股的价格连续变动的相关系数接近0，短线操作的获利业绩低于买进长期持有的策略业绩。

芝加哥大学商学院师生都受这种理论的鼓舞。我认为他们好比是一个蚂蚁或蜜蜂家庭，每个工作小组都执行交代下来的各自的任务，但是，所有任务都结合起来，创造出一个欣欣向荣，能够自我生存、自给自足的群体。一组学生守候在键盘旁，将股价数据逐个输入，其他一组学生协助编写冗长的程序以便分析股价数据，另一个小组由统计学方向的学者指导，应用数学分析的方法，将结果在有限方差之内绘成分布曲线。

塔夫茨学院出身、年龄二十六七岁的尤金·费马教授是这项研究的领头人。1965年，他写了一篇在高效率市场领域中被引用最频繁的论文。以下摘要说明他的发现：

> 多年来，学术界和企业界为下面这个问题争论不休：利用普通股股价过去的历史，替未来的股票价格做有意义的预测时，到底可以参考到什么程度……可以肯定地说，本论文提供大量有力的证据支持随机漫步假说。

有一件我亲眼看到、印象深刻的事情，可以十足说明这个理论和信徒的态度。商学院金融领域最受尊敬的四位研究生组成一个小组，和另外两位德高望重、足以获得诺贝尔奖提名甚至获得该奖项的教授合作研究——但当时他们非常毛躁，而且像第一次约会的少年那样没有安全感。当时这个优秀的研究组研究的是股价变动可能对交易量产生的影响，我也曾经考虑过这一问题。我从图书馆下来，走到商学院的哈斯克大楼的第三层时，看见这6个人正聚在楼梯口查看计算机输出的结果，他们的声音在楼道里回荡，传入我的耳中。其中一个学生指着一些输出数据向两位教授问道：“教授，如果我们真的找到一些东西怎么办？我们就百口莫辩了，就不符合随机漫步理论了。”比较年轻的教授回答道：“不用担心，要是我们在很不可能的情况下碰到，船到桥头自然直。”

我几乎不敢相信自己的耳朵，这六位科学家居然公开向无知靠拢。我忍不住脱口而出：“很高兴各位对你们的研究都保待头脑清醒。”当我走过他们时，不由露齿一笑，接着我就听到低声的咒骂。

这件事情有个有趣的后续发展，那四位学生都出现了奇怪的转变。每个人都陆续进入大投资公司，应用专业知识寻求市场中的非效率因素。其中一位是几个共同基金的创建人，他的宗旨就是寻找不规则现象。另一位最近在著名的学术期刊上发表一篇论文，宣称："股价似乎的确多多少少可以预测。"通常，这些所谓的学术界人士都在随波逐流，所有出现在公开刊物上的反常都是陷阱。将那些没有警惕性的权威追随者引入深渊，这些反常现象反过来又成为教授们证明变动理论的素材。

对立的假说

我运用芝加哥大学庞大的数据库，扩展我在股价非随机性质上的发现。我的假设、技巧和得到的结论，与学院派的观点恰好相反。最后注定会有一场冲突，冲突的地点是声名狼藉的金融博士研究会。依照惯例，学术争论是不禁止的。

研究会的主调在我到达前就已经决定。我像大多数商学院的研究生一样，需要在论战前将我的投资活动安排好（那天我去哪里交易呢），那时学院没有为学生提供证券交易场所，所以我给我的经纪人打了个电话。

我在整点之后5分钟到达会场（研究会预定在整点过后10分钟开始）。一位如今在金融界家喻户晓，当年也是很著名的与会人士大声说："真不像话，尼德霍夫摆出延迟进场的浩大声势，阻碍了科学大门的开启。"（我一直冷静地注视着论战前会场的气氛）

我在开场白里就说，我会根据从最细微的逐笔交易数据，一直到10年中的年度波动，来证明市场充满了规律性。我对所有那些支持股票随机变动理论的人进行批评，包括会场中的大多数教授，他们在研究方法上因循守旧，根本无法揭示价格变动的结构。我又警告，他们无法反驳没有结构性存在的假设，就拿这一点来断定价格是随机的，在方法学上并不适当。当我用口语说"你们无法证明一种否定命题"时，混乱爆发了。

异端！下面嘘声大作。几位最受人尊敬的教授站起身来，要我把话收回去。我以为他们会在我脖子上装个圈套，拉我出去。当我准备继续发言时，他们不允许我阐述论文的第一部分，这篇论文已公开发表，他们也不想浪费时间听我分析他们已读过的内容。我的统计技术和结论遭到质疑，因为股价有无数的变化；我的样本也受到质疑，说样本太小，不具代表性，买进卖出平均价格的差异没有显著性。最后大家认定，即使我的统计结果正确，我得出的结论也毫无意义，因为这些数据无法克服交易成本，除了场地交易者和专家，对其他人来说毫无价值。

回想起来，我提出的规律性经受了时间的考验。有一次索罗斯安排我跟超级基金经理人奥斯卡·雪弗打网球，雪弗是《巴伦金融周刊》圆桌会议的成员之一，也是我在20世纪60年代步入商界创业时的老主顾之一。打完网球后，他问我："你还在做周一至周五股价波动的统计分析吗？进展怎样？"没等我回答，索罗斯插口道："他还是老样子，没有一点进步。"在多数场合下，那确实很尴尬。因为市场总在变化，僵化就会导致危险。昨日的明星可能会成为今日的鸡肋，我也总爱说："没有什么像成功那样昙花一现。"

不错，我注意的焦点和在芝加哥大学读书时相当一贯，不过即使问题相同，答案也会有变化。我在研究会上提出的观点，经过我加入30年数据，予以更新到1996年止，陈述在下面。

一开始，我就反驳强式的随机漫步理论。这个理论主张任何信息都对市场有系统性的影响。当年的学术期刊上，到处可见根据这种信念写成的离奇论文。例如，有人发现，由第一季度中期报表所预测的结果没有由上一年度报表所做的预测准确。同样的，其他学术研究也无法找到通过年盈利准确预测未来收益的方法，他们把这种现象叫做乱七八糟的成长现象。现在看来，这些研究充满着社会学家喜欢警告大学部学生要避免的缺陷。社会学家建议他们的学生应避免一些误区，这些误区的表现形式很多。学术研究的空洞假设就如同"眼睛对阅读无益"这一理论一样不好辩驳，对假设采取错误、近似的学术研究就像是比赛那天根本没进入球场。

为了反驳盈利的无关性观点，我研究了1970年纽约股市中业绩最好和最差的股票。我研究这一年里业绩最好的50种股票和最差的50种股票，又随机选择50种股票，注意这些股票的业绩和公司实际收益与预计收益之间的关系。

这一研究结果显示，公司的盈利与后来的股价变动之间，有着紧密的联系。

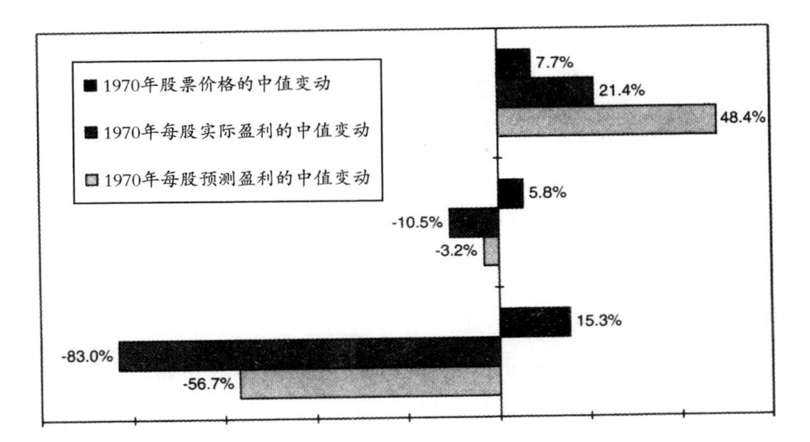

图12.1 1970 年预测收益、实际收益和股价的中值变动

如图12.1所示，业绩最好的50只股票，实际盈利中值变动为21%；相反，50只业绩最差的股票，实际盈利中值下降83%，随机样本条件下则下降10.5%。

我也分析了“盈利惊奇”对价格的影响，盈利惊奇是指高薪的华尔街预言家的预测也与实际相差甚远。对前150只绩优股预测收益增长7%，而实际增长21%；对业绩欠佳的后50只预测收益平均增长15.3%，实际却减少83%，究竟哪种情况更令人困窘呢?

这种惊人的结果普遍被人要求转载。我后来把研究更新，并且发现盈利仍是衡量单股业绩的关键。但是，盈利预测又是如此不精确，以至于预测盈利很差的股票的价格表现往往强于预测收益很理想的股票。

交易与规律性

然后我把注意力转到确实具有可预测性的内容上，一开始，我研究了最基本的市场创造过程。

限价买单通常会集中在比市价低的水准，限价卖单则集中在比市价高的水准。市价买单必须足以胜过限价卖单，连续性的涨势才会出现。市价卖单必须足以胜过限价买单，连续性的跌势才会出现。这就是有人能洞察市场变化的原因，在持续变动出现之前，股价会在一定限度内上下反复数百次，如同油漆变干过程那样死板。这种研究结果就是如下4个非随机的特性：

1. 交易和交易之间通常有价格反转的倾向。

2. 反转通常集中在整数价位出现，因为行动缓慢而稳定的参与者会把限价单下在这种价位。

3. 行动迅速的场内交易员知道这种限价单集中的价位，会在邻近价位交易，“捕捉差价”。

4. 相比前两次价格变动方向不同的情况，在前两次价格变动方向相同的情况下，第三次价格变动方向和第二次相同的概率更大。

这些趋势经过大家极为深入的探讨，已经成为许多金融投资教科书中的内容。在交易数据上，认为反复振荡的人与坚持持续变化的人的比率为5比1。

郁闷星期一

后来，我考虑一周的某一天是否会造成差别。我从一般人认定一周的某些日子对市场有利、某些日子对市场不利的看法着手。我最初的观点来自通过对人与赛马之间联系的观察。工薪族在周末拿到工资，参加他喜爱的赌博活动，把赌注押在热门马身上。赛马和障碍赛马都赚不到什么钱，因为工资数目太少无法保证奖金的获取。到了星期一，那些赌马常客不到输光是不会离开的，他们总想扳本。他们下注到冷门马身上，却看到状况优异的马胜出。这种情形在市场中也一样。然而我们应该承认，毁灭的周期确实比较变化多端（不像人一到中午，体温就会下降，不管吃没吃午饭都一样），要看是否有过度的乐观和悲观气氛、温度以及是一周的哪一天而定。

要分析日常的形态，最好先注意一周开始和结束时的波动。例如，由于刚从周末的轻松状态中迅速转变为工作，人们在星期一都比较沮丧；而在周五人们都感到比较欣慰，因为一周的工作快结束了，也可以放松一下。

我报道过很多这种效应，而且这些影响至今犹存，只是经常以相反的方式表现。

有一个研究和我在芝加哥大学念书时的情况很有关系（当时股票在四个交易日内交割，大家比较不愿意在星期一买进），我发现在过去的60年里，每一年道琼斯指数在星期一上涨的概率低于周五上升的概率，20%的负偏差出现的机会为百万分之一。但是，这种循环变动发生过无数次波动。

接下来的研究延伸到把动能和季节性因素结合在一起。例如，如果周五的股市低迷，那么周一的行情可能会极差。这种关联看似简单，但正是这一推论为我的客户们赚了超过9位数的钱。

这种现象现在已经成为市场传说的一部分，报纸经常提到这一点。《股票交易年鉴》的发行人贺西特别善于说明这种非随机效应。以下是他在1993年提出的一个相关现象："尼德霍夫、克罗斯和杰克豪森发现……当星期五股价下跌，那么周一继续下跌的可能性为3比1。在1953年至1985年间，我发现股价在星期五下跌之后，下周一股价上涨的情形只占到28.2%。"一周的另外4天里，上涨机会始终比星期一高出13%。我在表12.1里加入1992年到1995年股市、期货的数据。

但是这些结果不足以让人赚钱，其中最好的平均变化和最差的平均变化，差异只有0.3%，佣金至少为0.5%，而且要价与出价差额为1%。因此，并没有理由相信：洛睿与费舍尔的综合研究表明，股票市场平均说来是在攀升。自那时起，其他人也遇到了相同的困难。

但情况更糟的是，我知道即使结果在某一个时期显得很有意义，通常在后来的时期也会消失无踪。其中原因很多。如果一种现象确实存在，精明的交易者就会发现它，并在其后的时期中进行预测，接着平仓。平仓完毕后，市场（像我们一样，它也选择阻力最小的方向发展）就会在星期一之外的几个交易日大大下跌。但更有可能发生的情形是，一组特殊的因素发生效用，使某种现象发生，就像生物学家谈到食物链关系时喜欢说的一样："生物界总是存在网状结构，但是

表12.1 周一和周五收盘上涨的百分比（以1952年至1996年S&P指数为准）

年份	周五收盘比下周一收盘（%）	周一收盘比本周五收盘（%）
1952	50.0	60.4
1953	32.7	55.1
1954	51.9	63.5
1955	48.1	63.7
1956	34.0	49.1
1957	25.0	53.9
1958	59.6	63.5
1959	40.4	57.4
1960	36.5	53.6
1961	53.8	58.6
1962	28.3	52.8
1963	46.2	60.2
1964	40.4	62.3
1965	46.2	57.0
1966	36.5	50.3
1967	40.4	59.6
1968	39.1	56.9
1969	32.1	54.3
1970	38.5	51.6
1971	44.2	56.0
1972	38.5	58.6
1973	30.8	47.8
1974	34.6	45.4
1975	53.8	53.6
1976	55.8	52.4
1977	40.4	48.9
1978	51.9	53.1
1979	54.7	55.0
1980	57.6	54.7
1981	46.2	48.3
1982	44.2	44.5
1983	50.0	53.6
1984	39.6	45.6
1985	44.2	55.5
1986	50.0	56.1

（续表）

年份	周五收盘比下周一收盘（%）	周一收盘比本周五收盘（%）
1987	50.0	55.7
1988	51.9	54.8
1989	51.9	61.1
1990	66.7	48.3
1991	44.2	49.9
1992	53.8	44.2
1993	63.5	42.3
1994	50.0	42.3
1995	51.2	71.1

问题是，这种网状结构总在变化。”

很多这方面的学者认为，金融学的研究成果可能有助于交易获利。这种想法有点天真可笑，他们从来没有想到，精明的股票操纵者发现规律后会严格保守秘密，而相反地公开发表的大多数结论却毫无价值。一般来说，交易者并非像看上去的那么呆板，他们阅读学术杂志，雇用最优秀的研究生从事市场研究。当他们发现显著性很高的重复现象时，投机商就大胆利用这种规律，大量投入资金，降低交易成本。当这种现象变成一种幻象，但许多行动缓慢的外行人还相信这种现象时，机敏的投机商就可以通过正确的买卖行为获取巨额利润。

学者发表的研究成果始终符合这些人的判断。我发表了自己对季节性因素的研究时，没有忘记自己靠什么赚钱，会把好的部分保留下来不发表。不过我发表的逐日周期变化的论文在学术界引发了一次大震动，以下是一位专家对它们的评价：

下一个每日投资回报形态的研究，经过40年才在学术文献上出现。弗兰克·克罗斯于1973年对1953年至1970年S&P500只股票进行研究，他发现62%的周五指数上升，39.5%的周一指数上升，周五的平均收益率为0.12%，周一的平均收益率为-0.18%。克罗斯说：“差异这么大的概率不到百万分之一。”

弗兰克·克罗斯和我曾共事20多年。上述研究成果出自我们以前发表的合著。

运气反转

理查德·塞勒写了一本书，叫做《赢家的诅咒》(*The Winner's Curse*)，他在书中巧妙说明学者们对经济生活中不理性、非常规、无规律的特性的研究。他以一种刻意奉承的方式介绍我们的著作。但只要有教授公开赞成一种反常，我就意识到其附近必然潜伏着抵制反常的因素。

为了了解周期如何变化或是维持不变，我根据一星期的每一天，从1987年大崩盘之后的一个月，到1996年3月30日，计算S&P指数期货的表现。这段期间一共有2115天，一星期中每一天S&P指数的平均变化如表12.2所示。

表12.2 一周中S&P指数的平均变动

星期几	平均变动
星期一	0.56
星期二	0.21
星期三	0.29
星期四	−0.10
星期五	−0.12

周一平均上涨0.56点，大约为0.1个百分点，相当于道琼斯指数上涨5点。这种结果并非特别耀眼，因为并没有充分考虑滑动量——尽管这是周期现象。值得注意的是，这些变化几乎与60年代我们研究发现的基本规律完全相反。此时星期一股市最为强劲，而周五行情最为低迷。周一的增长效应大约为0.1%，而且是增长幅度最大的一天，这是以前的任何假设所无法解释的，我对自己失去了信心，但无论如何，这些结果不可能是由随机变动造成的。

就像要证明这种信息完全没有价值一样，有一大堆学术界研究的出现，显示星期一是一周中市场最低迷的日子，例如1994年9月24日的《经济学家》周刊报道说：

> （一份学术）研究发现，周一的小笔卖单比例高得惊人（通常是由散户卖出）……如果上周五下跌，则本周一继续下跌的概率为4/5，而上周五股价上升时，一般而言，本周一还会上扬。这项研究还发现，其实这是周一早晨效应，下午1点之后，股价会上升到边际点。

只要学术界人士和他们的媒体朋友一直致力于在最适当的时刻传出错误最严重的消息，造成最大的伤害，逆向思维的人就有希望。也许有些交易者根据自己的经验，而不是那些所谓的发现，就可以取得丰厚的利润。

正如吉尔伯特和沙利文所说的一样，赞颂大自然的不断变化时，要体会：

> 这点不在人的信念范围之内，
> 你不能把自然看成是美食者，
> 当他厌倦了牛肉时，
> 马上就会去找羊肉。

周期是不断变化的。我有点惭愧的是，如果交易时，根据我30年前的发现，被年鉴、学术界人士和新闻界人士频频引用的“郁闷星期一”效应，从1987年大崩盘到现在，会让投资者在道琼斯指数上损失2000点。

但这一效应从理论的角度看似乎很美好。

延伸研究

自20世纪60年代开始，相当多的人研究所谓的“换月效应”。在对这一课题的经典研究中，罗伯特·阿里就这个主题做了一个典型的研究。他把每个月分为两阶段，然后计算上半个月和下半个月的投资回报率。为了增加一点与众不同，他使用不加权和加权两种指数。这些巧妙的分别，造成一种神秘、艰深的学术氛围，而从其他途径来研究此类问题可能会极为简单明了。阿里的结论是：每月上半个月的收益要显著高于后半个月。

为了搞清这种效应是否依然存在，我选择1987年股市崩盘至1996年8月的106个月份作为总体样本，研究S&P指数期货在上旬和下旬的变化。每月上旬S&P指数平均上涨2.02点，而每月下旬只上涨0.68点。这8年中还存在一个显著趋势，上旬的市场平均涨幅几乎为下旬的3倍。我的结论与阿里的研究相吻合，各月仍存在周期性变动。

一月效应

前一段时期可以预测后一段时期，在股票上是不是常见的现象？研究这种倾向能否适用于一年的每一个月和一周的每一天当中，应该会很有趣。显然有一种真正的效应存在，一月指标从技术分析创立前后到现在，一直都是著名的指标。早在1962年，当时我还在“近视搜索俱乐部”任教，有一次举行狂欢酒会，一家大电讯公司的技术分析员哈里·卡莫在酒会上阐述一月效应。一月的百分率变化与其他11个月百分率变化的相关系数为0.15。为了检验这一现象，我选用1935年至1995年道琼斯工业平均指数，统计结果证实了该现象。有21个年份中，当一月指数下滑时，随后11个月平均增长2.3%，并且有50%的时间处于下跌期。在一月指数上涨的40个年份中，随后11个月平均增长8.7%，其中80%的时间处于上涨期（见图12.2）。应用统计来测试这些非随机性质的均值，可以拥有99%的信心说确实有非随机效应在发挥作用。

猜测为什么会有这种结果存在，以后会不会持续，应该很有趣。

考虑过和动能的差异后，出现了一个问题：每年的不同月份，是否显示了不同的涨跌幅度。为了研究这一问题，我选择1870年至1995年道琼斯工业指数及其前身，按月进行统计，以便获得这一时期的月均变动数据。

结果显示，1月和8月是股票价格上涨最好的月份，5月、9月、10月是最差的月份，事前没有理由怀疑这些月份的表现会最好或最差。为了测试这些结果是否

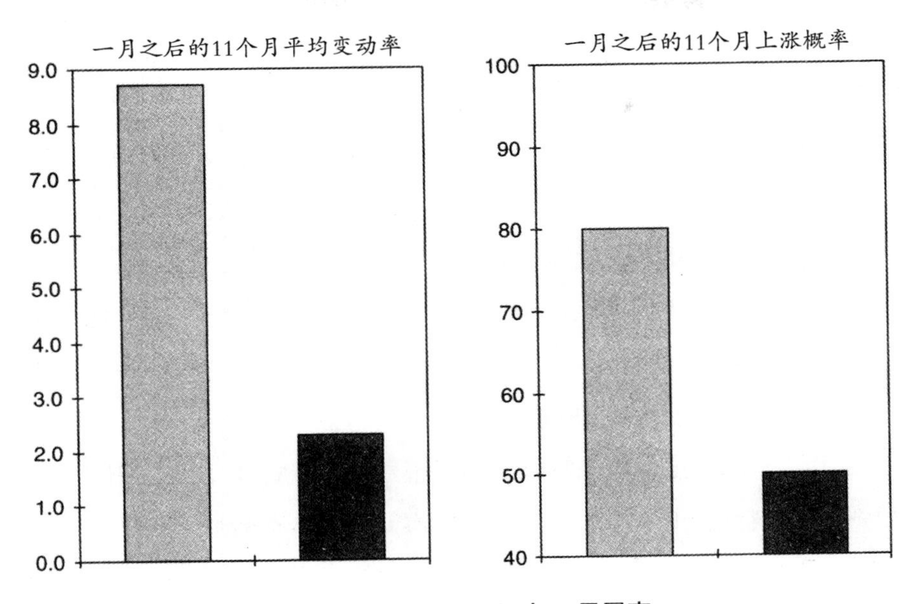

图12.2 1935–1995年一月量表

表12.3 1870–1995年道琼斯工业指数月均变动数据

	变动均值（%）		变动均值（%）
1月	1.2	7月	0.8
2月	0.0	8月	1.5
3月	0.6	9月	−1.0
4月	0.9	10月	0.0
5月	−0.2	11月	0.5
6月	0.3	12月	1.1

正确，我用随机选择和替换的方式，把全部1200个月的变化集合在一起，分为10组，每组120个月，然后选出行情最好和最差的组。我将此过程重复10000次，原结论的统计差分为2.5%，而这10000次中仅有20次最好组与最差组的差分超过2.5%。因此我们可以说，至少在过去的100年里，1月和8月是行情最牛的月份，而9月和10月的行情最熊。

年周期变动

考虑过每天和每月的周期性因素后，人们自然而然会转而考虑年效应。问题是年份数据只存有200个，而对于这些数据，人们可以提出1000多个变动假设。

所以，最简单的直接假设似乎是：在这些年里，有一种每十年波动一次的循环形态。例如，以7结尾的年份极可能市场萎靡。历史上最严重的金融危机出现在1907年，与这次危机相比，1987年的股市崩盘似乎很普通。同理，1995年将近30%的上涨幅度似乎在证明以5结尾的年份最可能上涨。

为了测试尾数为5的年份股票涨跌幅是否具有非随机性质，我采用以下步骤对上述结果进行置信区间分析。我从1870年起的124年的业绩数据中取用120年的数据，用电脑将它们随机均分为10组，计算每一组的均值，保留10个均值中的最大值和最小值，我一共进行了1000次计算。

尾数为5的年份的统计结果支持上述理论：1000次计算中只有4次最大均值超过27%，这是一个显著性极高的统计结果。同时1000次计算中也仅有101次最小均值低于-7%。因此，我们可以以99.6%的信心，说尾数为5的年份特别适合于买股票。我们可以以89.9%的信心，说尾数为7的年份不利于进行股票投资。

这个测试采用1870年至1993年的数据，测试结果标示在图12.3之中。股票平均收益以百分比表示，列为Y轴，每年的收益率以年份的尾数为序排列在标题为0至9的图框里。在每一图框里，以这个数字结尾的年收益率以一个小三角表示，然后用一条直线将9个均值串联。

研究结果显示，尾数为5的年份的确是理想的投资年，27%的平均利润率，高得惊人。尾数为7的年份应避免进行股票投资，尤其是1987年10月至当年年底，当时平均下跌25%。尽管1987年道琼斯工业股票平均指数上涨2%，但对于我们考虑的所有12个以7结尾的年份，平均利润率仅为-6.5%。

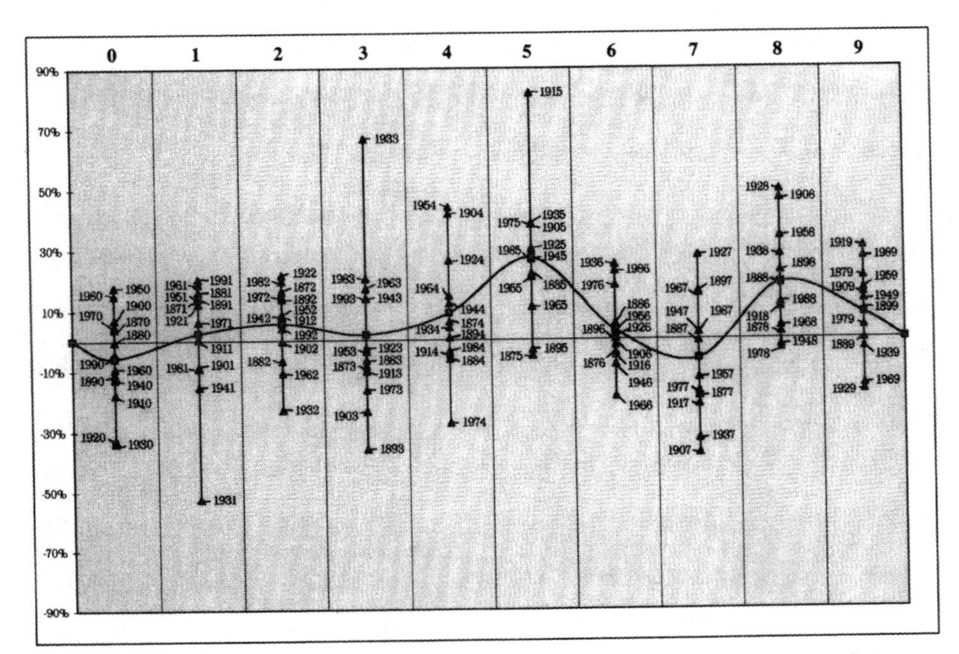

注：1870年至1884年的市场收益来自克利夫兰信托银行、爱克斯—霍夫顿和考尔斯经济研究委员会编制的年终价格。1885 年以后的市场资料来自道琼斯工业平均指数。

图12.3 由0至9结尾年份的股价变动（均值变动）

塞翁失马

我对规律性的说明并不受欢迎，商学院组成一个裁决委员会，要在证据不足的情况之下，匆匆把我驱逐出去。每次我提出报告，他们就拿着随机漫步的大炮猛烈攻击我。反过来，只要他们发表一些毫无意义的论文，宣称这些或那些信息并无价值，我就会嘲讽他们的偏激及不完善的研究方法。一篇关于第一季度盈利信息对预测全年盈利并无帮助的论文发表之后，争论的高潮到来了。对于这一观点，我可以找到许多漏洞，因为无论从统计还是经验的角度看，这都是不可能成立的。第一季度毕竟代表1年25%的结果，如果第一季度盈利与全年盈利不存在正相关性，那么后三季度一定与第一季度盈利负相关。为了反驳这种研究成果，我引用作者一些自相矛盾的句子："第一季是一整年的一部分，奇怪的是，其季度收益竟会与全年收益无关。”我在这个争议中火上浇油，指出：“不管其他人怎么看待他们的结果，论文作者是以他们自己的言辞和方式表现出对结论的怀疑。”但就是“方式”这一措词，几乎使我四面受击难以脱身。

在我的博士论文答辩会上，有一群跟我的反对者关系紧密的学生出来盘问我。有人建议为了让我的研究有个适当的角度，应该扩大这份研究把美国新闻对经济现象的影响的时间序列量化。另一个人建议：我应该重新进行研究，并考虑股价的无序变动因素。论文评审组的成员已开始点头称是。既然我的观点已在论文中阐述请楚了，我也不想为这些问题浪费唇舌，于是我说：“我很遗憾，我的研究抵触了你们自视珍贵的信条，但这些问题显然不是要彰显争议，而只是针对我个人的厥词。”我在大家的一片嘘声中离场，事后洛睿告诉我：“你当时不该说那些话，你那样做是搬起石头砸自己的脚。”

看来我会跟美联储官员得到的典型学位一样，一切都完成，却无法通过答辩。但幸运的是，在洛睿的劝说下，论文答辩组的主要随机理论教授为了自己的健康着想，辞去这一职务。同时，洛睿建议我把哲学博士暂时搁在一边，接受加州大学伯克利分校助理教授的职位。他说：“他们对外校的相反观点并没有过多的指责，并且时间是抚平创伤的良药。”

犹太裔壁球选手

我在壁球场上，进行另一场战争。我进入芝加哥大学的那一年，在纽约首次赢得第一个全美壁球锦标赛冠军。第二年，比赛地点定在芝加哥，21岁的我已能在当时最好的比赛场地上竞争拼搏，我在精神上是不可战胜的，但发生了令人永世难忘的事情。

芝加哥有5个可以打壁球的私人俱乐部，全部会员约有7000人，其中只有1个犹太人。这些俱乐部都很乐意让我以客人的身份打壁球，但不是以会员的身份参加比赛。结果我无法在合适的时段打球，无法带我的朋友进俱乐部，也无法在俱乐部里购买食物和装备。

情况卑劣到了极点。在芝加哥全美公开赛开始前的一年，我宣布，除非芝加哥的俱乐部接纳我为会员，否则我不会去卫冕。一年后，锦标赛场上没有出现我的身影，这次比赛结束后，我宣布退役。壁球联合会的官员和我的对手们表面上很失望，并进行检讨，但最终仍迅速接受我的弃权。

因此，我在颠峰时期离开了壁球赛场5年。今天，我多么希望拿出一切，用我所有的知识和技能去换回这些岁月。我得到的唯一补偿是因为我的立场使我成为反诽谤联盟的英雄。作为一个有原则的年轻人，我受到许多大众的支持，这件事也使我痛切地感受到种族歧视。我必须同时在随机漫步理论和壁球场上抗争，这花费了我不少时间和精力，但是我相信这对我逆向思维方式的形成十分有益，而逆向思维是成功的投资者所必须具备的思维方式。

西部边疆

加州这个美国传统的西部边疆向我招手。在以前的美好岁月中，到西部去有很多理由：例如寻找新天地、寻求自由、狩猎、掘金，或者碰碰运气，或者逃避债主、仇敌、躲避法律的惩罚，说得好听一点，大家到西部是开阔视野的。紧随着他们的脚步，我来到加州大学拓展我的视野，接触自由言论运动、反战示威、太平洋、好天气、不动产以及其他的事物。

但是，边疆总是提供新机会。加州除了拥有干净的大地、太平洋海滨的冲浪、自觉、清淡、热水淋浴和自由的爱情，也可以找到让勇猛的年轻人做的事情。

20世纪60年代的西部，是投资天地的先锋。在洛睿—弗舍尔的投资回报率理论的启迪下，出现了由威法银行为首的一些机构建立的西部第一个指数化证券投资基金。1996年，这家银行的子公司管理的这种基金，金额达到1450亿美元，而且指数型基金行业本身，在共同基金所管理的3万亿美元的总资产中，占了1/3，而先驱集团掌握500亿美元的资金。1996年先驱指数500家基金拥有200亿美元资金，在过去8年里年收益率为15%，高于正常标准3%。当然，低支出及低转手率是产生优良业绩的原因，但我估计高出标准的那部分盈利产生的原因主要是有些竞争者错误选择了投资对象。

我开始认识西部文化，起于约翰·马克文邀请我到威法银行，设计成本的股票投资组合管理方法，以便创造和市场投资报酬率相等的投资绩效。他是富国银行新设不久的量化研究单位主任。芝加哥的研究表明，经过一个较长的持有期之后，随机购买的股票每年可有10%的平均利润。如果投资者的收益率达不到这一标准，许多基金就会向他们收取一笔额外费用，真是伤口上撒盐。

古德曼教学法

愤世嫉俗的人说，大学里有很多工作量不足、薪水太高、喜欢小人当道的研究人员，他们对学生的教育漠不关心。我对这些观点持反对态度。我也并不苟同那些流言蜚语，认为一个学者一旦保住自己的职位，他的优秀教学方法就会荡然无存。

我自己在讲台上和讲台下的经验，可以反驳这两种看法。我在芝加哥大学读书时，曾听过古德曼教授的课，他在25岁时就获得教授职称。他采用一种苏格拉底式的教学法，而且与他的方式相比，博学的苏格拉底简直就是一个独裁者。古德曼的教学法没有任何花招，上课时他会发一篇自己的论文，布置学生在下节课前阅读，然后下课。下节课上课时，他会要求学生们提问，如果有问题他就回答，如果没有问题，他再发另一篇论文。

在自己的课堂上，我也采用古德曼的方法。我不必等待学生来评审鉴定，就知道自己无法与古德曼媲美。我的第一堂投资课开课时，250名学生报名来听讲，现在回想起来，一定是教务长在学生中散布消息，把我描述成年富力强又有赚钱秘诀的投机老手。但听课学生的数量不断减少，在第五个年头，也就是我教学生涯的最后一个学年里，只有两个学生选听我的课。

我后来看我在到加州大学伯克利分校后写的第一篇论文——《股价的基本性质》——我很高兴地向大家报告，有一篇论文引用我这篇文章。但是，如果仅仅根据学生和其他引用者从中受到的启发，来判断一篇论文的真实价值是很局限的。

我也不同意马丁·安德森的说法。他在一本富有争议的书《大学殿堂中的骗子》里暗示：所有教授关心的是他们的论文能否以不许他人引用的形式发表，根本不管论文是否对谁有用。安德森指出，93%公开发表的论文没有被任何其他论文引用，作者与读者的获益相差无几。

我那篇跟公司名称字母性质有关的论文，的确是这样的。我经常根据公司名称的前面几个字母购买股票，完全不管这些公司实际从事何种业务。例如，尽管生物技术股中有一些皮包公司，但任何盖以“生物”字眼的股票都可能急剧飙升。如果这些公司的价值根据价格/拥有博士数量或价格/拥有专利数量等公式计算出来，我就意识到应该抛售。

同样，科技公司股票不景气时，我就避免购买那些公司名中带有“技术”“高新”或“电子”字眼的股票。股价低迷时，这种公司一定会跌到账面价值的一半。在这种情况下，优秀的逆向投资银行就可以大胆吸纳，一显身手。

我后来把这个方法化成通则，考虑市场的地理属性。每次我在一个国家赚大钱的时候，我就会拿出地图找寻其附近几个国家。如果一个国家的实际利润率高于40%，就应该注意其周边国家，它们很可能是极好的投资地点。在我的办公室中有一幅巨大的兰德·马克拉里地图，赴外国投资时，我经常在投资决策时参阅它。1996年年底，我的基金从购买土耳其财政部债券中获取了有史以来最大一笔利润。土耳其一年120%的名义收益率，在80%的膨胀率下可能会更高，似乎好得让人无法抗拒。但在这一点上，地图多少让人泄气，例如它根本不会告诉你美国公民在伊拉克投资是违法行为。

教长的酒

在上课时，学生经常死气沉沉。这点不足为奇。为了让气氛轻松一点，我经常要求学生把他们自身的经验和课程的学习结合起来。学生的反应仍旧是一片沉默。为了打破这种僵局，我采用从弗朗克斯先生那里学来的一个技巧。

高尔顿在回忆录中提到，有一次，他在英国出席一个关于意念研究的联合会议，会场上没有人发言。于是，他讲起了但泽一位德高望重的大主教的故事。一次，教长的房子着了火，在这次大火中，他损失严重，很多贵重物品，包括他最珍爱的酒窖中的美酒，都被付之一炬。满城的犹太人都在商量怎么补偿教长的损失。最初有人提议给教长重新建造一栋富丽堂皇的房子，但最终被否决了。最后大家达成共识：每一位信徒在某一天到法师的家里，送给他一瓶酒，把酒倒入一个事先备好的巨桶中，以此代表大家的心意。

最后一位客人走了以后，教长热切地冲向酒桶，品尝这充满关爱的酒的味道。他打开塞子，把酒杯倒满，令他既难过又失望的是，里面竟然完全是水。原来，他的每一位施主都对自己说："我一个人在那么多的酒中倒一点水去没什么关系，我的那一份对于总体没多大影响，既然水是不花钱的，酒却很值钱，为什么我不倒水进去呢？"

时间序列图表

这段开场白对高尔顿有用，对我也经常有用。有一天，当我讲述这个故事后，一位与众不同的白发绅士站起身来，自我介绍说是天文学家哈罗德·韦弗教授，负责"加利福尼亚天文学家联合委员会"的投资活动，听我的课，目的是了解学术界当前的新动态。他应用许多天文学的方法对股票市场变动进行分析："在天文学中有个典型的问题就是，当一个行星绕太阳运行时，怎样去预测其他的位置。我们可以知道不同时间行星所处的位置，我们的工作就是预测它们将来的位置。开普勒通过这些图表（这时他打开一卷图表）解决这一问题，而牛顿运动定律解释了所有天体以这种方式运动的原因。现在拿股票数据来看，问题比较困难，因为，这些波动当中有很大的随机因素。股市和债券市场的互动，就是一个例子。"接着，韦弗教授取出1969年股票与债券市场的变动表。

图12.4是更具时间性的第27号年度表，涵盖1987年至1996年7月期间的月线图，这些波动以时间序列排布，将三维坐标简化为二维（如果你需要四维，可以变化线条的颜色和宽度）。

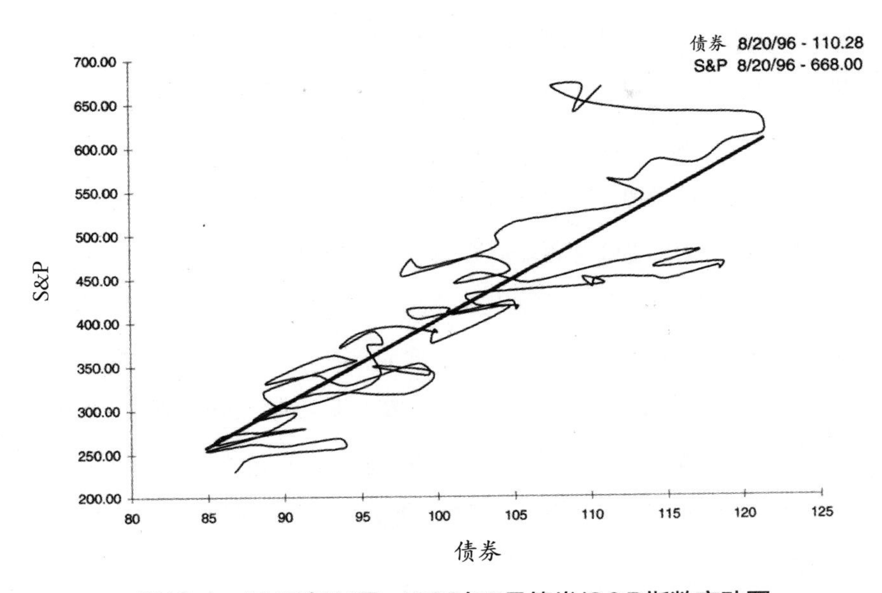

图12.4 1987年11月-1996年7月债券/S&P指数变动图

奇怪得很，这样产生出来的图形，跟宇宙分布图极为相似。长久以来，天文学家就已经知道，宇宙银河系的分布情形会出现聚合区，四周是很多空无一物的区域。我们在图上画两种商品的波动情况时，也会出现相似的图形。图中有一些区域交易活动十分强烈，价格交点常分布在这些区域，但也有一些区域几乎没有或者很少有交易活动，价格迅速从低频度区域向高频度区域转移。对我们这些相信金融市场与其他学科有某种联系的人来说，这无疑是一个相当令人振奋的发现。

“请注意，大部分的线条都向东北或西南方向前进。”韦弗教授指出，“实际上，75%的线条为东北—西南走向。西北—东南方向的仅占25%。这表明，所谓的债券与股票的同步波动趋势，同方向波动的次数是反向方波动次数的3倍。股票与债券变动的相关系数为60%，而上述结果正与此符合，其后发生的一些情况更为关键。”

图12.4有许多有趣的地方。读者们可以仔细查看此图，汲取其中的要领。右

上角附近是用1996年的数据点画成的线，情况显然不符合上述说法。债券市场标准只有110，无法与670点的S&P指数相匹配。这种背离如何解决呢？债券会上涨吗？股价会下跌吗？还是会出现新的图形？任你猜测。

韦弗教授又继续说道："就像开普勒画行星运行图表来预测行星的运动一样，天文学家协会中的同仁也会运用此类图表预测股票市场变动。"

"教授，其中有什么秘密？您如何运用这些描述性因素去进行预测工作呢？"

"哦，尼德霍夫博士，这恰好是我来听课的原因。"从此，我们建立了深厚的友谊。为了回答这些问题，在过去30年里，我花费大量的时间进行创造性的思考。最近我又进行新的尝试，两条连续线条的交界处形成一系列的角，我做出这些角的切线，试图确定是否有重复变动的趋势，理想的结果是水平趋势（股市预测）或者垂直趋势（债券预测）。

我经常利用这种图表做股票交易，而且在1987年之前，每次用上都能赚大把的钱。1987年时，股票价格再度涨得太高，跟债券价格不匹配，而到1987年10月19日，两者又恢复平衡。至1993年年底时，两者的价格对应相当美妙，而1994年债券价格下降10%，股价却岿然不动。1995年市场行情相当好，债券价格和股价分别上升10%和20%。到了1996年，整个情况开始往下走，出现跟1987年很类似的近乎神秘的气氛，股价在上半年飙升10%，而债券价格下跌10%。

学术研究的主观性

在言论自由运动之后和反越战示威抗议高潮期间，我在伯克利分校教书。那时，抗议示威者比比皆是，经常堵塞伯克利的街道，甚至有几次，示威者占据了学校的主要建筑和道路。示威者经常聚集在我授课的巴罗斯社会科学大楼之前，当我从他们中挤过去时，领带扯得我很难受。从那时起，我就不得不戴一些证章上班，不幸的是在这种工作中，我无法以体面的假象来掩饰我的拙劣表现。我在追求成功的时候，最好也要求舒适和准备逃跑。

在伯克利分校时，我彻底了解学术界像任何行业一样，对教育这一行偏见很深，而且很主观。起因是亚瑟·詹森写了一篇论文，探讨教育成就的成因与多样性。由于我和詹森对高尔顿的成果均有浓厚兴趣，所以当我到伯克利后就拜访过他。

在这里，我不打算讨论詹森的研究。查尔斯·莫瑞和理查德·荷瑞斯坦在他们的著作《钟型曲线》中，已经把这个工作做得很精妙。激进的预测者试图将自己最新的学术成果当作信条，而我和詹森所受的不公正的待遇对他们来说是个警告。

詹森把他的研究成果发表在1969年的《哈佛教育评论》上。一直到此刻，他的论文仍然是学术界追求精确和谨慎的典范，里面有169个参考书目，无数的表格，并总结数百个独立的精神分析结果。

这篇论文发表后掀起轩然大波，很多教授和研究生写信给加州大学的学报《加州人日报》，要求禁止詹森从事进一步的研究，并且从教师名单中除名。学生们在社会学系前的广场上示威，威胁说如果他们的要求得不到满足，加州大学就会关门。印有詹森照片的海报满校园都是，并加有标题："背叛人类罪"。

我花了一点心思去检查，发现整个加州大学里，刊载詹森这篇论文的当期《哈佛教育评论》只有两本。感谢一位在图书馆工作的朋友的帮助，我发现这两本杂志都被遗传学系借去了。显然，社会学和哲学教授无法在学校图书馆中读到这篇论文。接着我给《哈佛教育评论》编辑部打了个电话，请他们查看那些撰文强烈抨击詹森的教授们的订阅记录，结果他们根本就没订阅过这本杂志。在这里我敢说，这些教授极有可能没有读过这篇论文，他们竟会有如此强烈的空想癖，甚至乐于抨击一篇从未过目的论文。

一场会议适时地安排在生物系教学大楼里及时召开，议题就是批判詹森，而且对那些赞成个人天赋完全相等的人，这次会议还应缓和他们的敏感性。批判性的言辞无外乎如下："我们或许应该感谢布特和詹森，正是他们使大家了解到从高尔顿以来的精神分析者的傲慢、无知和偏见"，"相信免费的程序不但会错误，而且极为危险"，"詹森的做法其实不是对症下药，只是对忽略这个问题开出的处方”，等等。

遭到这样的批评，以及一些我认为不宜刊出的极为恶毒的谩骂后，难怪詹森有一次提到，大家对他的基因理论避之唯恐不及，是“影响科学发展的最大障碍”。

我是随时准备保护高尔顿的支持者，以免他受到集体主义分子的攻击。于是我做好安排，担任詹森在校园里上课时的保镖。我把网球拍带到他的课堂，下课后一旦治安警察被挤散，我就帮助维持秩序。我觉得他的讲演令人振奋并富有挑战性，而且詹森从不躲避，不管别人怎么批评指责，他都冷静地运用事实、数据、逻辑去驳倒他们。

每次我觉得与自己完全相左的传统思想在向我施压时，我就采用他这种坚忍不拔的方法，形成对我有利的结果。我对市场的看法，似乎总是与最权威的学术研究人士以及政治评论家的观点背道而驰，对于这一领域，我认为那些所谓博学的评论家并不比我知道的多多少。他们的观点很牵强，但毫无疑问是一张通向救济院的车票。就是基于上述原因，我离开伯克利时，除了《探索者》之外，我没有带其他任何杂志。我像很多成功人士一样，尽量保持隐密，不跟外界接触，以便排除比我博学的人的见地。这样的情况持续20年后，我才将我的部分资金转交给富有的投资者。我和我的伙伴有幸被认为是精英分子，毫无疑问，这种短暂的不带预测性的猜测使我们成为风头正盛的人，而也许不到一个星期，我就可能被禁止向大众传播我的观点。

我经常受到邀请参加座谈会。会上，投资银行家用半学术性的理由做依据，宣传他们的产品。每一次我发现自己在说：“你真的相信这种胡说八道，还是仅仅为走过场？对于你的选择，我没有绝对的科学论证。”在1996年8月的彭博公司主办的座谈会上，我终于有所突破。我的对手认为，长期持有商品现货可以与长期持股产生相同的利润，应用这种观点，投资者可以改善其收益风险比。我还来不及说“抱歉，插句话”，就无法控制自己的情绪，脱口而出：“上次我也听到类似言论，德国金属工业公司听信于此，结果损失了大约20亿美元。”情形就是这样，我意识到同其他许多领域一样，在座谈会及类似活动中我已成为多余的人。从此之后，我发誓再也不参加这样的活动，30年前在芝加哥，我无法加入一个非犹太俱乐部，而今我也无法成为一个公共组织委员会的成员。

虽然我尊重哈罗德·布洛姆的批评，但我并不同意他的看法，他说："学术界总是充满了傻瓜、骗子、小人和官僚。"我在哈佛大学经历到的傲慢与偏见，芝加哥的随机漫步理论，以及在加州大学伯克利分校的学术迫害，使我意识到教授与你我一样也是平常人。我敬重某些教授的人品和才智，但在他们借以谋生的这个行业中，顾客的态度对他们的收入毫无影响，职称与业绩毫无关联，这就造成他们对某些行为和态度极为敏感，而对于屠夫、面包师、电工这些从事平常行业的人来说这种情况不可能出现。

如果我要面对一位屈尊从高超的学术研究领域来到现实预测工作的教授，他手里经常拿着一台迷你电脑，知道这一点，会让我占有优势。接着，这位教授会开始讲解在神经网络、模糊逻辑、动态规划、非线性微分方程、混沌理论的最新发现可以揭开市场运行的秘密。不久之后，我定能看到媒体的报道，说在一个六边形的会议室里，装饰家具是现代艺术博物馆都愿展出的物品，一群来自加州工学院、斯坦福大学、麻省理工学院的优秀博士在一位教授的带领下，已能对纽约证券交易所每日成交量的5%进行解释说明。当我把听说到的类似的5%相加。结果远远超过100%。

别了，象牙塔

最后的一个事件最终让我离开学术界。有一天，在一座机场里，以前的一位学生抓住我的领带，推推搡搡，恼怒地对我说："尼德霍夫教授，你可能不记得我了，我是你的第133届商务管理班的学生。现在，我只是想让你知道，你是我这一生中遇到的最差劲的老师，我已经向学校投诉你了。"

这位学生的不满，我完全可以理解，但是对于他的控诉，我有一些抗辩之辞。他的期末答辩论文，一字不落地抄袭第二次世界大战以前《金融杂志》中的一篇论文。文中经常提到"面值""铁路债券""控股公司"之类的字眼，泄露了他的秘密。我向学院揭发了他的行为。那时大学兄弟会成员保留着早期的论文，一旦遇上不精明的教授或者与教授私人关系很好时，就抄袭一篇充当自己的答辩论文。

不久之后，我收到商学院教务长理查德·希尔顿的一张便条，上面写着："尼德霍夫教授，可否到我办公室来一趟？我收到一个学生对你教学风格的投诉信，我想给他一个满意的答复。"当我来到他那宽敞的办公室后，他就把那个学生的投诉进行描述。

"你似乎总是即兴开讲，从不备课，经常嘲笑学生，很少系领带，甚至把运动鞋放在讲桌上。你一成不变地只讲授自己的作用，对金融学名家的伟大贡献却视而不见，甚至极尽诽谤之能事，你很少谈及本杰明·格雷厄姆，而总在讨论无业游民。

"教授，我们认为你是我们院里的明星教授之一。在教学会议上，当宣布你成为副教授时，下面鼓掌和欢呼声一片。但这个学生似乎对你极为不满，甚至恨不得用斧子杀死你，你有什么话要说？"

我考虑之后，认为在我还能够保留少许尊严的时候离开，正是我脱离教学生涯的好机会。作为一名壁球和网球教练，因为是一对一的教学方式，我显得游刃有余，但当我把这种方式应用到金融课堂上，我是个彻头彻尾的失败者。

大约两个星期之后，我再度偶遇希尔顿。他说道："维克多，你想过我们的谈话吗？我一直在注意你，也很欣赏你，但关键就是你的教学方式，这是其一。其二，你应该注意到，这里从来没有哪位教授既积极从事商业投资，又全身心进行学术研究，并且获得长久任期的。你必须放弃其中的一项。"

"但是，教务长，我一年才赚9000美元，而我的学生一毕业，起薪都是14000美元。凭这点微薄工资，我怎么生活，怎么抚育子女？"

"那对不起，在伯克利这样的名校教学，就必须有所放弃。我也是这样。如果你选择留下，我相信将来你一定不会后悔，但无论如何，你现在必须做出抉择。"

我很快做出决定，就是回到纽约，回到市场的实际世界中操作，并且重新参加壁球锦标赛的角逐。

第十三章 / CHAPTER 13

蝴蝶效应与投机：把握关联

传言财政部长要出售黄金；一项法案即将在国会中提出，基本上会在修改后予以通过或予以否决；西班牙大使上午匆匆走出白宫；国务卿给华盛顿的一名高官发出一封重要快件；一家重要的铁路公司将降低其费率，或是一些铁路公司要合并。

——马修·史密斯

市场链

有关相互依赖性的典型讨论，源自达尔文的《物种起源》。达尔文在这本著作中说："每一种生物都和其他生物有关系，只是关系经常是间接的。"他把英国人的健康与当地老鼠的数量相联系。猫吃老鼠，猫多了老鼠自然就少了，但是老鼠又破坏黄蜂窝巢，黄蜂给替牛吃的牧草苜蓿授粉，牛又吃苜蓿，英国人又一定要吃烤牛肉，于是达尔文据此认为：

> 因此，下面这种说法相当可信，也就是：一个地区猫科动物的大量出现，最先经由老鼠，再经过黄蜂的介入，可能决定该地区某些花种的开花频率。

20世纪70年代初，有一个拥有很多环节的连锁，曾经使人们大赚或大亏。

厄尔尼诺是每隔几年发生一次的天气现象，起因于太平洋的西风减弱，从海底上来的冷水减少，因此南美洲洋面的海水，包括秘鲁的哈恩波特洋流暖化。这样一来，秘鲁鳗鱼的产量降低，因为较低的水温有助于鳗鱼的生长，而鳗鱼却是家禽和牛的食物中的一种关键成分，因此农民被迫用黄豆代替减少了的鳗鱼粉作为家禽和牛的食物。1973年，黄豆需求增加时，现货价格从每蒲式耳3.40美元涨到每蒲式耳11.06美元。

厄尔尼诺现象的连锁会蔓延，在于鱼粉是饲料的主要成分。所有家禽和宠物饲料，基本包含以下成分：（1）谷物类，如玉米或小麦；（2）谷物副产品，如玉米麸质；（3）蛋白质添加物，如鱼粉或黄豆粉。当蛋白质添加物价格上涨时，家畜与宠物的喂养者便代之以黄豆粉，从而使黄豆价格迅速上涨。所以，喂养者最终将在蛋白质补充物和黄豆之间来回选择。黄豆和蛋白质添加物价格上涨又波及谷物和谷物副产品的价格并对后者价格的涨落产生影响。

像这样对市场的连锁影响叫做“多米诺骨牌效应”。所谓“城门失火，殃及池鱼”。1996年年中，铜期货价格暴跌25%，起因是日本住友商社在铜期货交易中遭到重大亏损。而亏损是住友的恶棍交易员滨中泰男造成的，最终造成白银的价格跌至5美元以下。之后，铝、铅、镍均受影响，下跌5%。这种“多米诺骨牌效应”还波及邻近的相关市场，包括澳大利亚元、世界谷物、美元、美国债券以及美国股票市场。一直到美联储主席格林斯潘采取坚决行动，才把“多米诺”骨牌重新扶起来，各相关市场才得以重整旗鼓。最终在6月底，铜上涨10%，S&P指数迅速上涨6点，高于前些年的最大涨幅。

股市运动经常被人归因于连锁、波动、旋转、持续调整以及全球的同步改善，以致这种解释都已变成陈词滥调。“热门股票，像水面上的涟漪迅速扩展到技术行业的巨子”或者“从对价值股的兴趣高度发达的美国市场转移到较低层的新兴市场”，此类报道在金融新闻中每周保证出现至少10次。这一报道刚完，紧接着便是“股市暴跌波及技术股”。

现代交易者对这种连锁关系非常敏感。1996年6月，当《商业周刊》和《史密克·约翰逊报道》同时刊载一些匿名的消息灵通人士提供的消息称："联邦储备委员会在下一次的公开市场操作委员会会议上，不会做出紧缩银根的决定。"很多交易商立即将此视为挽救当时在纳斯达克交易系统中跌势严重的技术股的信号。

所有的市场都受过连锁反应的打击。谣传联邦储备委员会买进、索罗斯卖出、国债拍卖数量的改变、出现欺诈交易员或某一次自然灾害，都会引起市场价格的急剧波动。好笑的是，这种连锁还会影响兽医的行医业务（我通过《兽医药物》中的广告看出这件事）。不幸的是，像许多投机事件一样，直到噩运降临后，各种链式反应才将其最终的冲击反映到市场上。要是我能够事先知道它们对市场的冲击就好了，这会使我更主动，同时对我的德国向导犬罗夫和黑色拉布拉多犬米亚的健康更有利。

我坚决主张像达尔文那样，大量运用链锁来预测市场波动，但我还是比较喜欢从分析股市开始运用。20世纪60年代，我开始涉足投机，那时一种令人惊异的相关性体现在香港股市的运动与纽约证交所股票的涨落上。面对两张股票市场运作图表，如果事先不做标示，你是很难将它们分辨出来的。但到1995年，这种联系消失了。现在美国股票市场上的投资热点是高技术公司的股票，将近有40%的共同基金专门投资于这些高技术公司的股票上，而且香港股市那些变化无常的小额股票基本沉寂了。根据很多专家的说法，香港股价暴涨的关键，是美国的泡沫破灭，致使大量的资金从日本、美国、欧洲转移到香港。毫无疑问，1995年年底，高技术股票便开始跌落，原因是富达基金公司的麦哲伦基金抛出其股票，在此之前不久，它还在标榜其股票的永恒价值。香港股市在1996年头两个月，立刻上涨了15%。

目前有一个有趣的地方，几乎所有新兴市场，都在跟着香港股市的波动起舞。香港居民控制着极多的财富，以致"香港打一喷嚏，能使菲律宾和墨西哥市场得感冒"。1996年3月11日，香港股市出现历史上第三大跌幅，一天之内下跌7.5%，亚洲其他市场同步下跌。可笑的是，股票下跌的原因不是导弹打向台湾海峡，而是由于害怕华盛顿特区某一被称为“绿色机器”的秃头银行家鉴于一些随意的就业报道数据而缩紧货币供给。

在新兴市场中，回馈循环经常令投机客心惊胆战。很多新兴市场基金经理人根据美国的货币政策分配他们在各个国家的投资比例，当美联储放松银根，他们便像旅鼠一样冲向香港、新加坡和墨西哥市场，因为这些国家或地区的国民生产总值中有相当一部分是向美国出口。而当美联储采取紧缩政策，他们便又转向印度、韩国、南非，因为这些国家和美国的联系相对疏远一些。

不同市场之间的联系似乎总是投机客关心的事情。1890年，著名的巴林公司因为在阿根廷的巨额亏损，第一次破产时，美国证券市场立刻出现了空前的恐慌。我爷爷和“少年奇才”利弗莫尔一起操作时，交易人下船或下火车后，问别人的第一个问题是，“伦敦市场的情况怎样？”而少年奇才喜欢预测伦敦之外的行情，因为他可以更接近其所预测的地点。在特别剧烈的股市动荡中，如1907的恐慌时期，他搭乘第一艘横越大西洋的航船去直接目睹这场灾难，然而什么都没有改变。每个称职的投机商都会密切注视在伦敦和东京交易的美国股票、亚洲市场从开盘到收盘的交易情况，以及纽约股市收盘后，欧洲股票市场做出些什么样的反应。这一切都是了解今天的美国股市会有什么变化的症结。相反，在芝加哥交易的外国股票市场上的期货随着道琼斯指数和美元的运动而变化。“新兴市场静候美国的音信”等大标题，在财经报纸上随处可见。

联动关系的原因

市场彼此相关的原因太多了，不知从何说起。语言、能量、碳、遗传、社会关系以及经济学，都在其中发挥着作用。从语言开始探讨比较适当。

文字把我们联结在一起。大多数人通过读书而分享人类共同的遗产，而我们所读过的每本书把我们与这本书的其他读者联系起来。即使我们不读书或者不说话，我们仍然能通过电视、互联网、电影以及类似的媒介来沟通，并且分享同样的文化意识。社会学权威马歇尔·麦克卢汉，说明新一代数字化传播方法时，提出了一些令人景仰的说法，例如："现代电信网络将世界联为一体，把世界变成了地球村。"

但是早在1607年，约翰·邓恩在其诗作《信任者》中写道：

> 没有人是完全孤立的小岛
> 每个人都是大陆的一小块
> 是整体的一部分
> 因此绝对不必派人去探听
> 钟声为谁而鸣
> 钟声为你而鸣

自从蒸汽机和电报问世以来，我们几乎可以同步分享信息。最新的观念认为：计算机时代一定会导致主权国家衰微，人类的关系会越来越紧密。

人类之间相互依赖的物理原因来自守恒定律，特别是能量守恒。不管能源的形式是什么，如太阳能、热能、光能、重力势能、风能、机械能、化学能、核能或者电能，能源从一种状态转变到另一种状态时，其总量不变。格罗夫尝试对物质属性的二重性、相互性和可塑性做出解释，他在《力的相互作用》中写道：

> 例如，很多事实，一件事实不可能发生，除非牵涉到另一事件。例如杠杆的一臂不升起，则另一臂也不会降下来；手指不作用于桌面，则桌面也不会反作用于手指；没有一个物体的冷却，则没有另一个物体的变热；或者说消耗某种其他的力，而这种被消耗的力所做的功恰等于物体变热所需要的能量；如果一个物体带正电，则必有另一物体带等量的负电。
>
> 即使并非所有的物理现象都相关，很可能大部分现象都是如此；如果不存在想象上的二重性，人们就不能对这些现象形成想法。同样，如果没有平行运动或者相对位移，我们便无法感知运动，或者不能想象其会是怎样的。

我们经由共同的遗传因素，和所有生命形式都有关系，大致上这是现代生物学的基本论点。大家相信：多细胞动植物起源于20亿年前一个共同的祖先。如果所有生物都起源于一个单细胞，那么使我们都成为现在这样的所有化学过程皆相似便不足为奇了。刘易斯·托马斯在《一个细胞的生命》中写道："我们的起源非常可能是当初地球凉下来时，闪电击中某一个单细胞，这个单细胞从闪电之中获得能量、养分。我们现在的这个样子，是经过这个母细胞的子孙后代逐渐演化而来的。我们还受其他基因的影响。青草和鲸鱼的酶相似，相似程度属于同一科。"

从比较具有哲学意味的层面来说，植物界、动物界和矿物界不断相互转换，不断从一界变成另一界。盖·莫基把这点说得很清楚：

> 自然三界持续不断地互动。农夫耕田时，实际上人类（人）正在利用动物界（马）使矿物界（犁）去影响植物界（玉米）生产食物。但是，各界并非总是和谐一致，彼此之间也会发生激烈的战争……所谓较低等的矿物和植物取胜的次数并不亚于高等的动物和人类，有时甚至还略高一些。

在生命的形成和延续上，需要许多重要的元素及物理、化学过程。其中一种必不可少的元素便是碳元素，它是所有元素中最友好的，它联结着生物界与非生物界，它对生命的重要性就像股份对股票市场一样。由于其友好的亲切结构。碳元素拥有将其他原子连接起来的独特能力，无论它们是碳，还是氮、氢、氧。

1968年10月13日，雅各·布罗诺斯基在《纽约时报》上撰文写道："碳元素的生命不会随着你的生命结束而消亡……它会回到土壤中去，被植物吸收，开始新一轮植物与动物生命之间的循环。"因此，独立的碳原子是不会毁灭的。补充赖以生存的碳元素延续生命是生物的共性。细菌、真菌、蚯蚓等作为分解者，将碳元素从腐朽的动植物身上分离出来，使其重新回到土壤中繁衍生物。显然这些分解者的作用是十分重要的。同样的，股市唯有靠股票在不同的买方和卖方之间流通，才能继续维持下去。股票经纪人和股市行家们将各种金融机构和大众的订单转换成便于买卖的数量，维持了股市的平衡。

社会关系多少要由我们相当凡俗的欲望决定，如出身、地位、认同、爱慕、安全和权力。这些社会学上的变数又受许多因素的影响，如家庭、宗教、社会习俗等。后者又打上文化、时间和国籍的烙印。例如，信任决定我们是否愿意与外面的经纪人来往，而信任本身又取决于人际关系和社会结构。后者使我们相信。较差的信誉将受到惩罚，良好的声誉将受到奖赏。在市场上，决定好几百万的美元交易与否，不依别的，仅依一个眼神或一个手势。尽管成千上万的美元被那些不守诺言的家伙获得，但是100万次这样的交易当中，不受承认的不到一件。社会道德约束、声誉以及交易者之间有效的交流能阻止恶性事件的发生。

在选择顾客与供应商方面，所涉及的关系和规律性叫做委托关系。买方和卖方并非随机寻找最低的价格，或是靠着有系统的筛拣，通常是延续平常采用的方法，和同样的对方一再交易。每次我让我的经纪人去做交易时，我都会遇到这个问题，其他经纪人通常要花两三年时间才能认识我的人，除非我的经纪人偶尔能较好地为我弄清楚其他交易者是如何的囊中羞涩。为了解决这个问题，在交易厅中女性还很少的时候，我就派了一些迷人的女性过去。当然他们很快就认识了，但在真正激烈的交易战中，男性交易者通常会越过我的女性交易员，去和那些更有实力、更富有挑战性的男客户进行交易。我到交易厅去参观时，一定会发现我派出的交易员是最受欢迎的人。我始终不知道应该把这点归功于她们的能力、个性、性诱惑，还是归因于没有经验。

商品在进入杂乱无章的市场时，也必须遵守社会规范。交易身体器官、治病妙方或神圣的偶像，是社会不能接受的。我不想对我的朋友们说我愿意在火山爆发、地震和灾难恐慌之中去尽力展示自己。另一方面，有些股票的价值很显然是随其生命周期所处阶段的不同而变化，而投机商们却往往忽视了这点。

1996年5月，索斯比拍卖行拍卖杰奎琳·肯尼迪的遗物，是说明定价和经济、政治和社会的因素之间相互联系的最佳例证。所有拍卖品在拍卖前估价约300万美元，实际上卖到3700万美元，几乎高得可笑。为什么有这么大的出入？这价钱合乎逻辑吗？任何能对此做出准确回答的人，在投机事业上应该会有很大的成就。

我通常不会跟着大众走。评估收藏品的专家肯·伦德尔反应特别激烈，把这种事情叫做无法维持的泡沫。但是，我并不能抗拒投机的诱惑。有线电视网报道一本杰克签名的书的价格直线下跌至71000美元，同时，我有幸用7000美元买了一封杰克写给一名护士的书信，其中描述了怎样治疗肯尼迪。十分之一的价格似乎可以让人接受，所以我就买了下来。当然，如果有什么办法能阻止该书的销售的话，我会感到更为高兴。

市场的相互关系具有经济原因，即源自货物对消费者和生产者具有众多的替代性和互补性。汉堡的替代品不仅是鸡肉、猪排或者鱼，还包括看电影、去牛奶女皇的店里吃东西，或者是任天堂的游戏。当汉堡包的价格上涨时，鸡肉和猪排的价格便会有相应的增长，这会阻止汉堡包的吸引力下降。如果汉堡包的需求出现上升，那么显然其价格又会出现上涨，这样同时便会导致将各种资源用于汉堡包生产的厂商增多。如果市场之间是相互独立的（所有市场均是如此），那么所有产品价格的确定便是同步的了。

我们买卖的东西是平衡的。你我以工资、利息、借贷资本以及出租设备和土地给公司、企业而获得收入。当这些公司获利时，我们可以分红，或者公司的账面价值上升。从企业的角度看，它们的成本就是我们的工资和租金，他们的利润就是从我们的支出减去成本之后剩下的部分。一家公司的成本加上利润等于公司的营业收入，这些营业收入来自我们的支出。

许多经济学书籍说明了这种相互关系（见图13.1）。支出和收入之间是个永远没有终点的回馈循环。由于每个人的支出将成为其他人的收入，而这又影响我们的支出，因此图中的循环链中，如果一个环节出现小小的改变，那么它将对其他环节产生广泛的冲击，用行话说："我们的经济系统的回馈循环网传递着经济病毒。"

要是能够把价格关系压缩，刻在石头上，投机不知道会变得多么容易。但价

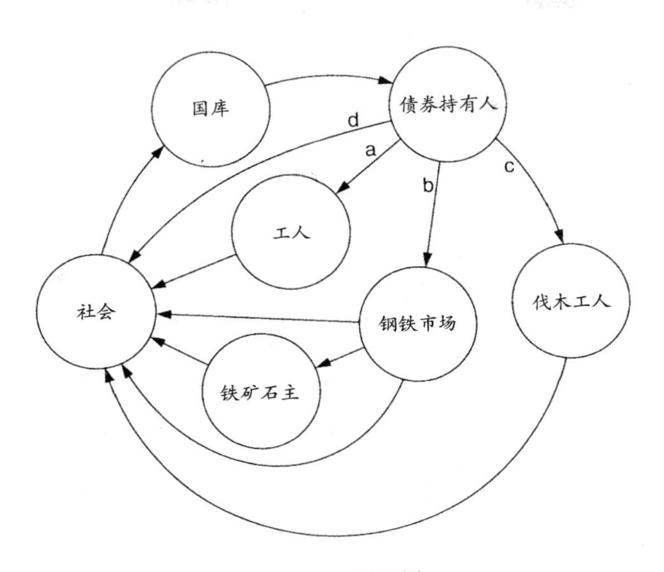

图13.1 循环链

格是由欲望和稀有性决定的，其间的组成分子始终不断变化。以下是塞斯对价格的看法，我相信他的话值得贴在所有从事投机活动的地方：

> 这不表示跟某种东西的关系是恒久不变的，这只是在千变万化的组合中瞬间的位置。在行动者依其价值标准认为有价值的事物组合中，每件事物都是与其他事物相联系的。所谓价格总是一个合作系统中的一种关系，是人类关系的复合效应。

波博士告诉我，优秀的兽医必须擅长于找出谷仓旁广场的关系，例如，猪不健康，通常是一个网络的一部分，这个网络跟农夫和太太的性生活不和谐有关。猪不健康时，导致主人担心，这种忧虑导致性生活质量低下，而性生活质量低下导致食欲下降，所以最后点心不是被人吃掉，而是被猪吃掉，这样对猪和对人一样，有相同的不良影响。在一次谷仓前空场上的闲聊中，波博士对那农夫说："为了中止这种不良效应的循环，你必须开始从某处着手。我这里有些通常给狗吃的春药，你随便吃些，我想你的问题便会解决了。"

虚假的跨市场关系

不好好注意虚假的相互关系，任何叙述相互关系的说明都是不完整的。史蒂芬·斯蒂格勒指出，英国伟大的经济学家威廉姆·斯坦利·杰文斯在19世纪初发现，太阳黑子与商业周期之间有某种联系，随后的分析证明了这种联系只不过是对太阳黑子和商业周期发展趋势的人为判断（用商业周期预测太阳黑子，就像用太阳黑子预测商业周期一样）。杰文斯发展出一套复杂的解释，说明太阳黑子和降雨量、印度季风、欧洲贸易以及英格兰经济状况之间的相互关系。斯蒂格勒认为，从统计学意义上讲，其间的联系从总体上讲确实存在，但个别来看便不会是这样的了。

关系不限于短期关系。把影响市场长期波动的力量归纳起来是很危险的，看起来堂而皇之的相互联系，常常可能是用随机数据复制出来的。如果一个市场是另一个市场加上一个错误项后的随意倍数，那么部分重叠的图像看起来便具有高度的可预测性。两个时间序列的视觉相互关系有99%是假的，原因就在这里。

大部分跨市场分析图表犯了这种统计上的基本谬误。记录不同市场价格的图表彼此可以重叠，通常也会展现相同的趋势，尤其是因为这些图表没有经过持有成本的调整。例如，所有有关生产的数据都会随着人口的增长而增长，而且几乎所有的系列价格由于通货膨胀而上涨。如果一张5年期的图表只有10个半年的数据点，那么在每个连续系列出现3个以上的转折点是不可能的。这个系列和另一个系列比较时，看起来自然会像是和另一个系列同时上升或下降，或是在另一个系列之前或之后变动，不是在另一个系列之前上升，就是跟随另一个系列下降。

斯蒂格勒从《自然》杂志中取材，寄给我一张图表，很有趣。该图表解释了德国的人口出生率因鹳的数量的减少而下降（见图13.2）。斯蒂格勒加了评语说，“这张图表作为技术分析的例子在大部分书中都是相当有用的。”

我收到这张图表之后不久，有一份重要的财经杂志刊出了同一张图表，用不同的文字，说明中央银行购买国库券引起了美国利率的下降。

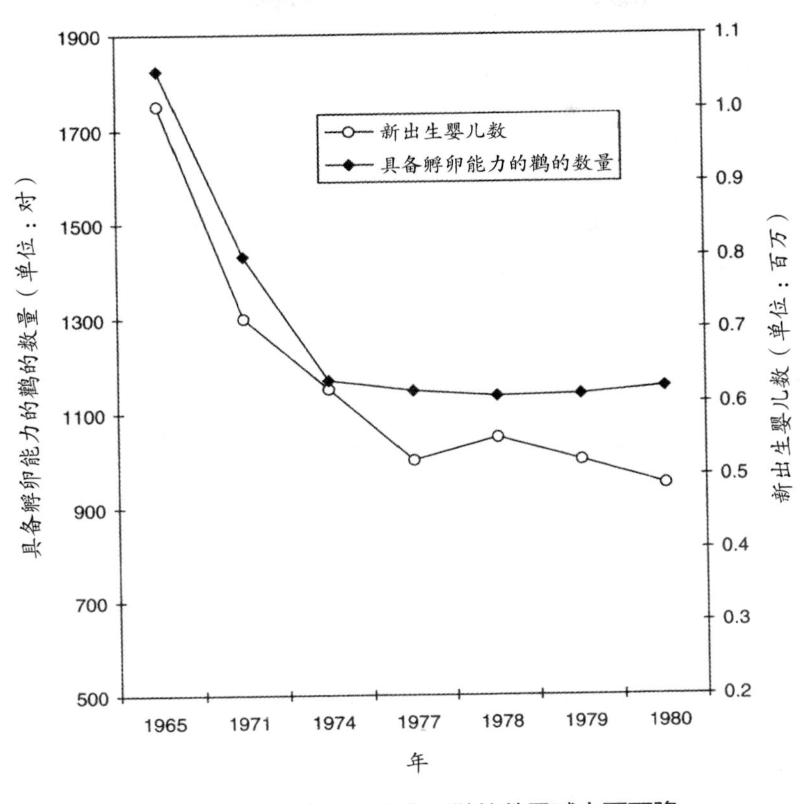

图13.2 德国人口出生率因鹳的数量减少而下降

故事与市场

我还是小孩的时候，就对关系有了初步认识。全家一家人熬夜，听着外面我的脚步声，静候老爸的归来，老爸在下午4点至午夜12点当班。他到家后，会坐到我床边，给我讲故事催眠。其中的一个故事以及随后对其的讨论，构成了我投机获取财富的基础。20世纪50年代的布莱顿海湾，恰好是在高架铁路旁，老爸讲了这样一个故事：

有一天，这天跟安第斯山脉山脚下的任何一天大致相同，山上一只猫正在追着一只老鼠当作运动，也是为了它的午餐。但老鼠钻到地洞里消失了。猫便在山坡上忙活开了，指望抓住那只老鼠。虽然小洞慢慢变大了，但猫最终无功而返。

雨水沿着山坡冲下来，小洞越来越大。日久年深，山洞变成了一条裂缝，最后山坡崩塌下来，显现出闪闪金光的金矿矿脉，足以吸引一整个世代的勘探者。

马尾草一类的植物在这个地方到处生长。这种植物像人类一样喜欢金子，据说这种植物每吨会吸收大约4盎司的黄金。

一位勘探黄金的人看到马尾草，受到吸引，在山边小溪试着淘金，盘子里剩下的残金证实了他的发现。于是在此搭起了一个小棚屋，而且竖界标以表明此处归其所有。但他哪里知道很快便有一大群蚂蚁像一平方公里大的毯子一样，爬到他身上把他咬死。蚁群的阴影漫山遍野，从东边移到西边，然后往下走，一直往下走，扩散速度令人难以置信，全部的绿色植物像被一把巨剪剪过一样，转眼消失殆尽。巨大的蚁群迅速移动、延伸，很快覆盖采矿者全身，无情地将其残噬。

要是那位探矿者问过当地的印第安人，他们可能会告诉他，不要在那里搭棚探矿了。刹那之间，这个人和他所带的马和狗，就悄无声息地长眠在寂静无声的含金岩石中了。

老爸说："维克多，这种事情今天仍在继续发生。在巴西，人们砍伐雨林、生产木材、修建道路和牧场，不给蚂蚁留下足量的草木、绿叶食用，因此现在的蚂蚁为了栖居和觅食而被迫到处流动。它们再度成群迁徙，向印第安人逼近，后者在恐惧来临之前忙于逃命。在巴西，有恐怖的事情发生时，得克萨斯州也会有恐怖的事情。每一件事相互间都有关系。改变大自然中的一件事情，其他与此相关的事物也会受到影响，这是理解事物间相互联系的智慧标志。"

谦虚为上

所有认真研究事物间相互关系的人最后都会断定：这些关系都很短暂，顶多是不稳定的现象。因此，生态学家说："要先了解，才能处理这么复杂的相互关系。"（他们通常会选择一两个小故事，显示增加DDT的用量，会导致昆虫数目增加，或在老鹰体内留下致命的剂量。）

我同意这一点，政府官员（过去的，现在的，而且毫无疑问将来还会有）都会表现一种令人讨厌的幼稚行为。他们总是骄傲地夸耀其大学时代的辉煌成绩，然而，他们慢慢地开始承认他们未曾修过一门经济学课程，真是奇怪！仅仅是大学时得了高分就使他们有资格来管理经济！美国前国务卿詹姆斯·贝克是"这些东西不能教"这一派的领袖。依据德意志联邦银行行长波尔的观点，詹姆斯·贝克的举措是导致1987年金融灾难的原因之一。

我发现市场的相互关系具有零乱琐碎、捉摸不定和随机的特性，这种特性正是我痛苦的来源之一。没有考虑市场之间的相互联系，却试图去影响市场，以至于遭到挫折，最终使我意识到不能孤立地对待市场。

要成功地应付市场相互关系这么庞大的问题，先决条件便是保持谦虚的头脑。我知道，虽然我终生致力于发掘市场之间的关系，却不具备足够的工具或知识去正确地研究它们。我感觉自己像内米斯叔叔的故事中的熊一样，冒着生命危险去看淹在水中的月亮，而每次都是看到月亮在眼前消失，兔子却高兴地把他的马铃薯条偷跑了。但是如果我更努力、更精明一些，就会领悟到那种永恒的联系。

1987年10月股市大崩盘

在大多数观察家眼里，1987年10月19日股市大崩盘前，债券、股票和货币市场上的价格变动，可能是最明显的市场联动关系。在大崩盘之前的10个月里，美国债券期货价格下跌超过20%，从98美元跌至78美元，而同一时期，道琼斯工业指数则从1900点上涨至2600点，上涨近37%。

投资回报率相关57%，把这种情况“回归”到平均数值，就开始造成伤害。表13.1是一些代表性的收益率，可以快速了解当时的相对投资回报率。

表13.1 1987年股市大崩盘前后代表性的收益率

	1986年年底收益率	股市崩盘前的收益率	1996年6月30日收益率
30年期公债	8.2%	10.2%	7.0%
三个月期国库券	5.7%	8.7%	5.1%
道琼斯成份指数股	3.6%	2.6%	2.5%

过去，股票的收益率与债券的收益率之间的差别似乎是反向的（要证明这一点，得写一本书才行）。债券与股票收益的差别在1987年大崩盘之前达到了7. 6%，接近历史最高峰，就足以说明这种现象。到1996年年中，两者的差距仅为4.5%。

外国投资人并不赞成1987年的这种差距。大崩盘前夕，美元下跌10%，而10%的债券收益率却不足以引诱迟钝的投资人，也不能吸引有耐心的亚洲人，在面对不断下跌的美元而买美国债券。回馈程序也逆道而行，美元多日下跌时，美国债券价格开始自由降落。

10月18日，星期天，美国国务卿詹姆斯·贝克进行干预时，大势已定，大崩盘开始降临。他在面对全国的电视节目中宣称，除非德国人采取行动购买更多的美国商品，否则美国将让美元进一步贬值。这已足够了！维持股市平衡的自动矫正机制被打破，世界各个市场承受人类历史上最大的财富损失。

第二天，德意志联邦银行行长波尔对他的行政官员们说：“这是贝克干的好事。”这时，修正主义历史学家和那些盲从而说三道四的人还没来得及为贝克辩护，波尔一针见血。

大崩盘当天，与预期的一模一样，美元对欧洲货币贬值1%，对日元下挫0.5%。铜与大豆分别作为金属和大宗商品的领头羊，皆下跌近6%；石油下跌1.5%；而金与银，作为灾难的前兆分别上涨2%与4%。在美国市场开盘之前，香

表13.2 1987年10月大崩盘时的重要价格变化（%）

	10月19日，星期一收盘与前一交易日比较	10月20日，星期二收盘与黑色星期一比较
债券	−0.20	6.80
瑞士法郎	0.90	−1.90
英镑	1.14	−2.05
日元	0.61	−2.10
银	4.02	−12.00
铜	−3.81	−11.77
黄金	2.20	−3.96
燃油	−1.73	−0.30
原油	−1.63	−0.35
大豆	−1.53	2.24
玉米	−3.72	3.22
糖	−3.64	−3.98
S&P500种期货指数	−28.61	7.30
S&P指数	−20.40	5.23
道琼斯指数	−22.62	5.90
东京股价	−14.90	9.29
伦敦股价	−10.84	−12.22
德国股价	−9.39	−1.40
香港股价	−11.15	（闭市）

港市场已经下跌11.1%，然后被迫闭市4天，重新复市时又暴跌25%（见表13.2）。

大崩盘的第二天，即10月20日，回馈过程开始发挥作用，防止了灾害进一步扩大，并且预示未来的走向。债券一天之内上涨近7%，这是有史以来涨幅最大的一次，从而使得美元在美国本土的收益率具有吸引力。股票与债券之间收益的差别在一天内几乎回复到1986年年末的水平。美元对外国货币又升值2%，这似乎暗示贝克不会再度插手市场了。第二天，铜、银各跌12%，表明美国工业在可以预见的将来不会出现大的问题。道琼斯指数收复了大约114点，是前一天跌幅的1/5左右，开始了随后8年大致持续不断的100%的涨幅。

我像舅舅经常失败的情况一样，在胜利之神张牙舞爪的时候急忙认输。我在美国市场上持有的股票下跌25%，持有的香港股票在香港股市40%的跌幅中直线下坠，化为乌有。我持有大量长期国债，但为了支付告急的头寸，我在股市崩溃的高峰期将它们悉数出售了。(我把责任归咎于我的妻子和我的第一位客户特·霍恩，他们两人曾经警告我，要我在大崩盘的星期一上午远离股市，遗憾的是他们的忠告却激怒了我，我反而买得更多。)

大崩盘的情形依然历历在目。10月19日股市刚一收盘，美联储便进行干预和购买国债。债券获得有史以来的最大盈利，一天之内上涨幅度超出10%。自那时起，股市便似乎已经陷入另一次崩溃，投机商迅速抛出股票而买进债券，这便是心理学家所谓近因效应的真实写照。你可能记住了你最近一次停车位置，但不能回忆起你以前停车的地方。要找一本书或一枚戒指、回想一种念头的时候，这种效应残存的特性有助于我们，但在股市上，它却是无形杀手。以这种方式操作，空头的亏损金额超过10月19日大崩溃的总亏损。

在这些危机中，价格显现出一种特殊的关系：股价下跌时，债券价格便上升，后者则导致股价下跌，继而又导致债券价格下跌。

市场间的相关

每个领域只有在坚实基础后，才会出现飞跃和进步。例如，科学史专家经常指出，只有等到门捷列夫发明了元素周期表，元素的原子理论才得以定量化和精确化。同样，哥白尼精确计算了各行星与太阳之间的距离后，牛顿才得以形成关于行星运行轨道的理论。

要了解变化多端却又关系复杂的市场，有一个好办法，就是研究彼此在一个合理的基本期限里的实际关系。表13.3列出了美国各主要市场一天的变动相关性。

有几个市场的表现好像同卵多胞胎一样。欧洲货币的“三剑客”，即瑞士法郎、英镑和德国马克，彼此之间有近70%至90%相关。日元与上述三者之中任意一个的最低相关性达到40%，在近70%的时间与它们沿同一方向做相应的移动。类似的，股票、债券和欧洲美元之相关程度介于40%与60%之间。

如果不比较同类市场，股市和其他每一个市场都是负相关的。其中，与大豆

表13.3　1993 年1月4日–1995年4月25日美国主要市场相关矩阵
（每日收盘平均变化）

	瑞士法郎	日元	英镑	德国马克	债券	黄金	S&P500种期货指数	原油	大豆	欧洲美元	糖
瑞士法郎	1.00	0.56	0.69	0.91	（0.09）	0.14	（0.18）	0.06	0.04	（0.07）	0.04
日元	0.56	1.00	0.41	0.55	（0.13）	0.14	（0.15）	0.02	0.01	（0.09）	0.02
英镑	0.69	0.41	1.00	0.71	（0.03）	0.06	（0.11）	0.01	0.03	（0.02）	0.06
德国马克	0.91	0.55	0.71	1.00	（0.09）	0.12	（0.17）	0.05	0.04	（0.04）	0.06
债券	（0.09）	（0.13）	（0.03）	（0.09）	1.00	（0.27）	0.60	（0.11）	（0.14）	0.61	（0.15）
黄金	0.14	0.14	0.06	0.12	（0.27）	1.00	（0.23）	0.14	0.25	（0.14）	0.08
S&P500种期货指数	（0.18）	（0.15）	（0.11）	（0.17）	0.60	（0.23）	1.00	（0.14）	（0.07）	0.40	（0.15）
原油	0.06	0.02	0.01	0.05	（0.11）	0.14	（0.14）	1.00	0.05	（0.02）	（0.01）
大豆	0.04	0.01	0.03	0.04	（0.14）	0.25	（0.07）	0.05	1.00	（0.09）	0.12
欧洲美元	（0.07）	（0.07）	（0.02）	（0.04）	0.61	（0.14）	0.40	（0.02）	（0.09）	1.00	（0.08）
糖	0.04	0.02	0.06	0.06	（0.15）	0.08	（0.15）	（0.01）	0.12	（0.08）	1.00

市场的负相关系数为-0.07，与糖市场的为-0.15，而与黄金市场为-0.23。类似的，债券市场与所有的其他市场负相关，甚至与黄金的相关性达-0.27。糖与黄金同其他商品联系最少，除了大豆与黄金之间具有惊人的25%相关之外，在其绝对价值的范围之内是无相关性的。

除了同类市场，相关性最高的是债券和黄金，负相关系数达到-0.27，因此证明了一般人认定黄金是通货膨胀指标的想法，但也打破了同样陈腐的看法——认为债券价格下跌时，黄金会下跌，因为买卖资金成本太高。令人惊异的是，黄金与股票之间负相关系数为-0.23，而与大豆之间正相关系数为-0.25。

股票市场与债券市场似乎是主要的推动者，和其他大多数的商品有很大的关系。股票与表中所示4种货币的相关系数（负相关）大致为15%，从而应验了大众的感觉：美元疲软时，股市便倾向低迷。与大众信念相反的是，长期利率的增长及弱债券价格下降总是和弱的美元相联系。债券价格与外国货币（每单位外国货币）之间呈现负相关。大众普遍认为当债券价格下跌时，外币也会随之下跌，原因是随着利率下降，以美元进行投资更具有吸引力。

国际关联

生物学家罗伯特·乌拉诺维茨指出，物理学方法所运用的“唯物论/简化论”，在说明生物系统的正回馈循环时并不适用。这显然是对的。数学的方法集中研究个体间的相互作用交易，同时寻求从一事件到另一事件的因果链。乌拉诺维茨认为，当一个人将其现察范围扩大些，那么他（她）将发现系统的一些新特征。局部观察的话，一个人可能看到丙—丁系列，例如“牛吃草”。但是，扩大观察范围，可以看出甲—乙—丙—丁—戊—己的循环关系：“人种玉米，市场将玉米输送给牛，牛吃玉米，市场将牛输送给人，人吃牛肉。”人—玉米—市场—牛—人的循环关系已经变得很稳定而且高度有效。开始看来偶然拼凑的图景，其实各个部分之间存在紧密联系，从而形成一个整体。

乌拉诺维茨认为，这样的循环一旦确立，除了拥有“自主性”（这个循环不是任何外在因果循环的一部分）、“显现性”（当观察者的观察范围扩大时，这个循环就会显现）和“正式性”（这个循环是指导行动的计划）特征之外，还具有“成长提高选择”和“诱发竞争”的功能，成长提高是所有正回馈系统具有的特征。为了促使循环更具有效率，循环系统必须选择其成员，用玉米代替草作为食物。而选择必然导致竞争。其实你能发现原因—后果现象不仅仅存在于这个循环之中，它还从这个循环的所有方向辐射。如果考虑到全球经济的广度与深度，你还会逐渐认识到为了弄懂回馈循环而需要做多大范围的观察，只要考虑还有多少循环有待考察就行了。

如果你试图限制国际经济关系，这些复杂性便会全部出现。除了市场冲击多意外，参数、紧急事件、形式、不稳定性以及不确定性等常见问题，我们还必须考虑文化、预言、政治、法律系统、媒体系统、援助机制和税收之间的差别，所有的这些问题都被汇率变动弄得更为扑朔迷离。一个国家用来衡量价值的东西，必须转换成另一个国家的汇率。

在所有经济学中，全球经济和汇率关系的理论基础是最复杂的问题之一。麦基宾和沙克斯在迄今最有深度的有关研究中，从一个简化的模型着手，做出了如下预测：

> ……在浮动汇率与资本高度流动的条件下，财政扩张导致产出扩大，货币增值和贸易赤字，这是20世纪80年代的情形。相反，大量货币发行会导致国内产出扩大，货币贬值，而对收支平衡则不大可能产生影响。
>
> ……对世界经济的整体影响，当然是全球经济同时采用一些政策的影响。

但这个模型故意没有考虑贸易逆差的影响、物价和工资遭到的冲击，或因为这种程序的最终结果而改变行为所扮演的角色等因素。为了在考虑这些因素的条件下获得有关问题的答案，两位作者发展了新的解答方法，这些方法均涉及博弈论、模拟等技术。

其中困难重重，光是决定外汇汇率的主要因素有哪些，经济学家就无法达成大致看法。对这一问题目前有三种不同的理论。收支平衡理论着重以长期与短期内进出本国的货币量来考察汇率，而资产组合管理理论则着眼从某一投资组合条件下握有货币资产的收益与风险的预期角度考察汇率。90%的参与者爱用技术分析，并以价格波动作为预测工具，包括移动平均线、滤镜、艾略特波浪理论、斐波那契数列，本书想要警告大家这些不能完全相信。

在这种浑沌不明的情况下，难怪政客们会插一手。我朋友向我推荐一篇有关他国的旧文章时，我都清楚地知道我将从中找到些什么。文章定会谈到全球合作、经济一体化、国际联系、宏观政策的协调、世界的相互依赖以及全球索引的必要性，而分享信息、增加交流、创造新型且更具有现实意义的模型、建立公平的竞争规则以及一个超越国家利益的计划与执行机构便是解决问题的途径。

未来学家阿尔文·托夫勒夫妇最善于创造新名词来说明前所未有的互相依

赖，例如“无边界世界”“电子村庄”即将出现，“行星意识”会“以惊人的方式把概念结合起来”，在众多数据之间，建立起相关的联系，变成“越来越大的知识模式和架构”。他们所见的一些相关的变化正步入我们的文明（包括技术、家庭生活、宗教、文化、政治、商业领导权、价值观及道德等），而所谓的相关变化却起因于新事物与知识革命以及旧事物、工业革命与农业革命之间的种种冲突。

研究日本

我在1994年和1995年间交易日元的经验，可以展示小小投机商如何在无国界的电子村里设法开辟一番获利的新天地。1994年，美国债券、股票市场以及美元对马克、美元对日元均出现了10%的跌幅。在此过程中，美国财产损失极为惨重。对上述情况比较一致的解释是：由于害怕美元的进一步贬值，所以外国投资者减少了其手中持有的美国资产。

显然大家经历了一种正回馈，也就是美国市场越是下跌，跌势似乎越有可能延续下去的过程，因此导致大家进一步抛出其手中的以美元计价的诸如股票、债券之类的美国资产。

这种恐惧在历史上有很相近的情况。例如1986年4月，一个日本投资者要花18.5万日元才能在期货市场上买到10万美元即期利率为8%的美国国债。到了1995年4月底，由于美元贬值，已经使同样的美国国债在期货市场仅值84000日元，本金亏损了55%。这种情况下，日本人虽然冷静，能耐心等到30到50年才回收投资，而且和比较短视的美国人相比，他们的预期寿命多4年，有较长的时间可以承受这样的亏损，但他们也难免有些心痛了（但是，到1995年，那种债券的价值已经上涨50%而达到12.5万日元）。摩根衍生金融产品研究所利用这种精确计算方法，发展出预测美元兑日元的比价的指标。但据我所知，这种方法的可行性或预测的准确性至今尚无定量的研究。我可以宽恕摩根公司研究方法的不足，在无数的投资同行中，我乐意与那些开始涉足新兴领域的人打交道。因为他们是佼佼者，1994年间日元汇价上涨，美国固定收益债券市场暴跌时，通过考虑回馈关系，我赚了相当多的钱。只要美国股票大跌，我都认为在随后大跌的期限里，“他们”都会提高警惕以免美元贬值。当美元对日元在东京午餐时分下跌时，我盘算“他们”会采取一些措施以维持美元的价值，从而支持纽约股市的开盘。我在那种情形下都买进美元，而且十次有九次，我买进后不久，中央银行进场干预的消息就会传来。我至今都没有明白是否中央银行在仿效我，是否经纪商把我与“他们”混淆了，或者还是偶然性在起作用，但我和央行的那帮人是同时做出各自的行动。这种策略足以使我成为1994年世界上最成功的基金经理人。

的确如此，1994年里，美元和美国股价变化是正相关的，而且相关系数大约为30%。例如在美元兑德国马克和日元下跌超过0.5%的18天里，道琼斯指数平均下跌6点，债券平均下跌0.5点。美元兑日元和美元兑德国马克的价格上涨超过0.5%的17天里，道琼斯指数平均上涨12点，债券平均上涨0.33%。因为在此期间债券下跌近13个百分点，债券的上涨是特别有规律的，表现出一种残酷的阴影，使短线操作者无法累积庞大的财富，后来的波动又跟这种效应完全相反。

但是随着时间的流逝，轻易赚钱的办法也消失了。1995年出现了一个不同的关系网，虽然美元持续下跌，美国股票和债券市场却依然不断上涨。自1995年3月5日至3月7日，在这一可怕的时间里，也就是在36小时之内，美元的价格从93.5日元下跌至88日元，而且这还是在此之前5天下跌四位数之后出现的现象。我认为这种惨剧应该已经见底了。新闻头版头条提前告诫了即将发生的灾难，美元作为世界贮存货币的地位及日本本身的活力均受到质疑。谣言再度兴起：说日本通产省和大藏省正在敦促日本有关机构抛出他们手中持有的500亿的美国债券，用德国马克取而代之。

理当如此，我想“他们”随时会进场干预了。但是这次当我买美元兑日元汇率期货时，我却发现自己独自面对灾难。1小时之内，日元下跌2.5%。我忘记了，即使是平均深度仅为2.5英尺的小河，也有可能淹死人。因为杠杆作用的结果，在1小时之内，我的财产损失达25%。事实证明，我买早了4个小时。从3月7日下午4点开始，日本人利用他们在新西兰、澳大利亚和中国香港的同行，趁着美元空头还在计算战果时，开始买进美元，几乎完全扭转了整个走势。美元空头还不知道自己是怎样造成这些亏损的。

我浑身浴血，但不肯屈服，急忙购买日本股票，我估计日本股票的上涨可能会拯救日本的经济。日本人常常是美国政治家们最喜欢的替罪羊，因为日本人成就斐然，可以防止这些政客遭到种族歧视的指责。我认为美国会因为日本股市健康而受益。

日本人也是美国财政部国债的大量购买者，如果美国政府要追求那种富有同情心的政策，又不让自己瘦到皮包骨，这些国债就必须寻找买主。于是，一种解决东西方冲突的和谐方案初见端倪。各种媒体中出现了美国贸易代表威胁其日本同行的生动场面，除非已达成一致协议，否则美方是不会在公共场合如此放肆的。据此，我大量买进日本股票。第二天，双方宣布一个保全面子的贸易协议。但是日本股票不但未见上涨，从开盘到收盘反而迅速下挫了5%。更为糟糕的是，美元兑日元短期内猛涨2%，使我未做对冲的日本股票的价格下跌7%，我无法承受像3月的日元下跌25%时那样的惨重损失，于是，我不得不在愤恨之余举手投降，抛出手中的持股。最恐惧时是最差的卖出时机，我抛光之后10个月内，日本股市却从我的卖出价位，毫不歇气地上涨40%。

考察日本

既然我这么多的财富与日本人的活动纠结在一起，我认为去考察造成自己财富波动如此剧烈的源头，应该值得一做。为了亲身了解，1994年秋天，我带着6个女儿、母亲、岳母和妻子，畅游整个日本。我最先想知道的事情便是大麦克单价是多少，大麦克是决定汇率的国际标准。麦当劳利用当地供应的原料进行生产，因此一个汉堡包的价格很有可能代表当地的生活水平。这种假设尽管有些漏洞，但相对汇率的各种可能解释，其中可能含有更多理性的成分，也更具有预测的效果。我发现日本大麦克和薯条的价格是香港的3倍，但仅为美国的2倍，可是一听鱼肉三明治仅比美国的贵5%。

日本水果很漂亮，但我认为用75美元买一个甜瓜，或者花50美元去买一个水蜜桃，对于我率领的10人旅行团而言，的确高不可攀。

接着，我站在一栋大型办公楼外面，观察日本人在从众指数方面的表现如何。在我观察的前300名男性职员中，有299名都穿着钉有白色纽扣的衬衫。我认为谚语“枪打出头鸟”在日本非常流行，而且应该把日本市场的参与者当成是追随者，而不是领头者。

日本人对于外国人有一种爱恨交加的情结。为了测试这点，我事先没有订位子，就出现在几个传统的日本家庭前，但获得的回应总是“这儿没有吃的，请走开”。

我发现忠心耿耿是投机客的重要素质。日本人以忠于家庭、朋友以及宠物而闻名于世。为了深入了解这一点，我参观了著名的Hachiko纪念馆。Hachiko是一条狗的名字，它每天早晨陪主人到火车站，晚上耐心地等待主人归来，就这样日复一日长达8年之久。在主人去世后，Hachiko又耐心地等候了10多年，直到其心脏病突发。我和我的家人瞻仰它的塑像，同时也看到无数的游客怀着崇敬的心情在其殿室前止步。

我望过去，可以看到一连串高科技的“爱之旅馆”。日本经理人利用这种旅馆来减轻每星期工作70小时和通勤20小时所带来的单调和沉闷。传统和现代相结合，从某种程度上再次使我相信，在成功解决他们前3000年遗留的问题之后，日本人还将忍受很多年。

“以和为贵”是西方人对日本的典型看法。当著名的棒球运动员Kingasa肩骨脱臼，却离开医院，去打连续第1532场比赛时，有人问他的看法，他回答说道：“如果我参加比赛，会疼一天，但是如果我不参赛，会疼一辈子。”我来到证券交易所，我发现当股票上涨时，场地交易员鼓掌相庆并且唱起他们公司的歌曲。

日本企业界处处可见稳定的合作伙伴关系，靠着交互持股、交叉兼任董事、签订优惠采购协议和社交网络等，形成千丝万缕的联系，把产业、商社和银行结为一体。明白了这一点，对日本人为什么渴望和谐就不难理解。日本批发额与零售额之比为3比1，是美国的2倍，由此更证明了“和谐”的重要。

美联储保证会守口如瓶，不会泄露信息给日本人，我却不太相信这种话。两国政府和产业界人士在吃着神户牛排、喝着日本清酒作乐的很多场合中，一定可以在美国交易者能够利用信息之前数小时或很多天前，把类似美国收支平衡之类的经济数据泄露出去。“我们不是筛子，我们不像日本人。”当我询问美联储数据公布前的安全性时，委员会的一位前任官员如此愤怒地回答我。

我尝试着讨好他（“长官，你的见解很有趣”），但当他意识到我对他并没有那种每个战场前线指挥者都想要的毕恭毕敬时，挂断了我的电话。我还发现，在美国重要数据发布之前，日本市场上的波动总是较平稳的。我特别要指出，格林威治时间0点到6点的东京交易时间里，美元兑日元汇率的波动，像金丝雀的歌声一样准。

当我离开日本时，美元汇率正在100日元上下波动。我发誓我永远不再低估这个古老社会的恢复力和持久力。每次听到有潜在危机的消息，我将会立即买入日本股票。明仁天皇这一系大致上已经持续统治日本2600年了，我相信日本人的能干、礼貌、忠诚、服从的文化将使他们能够在可以预见的将来解决它自身的各种问题。

日美关系

关系网中的先锋、后备、方向和规模总是在变化，但途径总是有某种延续性。我们来探讨其中两种始终在运作的关系。

美国股市的典型波动可能是这样开始的。美国国债市场上涨，原因可能是最大的债券场内交易商汤姆·伯德威已经觉察到了一直虚弱的空头停止在市场上凭信用卖空的情况，美国债券因此开始上涨，美元便随之跟着上涨。美国股票市场立即上涨，因为更低利率使股票升值。接着，主要的工业用金属高级铜，在投资支出增加的预期中价格开始上涨。由于此时美国资产对外国投资者更具有吸引力，这样日本股市开始下跌。这又导致黄金价格下跌，因为随着美元的走强，通货膨胀可能降低。通货膨胀的降低，致使一些东西失去了原有的吸引力。由于只存有更少的剩余购买力，这时肉、粮食和软商品的价格便出现下跌。但是如果欧洲和日本的资产下跌，很快会拉低美国股市。这个循环不断重复，所有的这些皆发生在一两分钟之内，一天内大约有10至12次。

另一种比较复杂的关系总是更为明显。例如日本的工业活动增加，对日本股市是有利的，因为这将为股票持有者带来更多的收入和利润。然而，经济的扩张会导致对信贷需求的增加，由此对债券市场产生不利影响。1994年至1995年间，日本债券和股票价格的变化相关性大约为-0.18。经常有报道指出，日本通产省坚持日本保险公司出售持股，转而购买债券，以便符合法令规定。这种谣言在统计上相当可信。

到1995年6月30日为止的连续18个月里，日本10年期债券收益持续下跌，从3.5%的年收益率下跌到1.9%。同时，日经指数从20000点下跌到14000点。

日本经济活动增加时，对美元的需求会增加，这样才能应付更多进口美国商品所需的资金，这将导致美元升值，相应导致日元贬值。当美元升值，日本的出口便变得更有竞争力，从而使日本股市前景看好。

考虑到这些关系中的先后次序变化多端，你一定要有很好的框架，才能了解市场。图13.3是一个简化的图表，显示这些关系中的一部分。

国际相关性

为了提供一些和关系有关的具体信息，我们以20世纪90年代中期为例，考虑这些变量并存的同步和反向波动。我们还是从相关性矩形分析入手，看看国内外主要证券、利率和外汇市场每日变动中的相互联系（我相信，这是有史以来的第一次）。

因为有78种不同的相互关系，很难用一两句话摘要说明其中的关系，不过仍然有些规律可循。例如，美国和欧洲的固定收益市场呈现高相关性。同样，

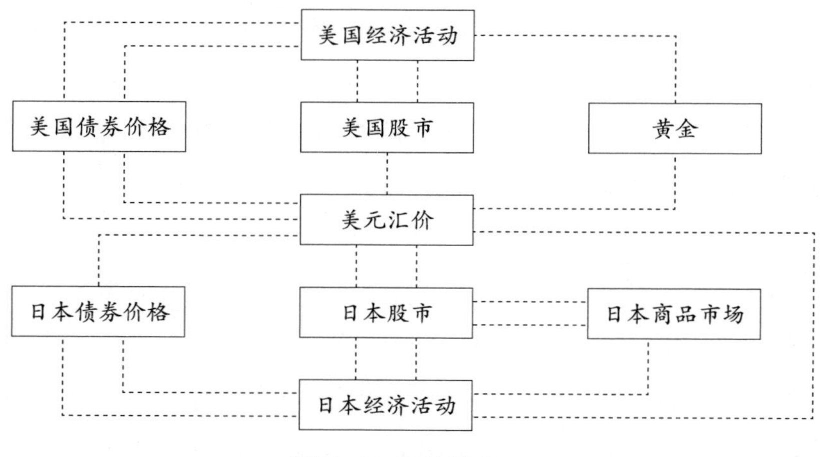

图13.3 日美关系

欧洲的股票和债券市场几乎一起波动，但与货币市场的移动反向而行。相互关系最高的是欧洲各国间的固定收益债券市场，德国与法国债券表现出最高的相关性，居然达0.78（除了瑞士法郎与德国马克之间达到0.95之外），美国股市与英国股市、英国股市和法国股市的相关性达到0.5，但与日经指数只有0.13的相关性（见表13.3）。

所有外汇汇率（以美元计价的每单位货币的期货价格）都与它们各自的股票和债券市场负相关。例如，英镑与英国股票的相关性为-0.26（FTSE见表13.3），日元与日经指数的相关性为-0.13，所有固定收益市场与本国股市的相关性为0.5，当然，日本股票与债券要除外，其相关性为-0.18（参见表13.3的日本政府债券）。欧洲国家的股市和欧洲固定收益市场之间呈正相关，系数为0.5，而且英国和法国股票市场相关性达0.73。日本债券和欧洲债券价格之间有一个相当高的正相关，显示想追求资产回报率的人拿这些债券当作替代品，从而使世界各地的利率联动。

加元和日本债券似乎是最没有相互关联的商品，而且，它与其他任何市场之间的相关性，其绝对值也不超过0.26。日元与日本债券之间的正相关系数为0.26，

表13.4　1993年10月6日–1995年4月25日国际市场相关模型

	美国债券	德国联邦债券	日本政府债券	法国债券	瑞士法郎	德国马克	英镑	日元	加元	S&P500指数	日经指数	英国金融时报指数	法国CAC40指数
美国债券	1.00	0.48	0.09	0.44	(0.16)	(0.15)	(0.10)	(0.18)	0.11	0.51	0.00	0.42	0.41
德国联邦债券	0.48	1.00	0.10	0.78	(0.16)	(0.14)	(0.14)	(0.10)	0.13	0.39	0.03	0.49	0.60
日本政府债券	0.08	0.10	1.00	0.06	0.14	0.15	0.08	0.26	(0.05)	(0.01)	(0.18)	0.00	0.00
法国债券	0.44	0.78	0.06	1.00	(0.17)	(0.17)	(0.12)	(0.12)	0.15	0.31	(0.01)	0.45	0.57
瑞士法郎	(0.16)	(0.16)	0.14	(0.17)	1.00	0.95	0.75	0.59	(0.25)	(0.16)	(0.16)	(0.30)	(0.34)
德国马克	(0.15)	(0.14)	0.15	(0.17)	0.95	1.00	0.77	0.59	(0.25)	(0.14)	(0.17)	(0.28)	(0.33)
英镑	(0.10)	(0.14)	0.08	(0.12)	0.75	0.77	1.00	0.44	(0.12)	(0.12)	(0.08)	(0.26)	(0.27)
日元	(0.18)	(0.10)	0.26	(0.12)	0.59	0.59	0.44	1.00	(0.19)	(0.16)	(0.13)	(0.19)	(0.24)
加元	0.11	0.13	(0.05)	0.15	(0.25)	(0.25)	(0.12)	(0.19)	1.00	0.15	0.05	0.16	0.20
S&P500指数	0.51	0.39	(0.01)	0.31	(0.16)	(0.14)	(0.12)	(0.16)	0.15	1.00	0.13	0.57	0.51
日经指数	0.00	0.03	(0.18)	(0.01)	(0.16)	(0.17)	(0.08)	(0.13)	0.05	0.13	1.00	0.13	0.14
英国金融时报指数	0.42	0.49	0.00	0.45	(0.30)	(0.28)	(0.26)	(0.19)	0.16	0.57	0.13	1.00	0.73
法国CAC40指数	0.41	0.60	0.00	0.57	(0.34)	(0.33)	(0.27)	(0.24)	0.20	0.51	0.14	0.73	1.00

与本国股票市场之间的负相关系数为-0.13。

从描述性的观点来说，知道同一时期内不同变化之间的相关系数很有用，但更具价值的问题是可否预测超前与滞后的现象。例如，是否今天日经指数的变化会对明天的德国股票市场产生影响？我已经测试过所有诸如此类的超前的内在相关现象，但没有一个相关系数的绝对值超过0.10，而且，同步波动出现的机会只有55%。

跨市场交易的利润

市场所受到的直接或间接影响，经过一段时间长短不同的时期之后，自然会表现出来，显现出不同而且变化多端的关系。

此外，只有在领导市场上达到了关键的起动水平，大多数相关关系才会表现出来。其实本来就应如此，天下没有轻松好赚的钱，投机商希望在利率、股市、外汇或商品市场表现出线性关系时，会像鹰一样密切注视着各种行情，只要有一个市场没有适当结盟和防御，投机客们便等着攫取低风险的利润了。如果某种规律表现得过于明显，它将立即被那些老鹰般的投机客们冲击得无影无踪。

在某个地方总是会有一个市场具有可以纠正的背离，但问题是看出这种背离。当我玩跳棋或国际象棋时，也会碰到一个类似的问题。当我的老师在我旁边时，他可以通过扬扬眉头或坐回椅上表示我应当想得出一着好棋，在此情形下，我会下得很好，仿佛冠军一样。但当无人告知我做出某种反应时，我便只有50%的把握了。

因为大部分市场都是一天交易24小时，某个市场一出现混乱不安，立刻就会被套利者和投机商记录下来，并且传递出去。投机商必须在没有终点的连环中，不断考虑当地市场波动的冲击以及其他相关市场的影响，并注意当地市场上随后的最终波动的情况。但这还远远不够，当受到其他市场影响时，还要分析各个市场参与者对这些影响的预期，难怪赚钱是件耗尽脑汁的事。

我整个投机生涯的基础是把不同市场间的相互关系量化。这些关系的复杂性似乎极为惊人，其意义的随机性质总是让人困惑，复杂程序几乎难以计算。但是，有一个简单的经济事实把它们全部结合在一起。如果资产的价格和利率在一个地点变动，那么由于对各种货币的需求变动，世界上所有相关财产的吸引方便会受到影响。

虽然我认为自己是第一个系统分析这些关系的人，以下五个因素却让我在创新发现时的乐趣降低：

1. 相互关系总是变化的。当你认为糖是影响大豆的关键因素，或者石油是影响美元的关键因素时，这种关系恰好产生了变化，而你可能还蒙在鼓里。

2. 16年来，我把自己的理念教导给很多员工，他们后来离开公司，根据这种理念自行创业。我的前任雇员如蒙罗·特罗特，我兄弟罗伊，蒂姆·李，彼得·汉森，托比·克雷贝尔等数不清的人——现在正管理着至少上十亿的对冲基金、投机客户的账户或者商品基金。因此，所有美妙而明显的相互关系一出现，就被大家充分吸收。

3.《跨市场分析》之类的书籍，加上专业刊物上探讨市场分析的文章，被认为是新进市场玩家的必读材料。这些材料如果真是如此普通，其真正价值倒是颇值得怀疑的。（幸运的是，至少对我来说，大部分出刊的文献似乎只是探讨不同的市场图表。这些图表彼此硬套在一起，有时候显示同步或反向的波动。这些文献像大部分探讨市场分析的书籍一样，没有跨越16世纪的黑暗时代，就好像病人仍然靠着占星术和炼金术治疗一样。）

4. 所有市场参与者现在普遍可以利用计算机软件，来即时追踪所有重要的相互关系。当一家生产这种系统的公司向我销售其产品时，销售人员得意地告诉我某银行一次就令其交易员买了400多套。而实际上，我早在1979年就开发出了类似的系统。

5. 世界首屈一指的交易者组成了一个早餐俱乐部，以探讨当天的一些相互关系，以便在开盘前能比普通大众抢先一步。就我而言，每天早晨6点钟都在日本与法兰克福的市场做买卖，因此无法成为这个早餐俱乐部的会员。但不管怎样，我喜欢在早晨给我的孩子讲英雄故事，我并不认为自己有太多精力为那些想获取上层秘密的人传经授道。

的确如此，跨市场分析这个领域如此迷人，因此出现了一本厚达456页的书籍。但在那本书中，只有41页提到跨市场分析。而在那41页之中，还展示了19张关于市场之间相互影响的图表，彼此硬套在一起。由于有用的内容过于分散，这只能算是一本有关分析趋势联系、正相关性和市场趋势相互联系和作用的过于冗长的书。作者挑出TED价差交易、货币指标、14周统计、180日以及150日移动平均线的差别，用相互关系把这些东西整在一起。但是，我难以找到一种方法、相关系数或是其他的数字来总结这些图上的相互联系。作者用这一行常见的说法写出下列结论：

经济、基本面和技术面对于预测债券和股票走势至关重要，有一些重要的跨市场关系不能忽略。例如，原油价格是决定通货膨胀、利率和固定收入市场的重要因素……而利率敏感的市场倾向于跟随债券市场的发展。黄金是通货膨胀的指示器……清楚了解这些市场间的相互联系，有助于市场定位和股票选择。如果不考虑市场间的相互关系，分析显然是片面的。

或许其中还有一点希望。

必须追踪的关系

在世纪之交，哥伦比亚大学名誉教授亨利·埃默里做了一次很好的研究，探讨投机商应该注意的关系，他着重强调的重要关系有旱灾、洪水、新发明、发现、运输费率、立法、政治局势、破产情况、罢工、动乱。也许，政客们觉得穷人的营养应得以改善，或者得克萨斯的一位西北佬屠宰家禽，或者“有人看见两个蝗虫在法戈邻居的家里飞”或是有人在早上看见投机恶魔愁眉苦脸地和其下属谈话，等等。其实所有这一切都可包含于一句格言之中——“华尔街反映一切因素”。正如你所猜测的那样，那位投机客不是索罗斯，那位政治家也不是克林顿，而事实上，那位投机客是霍克，那位政客是俾斯麦。这本书出版的时间是1896年。

埃默里下了一个结论：成功的投机可以定义为“出色的智慧与强大的概率之间的斗争”。

我们这个时代的关系太多太难，因此，埃默里列出来的因素在我们看来好像儿童入门书籍的摘要。在20世纪末，我列出下列需要用智力观察的关系。

身为投机客，我认为，必须注意这些关系，才能使强大的威胁概率降低：

白宫在叫比萨（代表战争与警讯）

港口油轮吃水加深（代表载满石油——油源充足）

像比尔兹城妇女所说的一样，购物中心停满汽车，或是像摩特利·佛尔告示板所说的一样，很多公司的停车场停满汽车（代表销售或就业状况良好）

灿烂的日光，充足的雨水（代表粮食丰收）

满月（代表趋势会改变）

烟蒂很长（代表好时光已经来临）

垃圾桶里扔满了半满的大号杯（代表收入在增加）

机场的交通更为拥挤（代表企业活力十足）

报纸变薄，版面减少（代表没有就业机会和广告）

寒冷的夏天（代表收成不好，可能有冰期）

降雪过量（代表能源价格将上涨）

强风（代表温度会降低）

判决（代表保险公司在动乱险上可能受到影响）

延期公告（代表坏消息即将来临）

印度季风或婚礼盛行（代表气氛浪漫，消费会增加）

世界板球或棒球的冠军赛（代表没有震荡和流动性）

冬天看到老鹰（预示着早春）

索罗斯的旅行计划（代表准备在某个新兴市场的大展身手）

水獭积极筑巢（代表水消耗量增加、少雨、粮食价格将上涨）

候鸟数量增加（代表气候不好，使候鸟低飞）

新世纪（代表意大利旅游业兴旺发达，软件开发商前景看好）

某位总统生病（代表市场痛恨不确定性）

人口的年龄层分布（代表老人对观赏鸟儿和债券业务的发展有利）

这么多年来，情况的确没有什么变化。

第十四章 / CHAPTER 14

音乐与投机：变奏中的乾坤

如果我写一首1小时长的交响曲，会被人认为够短的。

——贝多芬[①]

市场中的音乐

老爸走到哪里，哪里就有音乐。他的一生都在听音乐——他在街上哼着乐曲，在海滩上随着音乐起舞，在家里用小提琴演奏音乐，大家都叫他“音乐警察”。

有一次，一位邻居略带歉意地问我：“你老爸看上去是个博学多闻的好人，但他是不是神智不太清楚，为什么他总在自顾自地大声唱歌？”

我只是说：“不是他神智不清，他只是很快乐。”但是适当的回答应当是：“有和谐、秩序和节奏的地方，就有音乐”，或者“众生都是音乐，只要你在适当的时间，唱出和谐的音符”。老爸很幸运，是个灵魂中带有音乐的人。

① 路德维希·范·贝多芬，是一位集古典主义大成、开浪漫主义先河的德意志古典音乐作曲家，也是一位演奏家和指挥家。他一共创作了9首编号交响曲、35首钢琴奏鸣曲（其中后32首带有编号）、10部小提琴奏鸣曲、16首弦乐四重奏、1部歌剧、2部弥撒、1部清唱剧与3部康塔塔，另外还有大量室内乐、艺术歌曲与舞曲。这些作品对音乐发展有着深远影响，在华文世界，贝多芬被尊称为“乐圣”。

老爸最喜欢的曲调是舒伯特①A大调鳟鱼四重奏的第三乐章。该曲了从A调开始，接着是一个单D调和弦，随后跳回A调，接着迅速提升到E调，然后跨一个全音阶音程，降为本乐章的主A调。这种简单曲调唤起的无上快乐和意象，有如清清的溪水冒着小水泡，机敏的鳟鱼轻巧地逃过渔夫的捕捉，小鸟欢唱。这些用文字是无法描述的。

很多音乐爱好者，也包括我老爸在内，都希望在自己的葬礼上演奏这首曲子作为纪念。老爸63岁时离开我们，他的这一心愿得以实现，我家孩子们的小提琴家庭教师在葬礼上演奏了这首曲子。

当市场波动美妙而温和，对我有利，一直没有跌破我最初的进价时，我常常会想起鳟鱼四重奏。我们的交易办公室中有一架钢琴，那些懂音乐的投资者在我的影响下，认为股市会出现类似“鳟鱼”中的那些变动。如果我们为索罗斯经营投资业务，他会迅速而准确地抓住“鳟鱼的第四个变奏”，简直是一首优美的具有匈牙利风情的回旋曲。

我做多的时候，市场的趋势图缓缓上升，常让我想起鳟鱼四重奏的音符。1996年2月5月，道琼斯工业平均指数所反映的就是一个例子（见图14.1）。首先市场从5400点逐渐上扬，到达5700点，接着回落到5400点，再缓慢摸高到5600点，最后再往下走。

我在市场上经常听到的另一个作品是海顿的94交响曲——惊愕交响曲，因慢乐章安详的开端被一个突然由乐队全奏的最强音和弦打断而得名，目的是“叫女士们惊跳起来”。现代一位乐评家评论这首作品时写道：

① 弗朗茨·泽拉菲库斯·彼得·舒伯特是奥地利作曲家，他是早期浪漫主义音乐的代表人物，也被认为是古典主义音乐的最后一位巨匠。在短短31年的生命中，舒伯特创作了600多首歌曲，18部歌剧、歌唱剧和配剧音乐，10部交响曲，19首弦乐四重奏，22首钢琴奏鸣曲，4首小提琴奏鸣曲以及许多其他作品。主要歌曲汇有3部歌曲集：《美丽的磨坊少女》《冬之旅》和《天鹅之歌》。

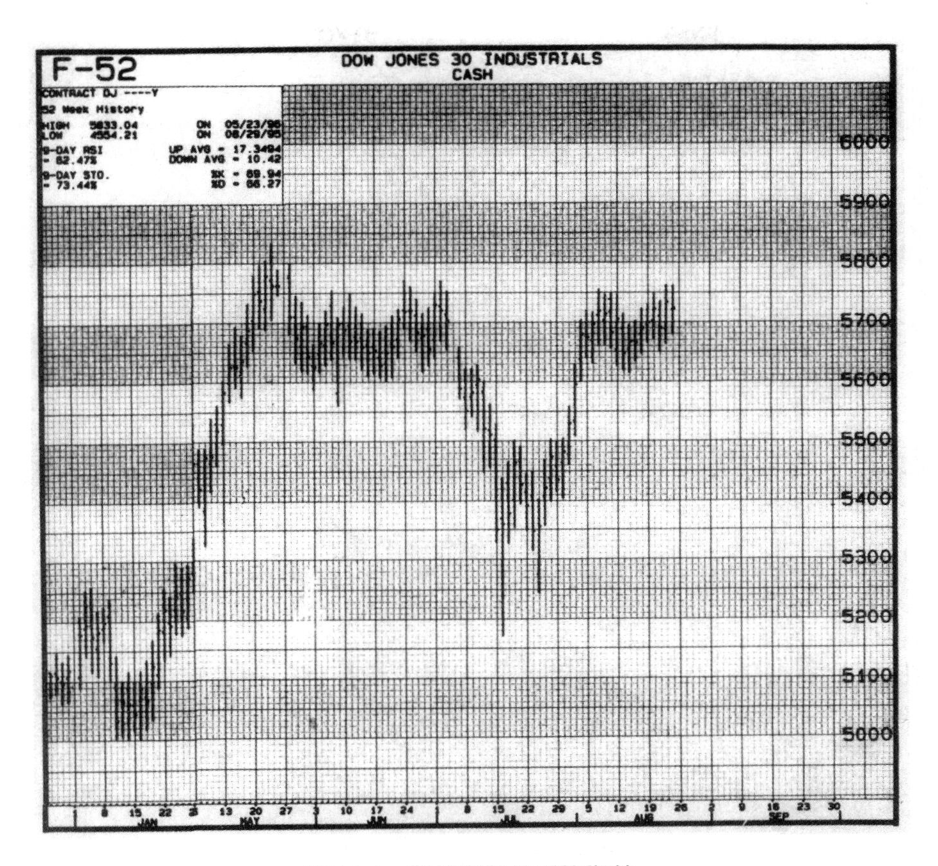

图14.1 道琼斯工业平均指数

“惊愕交响曲”可以使人联想到这样一种意境：一个美丽的牧羊女在远处瀑布的喃喃细语中进入梦乡，突然一声鸟枪惊醒了她。

午餐之后或是假日之前，市场通常会在开盘价上下5个点之间游动。那种形态很像海顿惊愕交响曲C大调五度音程叮叮咚咚的声音，经常会有令人震撼的波动来临。图14.2就是证明（1995年12月的飙升），这也警告我们，千万不要被轻柔的流水声甚至美丽、微盹的牧羊女哄得昏昏欲睡，丧失投资良机。

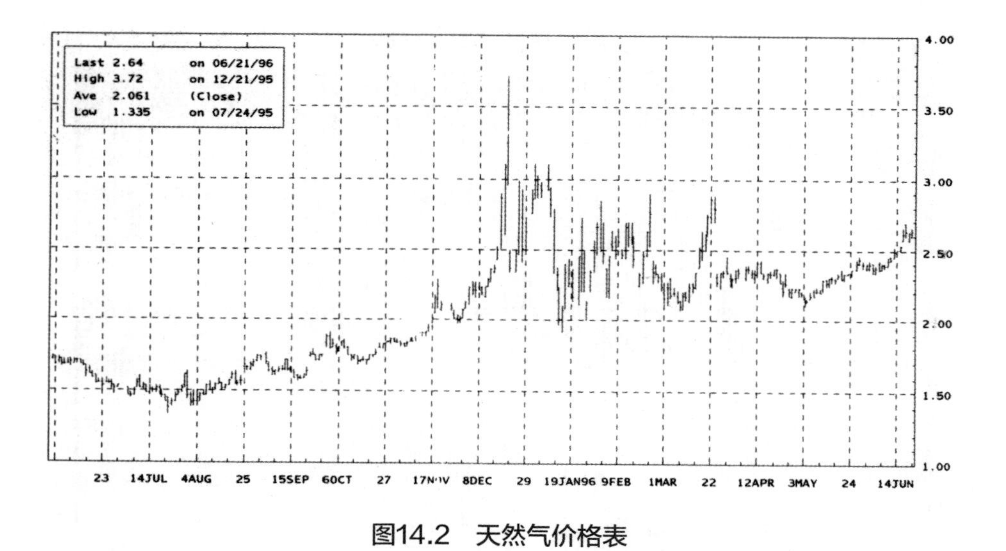

图14.2 天然气价格表

丧礼上的音乐

老爸与癌症搏斗，生命走到尽头时，很喜欢哼唱亨德尔的《帕萨卡利亚》。这首沉重的曲调起音是G小调的低音，接着重复进行无数的变奏，象征生命结束前对美好生活的眷恋。“我们一起听这首曲子。”老爸会这样对我说，我当时不懂为什么一颗泪珠从他脸上滴下来，等到我了解时，为时已晚。

我的弟弟罗伊从父母那里遗传了音乐天赋，他5岁时听妹妹戴尼用长笛或者老爸用小提琴演奏的一段乐曲，马上就可以用钢琴准确无误地重奏出来。但像其他许多音乐家一样，罗伊的音乐才能也是在家人的大力帮助下取得的。每周，老爸要带罗伊去上两次铃木小提琴课，并且与他合奏，他是陪伴孩子的唯一父亲，其他10个送孩子来听课的都是母亲。

弟弟10岁的时候，我带他脱离职业音乐家的生活，替他买了一台TRS80型电脑，他开始用电脑创作音乐，但是我将他带入充满物欲的投机世界，我鼓励他编制期货交易系统而不是创作交响乐。在为我工作10年之后，他开始了自己的投资事业。

市场的走势没有回到正确的主调时，他会延续学音乐的传统，说："我们太频繁演奏莫扎特的'安魂曲'了。"光是写作这首曲子，就让莫扎特充满对死亡的思考。他去世的那一夜，把亲朋好友召集到身边，与他一起哼唱安魂曲。

在西方人看来，小调音乐会引发悲伤的情绪。市场正在吞噬我们的财富时，办公室里的同事就可能会用CD机播放贝多芬的月光奏鸣曲（见图14.3）。音乐一开始，一定会有同事低声吟和："哎，债券市场"或者"哎，日元"。乐曲在升G调和E调之间进行稳定的、有节奏的三音符振荡，接着是在一个音符范围内缓慢变化3度，与股市的低迷情况相对应。对大家来说，1980年之后的大多数年份里，

图 14.3　贝多芬的月光奏鸣曲

黄金市场一直萎靡不振，没有出现较强的牛市，表现令人沮丧（见图14.4）。市场变动幅度有限、节奏缓慢，无精打采地从峰值降到谷底，随时可能猛跌，而月光奏鸣曲持续、反复的最轻旋律仿佛也在寻找一种超脱。因此，在一次银行家会议上，当我拿出金价变动表和月光奏鸣曲的乐谱放在一起对比时，会场上传出一阵发自内心的笑声，而笑声的背后恐怕还有辛酸的泪水。

我似乎被人推崇为发明往复分析（LoBagola Analysis）的始祖，不过这一点有点可疑。这种分析是根据非洲犹太人罗巴戈纳而命名的。他发明一种准确无误捕捉野生大象的方法，在罗巴戈纳居住的村子附近，有100多只大象，这些大象每年来回进行一次迁移，并且踩坏村子里的东西。罗巴戈纳就建议开辟一条道路，因为这些大象踩坏植物、破坏财物之后，会沿这条路返回。

贝多芬109号奏鸣曲（见图14.5）到处都是这种往复的形态。其中一节以高D调开始降至低G调，然后回到高D调。在下一节中也是如此，从高C调开始，降

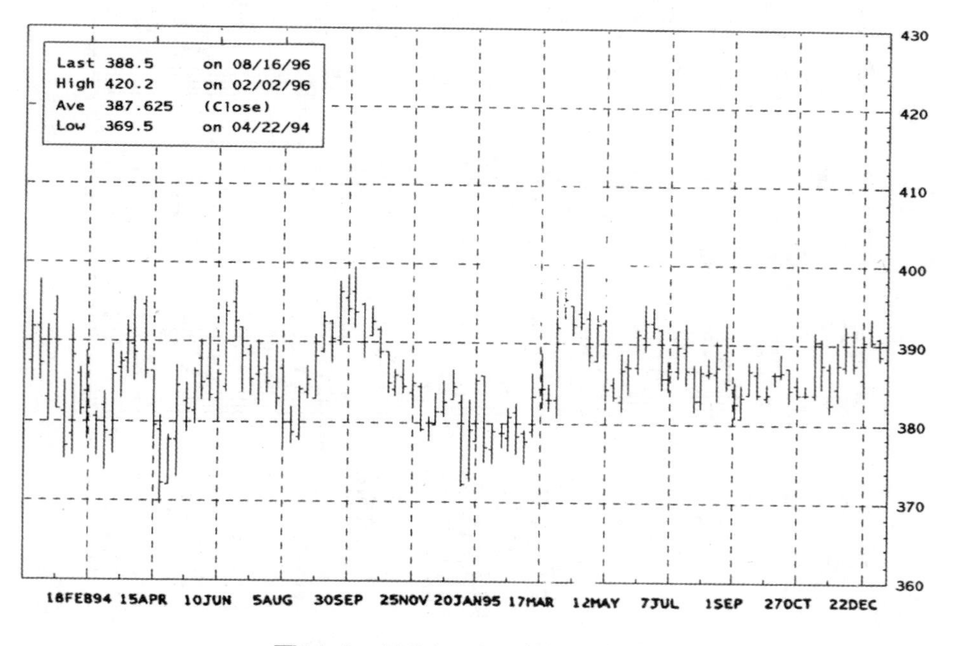

图14.4 1994-1995年纽约金价表

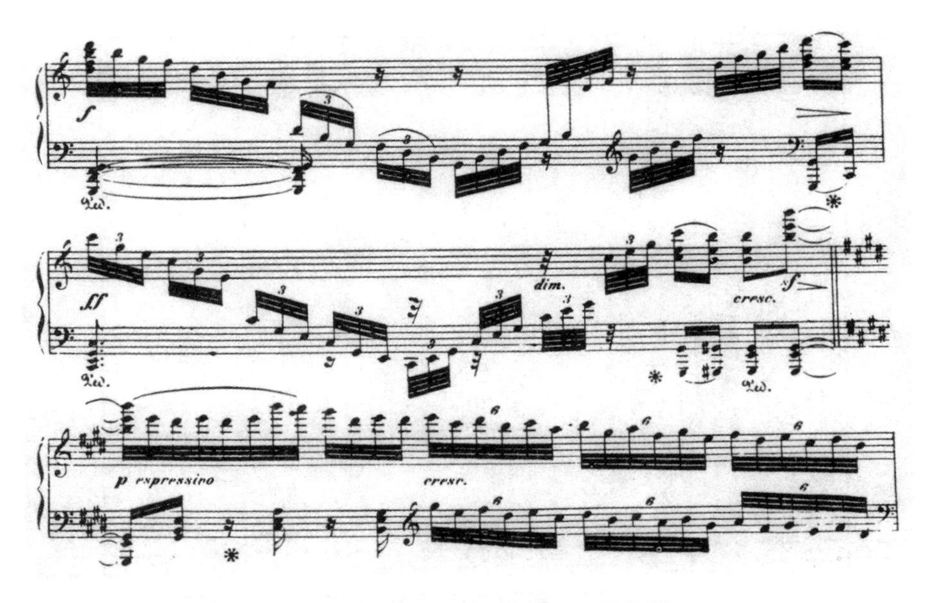

图14.5　贝多芬奏鸣曲第109号作品

到低C调，然后又回到高C调，接着快速变为升D调，这种音符的变化很容易使人联想到象群的来回践踏。

市场常常出现往复来回的形态。1976年到1992年间的国库券期货市场就是很好的例子（见图14.6），1977年投资率为7%，3年后升为16%，1年后降回6%，接着投资率升为17%，然后是7%和后来的11%，最后来来回回调整好几次。白银期货市场走势图（见图14.7）也有类似的往复现象，在6个月的时间里从5美元飙升到50美元，但又迅速回落到5美元。

非洲没有一个股市展现出这种来回往复现象，但土耳其叶比信贷银行的周线图（见图14.8）很明显地显现出这种现象，在1934年银行危机出现前5个月从0.01升至0.04，而后5个月又跌至0.01。

并不是所有的乐曲都是以平和开始，然后才逐渐进入高潮的。有些乐曲十分激昂，以至于读谱和演奏都令人胆战心惊。斯克里亚宾升D小调前奏曲（见图14.9）就是一个例子。这首曲子旋律激烈起伏，使人想到每隔几年，大豆期货价

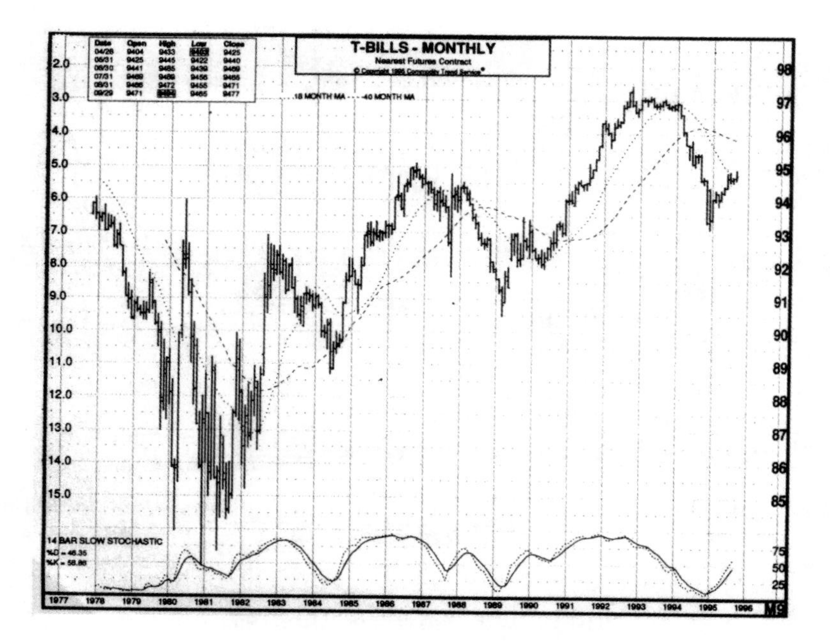

图14.6 1977-1996年财政部债券

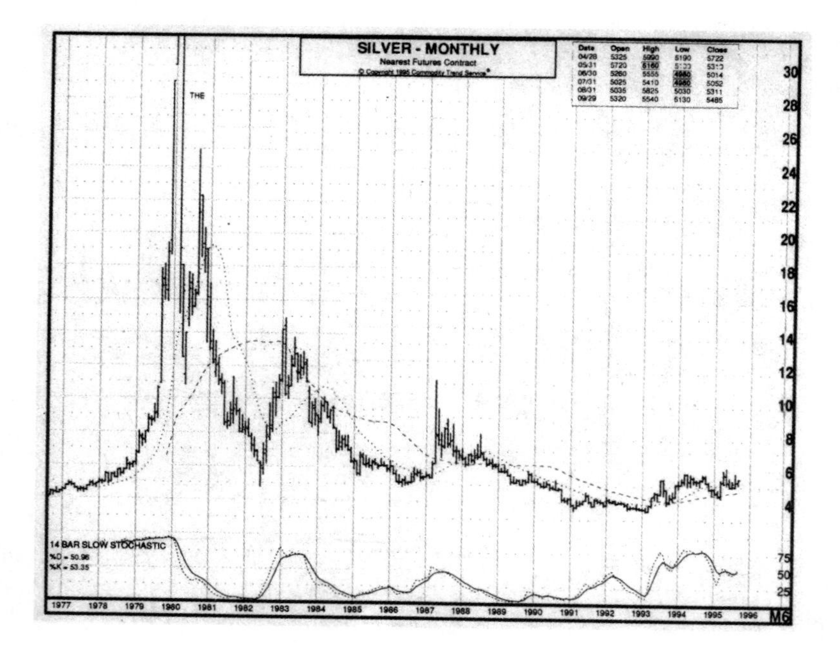

图14.7 1977-1996年白银期货

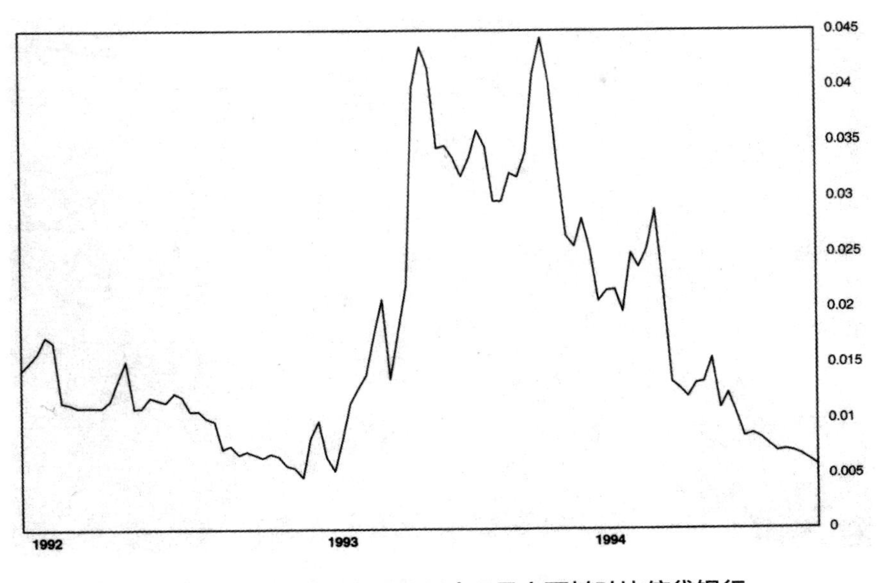

图14.8 1991年5月-1996年5月土耳其叶比信贷银行

格就在5至10美元之间的剧烈波动（见图14.10）。

有一种市场音乐，在股市和债券市场闯荡的人谁都不喜欢听，那就是类似于贝多芬第九交响曲第一乐章的尾声的市场音乐。虽然它毫无预测价值，但市场中确实存在这种音乐：

难以捉摸的半音和低音，加上令人不寒而栗的呻吟，使人感到魂不附体，简直是世界末日。

1987年10月19日的股市崩盘、1996年3月8日债券的跌停板，以及1995年3月8日日元兑换美元的汇率骤跌5%等这几次，由于我站错了方向，几乎到了穷途末路。但每一次，我都能在第二个交易日时收复失地，痛苦在反弹的“欢乐颂”中消失于无形。

不幸的是，贝多芬从事货币交易的水平，远不如他的音乐创作能力。他同意留在奥地利，由三位贵族赞助者，每年付给他4000弗洛林金币，但是1881年3月，奥地利货币贬值，贝多芬生活陷入困境。但他在诉讼和艺术上的意识都超越

图14.9 斯克里亚宾序曲

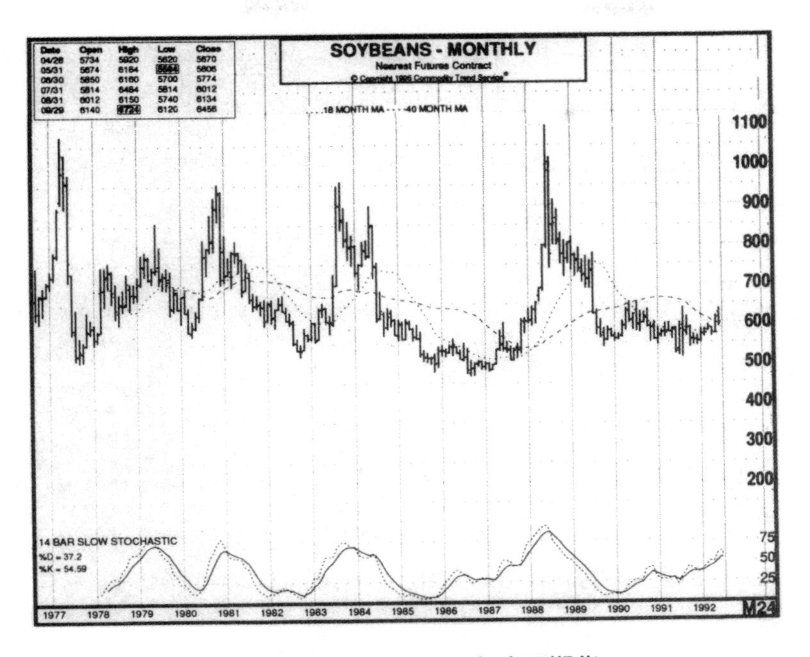

图14.10　1977–1992年大豆期货

了同时代的人，这位音乐史上的巨人为了自己的利益毫不犹豫地对这三位赞助者进行诉讼，尽管其中两个已接近破产边缘。

纯粹音乐

经过市场激烈的振荡之后，我喜欢回归基本面，做一些没有风险，不至于使我一贫如洗的事情。

在这期间，我有一种操作方法，就是用和当时行情相同的履约价格，卖出看涨期权和看跌期权。就投机而言，这种程序已经接近纯粹的数学游戏。我预计令人恐惧事件对将来的影响力，分析比较交易者无意报出的价格，如果价格太离谱，我就可以从他们那里赚一笔。

这整个程序让我想起了巴赫，他谱写的音乐特别完美、特别圣洁。巴赫致力于“追求完美的和谐……但要达到这种完美境界，各个部分必须紧密配合……没有丝毫紊乱”。巴赫对数学的精通程度与我所见过的最出色的期权交易商或套利者不相上下（他曾经替腓特烈大帝当场写出六个声部的赋格曲），而这些人大多曾是数学竞赛冠军或职业桥牌选手。一家瑞士药品公司雇用了大量优秀的数学人才，进行期权交易。根据交易商的说法，瑞士人看重期权策略研究，认为其和新药品开发一样重要。

巴赫的作品充满惊愕。他经常使用令人惊奇的乐器合奏，变动旋律式节奏，表达恐惧、悲伤和沉闷（也许是受其20个孩子的影响）的气氛。

我经常发现在标的市场出现可怕的波动之后，交易环境会弥漫一种新的哀伤气息，也可能出现欢乐气氛，并在期权的价格中体现出来。通常情况下，此时的易变性极高，并会带来额外收益，因为许多未做保值的买方和卖方都急于对下一次可能的反方向大变动进行保值。犹如巴赫音乐的起伏，市场弥漫的情绪化反应消退，期权价格返回正常水平。

虽然巴赫具有数学天才，但是对大部分学者来说，他的音乐是最自然、最不做作的。海顿、莫扎特、贝多芬以及其他音乐家因此对巴赫很敬佩。我有幸雇到一位数学博士迈克尔·库克，我是在参加库克的音乐作品演奏会时结识他的，他祖父在60年前对巴赫的音乐进行过一段精彩的评述：

> 听巴赫的音乐让人如沐春风，想到置身于温暖、慷慨、友善的气氛中，面对情意绵绵和体贴之至的人。很难想象死守在屋里埋头苦干的人能写出如此美妙的音乐。我从来不认为巴赫在深夜里怒目圆睁，把曲子涂了又改，然后在一架便利的性能还行的老式钢琴上试弹。我仿佛看见，在朝阳沐浴下，巴赫正在剪枝、松土、浇水，呵护着生命——充满朝气、娇嫩，不断成长的生命。这些植物就在他眼前绽放出生机勃勃、枝叶清新、花苞轻吐和繁花怒放、硕果累累的景象，一片生机盎然。

不错，我也有这种感觉，尤其是在我做空谷物后，下了一场小雨，闻着雨后小草散发出的芬芳时，这种感觉就会油然而生。

音乐与市场的预测性

音乐和图表的文献非常丰富。要是我不能克服困难，弄出一些可以看的关系图表或历史关联性，我一定变得十分无知。

为了使我的投机理论不至于模棱两可，我用一个简单的方法，将市场图表转化为乐谱。先把前一天的所有变化（或者昨日收盘50点左右的变化）分为8个音程或8个音符，将前一天的收盘定为钢琴键盘中央的C，选好每半小时的股价，对比计算其音符。当你哼唱时，有点像儿时的催眠曲《两只老虎》，如果考虑到市场的变动性，就可以产生韵律，难怪爵士音乐家称他们的音乐为“图表”。也难怪交响乐团指挥经常发现手下的音乐家在练习休息时间，经常研究股票期货图表。

我喜欢根据一天或一周的市场价格波动，画出一张五线谱高音谱表。父亲用收音机听音乐时，经常查字典，找到刚才播放的那段旋律，将其改为基调C。我有时也用这本字典，寻找出我在价格走势图上所看到的乐谱，然后判断是否可以根据开头的主题去推测其后的发展状况。

我画的线条以及线条之间形成的角度，看起来好像是投机领域中随处可见的玄学派作品。有人称这些线条为艾略特波动理论。根据艾略特波动理论，价格循环包括由5部分组成的推动波（正向趋势）和由2部分组成的修正波（逆向趋势）。由于变动的情况极复杂，艾略特理论家们认为，波动分析只是揭示可能性，但并不是一个万能的指路明灯。所有波浪的幅度和持续时间不确定，并且没有客观的方法计算波的数量，这一理论营造出一种朦朦胧胧或真或假的氛围。

世界公认的艾略特波动理论家是罗伯特·普罗切特，许多业界备受尊敬的巨头盛赞他的巨著《浪潮之巅》：

> 纯粹的逻辑，惊人的创意，学者般的准确计算，明智而重要的长期研究。

普罗切特1978年写的书预测到了80年代的超级大牛市。到了1995年，普罗切特在分析完Ⅱ号波、Ⅰ号波的四个小波、Ⅲ号波的四个小波之后写道："近期将走出类似上一个4号波的大熊市，范围与上一个4号波相似，道琼斯指数可能会降至41点到381点……这一预测已不是遥远的情况，而是对我们现在所处熊市的最低谷的推测。"

其他艾略特理论家，把目前的波动解释为只是修正波，并预测道琼斯指数会上涨至10000点。提前知道这一范围很令人安心（对于我的不敬言辞，可以预期艾略特理论的真正信徒或一些虔诚信奉相关技术绝招的人，会对我的拙作大肆谩骂攻击）。

因此，常常看到两位著名的艾略特波浪理论家，对于我们究竟处于波的什么位置，发生激烈争执，一点也不足为奇。

有人发展出减少模棱两可的程序。一位满意的使用者这样评价："就像拥有一屋子的艾略特学者，他们为你出谋划策，他们不知疲倦，从不出错，而且不需要因为喝咖啡而中断工作。"但程序无法从根本上克服理论的含混性，这种含混性"频繁地出现在艾略特分析中"。因此，在价格系列逐渐开展时，"这种程序过去偏爱的计算方法，必须用新方法取代"。

有一种迹象显示艾略特波动理论很贫乏，也就是这种理论和其他科学分析没有相通之处。例如，如果"增长定理"在大众行为研究领域得到证实，有人就会考虑在其他领域，如传染病学、人口生物学、人口模式中是否也存在这种增长现象。

要为艾略特分析和相关的斐波那契与江恩的胡说八道理论建构基础，方法之一可以从对数螺旋线（含有斐波那契数列）出发。这种曲线如同螺旋星云或贝壳的形状，它形成的原因是什么？贝壳螺旋线可能与生长现象有关，那么螺旋星云呢？它的形成众说纷纭——可能是万有引力的缘故？

而在市场上又如何解释？为什么斐波那契数列能够控制回调？也许它们建立在市场碎屑的基础上。为了增长，市场需要自我壮大，它从环境中吸收原料（新的投资者），将其消化后变成废物（拿走他们的钱），然后实现自我发展（价格的变动吸引新的资金）。

我曾经寻找1995年所有的科学文献，没有发现任何人探讨人口生物学或流行病学的文献提到斐波那契数列。如果一种方法具有预测价值或者值得效法的价值，上述领域就应该有研究人员采用这一技巧。

情感波动

音乐有一种从听众最深层的体验中引出不同情感的魔力，有些音乐可以使我充满力量，欢乐无穷。但是，如果市场与我的意愿相背，有些音乐又透露给我一丝悲哀。不幸的是，我根本无法达到贝多芬所说的最高境界。他说：“要是真正了解我的音乐，就可以从大家琐碎的惨状中解脱出来。”不过，在交易时，我可以模仿这位音乐大师的指挥方式。贝多芬指挥时，喜欢用身体语言与音乐相联系，路易斯·斯普何在《贝多芬传记》中是这样描述的：

> 突强音出现时，他把原来交叉在胸前的双手大力挥动。弱音出现时，他弯下身来，随着他所希望到达的低弱程度，身体成等比例的弯曲。接着是渐强音，他会慢慢抬高自己，如果是突然出现的强音，他笔直地跳起。为了使强音更为强烈，他有时会出人意料地向乐团咆哮，自己却没有察觉。当出现极轻音时，贝多芬以自己特有的方式完全趴下去，随后音调渐高，他又慢慢站起来，如果他估计最强音要出现时，就会立刻高高弹跳起来。

我在交易时间里，设法不表露自己的感情。但如果市场按我的方式猛涨时，我喜欢跳上办公桌，不由自主地叫一两声：“好！”然而，更多的情况下，我却像耗子似的躲在桌子下，逃避损失带来的痛苦。

贝多芬生前就实至名归，整个世界都踩在他的脚下。他曾经说：“大家也不与我讨价还价，我定下价钱，他们照价付款。”但对我来说情况正好相反，我在市场上标出一个价码，人们便蜂拥而上，从低价抛出或者以高价买进，根本不给我交易机会。

贝多芬的指挥曾造成音乐史上一幕最感人的场景。1824年，贝多芬亲自指挥第九交响乐首演，在演奏完该谐曲后，贝多芬的指挥已远远落后乐队的演奏，独唱者温格小姐轻轻地拉他的衣袖，带领他走到座位上，让他坐下。观众这才明白了，贝多芬竟然是在耳聋的情况上创作和指挥音乐！观众席上迸发出空前的热烈掌声。

我经常和市场脱节得很严重，如果出现这种情形，索罗斯就会轻拉我的衣袖，只是不像温格小姐那样温柔。他会说："维克多，你怎么还没有被赶出交易所？总之不管你做什么，即使你已经行将朽木，也别想为我做生意。"我的同事的方法更为直接，当我的判断失误时，他们总占用电话，让我不能向交易所发出指令。

我无意暗示，我认为自己的交易技巧可以与贝多芬大师的创作相媲美。其实有时候，我完全无法辨识音调。我的交易方法也无法与莫扎特相比，莫扎特"就这样轻松地创作了摇篮曲——创造出只应天上才有的摇篮曲"。但我与莫扎特至少有两个共同的弊端。首先，据记载，莫扎特在生命的最后几年穷困潦倒，其根本原因是他沉湎于赌博而不能自拔，而我，尽管对赌博没有兴趣，但与莫扎特差不多的是，我在交易场中投入了大量的钱——这无疑也是一条通往贫穷的道路。我的第二个缺点说明了和莫扎特有关的最大谜团：为什么与他同时代的人欣赏不到蕴涵在其音乐中那种惊人的美感？奥地利的弗朗兹·约瑟夫大帝认为，问题的关键在于莫扎特的作品数量过大，而我在投机时也交易太频繁。

索罗斯告诉我，我的问题在于"总是进进出出，一笔又一笔地交易"。市场是一种数学上的假设，简洁优美是最好的答案。莫扎特也知道自己多产的缺点，并在最后20年里努力使自己的创作风格简单化，但是为时已晚。当人过半百，风格实际上很难改变。

对比与重复

音乐起源于最基本的冲动。声带会发声，身体和脚会做出节奏的活动，人的心灵把这些声音和活动转化为音乐。约瑟夫·迈吉利斯在《音乐欣赏》一书中，把这一点解释得很完美：“音乐保留了和感情流露、悲喜、紧张、轻松有关的关系。人类数千年的经历使音乐成形，它那种极具表现力的表达方式映射出人类的存在及其在自然界和社会中的地位。”

虽然大家都一致认为音乐是一种通用语言、情感语言，却从来没有人对于音乐的表现力做出令人满意的定义。阿伦·柯普兰德把这个问题用下列方式来描述：“音乐有意义吗？我可以肯定‘有’，你能用言语表述这种意义吗？我只能回答‘不行’。”

早期的西方音乐，其基本结构源于对位法。对位法是高度发展的艺术，有许多的作曲规则，造就了巴洛克时代众多的经典之作，对位法发展中的关键是发明了音符。

保罗·格雷夫和罗纳德·戴康迪在《音乐传承》一书里，把这一点说明得十分清楚：

> 西洋古典音乐特别光辉灿烂的地方，在于它的传承……能够有这种光荣传统，原因是具有记录的方法：有音符……西洋古典音乐的模式与小说极为相似，强调新潮和未得到表现的东西……因此，在相当长的时间里，非西方音乐有一种连续性，而西方音乐呈现的却是运动性（西方在公元1000年发明音符之前，西方和东方音乐大致相同）。
>
> 然后，突然之间发生了一个重大的变化。既然音乐可以记录，就能够变成复调。既然变成复调，音乐就必须从传统的概念模式中寻求解脱。

就像大多数音乐学者一样，如果我说西方音乐强调个人权力，对幸福的追求、英国大宪章、独立宣言等之类的东西，我定会陷入无休止的争论中，但是我认为东方市场的连续性明显高于西方市场。香港和印度股市出现一次大波动后，通过预测其走势我常常可以盈利（只需做细微的调整）。1994年至1996年，印度股票市场指数“孟买敏感指数”的日变动序列相关系数为0.11，明显高于同期S&P指数0.01的相关系数。

几乎所有的西方音乐最常见的形式是A-B-A形式，也就是奏鸣曲，分为呈示部、发展部、再现部。两个A把旋律深印在记忆中，而B提供对比。西方的许多小说也是采用这种框架或与之相关形式进行创作。

奏鸣曲形式也主宰着市场。某个交易日开市后，市场中一部分上涨，另一部分下跌，经过一段时间调整后，各部分变化开始反向。

最后，开始时的主题重复出现。通常是在结束的尾声中，让更有力的形式出现。但为了使听众略带猜测之心，许多具有欺骗性的尾声沿着原方向并不变化。然而就在收盘之前，相反的主题就会出现。本体论强调事物从原方式发展，而市场音乐中带来讽刺意味的反调则说明逆反主题经常可以占优势，从而防止交易者总利用A-B-A形式去赚过多的钱。替我工作的一位音乐家说，市场就像是一首爵士乐一样，你认识所有的演奏者，也熟悉其旋律，但你不能预测开始时的主题会不会解决。

不和谐与解决

贝多芬、莫扎特，以及无数其他不朽的音乐家的品牌，铿锵有声地捕捉作曲者的热情，明确解决偶有痛苦。的确如此，古典音乐作品的传统中心主题就是必须从和谐音中剔除不和谐音，音乐就应该是完全的和谐音。早些时候，完美的音乐必须遵循以下规则——标准的1度、4度、5度、8度，由极少小调或大调所造成的短暂不和谐音可以由剩下的乐章解决。只要提到重复的不和谐音，有些听众就极为不满。意大利理论家乔万尼·马里亚·阿图西抨击蒙特威尔第，试图用合并音调，如大调和小调的七度音程，“损毁、破坏和毁灭古老而实用的规则”。这些音程“听起来十分刺耳，人们应该憎恶而不是喜欢它”。另一个力求音乐纯正的人是罗希尼，据说他常常卧床不起，但只要他的仆人在床边大声演奏大7度——罗希尼极为反感的音调，他就会一跃而起，平息这种噪声。

有一次，一位纽约证券交易所的场内交易员来找我，谈到股市波动和交响乐很像，他为我演奏德沃夏克大提琴协奏曲，他那性感的女友表示了对我的壁球技巧的崇拜。他告诉我乐谱与当年股市变动存在一一对应关系，我给了他6位数的本金去检验这一理论。但在三天之内，他把全部本钱输得一干二净。他离开纽约时穷得像晚年的柏辽兹，柏辽兹的最后6年生活万念俱灰，穷困潦倒，并且无人理会。

成功的法则

我很幸运我3岁开始学习音乐。那时，我用盖在钢琴上的活动彩色纸键盘学琴。5岁时，我有极好的乐感并可以识谱，就像今天我的演奏一样熟练。7岁时我已能演奏巴赫三声部创意曲和贝多芬奏鸣曲。9岁时我能演奏莫扎特的单簧管协奏曲，达到B级水平，指间没有丝毫停顿。但是，我的声乐水平直到现在都极差。

我喜欢在海滩上的金钱游戏中练习乐器，混几文钱。幸亏当时我的父母不允许我这样做。每天，父亲让我坐在钢琴旁，并让我练习，如果我推辞说单簧管坏了，他就拿出螺丝刀调节按键。当他在修理时，我就趁机溜到海边玩。父亲会赶来抓住我，把我拖回钢琴椅上。如果我拒绝弹钢琴音阶——演奏车尔尼、海诺、布林格的作品，想要逃走，他就会守在我身旁。

我6岁的时候，全家决定到佛罗里达州度假，但这一趟旅行对我来说根本毫无兴趣，我每天的钢琴课没有中断。我们找到一家出租乐器的音乐商店，这家店只有一架钢琴，老板具有战略眼光地将其放在商店橱窗里，父母每天付给店主50美分，让我练习钢琴。

俗话说，父母亲经常重复自己成长期间的优点和缺点。父亲“逼迫”我练习钢琴30年后，我的长女嘉尔特也拒绝上钢琴课。她的钢琴教师许瑞德是一位受人尊敬的绅士，我认为他是现代巴赫的化身。他会守候在钢琴旁。我曾无数次力图把嘉尔特拽向钢琴，抓住她的一只胳膊，命令她："你必须上钢琴课。"妻子抓住嘉尔特的另一只手说："你不要强迫她，你这样只会让她更憎恨钢琴。"

嘉尔特告诉我，除非我放她走，否则她会向反家庭暴力人士举报，把我关进拘留所。我们拉拉扯扯，只是为了不使许瑞德感到难堪。这时，许瑞德开始演奏斯特劳斯的华尔兹，优美的乐曲打破了僵局，使我赢了这场拔河比赛。当她还在低声抽泣时，我拥着她来到钢琴旁，我表现得毫无同情心，后来我对许瑞德说："那是我一生中最尴尬的时刻。"他说他只是想到父母与子女那种关系正好符合圆舞曲的音乐场景风格。

我到现在还不知道自己做得对不对。后来，我把这件事说给朋友听，很多朋友都表示，当年他们不愿意上音乐课时，父母没有逼迫他们，让他们现在觉得很遗憾。另一方面，嘉尔特却离开钢琴，开始从事鼓乐演奏，尽管她小时候的老师称赞她"对各种键盘乐器极有天赋"。

精通基本活动的法则

音乐家的训练方法，使音乐表演和作曲能力与才华精进，远远超过其他任何领域中的成就。任何从事其他维持生活的人（例如投机客），如果能够借鉴音乐家的训练方法，就可以超凡入圣、战无不胜。表14.1就融汇了一些音乐家，包括我老爸，罗伯特·许瑞德和19世纪一位著名的钢琴演奏家费鲁奇奥·布索尼的训练技巧。

表14.1　音乐之道与投机之道

精通音乐之道	精通投机之道
1. 每天都应练习器乐演奏	每天研究市场
2. 了解乐器的构造，知道乐器在任何天气状况中的性能	参观交易所，了解外界情况，学习如何融入大家的共通语言
3. 每天开始练习时，先用不同程度的触键法和力度，练单音。然后变换手法和音质	从股市入手

（续表）

精通音乐之道	精通投机之道
4. 技巧艰深时，一次练习一只手	一个头寸已足够
5. 即使无人旁听，也不能马马虎虎，因为只有完美的练习才能造就完美的演出效果	不要向朋友吹嘘你的业务，或者“只为玩玩”而交易合约
6. 练习时只要犯错，即使无人左右，也应返回重新更正	记录你所有的失败交易，这一点应该不难吧
7. 精通演奏中全部的技术环节，在演出之前的数月就应进入状态。当你演出或比赛时，就主攻你感兴趣或有限的环节，出色的演奏在于掌握极细微的差别和变调	开始前先做纸上交易，储蓄适当的本钱。当交易进行时根据你对收益、风险的估计，适时变化仓位
8. 凭着记忆演奏，如果总看乐谱，你就无法登堂入室。但每次演奏完毕，应对出入之处例行记录	交易时不应使用计算器或计算机
9. 在表演前1小时进入演奏厅，以便适应环境。表演快开始前，不要与人闲谈或握手	早上7点10分钟前去上班，不要到8点10分、市场开盘前10分钟才去上班
10. 学习专家对最基本的乐章及决断的见解，你会很惊奇地发现，演奏车尔尼或克莱门斯小奏鸣曲都很难达到尽善尽美	索罗斯如何处理那笔业务
11. 不要想克服曲子中困难的部分，以至于让自己疲倦。休息之后，回来像你根本不知道有这个困难一样，从头开始	亏损时要暂停交易
12. 在平时练习时，就应培养自己的激情，在演出时展现这种激情，但应避免那些浮躁、庸俗的情感	尽管损失不超过5个交易点，但应为自己的损失痛哭、申辩、悲叹
13. 置身在你所属艺术领域的大师之间，去看他们的表演，研讨他们的书，为聆听他们授课倾其所有	看索罗斯所写的四本书，还有三本和他有关的书要看
14. 演奏前或演奏时千万不要进行性生活，这会影响演奏想达到的高潮	千万不要嘲笑以前的交易对手
15. 表演时，音符或指法有错误，不要再弹奏。你一回头，后面的音乐都会走样	忘掉你本来可以交易的好价钱，关键在于你现在是否应该进场、加码或退出

如果你是巴赫，不必担心这些规则。有人称赞巴赫的风琴演奏得很好，但他却说：“其实没什么稀奇，你只要在正确的时间触击正确的音符，乐器就自行演奏。”

音乐和计算

音乐与计算密不可分。微积分的两位发明人之一戈特弗里德·莱布尼茨说:“音乐是人类心灵从计算中体验到的愉悦，却不知道这就是计算。”这一说法是毕达哥拉斯数学神秘主义的变形，毕达哥拉斯学派发现，当两条振动的弦的长度比率满足整数之比时，发出的声音就十分和谐悦耳。例如2比3的比率正好产生完美的5度音程，3比4的比率会产生4度音程，尽管听者不知道音调之间的数学关系，但他可以轻易描述这种和谐引发的快乐感觉。

但是，任何听过电脑声音合成器怪异声音的人都可以证明，音符振动频率只是音乐的一小部分，就像调色盘和画笔是绘画艺术中的一小部分一样。我的朋友杰克・柯普曼是20世纪80至90年代白银工业的代表人物，他出售极具艺术表现力的作品，当我问他最近银价的下跌是否会对他的销售产生影响时，他给我举了一个类似的例子：“维克多，白银价格对这些作品的价钱影响很小，就像木材的价格与这些精美的契本德尔木箱的价格毫无关联。”

舒林格音乐标记系统是设法结合音乐与计算的一次尝试。约瑟夫・舒林格是哥伦比亚大学的一位教师，身兼数学家和作曲家，他的学生包括乔治・吉斯温、奥斯卡・列瓦特、本尼・古德曼以及其他有名的音乐家。在他的著作中，他宣称发展出音乐与旋律的一般理论。

在他的法宝中，有一个方法是把旋律从一种风格改变成为另一种风格。例如，把巴赫的一种旋律变成李斯特的风格。根据舒林格的说法，这是一种靠计算可以实现的程序。

研究舒林格的作品，我发现拉尔夫・艾略特的作品中与其有类似的地方。几张螺旋线图形、一篇关于对称的数学论文、一个有内室的鹦鹉螺、一条垂直线、一个斐波拉契数列、一些从法国人勒波的论著中引述有关大众心理的话，提到一些帕希奥尼论黄金分割的基本作品，对达・芬奇和米开朗其罗雕塑作品的描述，以及不可避免地提到树叶在树干上的排布，等等，这些东西就成了说明一切，但丝毫没有预测价值的东西。

德国诗人海涅对音乐中的计算提出了一些我认为相当贴切的看法：

> 没有什么比把音乐转化为理论更徒劳无功。音乐中确实存在法则，严格的数学法则，但这些法则本身不是音乐，而只是音乐产生的前提条件。画画的手法、色彩理论甚至画笔或调色板等并不是绘画，而是绘画必须具备的条件。音乐的精髓是展示，不是精确的计算，音乐评论也是一门实践性艺术。

20世纪中叶伟大的钢琴家亚瑟·舒拉伯认为，音乐的本质在于寂静而不是声响，他说："我处理音符比许多钢琴家好。但我发现音符之间的停顿才是音乐艺术的真正所在。"布朗数学图书馆中有10万册藏书，没有一本能够就数学与音乐之间的紧密联系写出一个定论。但是任何看过用字母和代数符号作为材料，做数学定理的证明之后，拿来跟以音符和乐器为材料作曲的过程比较，就会知道，音乐和数学简直是一对双胞胎。因此，IBM在其全盛时期招雇音乐家从事程序开发，我公司的几乎所有投机商都曾经是、现在是或将要成为职业音乐家。

计算的困难

这不是说根据有系统的记录和逻辑做决策，就能做得轻松或做得精确。大多数现代心理学著作都指出，人在直觉、推理及判断方面存在大量的幻觉、偏见、选择性注意和错误。这些问题之所以会出现，就是因为个人的背景及过去的经历会严重歪曲人的直觉及其他方面。

有一个视频错觉非常著名。画两条长度相等的线条，一条线两端的箭头朝外，另一条线两端的箭头朝内，由于箭头方向的不同导致视觉上两条线不一样长。由于这种错误的存在，我几乎开始怀疑视觉的正确性。然而视觉并不是唯一出现错觉的感官，我们的触觉、味觉、嗅觉以及听觉世界中都存在幻象。

在不确定和风险中做抉择，判断错误的情形格外常见，但是，不确定和风险正是所有投机活动最重要的基础。最通常的错误就是经验主义，例如仅仅相信可获得性或代表性，而不进行正规的逻辑分析。尽管我们的正规推理经常无效，但这主要是因为不加区分的中庸主义或者推理前提和内容过于特殊（辛巴多和格里哥在《心理学与生活》一书中对这些错误进行过很好的剖析）。

因此，计算像音乐和投机一样，被人认为是人类经验的反射。在我看来，三者密不可分，对个人的成长缺一不可。每个人都是潜在的数学家，买卖商品、糊壁纸、绘画或跳舞，都是在运用数学才能。

如何计算

我早年就从两位博学多闻的人身上了解了计算的重要性。这两位学者远隔重洋，时间相隔一个世纪，社会地位更是差别悬殊。第一位计算者便是发明气象图的弗朗西斯·高尔顿。我在研究天气状况对体育成绩的影响时，接触到他的著作，而他的著作是每位未来投机商必读作品。

高尔顿最喜爱的座右铭是："能够计算时，一定要计算。"他外出时总带着大头针和索引卡，这样他可以方便地将引起他注意的事物罗列成表。一些数据统计家（例如史蒂芬·斯蒂格勒）以及其他数字爱好者（包括我）认为，高尔顿是历史上最伟大的计算家，他的计算方法值得好好学习。

> 我在街上或人群中，经常做各种形式、各种特征的数据记录，却不会引起别人的注意。我的方法是用一根细针和一张纸……如果我拿着针，针尖放在大拇指上的纸，白纸上就会留下一个很理想的圆孔，而且拇指绝不会被扎伤。两孔之间不应出现衔接，除非孔的数目太大，如果出现这种情况，统计结果就没有太大意义。洞的数目极易计算，把扎上孔的纸对着光一数就可以。你会发现大部分的问题都以"多于""等于"和"少于"的形态出现，因此我想把纸安排成3个明显的间隔部分代表3种形式，仅凭触觉将针扎在正确的位置。先把一张纸裁成十字形，撕掉

其中某方向的大部分，手持受损的那个方向的余下部分，十字形的头向上，头上部分的孔代表“多于”。选择一完整方向代表“相同”，另一方向代表“少于”。

在开始利用之前，最好把要测量的问题写下来，这样口袋里可以同时放一组以上的记录。然后分情况统计分析，而不会出现混淆的情况。

计算教育

第二个教我计算的人是我老爸。7岁那年，一个晴朗的夏日，我惊讶地发现，父亲一边在观看佳宝体育馆进行的世界手球比赛，一边在一个大黄板上做记号。每得1分，我就看到他记录：后排杀球、杀球得分、进攻得分、进攻失误、发球得分、角度刁钻球得分。每次连得几分或连输几分之后，父亲计算双方取得下一分的概率。他也记录每一分所耗费的时间，每场比赛的击球成功率和失误率，双方领先的可能性。我问：“爸爸，你为什么要这样做？你计算谁将获胜又有什么用呢？”

“你注意到没有，最优秀的双打选手通常以11比15落后，然后却以21比19反超获胜。”

“每个人都知道这一点。他一开始落后，为的是能够吸引更多赌注，获得更高的赔率，然后他用独有的大力击球、后排击球以及必杀技打出一系列后旋球。”

“对，”爸爸说，“但是你要注意，他打公开赛，或是打没有赌金的友谊赛时，例如他与维克·赫谢科维奇争夺非正式世界冠军头衔的比赛，他从不落后。”

“以安迪·沃尔夫为例，他很多次都在比赛开始时打三步发力及后排杀球，遥遥领先，但接着变得保守起来，不想再冒进攻风险，突然间，他跑到边线后面接球，并且把球挑高回去，不再杀球。许多队员宁愿打势均力敌的比赛，而害怕打领先球，当他们保守的时候就会付出沉重代价。”

比赛有如一首乐曲，随着选手改变击球速度，以及改变进守移位的速度，很难猜测谁将取胜，参赛者根据比分对每一分的拼搏程度预测都会变化。最终，整个比赛的节奏发生了改变。比赛者也根据比分，选择适合各种情况的击球方式，并合理分配体力。

我开始计算音乐方面的时间。任何人像我这样没有天分，在钢琴键盘上左右手不能配合，或是不能配合乐器或声音节奏的话，唯一的方法就是要区分节奏之间的长短差别。我经常用节拍器进行练习，当市场变动时，我甚至听到节拍器在工作。当市价徘徊不前时，节拍器每小时或每天发出终止式音乐。当节拍突破一定速度后，通常暗示着新的旋律或一些不和谐音即将出现。

接着，我开始在玩牌时计算。玩“大赌场”时，我告诉小孩，说我知道他们手上的牌，他们一直觉得很奇怪。会计算的人随时清楚对手手中可能拿着什么牌以及底牌是什么，这是相当大的优势，在许多其他游戏中，非计数者比较糊涂，计数者对局势则很清楚。例如玩大富翁的时候，冠军通常可以计算概率并记下出过的牌（只有18张）。玩抢骨牌游戏时，会计算的人对100个未填的方格具有一种特殊的平衡能力，这种能力的高低将影响余下步骤中移好、移坏的可能性。买彩票时，会计算的人寻找最平常的数字以增大获奖概率（大数字通常最不普及）。在投机活动中，期货和期权合同为避免交割而必须冲销，计数者努力寻找这类合同，他们知道合同在满期之前，较弱的多头交易者就会抛出。投机客需要用到计算的地方太多了，因此，从事投机的先决条件可能是学习高尔顿的计算方法。

电脑辅助波动

1979年，我设法把预测市场的因素量化时，计算、投机、音乐和家庭关系结合为一。当时我试图测量市场的可预测属性，最后我逐渐认为市场很敏感，并有内在关系。流星出现会影响荷兰的大豆价格，当墨西哥打个喷嚏，香港就会感冒。我将其比作一台市场交响乐，由于千千万万强弱不一的局内人和局外人在交易所中演奏，由幸运之神指挥，最后还有市场咨询机构、代理商以及媒体进行评论，而市场交响乐中总存在不和谐音与和谐音、平衡与失衡、坚忍与兽性的斗争。

为了精通市场走势，我必须欣赏市场的音乐。

我的看法正好碰上无线电沙克公司推出TRS80微电脑，开启了信息时代的先河。我买了几台电脑开始计算，然后着手物色一些优秀的音乐人才。我找的第一个人应会弹钢琴、拉大提琴和小提琴，又在数学方面有天赋。在这种信念的指引下，我想到弟弟罗伊，他除了满足上述条件外，更为重要的是罗伊是由父亲亲自训练的。尽管当时他只有10岁，我还是决定选聘罗伊做我的第一位雇员。

达尔文学派有很多论述，探讨人在紧急状况时，情绪对于引出适当的反应有很大的影响。我对这些论述很熟悉。现代的观点认为，情感是使个人达到心态平衡的链条。但在现实生活中，当市场价格迅速变动时，由于紧张造成的胃痛、心悸和口舌干燥，使我无法以一种无欲苦行的方式做出正确的决策。当我为情感左右时，我发现自己总处于一种难过、易怒、厌世、奇怪的状态中，为了减少情感对我的影响，我让罗伊用计算机将情感模式化。他先选择一个至今仍有效的电脑声音合成器程序，将程序进行修改，使它可以与昆特龙报价同时运行。当价格变动极大时，电脑会用机器人的男性声音发出市场评论："油价跌至新谷底"，"哎，可怜的铜价"，"白银价格有突破趋势"，"大豆价格增长有限"，"日元反弹"，"黄金价格能降至什么位置"，"开市差1分钟，交易者请做好准备"，"股市达到新高峰"，"索罗斯抛出"，"政府货币干预"，"债券价格下滑"，"3分钟内会发布统计数据"。

买单没有成交，电脑会出现下列回复："只限场内交易员，你没有成交"，"在你之前有2000个合约"，"亨利定价比你高，叫进3000"。如果卖单没有成交，电脑则会警告："市场平稳，买盘少抛盘大"，"场内交易员今天外出打高尔夫"，电脑说这些话之后，交易室里原来激昂的情绪很快就化解了。

电脑经过设定，能够立刻计算交易员的获利和亏损。当亏损达到预先设定标准时，电脑就会发出令人沮丧的声者。当你冲进办公室与人性化情感交流时，听到的却是电脑十分精准的音调在短时间里刺激你，你会感到极为泄气。保尔·德罗沙是38家政府债券的主要交易商之一，从事投机行业达25年。他对我们说计算机很现实，它减少了对交易管理者与老式通话器的需要，唯一的问题是，每天24小时都有一个声音在我们耳边唠叨，确实很令人生气，尤其是当我们正在承受亏损时。于是后来我们把这一程序取消，让电脑担任另一种音乐工作。

我需要知道市场的走势，但是整天待在电脑屏幕前，会让人失常。于是我在电脑旁加了个音乐合成器，将电脑与价格屏的界面联系起来，运行程序对市场做出音乐总结。我用钢琴的声音代表股票，弦乐代表利率，大提琴表示短期利率，小提琴对应30年期债券，长笛声音代表日元，正好配合日本人所喜欢的乐器尺八。英国号、法国号、阿尔卑斯角笛，分别代表其他货币。

遗憾的是，出现的音乐声音极为难听，经过一两秒钟后，我不得不马上关掉合成器。最后，我们必须指导电脑如何创作和谐音乐，以免声音太难听。

音乐家和计算专家

有一天，我在交易时，我的第二个雇员正在办公室的钢琴上弹奏。我当时绝望地在处理一笔亏损交易，听到有人用无懈可击的技术，悲哀地演奏格什温的《蓝色狂想曲》。我四处看看，正在责骂弟弟罗伊——他是我知道唯一能够演奏如此高难度曲子的人，结果我发现是保罗·布特在弹奏。保罗当时只有23岁，毕业于内布拉斯加大学并取得哥伦比亚大学MBA学位，我分配他到兼并与收购部。我把我对投机与音乐关系的理解告诉他，他对这些情况并不熟悉，在他的MBA课程中，学生与教授们的主要工作就是坐下来看着价格屏，并发出模拟指令。

我向保罗建议：钢琴能够弹得这么好的人，应该要到交易部门去。在交易部门，一分钟之内判定生死，不像一个持续9个月的兼并行动。不久之后，他成为我的助手，专门开发交易系统，以音乐、体育和物理世界为原型。这一系统极为复杂，只能手工测试。我们之间的关系极为和谐，遭遇极为巨大的亏损时，我们经常合奏曲子，分担彼此的悲伤，就像对肖邦降B小调第2奏鸣曲的第二乐章“葬礼进行曲”的二重奏。

后来史蒂夫·温斯顿加入我们公司。他的兴趣更偏重于计算，而不太喜欢音乐。在正式招聘他之前，我请他给我们暑期培训人员讲解多元统计，这些人员在哈佛、斯坦福、耶鲁学过同样课程，但毫无例外的，他们一致评价史蒂夫的教学效果比大学教授的要好。

因为音乐和计算而结成的关系，对我们三个人都很有益处。保罗、史蒂夫和我至今共事了10年。我们十分了解彼此的处事方式，如果某个人外出度假，对整体工作影响并不太大，其他两人知道该担负起怎样的工作。

结局的危险

生命模仿艺术的情形极为常见，这到底是偶然还是宿命？19世纪40年代，埃克托·柏辽兹请他的恩师让·勒塞厄去听一场贝多芬第五交响曲的演奏会。这首交响曲开篇是音乐史上极有名的四音符，也就是摩斯电码“V”字，“嗒—嗒—嗒—嘟”；三个快速的音符之后，是一个比较长，和前面节奏不符合的低音。我发现许多开市呈现这种情况，尤其是当前一交易日股市大跌时，第二天很可能有一些短线，少量的交易使市场微微高于昨日收盘。接着，有实力的交易商开始大量抛出，导致交易者纷纷以极低价钱抛卖。贝多芬在第一乐章中，尽兴而且毫不停顿地来回发挥主题。最后，在呈现之前，贝多芬加上一段“清楚、带有戏剧性而且时间比较长的停顿”。

1987年10月19日，纽约股市崩盘，道琼斯工业股价指数比前一天狂跌508点。到了20日开盘时，由于昨日债券价格上升引起的后续投资，导致价格略有抬头。接着疯狂的抛出开始，局势紧张到令人难以承受，于是除了芝加哥交易所主要市场指数，所有其他市场交易暂停。

“这段停顿只是暂时的。”第五交响乐是胜利交响乐，乐曲从剧烈战斗走向胜利，最后用C大调和弦，由洪亮的伸缩喇叭、倍低音管以及高频率的短笛合奏，代表一片看好的旋风（像带着妖气的飓风）。但是就像福斯特在《霍华德的末日》中说的那样：“妖魔鬼怪依然存在，会卷土重来。”市场只会出现瞬间停顿，当时机成熟，主要市场就会出现持续的买入。到10月20日收盘时，道琼斯指数回升200点，收复近一半失地，并且孕育了股市历史上最大的牛市。在其后的9年里，几乎上涨了3倍。但偶尔还是出现一些妖魔鬼怪，比如10月20日星期四早晨，道琼斯指数开盘比19日的低点还要低。

第五交响乐出现之后，音乐跟以前再也不同了。1987年10月的危机、1980年2月纽约商品交易所的白银价格暴跌，或是1996年4月铜价暴跌之后，市场再也跟以前不同了。柏辽兹在19世纪40年代邀请他的朋友勒塞厄参加音乐会，以便让他了解新风格，但守旧的勒塞厄迟疑不决，柏辽兹在书中写道：

> 我不断地敦促他，严肃地指出，在音乐艺术中，出现这么重要的东西，出现规模空前的全新风格时，他应该去了解，并做出判断……他屈服了，让我带他到音乐学校，去听第五交响乐。

1980年白银价格暴跌后，我请父亲花一天的时间，和我一起到纽约商品交易所看一看行情。他起初犹豫不决，说：“我要给身份证明文件分类。”

我告诉父亲：市场和鸟叫或猎犬追逐猎物的叫声一样，既有美妙的，也有恐怖的音乐。“去交易所看一看，一定让你不虚此行。”他同意了，我陪着他到纽约世界贸易中心。

当第五交响乐结束时，柏辽兹发现勒塞厄在走廊上大步地来回走动，满脸通红：

> 噢！让我出去，我得吸一下新鲜空气。太美妙了！太神奇了！我极为感动，心情极为纷乱，因此我从包厢走出来，想要戴上帽子时，竟找不到我的头。现在让我一个人静一静，明天见。

在纽约商品交易所里，父亲看到市场激烈振荡，几百位场内交易员像瓶子里的蛇群一样，相互搏斗，相互算计，再体验一次1979年到1980年，白银价格每隔15分钟就从5美元涨到50美元，然后又跌回5美元的情形。我们在那里的时候，我接到一个电话，一位大客户打来的，他想在全球股市进行一次大型抛空行动，我开始思考盘算，“老爸，这种情形是不是让你害怕啊？”“维克多，这种情形使我想起‘五一节’联合广场骚乱或者道奇队获得联赛冠军以后的混乱场面。再见，儿子，我得回去工作。”

第二天，柏辽兹匆匆赶到勒塞厄的学校。

> 当时我很容易看出来，我的恩师跟前一天我和他说话时，已经截然不同。他认为音乐这个主题很痛苦，可是我坚持要谈，并且促使他进一步承认贝多芬的交响乐让他多么感动，这时，他忽然摇了摇头，怪异地笑着说：“都一样，像那样的音乐，根本不应该写出来。”
>
> “不必担心，老师，”我答道，“这并没有什么危险。”

第二天，我给父亲打了个电话，问他对周一早上的剧烈振荡有何感想。

“那种情形令人很惊异吧？我说那种情形会成为你所听过的音乐中，最令人兴奋的章节，一点也不夸张吧？”

他沉默不语，最后才答道：“那种惊人的力量，就像一场雪崩，你怎么能够承受得了？你还记得我必须送到殡仪馆的那些投机大鳄的尸体吗？你有些昏头了。”

“不必担心，老爸，”我答道，“并没有什么危险。一切尽在我掌控之中。”

第十五章 / CHAPTER 15

投机市场生态：和谐平衡

想想杂乱无章的岸边是多么的有趣啊，满布各种各样的植物，小鸟儿在树丛中歌唱，各种昆虫飞来飞去，虫子爬出潮湿的泥土。想到这些结构精妙的形态，彼此差距如此巨大，并以一种非常复杂的方式相互依赖着。这一切，都是由我们身边的自然规律所产生的美妙情景。我们想到这种争斗时，可能会用全部信念来安慰自己，完全相信自然界的斗争并非持久不断，我们不必害怕，死亡通常很快便会来临，强壮、健全和快乐的物种会生存下来，继续繁衍。

——查尔斯·罗伯特·达尔文，《物种起源》

交易大厅现场

现代人要研究任何物种，方法是检验它的行为、食物、天敌，它在生命循环里栖息在何处。70年前，生态学先驱查理斯·埃尔顿就用朴实而令人难忘的预言指出：“当一个生态学家说道，‘一只獾跑过来了’，学生在脑海中就应闪现出它属于哪个社会位置的明确概念，就好像他说，‘一个牧师走了过来。’”

噢，现在出现了一位想研究市场的投机客。由于关系网络十分复杂，参与者居住的地方又大不相同，要做这种研究，既需要现代化的设备如X射线机、计时器，也需要超常的洞察力。这样无异于痴人说梦，我只好退而求其次，亲临交易所去参观。但一年中我也只能去一两次，每次参观都令我十分激动，以至于在后来的几天中我都有些支撑不住。交易所一直是我多次巨大胜利与悲剧的策源地。要不是有一些幸运的时刻，我早已全军覆没。

我进入交易所时，眼里、脑海里闪现的是："进入这里的任何人，抛弃你们的希望吧。"我走过旋转门，通过最新的身份识别数字系统时，我心如潮涌。

一开始，我觉得欢欣鼓舞，感受到打猎的光荣感。我仿佛听到猎狗的吠声，听到贝多芬那充满激情的第五交响乐，以及暴风雨式的田园音乐——第六交响乐。我天生就属于这里。我就在这里，在1987年10月19日股市崩盘的急风暴雨中，就在债券出现历来最大的涨势之前片刻，做多数十亿美元的债券。就在这里，我追求另一半时，获得了百倍的回报。也是在这里，我经常在1秒内就能调动数百亿美元来影响世界的财富，这时我把我朋友的几千份合约像吊高球一样吊到交易所中的土狼、蝰蛇、鲨鱼的上空，他们都狂乱地等待着被击中。我被训练得像鲸鱼一样参观赌场，"好，我到私人房间去听这段留言，然后到记者室走一走，再开始……大赌一场。"

有一次，我在交易大厅那种充电的激奋状态，几乎把我的财富送上电椅，化为流水。1982年，堪萨斯市股市期货开始交易时，我闪电出击，买了一个会员资格，并且急于有一个较好的表现。我还没有搞清楚状况，就发现全部未平仓股市的期货合约中，我就占了50%。"但是期货应在超过现金8%时就进行交割。"期货每小时就下降1整点，直到现金只剩下3个点的折扣。我不停地大叫。最终，因为我们相互间的保护，我们才幸免于难。最后，我的伙伴和我订了一条规则，就是永远不能在交易厅里进行交易。

最深沉的悲哀之后，总是让人惊喜万分。交易所大厅里，处处暗藏着悲剧和喜剧。1987年10月19日收盘之后，我立刻在现货市场卖掉了债券，却在3天内无法买回它们。以往我总是提前一天或两天退出户头，而这次我被迫退出后，市场怎么会知道我的行踪并做出真正的变动呢？一天结束后，市场虽然已经收盘，我已不知多少次还在屏幕前坐着，还在等待着价格按我的期望变动，有时，我还会用手托着头，想道："我亏了。"

我在交易大厅里亏损的次数已经太多了，因此要计算起来，似乎很可笑。当年，股票交易大厅里经常有人开玩笑。典型的恶作剧包括：用香水喷湿一个会员（所有会员均是男性），在一个官员头上举起一把伞，诱使参观者脱下他的帽子，扔标枪，煽动两个激怒的经纪人大声吵架。如果一个会员带一个客户来参观交易所，一个小丑必定会叫道："又来了一个牺牲品。"最受欢迎的娱乐是用最大的排气量吼醒一位年长的政治家，"开玩笑"，"开玩笑"，"开玩笑"。在期货交易所，年长者会因场地难耐的噪声过早地退居到楼上去。今天在华尔街上，证券交易所的会员席位太尊贵了，不能有这种轻薄之举。在手握客户的限制性指令，或为自己的户头进行交易，成为大众创造一个市场时保持对某种股票的控制，这一类考量才是交易厅内各类恶作剧的真实意图。

在芝加哥期货交易所，会员仍然喜欢恶作剧。经纪人会打赌谁能将一个软式棒球扔出温格利田径场，或打赌谁能将一个硬式棒球扔过芝加哥河。芝加哥商品交易所交易清淡时，会员常常从当地的兰德·麦克纳里商店买一个沙滩球，在交易厅里踢来踢去。1995年，有经纪人把脱衣舞女带到了交易厅，尽管只是一种戏谑，但最后导致了政府干预，并酿成了市场交易悲剧。当我在交易厅的时候，我看见经纪人正在收集金钱玩一个叫"美元袋"的游戏，从袋中选出的所谓获胜美元可得到价值10000美元的奖金。

每次有大指令来到外汇交易厅，就会有人大叫："美男子。"当索罗斯进入交易厅时，交易员就会大叫："名字可以倒着念的人进场了！"（Soros这个字从后面往前念也是Soros）每次出现一个大指令，就猜测背后操作的人是谁。这种传统起源于繁华的20世纪20年代债券交易中，也就是《大亨小传》的时代：

"他不想找任何人的麻烦。"

"传闻说他在战时是德国间谍。"

"……战时他在美国陆军服役。"

"他认为没有人看他的时候，你不妨看看他，我敢打赌，他杀了一个人。"

在芝加哥商业交易厅，新来的交易员都会碰到一种独特的欢迎仪式。一些交易员会在新人的领子上，插一张鲨鱼鳍形状的卡片，新人走到交易池时，会员会停止交易，大叫："鲨鱼！"这个风俗在纽约证券交易所成立前已沿袭了一个世纪。随着新成员不断走进交易厅中，交易成员们会齐声大喊："新来的田纳西人。"

大多数动物行为的教科书里，都有很多跟领地有关的研究。如果我们太靠近一只鸟或一只狗的领地时，它们会警告我们，或攻击我们，不管是嗡嗡叫的小鸟，还是三趾鸥，或是狮子，动物们会奋起反击以保护它们的领地。同样的，交易所会员对他们在交易厅中的位置也有着明显的领地意识，每个会员在交易厅拥有一块领地，而这一领地是极富价值的。1996年，一位会员因为个人原因，而离开交易所，以100万美元卖出了他的席位。经纪人就像鸟儿一样，如果必要的话，会为他们在团体中的领地战斗至死。芝加哥国际货币市场（IMM）期权交易商比较理性认识，他们可能只有口舌之争。

交易大厅这种古怪行径使我愤怒，交易员有时间来开玩笑、赌博，为价值一百万美元的席位打架，就在于他们能从交易所中的每一笔交易中抽取一定的佣金，而在芝加哥的2个经纪人绰号分别为"屠夫"和"钱袋"，他们就在我眼前为吞吃我的金钱而活着。如果我失手了，他们会像《野生动物的呼叫》中的雄鹿一样在1秒之内把我给吞吃掉，那就是高贵的摩根公司在风暴之后对我所做的。我会复仇的，这些无情无义的家伙。

我的愤怒最终升华到比较高的层次。交易所这些动物毕竟只是设法谋生而已，他们的教育和遗传使他们学会在某些缝隙中生存下去。那些能生存下来的当然是在竞争中更成功一些的人，他们就可把自己的成功做法传授给他们的家人和朋友。必须承认的是，他们是通过消化和再循环大众的流动资产而获得生存的。我作为大众的一分子，也履行了自己的责任。

在交易所过了几小时之后，混乱会让我脱离限价、止损和赚钱的基本现实。我把交易厅看成树林，把会员看成秃鹫和昆虫，穿梭于银行和交易商之间的我的同行们，就像长颈鹿和袋鼠一样。索罗斯不是我的朋友、客户，更不是良师益友；他是一头狮子，他尽他的职责，捕杀弱者，以免在他下方的那些动物互相残杀。交易所不再是在芝加哥金融区或华尔街，而是在非洲的大草原上。

听完了交易大厅的情感交响曲后，我感到有些筋疲力尽了，就像我在一项重要锦标赛中打满五局后的感觉。但是我仍然有许多尚待解决的问题，用什么原则可解释这些彼此不同的行为并使之有机地联系起来呢？

合约交易数量与时俱变有什么原因？为什么在亨特获得惨败后，国际货币市场黄金合约全部消失，却在纽约能以原有水平的1/3继续进行，为什么？为什么经纪商们会开着华丽的赛车，促动所有这些活动的动力和源泉又是什么？

像这样从哲学上思考，推动我寻找一种市场模型，以便解释这些看起来不同且混沌的现象。这些活动包括：骗局、诡计、领地、联系、结构、欺骗、规则和限制——似乎存在着一套系统的原则将它们编织在一起，我转而求助于生态科学来对其进行解释。

生态学原则

生态学的定义几乎跟生态学家的数目一样多，但克雷布斯所下的定义最能反映这一术语的精要，“生态学是探讨决定生物分配状况与数量多少相互关系的科学研究。”

我把研究市场参与者错综复杂关系称为市场生态学。我研究这个问题时，采用的方法同生态学家研究蜘蛛、鸟类和爬行动物的方式一样。我观察市场参与者在家时做些什么，他的家庭类型，他们是如何进攻和防御，谁吃他们的残渣饭屑以及当他们死时是如何参与生态循环。我不是在网中、巢中和壳中来研究他们，而是在交易所、经纪室和网络空间中研究这些市场投机家。所有的个别生态系统结合起来，通过密密麻麻的相互关系，创造出一个超级市场机体。

生态学已经发展出若干原则，非常便于用来解释每种环境中的种种相互关系，我不能在此对有关生态学概念给予充分总结；一本典型的生态学书籍中至少有1000个新单词，大约和一年级语言课程中的词汇量相当。但是有两个原则极为广泛和重要，以至于把生态学原理应用到另一领域时都不能无视他们。

1. 最后的能源来源。生物需要能源，才能跟所处的物理环境有所区分。使用能源以及和外部物质力量相互作用是生物体的重要能力，这也是生物区别于无生命物质的主要特性，最终的能源来源是阳光。

2. 聚落组织。聚落组织由喂食关系，也就是谁吃谁的关系决定。埃尔顿在70年前的一项经典研究中表达了这一思想：

在动物社会中，食物是最重要的问题。聚落的整个结构和活动，由食物供应的问题决定……动物最终不得不依赖植物作为它们的能量来源，因为植物能单独把原食草动物成为动物社会中的基本的一类……食草类动物通常被肉食类动物吞吃，肉食类动物可以第二手的形式获得了太阳能，如此延续下去，一直到一个动物不存在天敌，像以前一样，它成了一个食物链的终点。实际上，存在着由食物联结的动物链。从长远来说，所有这些都依赖于植物。我们把这些称作“食物链”，把在一个团体中的所有食物链称为“食物循环”。

1942年，生态学家雷蒙德·林德曼把能量原理和食物网结合起来，他把食物链中的生物种类分为生产者、草食类动物和肉食类动物三个层级，并把这些层级视作能量转换的金字塔，每上一层，能源的供应都会减少，原因是新陈代谢和生物转化的效率不足。

这么多年来，这个观念已经扩大，把分解者涵盖在内。分解者的目的是消除垃圾、消化那些不能消化的物质。安布鲁斯·比尔斯在《魔鬼字典》中恰当地定义了这个过程：好吃、好消化的东西，就像昆虫对蟾蜍、蟾蜍对蛇、蛇对猪、猪对人和人对蠕虫一样。

市场生态系统

我认为每个期货和外汇交易市场都是由大众、交易商、大投机客的网络构成，经纪商彼此互动，也和市场环境互动。食物和能源是由“大众”和行动缓慢的其他参与者负责创造，以亏损的形式出现。获利者主要是外汇交易和固定收入交易商，诸如信托银行、华友银行、高盛、花旗银行、摩根士丹利、所罗门兄弟、瑞士联合银行这样的大银行和投资经纪人。供养银行的二手顾客是庞大的成功的保护基金，包括量子基金、老虎基金和欧米茄基金。在每一阶段，指令和反复性被分解者如交易员和电话经纪人分解成可管理的部分，在网中的参与者之间进行再循环。表15.1表明了地球生态中的典型生态系统的关系，市场生态系统在最后一栏。主要市场关系的系统图在图15.1中列出。

表15.1 地球上生态系统的营养层次

	生产者	食草动物	第一食肉动物	第二食肉动物	分解者
苔原	地衣、苔藓	北美驯鹿	狼、北极狐	北极熊	低级微生物（受冷冻温度的影响）
池塘	海藻、浮游植物	浮游动物、甲壳纲动物	蜻蜓、软体动物	鲈鱼、鳟鱼	细菌、真菌
草地	草本被子植物	苍蝇、蜜蜂、蜘蛛	甲虫、黄蜂	麻雀、牛、鹿、白鼬	细菌、真菌
海洋	蓝绿海藻	变形虫、放射目（一种深海单细胞动物）	蟹、龙虾	金枪鱼、箭鱼、鲨、海龟	藤壶（附于水下面下物体、岩石、船底、码头木柱等小甲壳动物）、珊瑚
热带草原	草、芦苇、金合欢树	斑马、牛羚、非洲羚羊	猎豹、鹰	狮、豹、胡狼	秃鹰、鬣狗、细菌
市场	大众、政府	商人	大型投机客	大型避险基金	场内、秃鹰型投资者①

生产大众

“这里谁赢钱？”一位好色与交易能力同样出名的著名房地产大亨，喜欢在

① 秃鹰型投资者，是指专挑那些已经破产或是濒临破产的公司，专啃那些华尔街所有其他人都认为已失去生命而弃之不顾的“腐肉”的投资者。

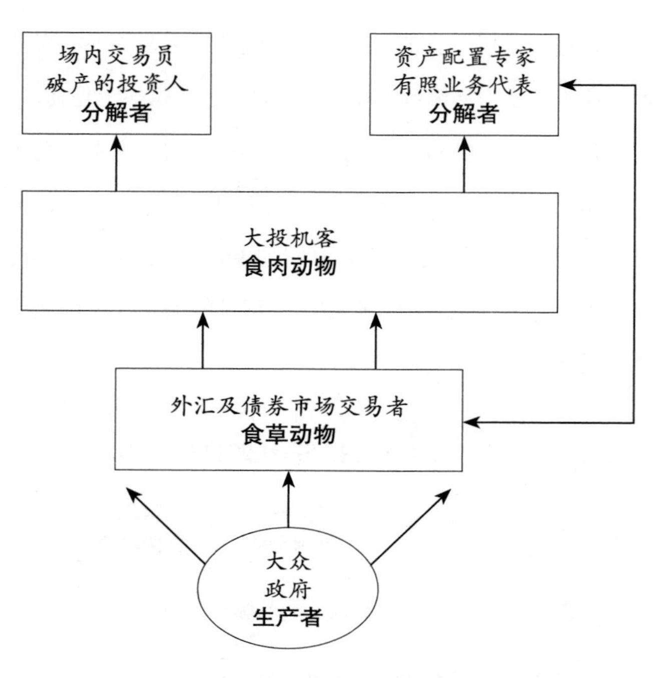

图 15.1 市场生态系统

他开的赌场里对玩扑克的人说。赌客哈哈大笑地回答："你。"公开市场参与者应该像玩扑克的人回答这位大亨，或者像生态学家考虑獾的地位一样，用同样值得推崇的冷淡来看待其损失。

市场大海之中有很多"大众"，但是他们大都不愿意被贴上这种标签。这种人可在期货交易员、股票交易员和市场守候者中发现，由于在这些人当中存在着高生病率和死亡率，所以会员资格总处于流动状态中。也许确认类别的最好方式是看他们的行为，他们会表现僵硬、无知、傲慢、近视、犹豫不决、过度自信、挥霍无度、希望无穷等。

承认自己偶尔也是这种大众中的一员，不会让我感到羞愧。我经常在外汇交易中设立了获利或亏损25点就出场的标准，却经常付出5点的内外盘差价，和外汇经纪人交易。此外，如果当我入市后瞬间即退出，我常因接受这种意外或期权交易而出名，尽管损失将是成本的50%。像别的傻瓜一样，当我的股票经纪人打电话告诉我，加拿大交易市场上有一家矿业公司正以50美元1股出售股票时，我经常会吞下这个诱饵。

在这种活动中，我的预期寿命应该比和狮子游戏中的耗子长不了多少。可是我能够挺到现在，强化我生命的因素之一，就是我通常尽力采用与大众交易相反的做法。

在这个领域里，大众的角色就是被吃掉。在斯坦利·克罗的著作中，可以找到一些故事性的证据，证明大众担任的这种角色。克罗是备受尊敬的交易员，在20世纪80年代出人头地。他虽然很成功，但由于他的客户没有一个能赚到钱，他本人变得沮丧不堪。在他的经纪行，其他的经纪人同样也没能使其客户赚到钱。令人惊异的是，他工作过的所有经纪行莫不如此。公平地说，90年代中期的最新报告也没有对此提供反证。一个拥有10000名客户的折扣经纪行的总裁声称，他的客户中有10%至20%赚了钱，其中大多数客户将入市当成一种娱乐，操作业绩如此差劲，难怪做期货交易的大众非常少。一位和我一样见过很多风流的老牌期货交易员说："大众大部分都离开了，取而代之的是被系统管理的交易员。要识别他们难多了，对付他们也很难。"虽然如此，大众仍不愿承认这一现实。

美国证券期货管理委员会每两周出版一份报告，详细列出商业用户、大投机商和大众的所有交易情况。大投机商的定义是在交易结束时，持有的头寸超过了预定的合约数目的"非商业性"交易者。例如：芝加哥国际货币市场欧洲美元期货的大投机商，就是在收盘时要么多头持有400个合同要么空头持有400个合同的交易者。剩下的那些交易合约数比要求报告的水平低，则被定义为大众交易者。

图15.2中列出1986年6月、1991年6月和1996年6月，小投机商在各个不同市场所占有的未平仓合约的百分比进行的汇编比较，大众参与正明显下降。在所列16个市场中有13个——其中包括2个最大的市场，债券和股票——大众参与的比例在1996年中最低。1996年大众参与的平均数是27%，低于1991年中的35%和1986年中的34.5%。整体来说，这些比率具体表明小交易者的参与下降了大约1/4。

虽然大众的参与度在下降，但以绝对值来说，大众的参与量仍然很大。很多

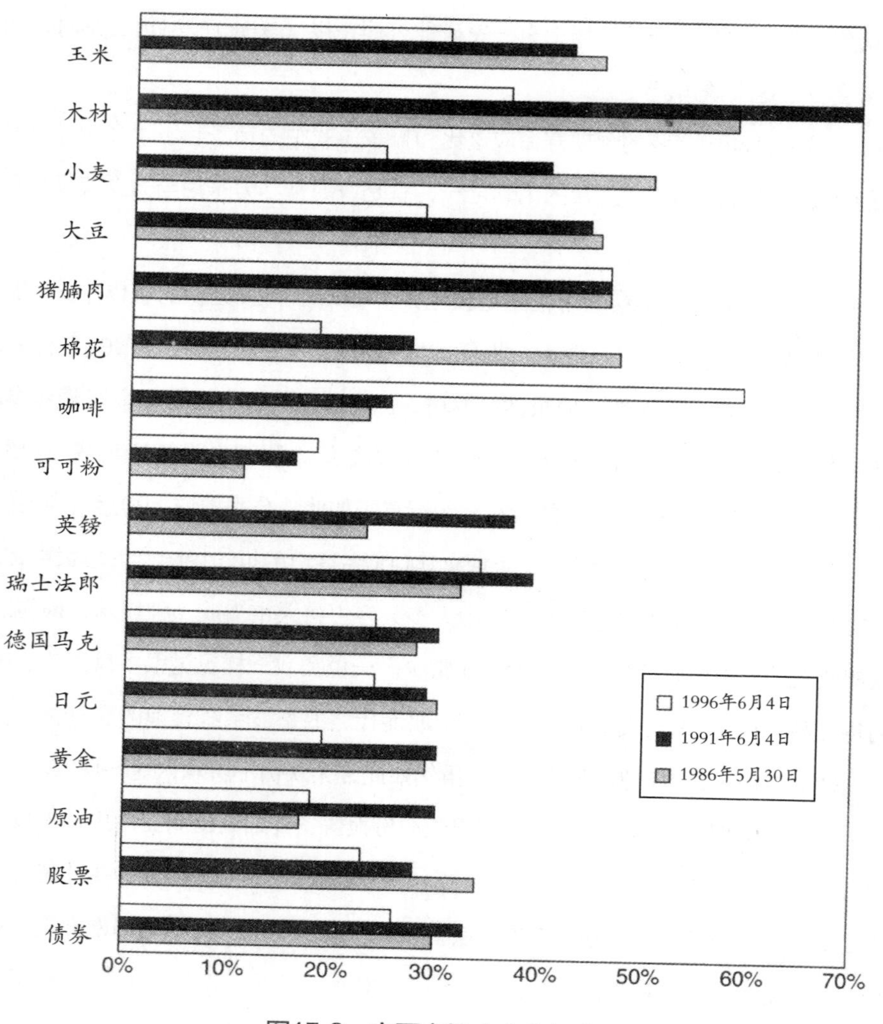

图15.2 主要市场大众参与度

期货市场中，大众占据了整个未平仓合约①的30%。例如，在1996年6月，所有的期货未平仓合约是10380585份。假定这些合约中有27%由大众控制，每一份

① 在期货或期权市场，未平仓合约是指市场结束一天交易时，未被“结束掉”的单边买或卖的合约数量。一张期货合约被“结束掉”，可以是因为合约到期、完成商品交割，或是以反向的操作结束责任，这称为平仓。期权合约“结束”，则可以是因为合约到期、持有人执行权利或以反向操作结束责任。未平仓合约是分析期货及期权市场的重要参考数据之一。

合约面值5万美元且保证金为2500美元，那么期货市场中大众参与的总值达1400亿美元，保证金则令人吃惊地达到70亿美元。

参与期货交易的大众

这些人是什么人？参与期货交易的大众很明显，也很容易识别，他们爱用先进、机械化、太空时代、不费力气的方法，由所谓的“不会让你犯根本性错误”的投机专家与高手指导。他们参加一种仅限几个人参与的强化性训练班，训练班上，正直而训练有素且充满激情和想象力的投机先驱会教你如何以99%的精确性来识别正确的低价和高价时位。他们声称，如果收益低于200%或下降超过5%，可以索回120%的学费。大众交易者有时也会雇用代理人来管理他们的资金。

参与期货交易的大众的投资业绩很难确定。在其管理下的账户已从1981年的20亿美元上升到今天的250亿美元，对经纪人、交易所交易员和经纪行来说，这是肥水多多的利润中心。根据评价机构的报告，通过受管理的期货交易所获得的收益，在一年中比股票收益要高几个百分点。尽管我是这个行业的参与者，并且我的公司在业内排名第一，我还是怀疑报告结果的有效性和可靠性。

投资业绩报告最大的局限是业绩数据都是回溯以往。乐于在每一段期间结束后申报的基金，都是成功的基金。同样使人产生误导的是，开始所报告的所有基金到最后都撤出了。一个相关的现象是，在它报告的第一年，每一基金都倾向于表明其不同寻常的收益业绩。我的朋友雷兹勒发现，向商品期货管理委员会登记为商品操作顾问的公司，第一年的平均收益竟超过50%。

另一个严重的局限是，投资业绩由商品投资顾问自行申报。除非是经过会计师审计过的业绩，在主要报告结果被转换成大众的底线之前，似乎有许多遗漏。

把所有这些局限都加在一起，再加上常见的做法，例如期初价值加权不正确、业绩优异的操作者的选择性报告、夸大竞争者的损失等，会使期末的投资回报率更为不确定。减少这种不确定性的方式之一是预先选择一组大众基金，计算它到解散或年底为止的投资回报率，时段的选择看哪一种先出现。这种计算表明，收益比报告的数字低得多。

关于大众参与期货界管理人员的实际经验，最近有一宗案例可以让人了解。被告是我做外汇交易时的主要经纪商，原告是一些娱乐圈人士，他们在委托经纪公司管理其期货过程中损失惨重，最后被法院要求后者给予5倍于实际损失的赔偿。在评价期货行业时，《商品期货游戏》的作者理查德·戴尔斯指出：

> 要是有人付出高得过火的费用和佣金之后，还能靠这种期货计划赚钱，真是奇迹。对于富人来说。玩期货就像玩扑克牌或打网球一样是一种娱乐，即使最终输个精光，毕竟还是在玩的过程中体验了某种刺激。期货交易中，唯一赚钱的是经纪人。

原告的律师约翰·阿伦分析了各种抽头和成本之后，一针见血地指出：

> 要是有人知道一年必须赚34%，才跟国库券投资的回报率相当，哪个正常人还会在期货投资计划中投资呢？

现在应该私下探讨一番了。我也是期货投资业务中的一个主要参与者，我以及我从前的雇员所管理的基金占整个行业相当大的比重。迪姆·霍勒是我的第一位客户，在过去的13年里，他在扣除所有费用后，净回报是最初投入的60倍。虽然这样的回报在未来肯定不能延续，却为我的业务活动增加了一些合法性。我宁可相信我的地位是向顾客收取代理费，让他们能够以大投机客的身份参与投资。

另一方面，我也是这个行业的一分子。这一行业正像阿伦先生所说的一样，提供损益平衡点超过30%的投资计划给大众，丝毫不觉得自责。这种计划有一个更崇高的目的值得推崇，因为所收取的费用主要用于日常管理，以及那些“心地善良”的人们的娱乐开支，然而，我也不得不相信，这些付费的人们，由于光线令人炫目的缘故而无法洞悉其中的奥秘。意识到我所从事的行业充满阴影、激流和旋风，在过去的25年里，我一直从外面观察，迟迟没有挂出招牌，承揽这一行的全部业务。

其他类别的大众

除了梦想在期货交易中用20倍的杠杆借贷获得100倍的投资回报的人以外，还有其他一些大众。首先是在股票市场上赚取高额差价的短线投机客，任何用高额赌注进行短期套利或“翻筋斗”式投资的人都可归入这种类型。美国共同投资基金达3万亿美元，这些基金大都由大众购买。到1996年年中为止，每个月净流入共同基金业的资金高达350亿美元。按照资本主义社会交易的互惠性，大众从这些基金的涨势中赚取了惊人的利润。基金业已允许大众插足高回报的投资领域，而以前这些领域只有富人才可介入。某些基金，如富达基金和先锋基金的绩效，确实已高出了公认的投资基准水平。然而，大多数研究发现，大众持有共同基金收益水平不如作股票或债券的长线投资，两者回报率相差1至2个百分点。累计起来，大众一年得到的回报比应有的标准少了300亿至600亿美元。大众付出的这种小小的代价，换取共同基金行业提供的多样化、流动性和高投资回报潜力。

要辨别大众有一个客观的方法，就是看他们所定的投资回报率目标。我所收藏的出版超过100年的古书中，最明智的作者之一霍勒斯·洛里默，早在1897年就提出了经得起时间考验的精辟见解：

> 就像对马不能抱着过高的期望一样，你必须学习不能对美元期望过高。3%是获得损益平衡所需要的少许费用，6%是安全而适中的回报率，如果替你赚到10%的回报率，则意味着这匹马原来也许是西部的一匹野马，你得当心它反踹你一蹄子。如果替你赚到20%的回报，你肯定是孤注一掷，堪称傻瓜。一旦有100%的回报，一定是在赛马，或过度驱策马匹，或是对钞票期望过高，在你弄清楚之前，马匹就会变得尸骨无存。
>
> 我对这种投机的事情小有研究，因为你得终生住在交易委员会的隔壁，才能略有心得。在试图拍打邻居家狗时，你先得对它们有些了解，

这样更安全。不要轻信，也不要被表面现象所迷惑，虽然它们会摇尾乞怜，装出无事的样子，好像从未吃过羊羔，但它们还是会咬人。投机中的唯一安全通道是尽可能远离“交易委员会”。

正像洛里默所指出的，跟生命相关的交易委员会不限于芝加哥一处。而且，说句公道话，我还得加上一句，芝加哥交易委员会是众多同类交易场所中，我最喜爱的一个，在那里我做得最为得心应手。

政府的贡献

政府像月亮一样有规律，每年四次进入债券市场募集资金，使现有的国债金额提高，或是偿付旧债。这种筹款活动通常在2月、5月、8月和11月的第二个星期举行，筹资方式一般是连续几天拍卖其手头的长、短期票据和国债券。

鳄鱼的猎食习惯可以作为警告和教训，对于投机客尤其如此，因为投机客处在和佛罗里达州大沼泽地区、亚马孙河蛮荒之地或者澳大利亚荒野并无两样的市场之中。鳄鱼在捕食动物和美餐一顿之后，2个星期不再进食，但如果它饿了，附近所有比犀牛小的生物恐怕都难幸免。鳄鱼的威力还因它的2个特性而令人生畏。第一，它会在靠近浅滩处像根圆木一样伪装起来，然后伺机以每小时25英里以上的速度捕食猎物。第二，鳄鱼有着惊人的记忆力，它会准确地在上次看到潜在食物的地方游移。因此，有经验的捕杀鳄鱼者知道，绝不可在同一个地方两次捕杀鳄鱼。鳄鱼绝对不会忘记上次猎物在哪儿出现，并很可能躺在那里守候。

财政部发行债券期间，市场低迷，足以让投机客放弃一切。首先会有促进国会提高国债上限的闹剧。其次，担心日本人由于利率缺乏吸引而不愿购买我们的国债。最后便是“世界末日”的忧虑：如果没有新的资金来源偿清过去的债务，政府的债务负担将无限制增长。结果可能导致能源和农产品价格飞涨，通货膨胀加速，并出现另一次股市崩溃。一定会有一家政府债券交易商做出严肃的报告，指出光是以现在利率水准，支付既有的福利，到2020年以后，政府必须对个人收入课以80%的重税，才能弥补。

我在1996年8月为这本书补充一些最后的细节时，美国财政部正在发行30年期国债，就好像要证明我的观点似的，道琼斯新闻热线惊呼，中央银行对国库券的兴趣可能在减弱，同时，对此次国债发行的前景极不乐观。一家政府债券交易商的话被援引，是这样说的："不利之处是如果你不能够争取各国央行的买盘，国库会失去关键的支持力量，需求就会完全消失。"

退让总是必要的。政府在排除悲惨的景象之前，必须提供大量的活力。

根据政府的预算，美国政府的债务高达4万亿美元，也就是说，平摊到每个美国人身上，每人大约负债15000美元。在经济萎缩的不利状况下，日本人同样也是负债累累。出售债务给市场生态系统注入能量，所幸的是，依照惯例，政府交易商同意在交易时不收取佣金。然而，保持一定量的债务库存，即经常持有一些债务，会给政府交易商带来相当大的运行成本。除非债券价值上涨，否则市场会陷入停顿。

但是政府总是有办法借到钱。政府知道在市场每一个环节失去动力之后，会表现出什么行为。交易商在购买债券之后价格没能出现上涨，那倒是一种很奇怪的现象。

在发行期间，振荡最激烈的日子一向都是星期四。这一天是发行30年期国债的日子。对债券市场来说，这天的重要性可以与世界棒球大赛最后一场的第七局，也就是决胜局的比赛相比拟。表15.2列出了1987年以来30年期国债券的拍卖次数和拍卖日期，以及拍卖前后债券市场价格波动情况。平均而言，在拍卖之前3天内债券市场下降1/3个点，而在拍卖之后3天内，市价将回升1/3个点（见表15.2和图15.3）。

这么大的差价，无论是从统计的、经济的还是生态学的角度，都是显著的或有意义的。前后相差2/3点，如果考虑到债券市场600亿美元这样一个规摸，这意味着大约4亿美元的能量被注入到市场上，这似乎是政府为了满足需求而必须付出的小小代价。

表15.2 拍卖前后的债券波动

拍卖日期	价格	拍卖之前的天数					拍卖之后的天数				
		−10	−5	−3	−2	−1	+1	+2	+3	+5	+10
1988.5.12	6847	−138	−144	−35	−29	−13	47	25	−78	−131	−143
1988.8.11	6647	−97	−300	−219	−144	−19	−6	−25	16	3	−79
1988.11.10	7115	−113	−194	0	−6	19	−59	−22	−28	−147	−191
1989.2.9	7147	−140	−146	−131	−171	−153	−75	−97	−125	−88	−197
1989.5.11	7059	−119	−72	−82	12	40	213	213	216	272	372
1989.8.10	7969	−65	−181	−6	−6	16	−82	−185	−135	−119	−113
1989.11.14	8131	16	−22	9	−6	−9	31	25	−50	−12	−50
1990.2.8	7550	−59	−81	10	44	38	115	37	75	0	−63
1990.5.10	7250	204	151	22	−15	66	156	218	178	150	203
1990.8.9	7336	−216	−288	53	81	87	−43	−59	−37	−159	−340
1990.11.8	7389	3	−38	−106	−97	−28	103	194	213	203	288
1991.2.7	8043	103	141	−12	−41	−50	81	53	66	28	−59
1991.5.9	7939	18	−85	−4	6	6	−134	−62	−146	−115	−84
1991.8.8	8027	169	163	10	−53	−53	−13	19	56	125	190
1991.11.7	8477	150	7	54	119	100	40	56	112	87	−44
1992.2.13	8561	−91	−150	−119	−122	−110	3	−59	−6	−25	160

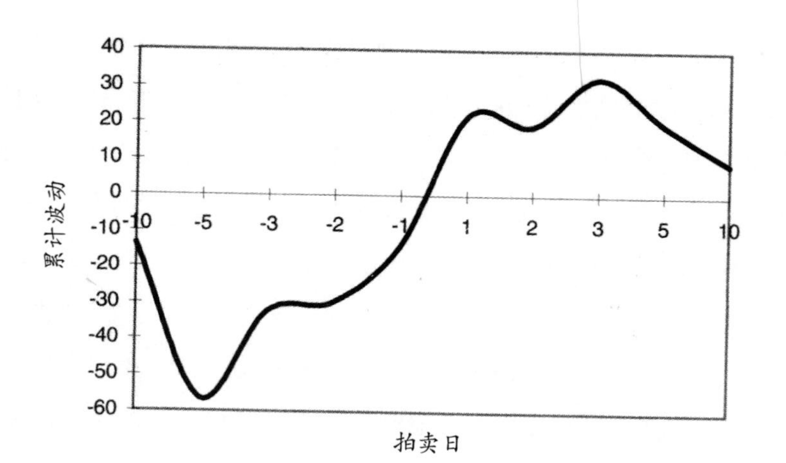

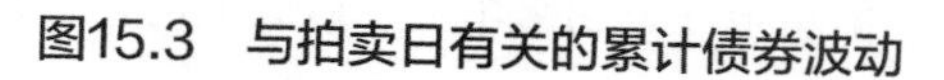
图15.3 与拍卖日有关的累计债券波动

财政部十分清楚最新的趋势，不断调整发行的债券组合。它于1990年停止了4年期国债的出售，1993年又停止了7年期债券的发行。从1994年2月9日起，30年期债券一年只发行2次。到了1996年，财政部改变发行10年期国债的拍卖时间，在正常的每季发行之外，另增2次单月的特别拍卖，意在使投机客的套利活动更加困难。

主要消费者

吃掉"大众"的初级消费者是交易商、银行和经纪公司或经纪人。公开上市的银行和经纪人每年都报告：从外汇和固定收益债券市场中获得大约100亿美元的利润。通常认为，私人持有的金融机构以及大的大众持股机构所属分支机构，也从上述业务中赚取了相当可观的利润，由于这些数字没有公开报告，难以做出精确估计。运动员们深深知道，对一个冠军的真正考验是他或她在休整期间表现如何。1995年，"银行信托"展露冠军相，从交易业务中获得了9亿美元利润。由于该银行正在从1994年的一些不利的丑闻宣传中恢复过来，所以它的这一业绩给人的印象十分深刻。

所罗门兄弟公司1995年就公开上市银行的外汇交易收入提出报告，其中有些资料很有趣。表15.3列举了22家银行从1991年至1994年外汇业务收益情况，从表中可看出，只有纽约信托银行一家在1994年遭受了总额达5400万美元的损失。在这些年收益数字中，最多的是瑞士信贷控股公司的8.07亿美元，最少的是德国商业银行的7500万美元。

伦敦《金融时报》报道，1995年银行界从外汇交易中获取的利润较1994年增长了约1/3。这些银行在这方面干得不错，必须把它们视为像袋鼠和蜜蜂之类的草食性动物。

芝加哥大学教授兼作家罗伯特·阿利伯尔研究外汇交易，很有成就。他曾经分析近几年银行在外汇交易中的异常利润。在定期拜访有关外汇交易银行的期间，他安排了一次与我的见面，但却迟到了15分钟。原因是与他会议的那家银行

表15.3 1991-1994年外汇交易年收益（百万美元）

	1991	1992	1993	1994
英国				
巴克莱银行	384	510	267	136
汇丰银行	528	678	566	525
劳合银行	127	241	174	161
威斯敏寺银行	239	457	359	286
德国				
商业银行	30	74	75	85
德意志联邦银行	237	242	286	177
瑞士				
瑞士信贷银行	502	626	807	777
瑞士银行公司	586	669	641	595
瑞士联合银行	545	641	615	522
荷兰				
荷兰银行	278	357	346	316
美国				
美洲银行	246	300	298	237
纽约信托银行	272	331	191	-54
大通银行	215	327	356	280
化学银行	289	476	468	222
花旗银行	709	1005	995	573
芝加哥第一银行	95	110	105	42
J. P. 摩根公司	85	262	179	131
加拿大				
蒙特利尔银行	118	135	132	110
加拿大诺伐斯科西银行	86	106	112	133
加拿大帝国商业银行	230	266	197	204
皇家银行	233	246	221	205
多伦多自治银行	132	134	119	113

资金中心主任让他久等了一会儿，因为该主任正在忙着与那些为银行赚了2.5亿美元的外汇交易员商谈年终红利的问题。阿利伯尔断定，和货币中心银行外汇交易动用的资金相比，他们的利润高得不成比例。不过，这也反映了进口商对外汇的持续需求和套期保值者对减少风险的持久欲望，这些利润是对外汇交易商满足

这类需求的回报和补偿。

保罗·德罗萨从另一方面看这件事，他指出，外汇交易员年终资金通常是固定收益市场交易员的四分之一。他把这归咎于银行管理层，因为后者倾向于认为主要是银行系统而不是个人创造了这些利润。实际上，对利润做出贡献的最关键因素有两个，一是出价与要价之间的丰厚利差，二是场外投资者所使用的限制性指令与中止指令。

我认为外汇银行担任赌场的角色，跟拉斯维加斯大西洋城的赌场一样，1995年每天的即期外汇交易额高达1.2万亿美元，其中约1/3来自与银行有联系的大众，2/3直接来自银行间交易市场。

在典型的外汇交易中，银行对10亿日元的交易，买进价会报1美元兑换100.5日元，卖出价报100.15日元，买进和卖出的差价是0.1个百分点，也就是每交易100美元，有10美分的价差。假设买卖指令是均衡的，银行在每笔交易中的利润是前述价差的一半。把这些数字相乘，便可得出银行从大众口袋中获得的利润为：

1/2×0.10%×1.2万亿×1/3×250个交易日 = 500亿美元/年

奇怪的是，银行申报的每年外汇交易利润只有80亿到100亿美元。假设这些利润占总营业收入的80%，利润就会接近根据前述公式估算出来的数字。毫不奇怪，很多外汇持有者并不用操心去为他们的资产作保值交易，除非他们预期汇价会朝对其不利的方向波动至少3个百分点。

银行的获利增加，原因之一是外汇交易没有集中的清算机制。实务上，客户必须在同一种银行进出，因此，银行总是知道客户的操作方向。由于必须事先将钱存入，大多数客户总希望在银行留下足够的资金来支付价位变动可能造成的损失。一旦预留资金用完，银行就知道客户下一步会采取什么样的行动。例如，假设某位客户将1000万美元存入银行，由于外汇交易中只需5%的保证金，因此，该客户可持有2亿美元的多头。如果这位客户要求银行报价，银行就知道他一定是要卖美元，报价时通常会卖低买进价格。处于如此位置的客户，使我想起了罗奇汽车旅馆的一句广告语“进来容易出去难”。

不管我多么努力降低银行这种优势，银行总是抢先一步，把我的后路堵死。在我从一笔交易中解脱出来之前，我喜欢给银行打个电话，询问我可在我的户头上加多少钱，“维克多，为什么你总打算用这种麻烦来缠绕我们？我们知道你绝不会在盈利了之后再加钱进来。”这就是他们的回答。总之，他们总是知道得一清二楚。

但在一种物种捕食另一物种的所有系统中，两种物种使用的技术总是不断进步，以便维持彼此之间的利益均衡。银行运用的一种具有良好效果的技术是要求客户在交易前存放预付金，这样，银行家就不会有任何信用风险。银行做出这样的安排，因为交易在不同国家清算时，结算时间和银行的营业时间不同。1974年，奥地利一家叫做赫斯达的小银行，在清算大约7亿美元的外汇交易时破产。这个风险被称为“赫斯达”风险，一直作为银行在外汇业务中面临巨大风险的例子。对银行来说，客户的预付金是其主要利润来源，因为它们可被银行用作获利性投资。

客户也有扳回劣势的技巧，策略之一是同时在多家银行炒作，这种交易开始在整个系统之间流通时，会迫使银行亏损出场。为了防止这一点，银行经常延迟报价，等待可能与客户交易的另一家银行暗示出交易方向。当我要做一些规模相当巨大的交易时，经常听到银行说：“我们知道你已经上线了。”

我和银行交易时，难得有几次能够不损失价差，发生那种情况，我会立刻出场。第二天，我总是接到银行销售经理打来的电话，“维克多，我的交易员又在抱怨了。我们以为正在照看你的所有业务，但是，不论你何时打电话来要求报价，我们总能在话筒里听到你和别人所进行的商谈。我们只报给你5个点的价差，我们开始怀疑为什么要对你这么好！”

“噢，老兄，原因是你在这类交易中，一年就赚了10亿美元。你难道不知道我做的90%的交易都是亏的？”

客户用来与银行保持均势的另一种方法，是通过经纪人进行交易，以保持透明度。但是银行和经纪人也有相通的线路，过不了多久，银行似乎就可以根据经纪人所接收交易的规模和类型，很快判断出谁在交易，他的户头是什么。为了避免差错，大多数银行还设置了专门的计算机程序以分析每一笔交易的可能方向及客户是否倾向于成为一位追随者、开拓者或停损类操作者。在某些市场，例如日元市场中，因为没有使用这一类的科技，据我所知，所有的外汇银行还习惯于每天相互进行交流，以追踪谁是多头或空头。

固定收益市场上的草食动物

谈到固定收益债券，交易者一样从进价与出价之间的价差赚取利润。在这一市场，一天的交易量是1万亿美元。在典型交易中，报价和出价差额将是1001/32到1002/32，或2/32的差额，即每100美元可得0.0625个百分点，这一差额同外汇交易中的0.10个百分点的差额具有同样的重样性。

政府债券交易者和外汇银行不同，不坚持先有一个“保证存款”。客户的特定头寸不限于要和同一家银行交易，政府债券还能在不同的清算银行或经纪人之间传递。

政府债券交易者可能是因为缺乏优势，经常拒绝报进价和出价两者价格。常见的行话是这样的：

“琳达，我是尼德霍夫，请报给我1000万美元的长期债券。”

“我们的报价是1003/32点。”

“我买进。”

“鲍勃（交易员），你可以卖1000万美元的长期债券给尼德霍夫吗？”

“确认成交。”

经纪人在交易时，靠着事前知道客户操作的方向，可以避免误入歧途。最后，在销售人员转述交易细节和交易员确认成功之间，大约有10秒钟的间隔，这样短的时间使交易员能够防止对其不利的变动。

为了维持均衡，客户经常同时接通很多个交易员的电话，然后从中选择最好的报价或出价。当我为某些大操作者交易时，我拥有一个装备了12条电话线和20部电话的交易室。交易时，用手提电脑和手机武装起来的一队交易员就会出现，这样我们可以同时得到很多家报价，在交易员来不及反应之前，就狠狠地打击他们。但交易员们也很快适应了，我还没来得及说出："我是尼德霍夫，出价10亿美元，债券"，就经常接到美林公司交易员的电话，说他们已经知道我们正在市场大量卖出，并相应调整了报价。

肉食动物——对冲基金

我们现在谈谈生物网络中的最高层次的动物，即肉食类动物，包括狮子、老鹰、大象和鲸。在市场中，对冲基金是最高层次的肉食动物。它们主要来自富有的个人，这些资金据说在1996年中总值已达700亿美元，在这一级的顶层是量子基金，它已在过去的35年中平均每年获得了大约35%的回报。量子基金的实际规模总在不断摇摆。如果假定对所有的分配进行再投资且不抽税的话，那么1962年将1000美元投资于量子基金，到1995年时其价值已超过150万美元。当然啦，有一家对冲基金做得很成功，一定有另一家基金倒闭。每年都有一些主要的对冲基金倒下去，幸存者变得更强大，回收的利益似乎也更多了。资料显示，对冲基金在最近几年中平均年收益率为20%，总体上盈利十分可观。假定这些超级肉食动物的总规模最大约为700亿美元，每年要比简单的买进持有策略多赚10%，大众每年还必须额外地系统注入相当于70亿美元的"能量"。

既然对冲基金不能像经纪商那样，靠着进价和出价的差额获利，那么，它成功的秘诀是什么？一些天真的评论员把套利收益归因于政府官员和交易商之间不断的相互交流，这似乎是所有成功基金的标志。政府知道大交易商要做什么，这符合政府的利益，反之亦然。成功的大操作者跟着潮流走，大操作者往往寻找政府、交易商和整个行业均能从中获利的情景，伺机介入，并找到最佳交易位置。

有些公司手中握有某种王牌，能够加强与政府官员之间的交流。如果不具备这种条件，也可以靠着华盛顿的旋转门获取利润。大批前任政府官员要么在公司工作，要么为各种公司提供咨询服务。对于那些在图腾杆上所居位置太低以至于无法在此方向上进行竞争的人来说，若其配偶在中央银行工作或其好朋友在联合国工作，处境可能就好多了。与一位中央银行的总裁级高管或一个国家的总统定期打网球，对生意也很有帮助。不幸的是，我没有这样的条件，妻子又要经常忙着照顾4个孩子，没有在那些金融机构和政府机构工作。此外，格林斯潘“博士”的切分底线游戏与我所玩的又不搭调。

但是要说明掠食者如何利用从政府那儿获取的信息，克服进出价差，仍然很勉强。近年来，对冲基金靠着在股票和债券市场上短期借入，并且投资股票和做多债券，的确使投资回报率有所提高。但除此之外，恐怕还有更深层次的原因。交易员对于他们所持有的“存货”价值到底如何变动，总有不确定性，这种不确定性直接影响着最佳“存货量”的确定以及如何对它们定价。为了保持其信用，交易员通过与投机商交易把风险转嫁给后者，投机商就像保险公司一样，只要有利润，就愿意承担这种风险。为开展其业务，交易员一般都备有一些“存货”，过量的“存货”则被卖给投机商，为此，前者会向后者索取某一价格。

交易员有能力推动业务的正常开展，又能够免除“存货”价值波动的风险，因此可以专门从事追求价差这种比较安全的业务，不必在价值变动中投机。一般来说，银行和其他金融机构更愿意为那些能使自己免受价格波动之扰的交易员提供更多的信用。这样交易员就能从事更为有利可图的业务，而且以较大的量来从事交易活动。交易员的全部风险以及每单位风险的回报，因为大型对冲基金的活动而提高。

分解者

生物死亡后留下的尸体以及生物本身所产生的废弃物，为分解者提供了资源。最常见的分解者是细菌、真菌、蠕虫、蜘蛛、蜗牛、乌鸦和鬣狗。在大多数生态系统中，从事分解的物种种类，远远多于从事生产和消费工作的物种种类。生态学家赞许分解者的行为，举例来说，达尔文就曾欣喜地估计，在他家附近的蚯蚓，每隔30年会筑起一层7英寸深的新泥土层。

经纪人在市场生态系统中扮演着分解者的角色。他们把委托单分解成可消化的大小，经纪商—分解者有三大类，等于委托单所经历的三个阶段。经纪人的交易员争取委托单，场内交易员消化它，然后破产专家介入，在破产前或破产后，把“尸体”或合约重新循环利用。

经纪商负责把大众客户和套利者引入市场，并且把委托单不断向下传给交易厅中其他担任分解者的人。据估计，在个股上的总的经纪佣金1995年为50亿美元。就佣金经纪商的服务而言，主要是提供市场信息，24小时传递指令到交易场地。我特别注意了最会赚钱的经纪公司的收益和经纪公司分析师关于供给/需求的估计。当我误入歧途时，这些有助于对我蒙受的损失做出解释。

主要的分解者群体是大型商品交易所的会员，委托单送到交易场时，由他们负责消化。光是在美国，这类分解者数目就超过5000个。传说大的场地交易会员每年要获取成百万的收益，还附带宝马车、劳力士金表、豪华游艇之类。这些传说经常有很高的可信度。表15.4列出会员席位的价值，可以证明这种角色确实能赚大钱。

表15.4 部分交易所的席位数和席位价值

交易所	席位数	席位价值，1996 年年中*（百万美元）
芝加哥商品交易所	625	0.6
芝加哥交易厅	3661	0.6
纽约MEX	816	0.1
纽约证交所	1366	1.2

* 标价/要价差额的中间价。

大多数经纪人靠着进价/出价的价差赚钱。芝加哥的2个交易所曾报告，1996年每天都成交大约100万份合约。假设全美各交易所日成交总量为300万份合约，这些合同中的1/3发生在大众与会员之间，余下的则是会员与会员之间的合同。一笔商品合约交易的平均差价，大约是S&P指数一个点的1/10，即一份合约的价差为50美元。这其中一半是抽头，一年250个交易日下来，我们不难算出总的收益为：

3000000×1/3×250×25美元 = 62.5亿美元/年

这个数字大约是外汇交易商、政府债券交易商或对冲基金所获利润的一半。

到1996年年中，芝加哥商品交易所的席位价格已从一年前的高价下跌40%，这意味着抽头也一定有大幅度下降。

场内交易员的利润代表另一面，即大众犯错的亏损。价格似乎有一些令人非常不愉快的趋势，使得两个团体的资金交流增强。价格常常在大众交易的最高峰时，到达最低的水准。怪异的是，为什么价格在大众的卖盘到达最高潮时，降到最低水准，反之亦然。此外，价格会移动到交易者恐惧并抛售良好头寸的位置，然后波动到不卖会有庞大利润的价位。这些趋势加总起来，等于分解者在价差之外，另外赚走的金额，大众却认为这些亏损是犯错的代价。

分解者像其他集团一样，设法牺牲别人，以便更有效率地追求利润。至少自1660年以来，很多书探讨把交易占为己有，抢先交易，把价位打到止损水准、过高的价差等行为。

有些分解者不甘心只是再利用已经死掉的东西。一些菌类，包括瓷真菌和菌根之类的苔藓。每一个生物利用其伟大设计（机能）在履行其角色的专业化和高效的道路上展现出某种美感，但当我还活着时，我发现我的经纪人正在分解着我的躯体，对此我是难以容忍的。

1995年3月发生的美元对日元汇价波动的惨剧，使我的亏损到达最高峰，我变成了原来我所尊敬的伟大经纪人的“盘中餐”。当我走进会客厅，许多人打来电话，似乎想冲过来捕食我的躯体。首先，朋友打电话来，告诉我外面谣传我出了问题。接着，一个又一个经纪人打电话来要求提高保证金，而且在走势对我最不利、我持有的头寸跌到最低点的一刹那之间，紧急要求我立刻偿付我所有头寸的账面损失。随后，经纪行打电话来审查我的财务状况，并减少对我的信贷。最后，几家往来银行也打来电话，表达它们的关注并要求我偿还所有尚未解决的贷款账目。过了不久，他们就把我的信用额度削减了50%。尽管我还话着，但秃鹫却在我的上空盘旋，蛆遍布我的全身。

市场下跌时，我一些比较脆弱的小客户打电话来问我："你有何对策？你的止损点在哪儿？""他们对我施加了如此大的压力，"我对弟弟罗伊说，"他们对我施加那么大的压力，我几乎不能想通，你遇到了这类问题吗？"

"如果换成是我，他们会坐在我的办公室里，监控着我的户头。"他回答道。

在大博弈期间，我接到一通电话，是报道我们这一行的一家著名周刊打来的，他们希望在刊登我的故事之前，证实一下我已衰落的谣言。我力图劝说他们相信我仍是值得信赖的，尽管我的公司中所管理的资产已损失了50%。我声明道，我已连续16个月获得了高利润，因而有一个月的亏损，也在情理之中，毕竟市场上没有常胜将军。"即使是哈林也曾大约每25年就亏损一次"，我尽力采用比较和缓的说法。但到最后，他们还是刊播了对我不利的消息，银行在闻到这篇文章的气味后，抽走了对我的贷款。

当死囚转移关押地点时，其他的囚犯都会大喊"死人来了"！在我收拾残局的时候，我也从路透社、电视网和互联网上听到了这种歌声。

国际象棋天才卡帕布兰卡连续8年没有输过一盘棋，但在1924年的纽约国际锦标赛上输给了里查德·雷蒂。当时，大家震惊得寂静无声，接着便是雷鸣般的欢呼。"不久，这条新闻传遍了全球，雷蒂成为众人注目的中心，此时此刻，胜利的喜悦犹如赢得一场战争的将军"。不过，卡帕布兰卡很快就东山再起，并在接下来的锦标赛里所向披靡。同样，3月份巨额亏损以后，我很快重整旗鼓，扭转颓势，当月利润仅下降了3个百分点，并在接下来的12个月中获得了60%的利润率。

保罗·德罗萨是我认为可与索罗斯媲美的一位投机商，也曾经历过一段灾难性的下跌期。他管理的基金从1995年1月的最高价位，在短短5个月的时间里，下跌到1995年6月的低点，跌幅达60%。"我在前5年为朋友和合伙人赚了几千万美元，那时无人理睬我。但当我损失了五分之一资产的时候，全国每一家报纸和有线台对我的损失津津乐道，他们以前在哪儿？”他在写给我的信中说道。

我是忠实的朋友，他境况最惨的时候，我施以援手解救了他20%的资产。到7月份，他补偿了全部损失，并且重新振作起来。他告诉我，说他受一位参加美国高尔夫球公开赛的朋友启示。这位选手连续好几个洞打出高于标准杆一杆之后，在下一个洞开球时，开得太离奇，太偏右，因此大会提供他一个备用球，以免他第一个球飞得找不到。最后他在一半的观众和美国高尔夫球协会职员的帮助下，找到他原来的球。他被一排高大的树木挡住，球深深地陷在新科克山丘场复杂地形的低洼处。他的处境极为艰难，没有人会帮他。但是，这位业余球员却奋力反击！用挖起杆打出令人难以置信的球，把球打过树林，然后再打过三棵树，跳到果岭前缘，打进洞，神奇地平了四杆的标准杆。接着他鼓起勇气，耐着性子，也靠着一点运气，吃力地反攻，赢回了接下来的好几个球，最后得到令人钦佩的71杆的成绩。在这场世界上最艰难的高尔夫球公开赛中，只比领先的球员落后几杆。

幸运的是，在壁球比赛中，要赢3局才能摘得桂冠。我输掉第一局后，经常听到给我对手加油的欣喜若狂的吹呼声。同样，当其他投机高手的股票下跌1/4时，我也常听到这种声音。但是到比赛结束时，这种欢呼就会变成深深的皱眉，摇头叹息和喃喃自语：“那肮脏的尼德霍夫。”

秃鹫、乌鸦和昆虫利用藏在植物和动物世界中的养分和矿物质时，速度和效率极其惊人，而且具有美感。在对循环链有此了解之后，我尽力在被逮住之前提前准备跑开，以免第一个进入死亡线。

然而我很不幸，在我辉煌的事业生涯中，曾有一次被人认为已经判了死刑，无可救药。1987年股市崩盘后的余波中，我根据自己持有的债券期货，做空一些债券，但是期货价格连续好多天涨停，使我无法轧平现货头寸。尽管在过去的7年里，我一直是一个受喜爱的客户，并且在这期间做了成百亿的交易，为我提供信贷的那家大众持股的投资银行也由此获得了丰厚的利润，但它们还是不能宽恕我，除非我立刻补平，否则就用让我宣布破产或没收我的资产相要挟。我本可以在一两天内还清他们，但我气愤之极，满怀恨意地给他们开了一张支票而不是用现金支付。后来，我从负责管理我的账户的那位销售员那儿了解到，银行的总裁已亲自下令将我列入黑名单。那时候起，这家银行换过许多任总裁。这8年里，这家银行的销售部门负责人给我打过无数次电话，建议我在他们的银行开设账户。我带着嘲讽的口吻回答他说："你最好检查一下你们的黑名单，我是被禁止进入你们的高贵俱乐部的。"

法令规章

在市场生态系统模式中，似乎不同的现象变得非常明显。保证金的规定在保持期货市场运转过程中扮演着需要的角色。在期货交易中，能一夜暴富，也能顷刻倾家荡产，原因就是期货交易对保证金的要求较低。现在美国股市的最低保证金是50%，在各种各样的商品期货交易中，保证金要求一般在2%到10%之间。保证金的具体数额由不同的独立的商品交易所和清算公司订立，并接受商品期货交易协会（CFTC）和全国期货协会（NFA）的监督。

要决定某一个市场中的保证金水准，需要具有所罗门[①]式的智慧。估算时必须保证交易所的生存。保证金必须低到能够鼓励大众交易，以便提供足够的交易动能，产生维持网络运转所需的"抽头"。佣金也必须充分的低，这样，当他们大叫"立即帮我退出这个头寸"时，可以让交易所会员靠着大众的错误而吃饱。大众犯错就是这些会员的另一个利润中心。

交易所就像走钢丝一样，必须保持平衡。保证金不能太高，否则会让新加入者望而却步；但如果保证金太低，参与者就会被刺激以进行过量交易，因而破产也就太频繁，结果就不会重回这个游戏来。例如，把保证金设定为1%时，价格波动1%，不是让你的本钱加倍，就是使你输得精光。这对于一个一日赌博来说风

① 根据《旧约》的记载，所罗门曾是以色列耶路撒冷的一代帝王，后来在《古兰经》中，他被称为先知。据《圣经》记载，所罗门王是耶路撒冷第一圣殿的建造者，并有超人的智慧，大量的财富和无上的权力。

险太大。一般客户在一天的波动中，如果看到由于保证金清算而使其一生的积蓄在一天之内化为乌有，恐怕对获得“潜在”的10万美元，也不会有太高的热情。

保证金在保护会员、避免客户产生呆坏账方面，也发挥着重要作用。遭受完全损失的客户倾向于逃避债务，因为他们知道，除非是在极端情况下，会员公司花费时间和精力来追讨这点债务并不划算。市场上的限价和标价将有助于确保客户待在游戏中并能在形势尚未失去控制前，帮助会员清点损失。

股市最低保证金要求是50%，对大众而言，这样的好处在于使得大多数股票市场投资者成为长期持有者。纽约证券交易所的股票周转额一年低于100%，而机构似乎比一般大众具有更高的周转速度。因此，保证金清算，赌徒末路，过度交易，一窝风心理，经纪商炒作，使得大众在期货和外汇市场上被吃掉的因素，相对而言在股票市场上发挥作用的余地要小得多，从这个意义上，股票市场较期货和外汇市场风险相对要小。

维持租金

交易所还订有其他一些规则，目的在于使大众善尽职责。例如，大多数交易所禁止参与者直接从事交易，每笔交易都必须有交易所会员作为对应的一方，这样才能保证大众参与者支付价差。这方面只有一个重要的例外，就是日本大阪交易的日经股票合同，在开盘和收市时均允许大众直接交易。但那里强制性规定，这种交易的最低佣金额度极高，以至于完全可以抵偿没有价差而减少的收益。传统上，股票市场允许大众在开盘时与别人按照开盘价进行交易。当我的交易额相对于别人来说很小时，我在开盘时总是交易个股。

市场中有一些比较著名的准则，是交易员从第一天进场就会学到的交易要领，现在可以从比较贴切的观点来看这些准则。“用止损点来限制你的亏损”，被奉为最重要的准则。止损确实很疼，但比起毁灭来却少了许多痛苦——大约是这样解释的。这个规则的变体包括：“多头能赚钱，空头也能赚钱，但贪心的人却会被屠杀”，“认栽出场、减小损失”，“不要和趋势斗”，相关的是“一直在市场中交易”。这些规则说不上有还是没有其内在价值，但它确实激励了最大的周转速度，同时也为经纪人带来最小的信用损失。

使用止损在常识上有一点意义。这么做也让交易厅里的分解者，能够把价格推到触发止损委托单的价位。这种技术以“跑到止损点”而被世人所知。当你被迫停止时，你的损失就是预先决定的可接受水平，这样，你的经纪人就会因你处在信用风险上而被保护起来。

我从来没用过止损，即使自救时也不用。无论如何，遵循一种固定的退出规则会为我的对手提供太大的优势。如果一个对手在一场比赛中打出了一系列好球，自动退席并不能改变比赛结局。使用止损的一个合适的替代方案是使用小比例的风险资金进行交易，这样，灾难就不会敲你的门了。

大众的多头心态

大众有做多的心理倾向，市场新手尤其如此。为什么会这样，学术界尚存争议。有人认为，这是长年抱持希望和乐观倾向而产生的偏见。这种希望和期望价格上涨，在情感上是有关联的。然而，把对多头的偏见视为对“所有权”的偏爱也是可能的。在股票市场中做空头是一种高损害的交易：借入成本、股息付出、相伴随的涉及交易股票借入的困难。甚至更重要的是，对业余投资者来说，卖出空头的想法会使其不安，卖掉不属于你的东西即使没有犯罪感，但总会有种神秘的感觉。在场外股票市场中，将自己标榜为正直和征讨邪恶化身的“轧空俱乐部”的存在，从一个侧面证明了人们对出售空头的偏见。

金价剧烈振荡

1979年底到1980年间，发生了一件影响系统动能的可怕事件：黄金和白银的价格不断上涨，金价从每盎司300美元迅速上升到每盎司800美元，银价则从每盎司5美元上升到每盎司50美元。这对于迷信通货膨胀、强势货币和生存最重要的人来说是好事，但对持有空头的投机商来说却是可怕的消息。价格涨得太快，以至于他们根本没有机会退出空头并获利。

拥有黄金和白银的套期保值者发现自己也处于同样的困境之中。他们通常以尚处于精炼或销售过程中的金、银为依托而卖掉期货，如果期货价格走势对他们不利，就必须支付更多的保证金，为此需从外部借入更多资金，而杠杆借贷的信用并未随现行金银价的上升而增加。更糟糕的是，很多套期保值者持有的库存，不是可以拿来对空头头寸进行交割的“金银存货”。

1995年7月，我和亨利·贾瑞奇博士共进晚餐，他在1980年黄金白银价格暴涨期间，是世界上最大的两三个套期保值者之一。贾瑞奇博士告诉我，在那段时期，他经常不得不在一天中追加1000万美元的额外保证金（幸好他偶然结识了一位在危机高峰期渴望做些业务的银行家，才使资金问题得以解决）。他的岳母刚好是布莱顿湾的一位老居民，与我老爸很熟。我们从餐馆给她打了一个电话。“噢，是的，亚瑟是个警察。他很棒，很聪明，金色的头发，网球打得很妙，后来成了一名教授。有三个孩子，但是其中一个成了一名商品期货赌徒。”

套期保值者通常能够获得信贷，可以在价格暴涨时生存下来，但很多交易所会员却没有这种好运。在芝加哥商品交易所和纽约商品交易所，有些会员在正常的做市过程中，累积的白银的空头头寸，亏损高达几亿美元，因此面临彻底破产的命运。芝加哥商品交易所和纽约商品交易所把价格上升归因于亨特兄弟的操纵，最终在某一天发布命令，除了平补空头交易，不准再买黄金和白银期货，通过这种非常手段才使牛市得以打破。

这个规定一经发布，白银价格立刻崩溃，每天开盘都封在跌停板，把黄金也拖下了水。交易所会员获得了解救，而亨特兄弟则是搬起石头砸了自己的脚。他们不仅在白银头寸上遭受毁灭性的损失，而且还被扣以操纵市场和违背头寸限额的罪名，遭到起诉，他们最终同意接受4亿美元罚款。由此造成的另一后果是，大众在金、银多头上的损失如此之大，创伤如此之深，以至于经过十多年后，很多投资者还在疗伤止痛。芝加哥金属市场，过去一天就成交5万份合约，现在实质上已名存实亡了。白银已降到以前高价的7%，黄金好几年一直无精打采地在每盎司390美元的价位上浮动，上升下降幅度不超过20美元。

有趣的是，纽约商品交易所及其管理委员会遭到多方和空方的同时控告。多方提出控诉，是因为交易所禁止买进，而空头一方起诉，则是因为交易所采取行动的不够快。在整个金银价格暴涨期间，我做空白银，由此损失了几百万美元。本来我可以得到1/3的损失和补偿金，但由于当时我对整个形势是如此厌倦以至于在事件发生约7年后，我把所有记录都扔掉了，所以找不到任何东西作为替代证据。更糟的是，我的会计师事务所已经申请破产，而且失去了所有的记录。有鉴于此，如果你在投机中遭受巨大损失，我建议你长久保存有关记录，因为你永远不知道事情到何时才尘埃落定。

历史有时候总会重演。1993年秋，伦敦金属交易所（LME）的铜价疯涨。有一个谣传，说日本某家大商社发动了轨空行动，蓄意酿成此次飙升。交易所随即采取了措施，对交易总额进行限制，由于这种限制，一个近期合约的价格会超过远期合约的价格，当被问到为何采用这一策略时，伦敦金属交易所的主管大卫·金恩急躁地回答道："这跟保护任何人毫无关系……伦敦金属交易所合约被作为全球参考价的事实，确实使我们有义务尽可能确保价格与人们对它的期望大致相当。"

一直到1996年5月，铜价涨到每磅1.30美元为止，这种解释似乎相当正确。但是很多肉食动物并不相信供需状况可以支撑这么高的价位，他们的空头抛售造成住友商社在铜期货交易上遭受26亿美元损失，并且在接下来的一个月里使铜价骤降40%。在此之前的几个月里，住友商社的总裁在谈及"铜先生"时，还称其为"我所遇到的最诚实的人"。业界只担心惨剧过后推动的改革，例如提高保证金比率等，可能会妨碍交易。

竞争性排斥

掠食者和猎物数量的分配由什么因素决定，是大多数生态学教科书的重点。大家通常使用图示方法，解决数量影响、生长率、环境容纳能力的同阶微分方程，结论之一叫做“竞争性排斥原则”。这一原则认为，具有同类生活习性的两类生物不能同时占据同一小块的生存领地；同样，完全竞争性共存的两类生物也不能同时生活在同一小块领地，生物学家在实验室里用不同类果蝇做实验，结果证实了这一原理。同样，两种完全竞争性市场是不可能共存的，芝加哥和纽约的黄金市场，芝加哥股票期货交易市场和国际货币市场，均经验性地证实了这一点。

略微改变这个公式中的参数，一定会得到相关的结论。通过对竞争性生物予以隔离，就有可能共同生存。常用的例子是生活在非洲草原上吃树叶的长颈鹿与吃草的牛羚可以共同生存。在市场上，不同领地是如此专业化，以至于充分描述它们得用一本书的篇幅。世界上最大的合约是芝加哥期货交易所的美国财政部国债合约和国际货币市场的欧洲美元期货。两者交易的地点只距离7个街区，一个是由3个月的利率决定的，另一个则是由30年的利率决定的。然而，它们彼此间一天24小时每分每秒都在变动，因而提供了一个完美的在现实生活中发现合适领地的例子。

研究上述原则和相关的事例后，可以提出一些基本的问题。例如，植物和动物的关系是如何决定分配状况和数量的多寡？是什么东西使这种结构运作、维持平衡，并且防止结构在市场中自我毁灭？在没有建立起精致模型的情况下，很明显，新东西或资金的不断流入必须由在金字塔底部的生产者来提供，这样处于金字塔中的每一个较高层级就需为它们自身的活动和成长支付“费用”。

在金字塔的任何一层，除非流入的资金净额至少等于流出的净额，否则，参与者就无法维持下去。维持各参与者从事正常交易活动的物质环境，涉及巨大的开销和费用。

大众是提供这种新能源的基本“生产者”。一定要有新成员不断涌入，接替已经倒下的成员造成的缺口，才能保持系统的活力。大众每年的净贡献不仅要补偿系统运行费用，而且要为较高层级提供利润。然而，作为“消费者”的客户（银行、对冲基金、经纪人），一定不能太贪婪。他们从大众资源中抽出的比例不能超过新进入者的更新比例，否则，市场的食物供给将萎缩，轻者将由于过度竞争使其发展受到妨碍，重者，即在极端情况下，还将导致他们的灭绝。由此可以看出，在市场网络中，掠食者和被食者之间形成一个联系紧密的利益共同体。

体内平衡功能

掠食者和猎物之间如何保持和谐？所有生物拥有一个共同特征，那就是拥有维持有秩序状态的机能。这种倾向叫做体内平衡功能，在系统学理论中，则被称为负反馈。标准的大学生物学教科书，如贝克和莱恩的《生活》，用了数百页的篇幅来讲述体内平衡和负反馈机制。他们认为，生命体的每一功能都可理解为是基于抵消或削弱环境影响这一职能而产生。

> 代谢作用把养分转换成可用的能源或结构材料。代谢作用把有用的物质和不需要的副产品分离开来，保留前者，后者则由排泄器官负责排泄，从而维持了现状。当体内平衡机制被摧毁，生物体就会死亡。
>
> 体内平衡概念是生物学里至为重要的核心概念，普及到生物组织的每一个层面。

免疫系统是防御机能，可以抵抗入侵的外来生物，排泄系统的目的是除去那些会扰乱机体化学平衡的废物。在市场中，交易所职员和商品交易立法机构，比如期货管理委员会和全美期货公会等，提供了一种类似于白血球的功能，也就是说，它们发现外部细菌并审核这些细菌是否会导致人体生病，然后吞噬后者。（这里，我们不会把后者与市场参与者进行比较。）

人体体温调节是常见的体内平衡行为。如果体温超过了正常人体活动所需的最适宜温度，即36.2℃至37.3℃，皮肤上的温度传感器就会有所察觉，并把温度已上升的信号传给大脑。然后，大脑就把这个信息传播给能向皮肤输送血液的有效器官，这便导致了流汗，蒸发所引起的热量损失就降低了体温。当体温降到某一点之下，一个相应的机制就启动了，这时就会引起血流量的减少和打寒战，通过这种身体活动产生热，从而提高体温。

在市场上，温度的角色由其他市场的价格波动来扮演。这些波动提供了负反馈，并使有害的价格回到均衡的水平，但这种情形由于价格跟随者的存在而变得复杂。当价格偏离平衡点一定量后，跟随者很可能就会在价格偏离方向采取投机行动，而这提供了一种正反馈，从而进一步强化价格偏离幅度。当这类偏移达到一种较高水平时，只有依靠其他市场的移动功能才能将违规市场的价格水平带回平衡状态。问题是，在事实发生后的次日早晨之前，没有人知道平衡状态究竟处于什么样水平。

美联储主席阿兰·格林斯潘和前任理事韦恩·安吉尔曾经就黄金的领先指标功能，提出很多解释。如果黄金价格上涨过多，美联储就会得知，它必须迅速踩刹车，让通货膨胀降温。1992年我参加纽约商品交易所年度晚餐会，听到了当时的美联储理事安吉尔（他现已离开了美联储在贝尔斯登公司谋到了一个更好的职位）的演讲，他说他最初的想法是，当金价上升到350美元以上后，通过中央银行的抛售把金价固定在一个长期的低水平。但他放弃了这个念头（猛烈的鼓掌），因为如果这样做，黄金的内部平衡功能将被摧毁。安吉尔在宴会上故弄玄虚，放出如此具有爆炸力的试验气球，随即获得全场上千人的喝彩，从一个侧面证实了美联储和其他政府机构对商业活动的巨大控制力。

索罗斯近年来把握每一个机会，宣扬他的观点：投机客的活动偶尔可能使市场陷入不稳定，他呼吁设立一个新的“世界组织”来管理这样的投机活动。这个观点首先在《金融炼金术》一书里出现，书中列举了他一些亲身经历的正反馈例子，就是当价格持续偏离某些标准时，跟价格偏离有关的资讯引发其他反应，从而使走势火上浇油。

正反馈的确可能发生，例如，理查德·达金斯在《失明的钟表匠》一书中，有一章专门探讨争吵爆发、世界冲突和大自然。他指出，孔雀尾巴可能是经由某种正反馈深化出来的。雌孔雀偏爱较大的尾巴，这样，有大尾巴的雄孔雀在吸引异性方面可取得较大的成功。当两性的基因库开始反映出这种性偏好时，具有大尾巴的特性就变得更流行了。尾巴的平均长度是“实用主义选择和性选择之间的折中，实用主义的选择会让尾巴短一些，以便能够做更长久的飞行，性选择会让尾巴变得更长”。

即使身体里有各种体内平衡的机能，如果温度远远低于37℃的标准时，平衡过程就会失效。例如，如果体温上升到40.5℃以上，新陈代谢就会加速，这就产生了强热，这个过程比身体冷却它的速度要快，因而导致中暑和死亡。我的小孩进入按摩浴池几分钟后，我会把他们叫出来，就是基于这个原因。同样的，低温能减慢新陈代谢的速度、导致体温不停下降直至由于体温过低而死去。

随大势操作的基金运用止损来保护自己、交易者要为自己的期权头寸进行对冲，这两种活动都可能使偏离均衡的短暂走势加强，造成更大的波动。正像身体是由大量体内平衡的负反馈活动所支撑一样，每一市场会由于其他市场的协调影响而保持平衡。投机客直接或间接观察到这些关系后，会利用这些波动，把市场恢复到适当的水准。如果这样的投机客还会由此蒙受损失的话，市场就会衰亡。

在自然界和人类的生态系统中，自动平衡或负反馈主导一切，是有原因的。大部分生物都处在或接近于他们的最适当水平，而且在这种范围内，受控调节是非常有用的。市场的互动和反向思考及价值投资者是市场内部平衡的主要力量，想用超国家的手段取代其中一部分的人，应该想想达尔文的著名论断：

> 因此在想象中，设法让某种物种得到胜过其他物种的优势，是好事。在任何例子中，也许我们从不知道这样做的目的。这点应该可以让我们相信我们对所有有机生物相互关系的无知，意识到这一点是非常必要也是十分困难的。

1987年大崩盘后，德意志联邦银行波尔说的“美国财政部长干的好事”值得我们回味。

尾声

从生态学方面考虑，鱼竿那头的你的对手在哪里？它吃什么？它对行动缓慢还是对行动迅速的诱饵反应最快？随时要考虑节奏问题，采取一定措施使诱饵的运动随着水流的快慢来做出同步的调整。

每一件事情都是息息相关的，想要得到好的结果，要注意语言、科学、经济、文学、信仰和艺术。要记住哈姆雷特的话："一个人钓鱼时，用的蛆虫鱼铒可能吃过某个国王，而那位国王，又吃过靠这种蛆虫维生的鱼。"

如果你一定要知道自己有多行，就去参加比赛。但应记住，适合于在比赛中采用的方法，跟你在赢得日常发生的小小争吵或摩擦时所采用的方法，是完全不同的。那些胜利者输不起，因此承受着更多的压力，这是远非你我在日常生活中所能想象得到的。

最重要的事情是要有逆向思维。一旦你成为一个成功者，就不太可能在同样的领域再找到一个成功者。最大的鱼往往在最深的水里游，而不同的鱼要用不同的诱饵才能钓上来。

一切都受气候的影响。每当满月时，最接近手边的东西最容易抓到。风是你的好帮手，但有时风会改变猎物的习性和它们对诱饵的反应。

最弱小的猎物最容易捕捉到。当你目睹战场上战况激烈时，准备迎接胜利的到来吧！

保持镇定，抑制情绪。高声的说话会干扰你的注意力，并使你失去有利机会。只有当你稳操胜券，并已回到家中开始反思自己的行为哪些正确、哪些错误时，才是你真正可以高兴的时候，不断调整以形成一套科学的方法，记下什么方法是有效的，什么方法是无效的。一旦你分析了记录，你就可以看出怎么改变，才能使成功的机会最大化。尤其是在你处境很糟时，做一些调整，试试其他方法，比如说换一种诱饵。但是要谦虚，要知道这个游戏中有很多人会比你强，努力向他们学习。只要你付出合理代价，许多成功人士会十分乐意与你分享他们的智慧成果。

环境总是在变化。早晨可以获胜的技巧，到了中午或晚上也许不再奏效。

当我看到这样的经验指导时，第一个反应是绝望。天哪，那些人正击中了我的要害。我所有最高明的想法已经被发现了，而且出版成书，在各地的图书馆里普遍传播给大众。

但是我随即了解到，这些看法和在投机市场赚钱是没有关系的，它只是在建议如何改进钓鱼的技巧。事实上，钓鱼本身往往会给投机客提供经验和知识。

我在投机事业上的统计顾问史蒂芬·斯蒂格勒借给我一本书。他说这本书很有“高尔顿的风格”。这本书是得克萨斯州政府的研究报告，叫做《大嘴鲈鱼容易上钩特性的遗传力量》。他认为这有助于我成为一个好的投机客。你可能已经注意到，一些趋势跟踪者在数月前发了财，然而当你也加入时，却得到了完全不同的结果。下面这个关于大嘴鲈鱼的例子或许能给你一些启迪。

这项研究报告把鲈鱼分为两组。凡是能用假饵钓上三四次的，归类为容易钓到的。另一组是那些根本就无法用人工诱饵钓到的鱼。

让这两组鱼各自产卵后，容易上钩的鲈鱼的后代，仍然比警觉性强的鱼所产出的后代更容易被捕捉到，大约要高出1倍，这项研究表明：

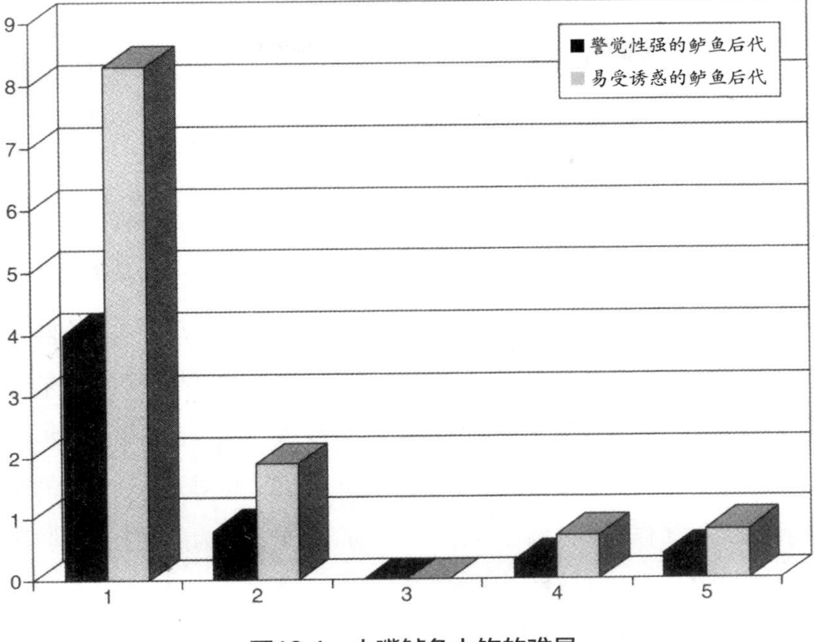

图16.1 大嘴鲈鱼上钩的难易

如果希望尽量提高钓到鱼的概率，例如在钓到后再放生的渔场，或者在都市中专供残疾人士钓鱼的场所中，放养那些更容易上钩的鲈鱼显然比较好。

我对这种干预热情毫无不满之意，准备给我们的国会议员写封信，建议通过一项法律，补偿像我这样父母很容易上当受骗的受害者。

讨价还价

我爷爷是世界上最不会讨价还价的人，我可以说他差点买下布鲁克林大桥。他经营水果生意时，所谓的“中部发展局”有两个人来找他，并带来一份高度机密的计划。中央总站的管理当局已经决定关闭咨询台，因为已经有了票务代理人，他们就足以回答那些提问了。在这种情况下，开设咨询台简直是白白占用了那些黄金地段，因此为了避免大众的抗议，这种事情只能在周末悄悄地进行。如果爷爷能马上拿出25000美元现金交给他们的话，这个地段的特许经营权就将属于他了。想想每天有一群群饥肠辘辘的通勤族，挤到这家店里来。幸运的是，我们家只付得起介绍费，因此躲过了这个骗局。

好比要证明“每分钟都会有蠢到极点的傻瓜出生”这句话一样，两个骗子居然发现，还有一个笨蛋竟愿意出更高的价码——10万美元。一对从事水果生意的兄弟，在交出他们毕生的积蓄后，第二天出现在中央车站，那场面并不好看。他们手里拿着木材和工具，想为他们的油桃、莴苣、蒜、西红柿等蔬菜水果搭建一个架子。结果可想而知，警察将他们俩赶了出去。要承认自己的愚蠢，承认自己的确上了当，并不是件容易的事，这之后几年时间里，这对兄弟俩每天都来到这里，向咨询站的工作人员挥舞着拳头大声尖叫。他们已成为那些上班族经常看到的热闹戏的主角，经常使路过的外地人驻足。

我老爸同爷爷一样，也是个极不会讨价还价的人。我们经常到休斯顿街和鲁罗街的交叉口，光顾世界上最大的熟食店——卡茨熟食店。警察局的官员们在餐馆、咖啡厅等地方常常受到“最受欢迎的顾客”之类的特殊优待，因为他们的捧场能帮助店里维持秩序。这家熟食店负责收银的人叫鲁比，是一位退休警察，他会根据情况来决定如何对每个人收费。

父亲的搭档米尔蒂吃完一顿大餐，走过鲁比身旁时，不但没有付款，手里还拿着1磅五香烟熏牛肉，一副十分坦然的样子。当他走到门口时，又得了额外收获。鲁比对他说：“喂，米尔蒂，替你韩国的儿子带上这节意大利腊肠吧。”

父亲和我跟在米尔蒂后面，也想依葫芦画瓢，于是来到鲁比跟前。鲁比问道：“你们吃了些什么？”父亲回答说：“我们吃了两个法式油炸牛肉三明治，薯条、一杯可乐，还有一杯咖啡。味道不错，薯条又香又脆。”

“一共2.8美元。”

“2.8美元？”父亲不敢相信地问，指着米尔蒂胳膊下夹着的意大利腊肠。

“哦，对不起，十分抱歉，你说得对，是我搞错了，”鲁比回答说，“我忘了还有咖啡，这样一共是2.9美元。”

父亲在生意场上天生是个输家，他也知道这一点。

父亲对市场上的混乱十分反感。他从来不讨价还价，不管是什么东西，别人要多少价钱，他就出多少钱。如果产品质量有问题，比如说买回来的肉不够新鲜，他就会说“哎，下次买的时候要当心点”，或者“这又怎么样，东西已经买了，我现在知道了，下次买东西时再不去那个该死的小店了”。

不幸的是，我遗传了父亲的这种习性。我还价时会觉得不安心，主要原因也许是害怕遭到拒绝，正如同我在年轻时想与一个女孩约会，却又担心遭到拒绝的恐惧心理一样，而不是出于某种特别的忌讳，或者是一种更高的价值观念，正是它们曾使我老爸不屑于讨价还价。我保留着这个缺点多年，一直到我长大成人。在一次让我想起来就觉得痛苦的、耿耿于怀的事件中，我发现，在该讲价的时候沉默不语，为我带来了大约1500万美元的损失。1965年我创业时，合伙人问我如何分配股权，我本认为自己作为唯一的一名专职工作的人，理应得到90%的部分，而且能够争取得到。但我却羞于说出口，而仅仅是说：“我们五五平分如何？”

我现在已经养成习惯，凡事都要讨价还价。我不能在商业谈判上做一套，而在个人生活中另做一套。因此，在个人日常生活舞台上的讨价还价，锻炼了我的某种个性，这种个性对我的生意经营来说，是大有裨益的。如果一个投机商不能通过谈判取得最高交易机会的话，我要建议他找一个值得信赖的朋友来给他处理后事了。

对很多商人来说，讨价还价简直就是他们的生活方式。他们认为自己开的价格不能改变，纯属无稽之谈。生意就是建立在买方和卖方之间的一系列互利的交易基础之上，表明自己的意愿并估算适合自己当时资源状况的获利水平（即价格），是天经地义的事情。现在，每当我向一个商人询问东西的价格时，他一报价，我马上就加上一句说“这是开价吧”。

接着我会说：“那可有点贵。如果付现金购买或者是一次性多买，有什么价格优惠吗？”如果我很匆忙，就直截了当地问：“最优惠的价格是多少？”如果卖主十分忠厚善良，我就忧愁地看着他说：“你瞧，我们有共同的利益。你在这笔生意中要得到多少？”有时候，我脱口而出说这种话时，忍不住想笑。这样做的回报是我从自营的零售商那儿买来的东西平均有一半都获得了10%以上的折扣。有时我为了做生意不得不要求别人让一大步或接受别人的要求自己让一大步时，我发现这种讨价还价的经历为我提供了丰富的经验。我希望我认为那些想不断提高的客户做出了贡献，我并没有破坏商业中的游戏规则。

我在市场上要求报价时，总是早在我交易之前，就先与几个交易商进行接触，了解他们的交易方向和行情。不幸的是，信息受到收益率递减的左右。假如你要找出汽车的最优价格，到了某个时候，总会发现存在着一个所有价格都接近于它的价格。在市场上，当你从第三方交易商那儿得到价格时，会发现买卖双方报价之间的差额极小，毫无价差可言。我在此时，会耍一些小小的手段。一旦其他交易商了解我的经营方式，他们总愿意与我做交易，对此，我随他们的便。如果我打算卖出时，我就先下一张买单，反之亦然。例如，当前的债券价格是101.08，我打算在101.31的价位卖出，就先下一张价位是101.01的买单。“现在，别管我的意思。”我补充说。这样会让交易员处在对我有利的心态中。他们善于将零散小单汇总成一个大的单子。下一步，我同时找几个交易者形成一个小小的市场，让他们之间竞价，如果差额太大，我绝不接受，即使他们中有人的报价比其他价都高，最后我从中选择最优的一个方案，这个过程大约花2秒钟。我估计我靠着这种过程，每次交易额外节省万分之一的面值。这一部分合计起来，占到我每年总收益的至少一半。

现代恐慌

我在为这本书做最后的润色时，出版商因为被我延误，对我表示强烈不满，而华尔街同时发生了又一场恐慌。这应当是属于历史上最引人注目的恐慌之一，许多杂志在股市大跌之前的7月初就发表文章正确预见了此次恐慌，这对我来说通常是应当退出买方市场的信号。

这次恐慌没有达到收盘暴跌10%的水准，但是1996年7月16日，星期二，在股票史上是一个破纪录的日子，光是在纽约证券交易所，就有6.88亿股票进行交易。庞大的交易厅里，弥漫着悲观的气氛，“又跌了10点”的喊声此起彼伏。S&P指数跌至601.25点，与10个交易日前即7月1日收盘的675.88点相比，下跌了11个百分点。同样在那一天，纳斯达克指数下跌57.08点，从1065.33点跌至1008.25点，仅比1000点高出少许。与5月31日的收盘价相比，整整跌了19%，在令人可怕的45分钟里，S&P期货指数从625点跌至610.25点，比7月1日收盘时跌了10.4%，这时科技共同基金发现，个股在任何价位上都找不到买盘，就抛售指数期货，换取现金。理当精明的共同基金，现在已经取代以愚蠢而著名的零股空头卖盘，成为卖出过度的先驱。

全球股市都是同呼吸共命运的，因此也都受到打击。澳大利亚和泰国的股市跌破8月以来的新低。其他各地几乎都在星期二这一天下跌了至少2个百分点，纽约风暴才开始呢。如果这还不叫恐慌的话，那么杰西·利弗莫尔就永远也不会发迹了。

龙卷风特别厉害时，据说风眼会把鸡的毛都拔掉。1996年7月16日，股市龙卷风及其的后续发展，对科技股持有者造成了同样的损失。许多技术股持有者手中的明星股票，如美国在线、艾升公司、艾美加公司从开盘至下午一点半下跌了10至20个百分点，只得停板。摩特利富尔告示板所偏好的艾美加是一个典型的代表。虽然一些人进行了顽强的努力，并用蜂窝式调制解调器告诫人们在危机中保持冷静，但仍然在那一天下跌了20个百分点，跌至19.875美元，这使得它从7月前最高价位以来的连续下跌达到了63个百分点。劝说一个持有大量股票的人坚持不抛是令人怀疑的，尤其是在危机时刻。

共同基金也陷入剧烈的振荡之中。大基金公司动用24小时紧急接听电话的工作人员，安抚那些惊慌失措的投资者。股票基金的回购交易量达到了历史最高纪录。

当危机处于最高潮时，我在1个小时内亏损了15%的个人资产，丝毫没有听到同行们所说的“稳健从事”之类的忠告。华尔街盛传我已陷入困境。我告诉那些要求提高保证金的经纪商："你也会像我一样有麻烦的。”最后，当道琼斯指数在1个小时内反弹200点之后，我刚好达到盈亏平衡，此时我不顾一切地抛出了所有多余的头寸，但不幸的是，我刚出手，道琼斯指数便又上升了50个点。

这场剧烈波动之后，主要报纸称周二的股市行情为大屠杀、谋杀、浴血战、溃败、黑洞、怪跌、无比的灾难，把这次暴跌和以前最惨的先例相提并论。但是，像《纽约时报》这样的报纸——十分高兴地看到它近来时常刊登一些见解独到十分实用的股评——试图将16日的股市波动与1929年10月28日和1987年10月19日的股市大崩溃做一些比较。

有权势的主管机关像平常一样，大肆自夸，说自己在避免股市灾难方面表现出色。报纸上可以看到他们这样的宣传："是那些过度投机客带来了股市的狂跌。”当股市从S&P期货即将锁定跌停板30分钟时开始，道琼斯指数跌至30点时，小股民们蜂拥地赶在关门之前抛掉股票——这也在一定程度上加剧了股市的下跌态势。但从另一方面讲，也是市场的作用打破了这种跌态。当股票处在狂泻区间时，短期收益下降了0.2个百分点，由此抵消了人们预计的联邦基金的利率的提高，而正是这种预计才导致了开始的股市大跌。长期债券利率下跌到7%以下之后，像我这样的投机商赶忙去买进，几分钟内，道琼斯指数又开始上涨了。

蜡烛图的缺陷

每天晚上，东京一家高级酒吧里，一位40岁的美女从铺了地毯的大理石台阶走下来，微笑着和下面一群人挥手。刺耳的大笑声迎接着她，还有人叫着："不要，太可怕了！走开！停下来！”她走下最后一级台阶时，所有男人大声笑着，一手抓着自己的私处，另一手挥着叫她走开。

这是敏子小姐每天晚上出场的景象。这位美女和一位年纪比较大的著名的日本国会议员结婚后，发现丈夫与一位动人的艺妓厮混，就把丈夫的性器官割下来，而且遵照古老的仪式，把它腌制起来。她为此蹲了五年大牢，释放后变成了广受欢迎的名流，成为东京一家生意兴隆的夜总会的老板娘。

在日本式的技术分析中，定型化的模式十分明显，日本发展出一种叫做蜡烛图的技术分析图。这种图由一根直线（虚线）构成，显示一天的最低价和最高价，再在虚线上套一个方型的实线，显示当天的开盘价和收盘价，如果收盘价比开盘价低，实线就是黑的，反之就是白的。蜡烛图有些望文生义的名字，比如白花、金星、上吊的男人、怀孕的女人和十字线，十字线代表开盘价和收盘价相同或者几乎相同。

蜡烛图的技术分析有一些缺陷，最明显的缺点是视觉上的错误，看来经常像代表趋势的形态，常常比较像是烟幕，意在让弱者亏掉辛苦赚来的钱。其实，这种技术分析的结果从来没有进行过量化分析，因此实际上，大家可以从图表中得出任何一种结论。一切都解释了，却什么也没有证明。

蜡烛图还有两个缺陷。很多线型都是以三种以上的价格作为基础，每一种价格形态出现的概率是1/4，因此，在任何一天里，出现某一种线型的概率是1/64。就任何一两年的观察，进行科学分析，这些观察多少可以合理地归结到跟现在有关，这样的频率根本不够。另一个特别的问题是很多形态似乎有不同的解释，在某一个人看来是金星的形态，另一个人来看，可能认为是十字线。

1993年10月22日，债券价格大跌1点后，我们公司第一流的击剑好手诺米尔进入办公室，告诉我们，这次跌势其实大致可以预测，因为债券价格已经出现翻黑的十字线型。我觉得我必须教导他改正错误。第二天，他进办公室时，交易员已经准备好，大叫："不要，太可怕了！走开！不要用十字线来吓唬我们！"

往复分析

投机最常见的题材之一是市场十分狂热，屡屡创下空前新高或历史新低。这种例子非常普遍——银价在1980年从5美元升至50美元，汇价的波动在1995年使日元对美元的汇率从1美元兑105日元升至1美元兑80日元，咖啡的价格在1994年从50美分升至2.65美元，大豆的价格在1973年从每蒲式耳4美元升至12美元。

上述这些涨势，都是在2至4个月之内实现的，这种涨势是让投机活力勃发的活动，让大户赚取数亿美元，并在此后的年代里也激起了广大民众对投机的热情。那些大投机商可以轻而易举地赚钱，可对大多数小投资者来说，即使是取得较少的利润也实非易事。但投机生意中的大崩盘，泡沫式飙升，及无据可查的谣言，在给我带来钞票的同时，也令我劳神费力，损害了我的健康。我常常做错方向，为另一边的大客户提供了流动性和资金，加速了自己的毁灭，最后身无分文。更糟的是，我亏损一大把被迫退出后，总是会不可避免地发生下面的事情：我一出局，价格便很快地下跌，正如它开始强劲地上升那样。

我觉得自己必须从新的角度，系统地检讨我的错误，分析这些波动。在研究了从灾变理论、遗传规则、混沌理论，到傅立叶分析、非线性不等式和神经系统分析等所有高等数学论文后，我觉得它们都一样毫无用处。我发现这些技术都是对已发生事实的回顾，但是一定都无法做任何预测。最后，我从19世纪一位来自非洲的哲学家的智慧那儿才找到了真正的灵丹妙药。

公元70年希律王的神庙被摧毁后，犹太人被逐出巴勒斯坦，其中一些人沿着北非海岸流浪。在其后的千百年，这些部落的人们不断向南迁移，成为撒哈拉大沙漠中一些绿洲地带的主要居民。这些犹太人中的一部分最后在达荷美定居，也就是现在的贝宁共和国，它处于加纳和尼日利亚之间。

这个部落居住的一个村庄，深处热带雨林之中，村庄的周围是那些可怕的丛林，到处都是5英尺高的浓密灌木丛林。在夏天，最高温度超过43℃，一年之中有3个月阴雨连绵。村庄时常遭到大象、豹子、狮子、两栖爬行动物等的无情袭击和大猩猩的劫掠，它们能毁坏小木屋，并把挡住它们去路的任何人或任何东西撕得粉碎。居民住在椰树纤维盖的茅屋里。茅屋用竹柱子架高15英尺，以避免爬行动物和其他野兽的袭击以及时常会有的水灾。

西方世界怎么会知道这件事，本身就是一个故事。一天，这个村庄的一位十分机智的10岁孩子，在无意中遇到了一艘停泊在海岸边的苏格兰轮船，他和伙伴划着独木舟出海，来观看这个奇异的怪物。船员们很好心，让孩子们发动了轮船。船长下令解开缆绳起航时，这个孩子正在底下看着工人们往锅炉中添加燃料，他的一个伙伴跳出舱外，游向他们的独木舟，不幸很快被一只鲨鱼活活地吃掉。由于无能为力，这个孩子只能眼睁睁地看着自己的伙伴遭此厄运。他不知所措，十分害怕，又只剩下一个人，只能听任命运的安排，结果被带到了爱丁堡。在那里，他接受了英国式教育。最后他返回到达荷美时，得到当地人的欢呼。随后，他根据自己的经历，写了回忆录《罗巴戈纳：一个非洲野人的故事》，此书在1930年出版，上面的内容出自该书的序言。

罗巴戈纳在书的前面部分，很详细地描述当地村民如何应付前来蹂躏的猴和大象。如果来的是猴群，它们会在数英里之外发出巨大的吵闹声，这相当于给了村民预先的警报，一听到这种声音，十几个男人或孩子便带着涂了毒药的梭标，潜藏在树林之中，以便能杀死猴王。猴王很容易辨认，因为它通常是走在猴群的领袖母猴的后面。如果能把它杀死，猴群就会一哄而散，四处逃跑，但是如果不能将它杀死，灾难就会降临到村民们的头上，很少有人能逃脱重伤或死亡的命运。

如果来的是大象，只要大家都避开象群的路径，大致上没什么可怕的。大象组成50头到100头的象群移动，很容易躲开。村民们也可以挖陷阱，来捉住大象，并杀死它们以取得象牙。但有时象群会发怒，没有什么能阻挡它们的去路，在行进中，象群可以践踏、毁灭一切挡住它们道路的东西，无论有多少头大象会掉进陷阱里，或者是否会遭到人们的伏击。罗巴戈纳说，如果象群沿着一条路奔过去，一定会从原路回来，不管是一天、一星期还是一个月之后，都是这样。因此，当村民们想要得到象牙时，就知道应该在哪个地方挖陷阱。

在我的世界里，惨祸最大的来源是某种商品每年波动到空前的新高或历史的新低。这种致命的波动突然出现，常常会“踩死”沿路上每一个可怜的人，沿路留下一些不幸的人的尸体，让秃鹰来啄食。我研究这个问题时，采用罗巴戈纳方法来对付这种可怕的价格波动。在合理的情况下，参与一次这样的价格波动会带给你大量的财富，它将远远超乎任何人平时最狂妄的想象。

我在做交易前，会通过电话里聆听交易大厅的嘈杂之声。如果我听到了猴群的喧闹，就暂时忍住，不进行交易；如果我听到交易厅中的声音如同NBA总决赛第七场那样热闹，那么危险并不会立刻来临，可以做一笔交易。当我听到象群在狂奔时，会尽量保持观望，设法等待暴风过去。没有什么力量可以抵挡得住象群巨大力量的冲击，关键在于找到过程和过程完结之间的临界点。象群狂奔过后，惊天动地的声音逐渐消失，乌烟瘴气的空气也逐渐消散，我便小心翼翼地从藏身之处爬出来，在周围寻找机会。在象群破坏之后，许多生物都来到这片土地上，期待着有所收获。在这片瓦砾场上，往往有大量有价值的东西，我利用这点来赚钱。

1994年我的基金业绩评比排名第一，媒体一批接一批到我的公司来采访。在那美妙的一个月里，我的照片被先后刊登在《商业周刊》《国民询价者》《金融者》和《华尔街日报》上。当记者们问及我成功的秘诀时，我的回答是：往复分析。我很高兴地听到吉姆·罗瑞告诉我，说他在《华尔街日报》上看到关于我的文章，在应该放我的画像的地方，却画着我的合伙人提供的罗巴戈纳的照片，他爆发出有生以来最歇斯底里的大笑。

但是其中有个问题，每一次出现这种从原路回来的往复波动时，都有很多次反向波动干扰它，破坏它，使它中途偏离曾经经过而且人们又如此预计会再次经过的轨迹。换句话说，看起来象群是沿着老路又走回来了，结果却只是装模作样而已，并非真要走此路，中途会突然发生一种难以预料的变化。因此，在你耐心地看到它们完全走过之前，很难判断它们会走向何处。

目前我们对往复波动的对策应该是：虽然在某些商品的价格变化中有一些有规律的波动，但似乎没有一种系统的方法，使你能够根据这种规律获取大量利润。正如罗巴戈纳所说的那样，有一点是可以肯定的，那就是：象群一定会在某个时候再回来，再经过这条同样的路。非洲的土著人是有充分的耐心的，他们会在象群经过的路上挖下陷阱，静静等待。

物品的估价

有一种商人，只要有利可图，会在任何条件下做任何事情。这种A型个性的人在人格量表上，介于瘟神和不动产经纪人之间。我们时常碰到这样的怪人，而且常常损失惨重。父亲经常从这种商人那里买回装修材料，但每次都发现这些材料经雨一淋就没用了。许多屋面材料供应商似乎都被销售这种商品所吸引，正如同纳斯达克市场上的股票。他们通常从劳得登尔堡、圣地亚哥或其他休闲胜地操作，但是你坐下来跟家人一起晚餐，或者设法偷得浮生半日闲，跟另一半共度浪漫时光时，他们通常会来拜访。

我自己太常跟着这种烂人买股票。只要它们的价格与以前的基准价格——上一天的价格，去年预计价格，基金的平均成交价格等——相比有足够吸引人的差价，便值得我去敲计算机的键盘。

我以为自己在这方面的记录最糟糕，后来看到迈耶·利本令人欣喜却常见的故事《平克顿魔幻岛》时，才不这样想。平克顿是不景气的文具行业的一名经纪商，但是他却经营着几乎所有种类的商品——弄脏的文件夹、刻错了的橡皮图章、色彩杂乱的作文本、没有粘好的信封，诸如此类的东西。他只顾眼前的生意，根本不管将来。他从不清点货物，开立账簿，只有等他把货卖完了，才去进货，像我一样，他总以为任何东西都会有人来买的。他只有两条经营规则：价格必须合理；一定要有买主——也就是说，有一位从他手中接受产品的傻瓜。

最后，平克顿改变了方针，和另一行业的一位比较保守的商人建立了合作关系，这给他带来了大量的利润。他的合伙人十分重视质量和价值，在他的生意中，信誉、顾客的满意和重复购买是第一位的东西。

我像平克顿一样，买卖时完全不理会基本面。如果东京的大米价格下跌，我便在明尼阿波利斯卖出小麦，从不考虑是否会有蝗虫、螟蛉虫或者象鼻虫，它们是否会带来谷物产量的下降；当香港股市连续三天暴跌时，我便在伦敦金属交易所买进铜，不管所有的汽车制造厂是否正酝酿着一场声势浩大的罢工，或者仓库中铜是否已经积压很多了。我认为统计学上的相互关联性已把它们归入了一类，这就行了。

我知道我的方法有些问题，却仍然遵循自己的看法行事。不过我像平克顿一样，期望找到其他方法—— 一种遵循基本价值规律的方法，而不是根据一些我的计算机算出来的以技术分析为基础的行话，即大卫·德雷曼所发明的公式及沃伦·巴菲特所主张的——在预计价或卖出价的最低的四分位数价处买入股票，并在该股票的最高四分位数价处卖出。我知道根据这种策略，得到超额投资回报率的情形，大部分都是在20世纪七八十年代实现的。并且，对于每一项研究认为等值合理的价格最重要，总会有另一项研究表明，那些拥有最高市盈率，价格相对偏高的成长公司无一例外地拥有良好业绩。

至少有一件事我可以做：我可以坚持基本面。不必根据轮动、循环、内部交易、零股做空额度和上百万种一般认为会影响股价的技术方法，买进股票。一进入股市，我便成为一个严格坚持原则的人。资产负债表和损益表对我来说就是唯一的只有两页的圣经，让心理学走到一边去吧。

然而，至少我在股票交易上需要根据一种准则。因此我致力于追求价值股。如果一家公司的卖价达20亿美元，是它年销售收入的30倍时，总会引起我的警觉。我发现，要不是互联网上那些家伙漫天要价，该公司恐怕连向银行借100万美元都会遭拒绝。因此，在我持有某公司股票时，总需要做一些调整，以免不测。

15年来，《价值线》（Value Line）杂志每周刊登一张表格，列出卖出价与账面价值相差最大的公司。这个列表是一种即时的价值股名单，可以作为探讨和实验的样本。这些股票和列在第一组到第五组的股票不同，和假设性的投资组合股票定价相比，这些股票没有交易成本和纳入组合日期是什么时候的麻烦问题。（我总是担心这些问题是价值线共同基金表现平平的原因。相形之下，价值线评比系统的表现却是世界一流，屡屡打破纪录。）

为了测试这些股票，我从过去10年中每年最后一期《价值线》刊登的名录

表16.1 具有最低的价格/面值比公司的价格变动情况

年份	平均价格变动（%）	S&P指数变动（%）
1986	−3	15
1987	0	2
1988	39	13
1989	11	27
1990	−39	7
1991	20	27
1992	17	1
1993	20	7
1994	6	2
1995	18	34

中，选取具有最低的价格/账面值比率的30只股票作为样本，然后计算这种股票第二年的投资回报率，再和S&P回报水平相比，如表16.1所示，结果显示好坏参半。10年中有6年股票价格不尽如人意，如果投资100美元于股票，则在10年后能得到250美元，然而投资于S&P指数则会收入280美元。

谢天谢地，我像平克顿一样，价值股只占我交易金额的5%。我根据数字所做的期货交易业务，至少使我付得起日常生活中的账单，并将我的孩子们送入了好的学校，我想如果我是在买价值股票的话，我恐怕早就破了产。价值股表面看来很好，但是这东西一直销路不好，你最好还是找一个更可靠的挣钱的路子吧。

壁球

有一种游戏，我从来没有被人击败过，就是壁球。这种游戏玩法跟正常的手球一样，只是球在碰到墙壁前，必须先碰到地面。这种游戏在纽约会存续下来，是因为球从墙上弹回来的速度，远比正常的手球慢。在布莱顿的环境中，人行道和墙壁之间只有7.5英尺的空间，这种速度使游戏变得很适合。

我发现壁球在市场操作习惯上，可以教我很多东西。限价委托单在缓慢的交易中是很好的交易方法，但在快速交易中，市价委托单最适合。直接的市场委托单对付快速移动的目标，通常会带来快速的反弹，游戏还没有开始就结束。为了减缓游戏过程，削弱另一边的力量，我会使用限价委托单。这样虽然我不能那么快地获利，但是亏损也来得慢多了。就像壁球比正常手球玩得久多了，我发现我的本钱寿命也比较长久。

我十多岁时，放弃壁球，改玩逃生游戏。当年在布莱顿，我们这些少年难得有一天能够合法地驾驶汽车，大概都是在午夜里，偷偷摸摸、胆战心惊地把父母亲的汽车从车库里开出来。被发现的惩罚很可怕，至少是一个月以上不准出家门。一些比较幸运的不良少年要是能够弄一部车来，一群男孩就会挤进车里去兜风。车子开到交通信号灯前，我们会暂时逃出汽车，到处乱跑，等红灯变绿灯，再挤回汽车，不然就会被严肃的警察打断我们的乐趣。重要的消息宣布后，互联网聊天迷疯狂地在电子市场竞相更改限价委托单，彼此相互残杀。奇怪得很，这种交易状况让我想起往事。我根本不知道在投机市场中，会有依据青少年开车躲避警察的传统，表现出更荒谬、更具毁灭性的成年人。

1996年美国证管会出了一份报告，探讨纳斯达克价差很大的问题，描述了这种游戏。报告说，纳斯达克的价差大的是纽约证券交易所和美国证券交易所的4倍，20美元的证券平均价差是0.4美元。价差这么大，是我不交易纳斯达克股票的原因。读者现在很可能已经确实了解：光是交易一次，就要放弃2%的本钱，手续费还没算进去，对我来说，是对比强烈、令我痛恨的事情。我经常下交易缓慢的限价委托单，好让价差变得对我有利。这种技巧在纳斯达克股票中行不通，因为大众的限价委托单没有优先权，即使价格比交易商的内外盘价还有利，也一样不能得到优先处理。

老爸的最后一盘棋

跟老爸下国际象棋是我常有的消遣。我们会找出时间，重温几十年前的父子之争，不过是在最友善的战场——棋盘上相争。下棋时，我们自由地交谈。在35

年里，我从未赢过他。1980年12月28日，我们之间的最后一盘棋快下完时，父亲说“你有一步好棋”。过了一会儿，我看到了这步棋。我可以牺牲一颗棋子，逼老爸走到最后无棋可走。在这种棋中，谁最后无棋可走了，那么对手便赢了。

“太好了，你终于打败我了，你是赢家了，我在棋盘上受阻了，好比那些细胞在我身体里阻成一团，无法解开。”

这是我从父亲的手里赢的第一盘棋，但仅仅过了几个星期，死神夺去了他的生命（他已经与这种致命的淋巴腺瘤抗争了7年）。我后来才明白，他在好多手棋之前，就已经看出这最后的局势，刻意朝这个方向下。我能够第一次和最后一次战胜他，是他的功劳，与我的棋艺无关。这是他一生中最有策略的一盘棋。

几周之后，我坐在医院里陪着临终的老爸。凌晨4点，他醒来看着我说：“你现在还坐在这儿陪着我，我想我一定是快不行了。我知道你很讨厌医院的。”

“老爸，即使我觉得你在医院里得了很多传染病，我依然爱你。你觉得你快不行了吗？”

“我活下去的理由比任何人都多。我曾是世上活得最幸福的人，因为我有自己的事业和欢乐的家庭，我没有什么遗憾，我的一生是成功的。”

“但现在，我应该给你一些最后的忠告了。你能确定你的这些技术指数能考虑到一些基本因素例如战争、选举和火山爆发吗？我以前不得不把许多穷鬼的尸体从纽约的贫民区送到太平间。他们当中有许多人从《电讯晨报》中所获得的资料，比你从投资者统计实验室，以及计算机统计文件中分析出来的资料还要丰富。”

我外表故作镇定、其实内心十分恐慌——正如日后我向乔治·索罗斯保证说我知道当前别人玩的鬼把戏时的心情一样——我回答道：“老爸，别担心，一切尽在我掌握。”

“我知道，你能说得到就能做得到。照顾好你母亲和孩子们，多加保重。”1分钟以后，他提出了他一生中第一个请求，“儿子，帮个忙。出去给我拿些冰来。”

就这样，8个小时后，他离开了人世。

老爸的去世动摇了我生命赖以支撑的基础。不久之后，我置妻子、家庭、财产、孩子、生意合伙人于不顾，也忘记了猪肉或家禽肉，获胜奖杯和网球拍，接下来的五天，我天天为老爸的去世哀泣。

最后，我觉得我哀伤的时间太久了，于是逐渐地振作起来。我的好朋友、我的乐观天性，以及我对音乐的爱好，最后使我重新站起来。我开始和汤姆·魏斯威下棋，和罗伯特·许瑞德弹钢琴，我与乔治·索罗斯通过网球、象棋和投机生意建立了一种亲密的代理关系。我在所有方面都进行了重新调整，不像有的人在亲人死后精神完全崩溃，老爸留给我的财富使我进入了更高的层次。

每次我告诉孩子们正确的行为方式而奖励他们时，就会想到老爸，特别是当我告诉他们立刻去做，忘掉争强好胜，或者当我听说到一个看起来是件小事似乎并不重要，然而却是一种高尚无私的行为时，我都会想起了老爸。是他向我展示了人性中最美好的一切，尤其是父爱。如果我能的话，他是我一生所追求的目标和典范。他经常和蔼地对我说："儿子，无论何时你需要帮助，我都能为你分担，不是吗？"我希望我爱的所有人都能这样评价我。

老爸去世以后，很多人告诉我，说他像他们的义父一样。他是我所知最仁慈、最有爱心的人，在一个有爱心的世界里，他不应该这么年轻就去世，但他留给我的财富不断提醒我如何做一个有智慧、创造力、爱心和尊重他人的人。他毕生的事迹通过各种各样的方式四处流传，最后我觉得很安慰，老爸通过他的精神和事迹，永远活在了世上。

两面下注

有机会两面下注，是职业赌马者和大多数赌徒最喜欢的事情，也就是用比原来赌法赔率更高的方法赌博。这样，不管结果如何，下注者都能稳操胜券。当我与更成熟更强壮的赛手比赛时，布克便可以这样做，他先等到我在比赛刚开始时落后一段距离，正当大家都认为我跟那些更强壮和有经验的选手相比根本毫无胜算时——"他才11岁啊"，布克就以100美元十对一的比例赌我胜，于是我加足马力，迎头赶上，赌我胜的赔率越来越高，上升了10倍。当人们都希望我获胜时，布克便悄悄地再次下注，以一赔一的比率，下注550美元，赌我的对手赢球。结果不管谁赢球，他都会赢走450美元。

我在市场上出击时，经常采取类似的做法。市场出现很大的波动时，我通常反其道而行之。我总是进行得太早，而且我账上的保证金闪电般损失了50%，我这样做的时候，价格通常会向我交易的方向运动，我又能获得大量利润，我的客户总是对我说，“你要是再多等一会儿，就会拥有全世界所有的钞票。”

在布克之后，过了45年，我遇到另一个在我身上两面下注的赌徒：我的营销总监卡拉。有一次我与另一家商行的领导人交谈时赞许地提起卡拉，说他的帮助使我受益匪浅。他惊异地看了我片刻，然后脱口而出：“真好笑，他也是我们的营销总监。”后来我们给了他“千面人”的绰号，因为我们敬佩他能够根据不同的情况，扮演五十种不同的角色。

下面这张画显示，一位场内交易员开始一天的工作时，要决定当天应该扮演什么角色，是工作人员、商人还是士兵或者其他种类。在与“千面人”的日常交往过程中，我们把他所戴的帽子作为他正扮演角色的标志符，下面一个典型的事件可以把这种情况准确地表示出来。我的一个同事一直在打电话，我问他出了什么问题，他说：“我的妻子很难过，‘千面人’不肯离开她的办公室。”她在资金调度室工作，“千面人”霸占了她的办公室，用作暂时的会议室，并陈列其他贸易商的服务项目。这时，我们正竭尽全力地工作，并认为我们的营销活动正进行得如火如荼，接着我们从业界一份杂志上得知，“千面人”正忙着为一个竞争对手筹措一大笔资金，以防我们在经营上出问题。我想起布克愉快地搓着双手，因为他在我打的一场比赛中，成功地两面下注，无论是我赢还是输，他都稳赚一笔。

有趣的是，我很欣赏“千面人”的高招。如果要我说真话，我会说我们大家都有一点千面人的性格。

少参加各种研讨会

我在美国各地奔波、寻找买主、销售手中的企业时，经常住宿的一些旅社，常被多层次直销公司如安利公司和尼加拉旋转按摩器公司的销售人员作为总部。在那里，有一种传统的气氛笼罩着，这些销售人员唱着公司的歌曲以鼓舞自己的士气，也需要一些胡编乱造、天方夜谭式的近期销售成就。最后，一叠15英尺厚的销售图表出来了，告诉每个销售人员离实现预期销售目标和获得竞赛奖励还有多远。

商品交易讨论会上弥漫的气氛，让我想起这一类的聚会。首先，是主持人描述他或她取得了多大的成功，接着详细描绘致富的方法，但如何应用这些方法的基本问题仍留给那些参加者自己解决，再接下来，便是展示一些以前参加过这个讨论会并感到满意的会员写来的感谢信。

参加这种研讨会的人难道从来没有想到，要是有人真正拥有一种可以打败市场的系统，绝对不会浪费时间和金钱，来推销这种绝招。他们难道没想到，即使可以找到一些需要收费才跟人分享秘密的天才，等到这些秘密传播开来之后，由于循环不断变化的原则，秘密一定已经过时，没有实用价值了？那些首先加入并向人们证实自己成功的人，最后才会认识到他们以前的偏颇，并会为此付出代价。还有一点，那些参加者往往倾向于只讲他们的成功之处，对失败却避而不谈。

谈判高手

我很幸运，在事业上得到了欧文·雷德尔的指导。雷德尔是拥有很多杰出品质的绅士，也是一个我所见过的最好的谈判者。

但是他在谈判上最高明的表现，却是某一次争取到减税而举行的谈判。纽约市一个富裕区的议员们，拒绝了他的关于靠近市中心的空地应进行税收减免的提案，拒绝的理由是未发展的地区应该课以重税以预防投机行为的发生。

接下来，这个小城镇的父老乡亲们发现，一辆十分破旧的微型汽车停在了该地区最漂亮的大楼旁边。乘客下车走到清扫得干干净净的大街上时，不协调的情景很明显。所有乘客都是成年男子，除了一位，其他人的衣着都一样，不同的那一位上身穿着黑夹克，下面穿着黑裤子，鬓角两边长长卷曲的头发像瀑布一样铺于脑后，直垂两肩，齐胸的胳腮胡子从白衬衣中露出来。他们的头上顶着黑色小帽，或是黑色宽边的浅顶软呢帽。在前面站着的那个人，手里拿着六分仪、三脚架、卷尺和测绘日志。这个人跟一位高大、福态、头发微秃、身着运动装的人讲话：

“不错，这里会变成我们五六十个人很好的避暑胜地。”拿六分仪的人说。

“对，确实是很棒的避暑胜地。”另一个人用最响亮的声音回答，接着，他们都向市区广场走去。一个戴黑帽子的人进了一家卖食品的杂货店，问他们摆在外面的小馅饼和奶酪是否干净可吃。

整条街上，都有人小心地拉开窗帘，或是微微打开百叶窗，橡木板的大门慢慢开了条缝。市民们正紧张地盘算着当时的情况，商人们靠在大门外，离家几里外工作的男人们接到从家里焦急的妻子那儿打来的电话。没多久，整个小镇都知道了这件事。

雷德尔决定把这块土地捐赠给住在布鲁克林皇冠山岳的东正教犹太派别，作为他们的避暑之地，用来做教堂和事务堂。

奇怪得很，一个星期之内，小市镇父老组成的代表团就来通知雷德尔："我们已经重新考虑了你的要求税收减免的提议，发现你的提议毕竟还有一些优点。"雷德尔回答道："我很高兴听到这件事，我绝对不希望用犹太人的养老院，破坏这里安静的小区。"

解决方案找了出来，雷德尔对这种教团做出大笔捐款，这个小镇的父老也降低他的税负，或许投机商归根结底不是那么坏。

沉迷交易

我喜欢一天24小时都紧盯市场价格的变动。如果我拥有头寸，却休息了一下子，即使只有几秒钟，我一离开，价格一定会到达迫使我退场的水准。更确切地说，价格有节律地变化，如果我不与这种节奏保持一致的话，我的生意就会砸锅。投机生意就像扑克牌一样，到现在为止所发生的一切事情都将决定将来所采取的策略。

有一次我太沉迷于交易了。妻子苏珊正在生我们第四个孩子的时候，我带着一台手提电脑进了产房。妻子痛了40个小时，疼得死去活来，我却偷空儿盯着屏幕，并想要用手机跟外面联络。产科医生不知就里，还在赞扬我为了家庭的幸福勤奋地工作时，更让我变得忘乎所以。最后，苏珊冲我大吼（她18年来唯一这样做的），"带着你的屏幕给我滚出去，做你的猪腩交易去。"

流浪汉指标

谈了这么多，"医生，救救你自己吧"的警告浮上心头。虽然我喜欢贬低和诋毁其他人所使用的各种原则，我必须承认，我偶尔也需要探问某些神谕。

成功的投机其实只是科学化、有系统地运用经济方法，促使一定会发生的事情加速出现，其中并没有什么秘密。因此，如果我想给你一些我自己的特殊技巧的话，那纯粹是一种不负责任的行为，因为当你们能把这些技巧应用于实践的时候，它们肯定早已过时了。一个投机商所犯的最大的错误在于盲目地相信某种权威并依据它制定战略。

但是我极为倚重我们公司的大师，他并不住在帕纳萨斯山顶（希腊南部的山，古时为太阳神和文艺女神的灵地），而住在我家底层的密室里。他叫史蒂夫·凯利（波博士），热爱环游世界，当过兽医，得过很多次全美板网球赛冠军和壁球赛冠军。也就是在那里，我与他开始建立了长达30年的经济上及私人间的合作关系。对于他所有的冒险事业，我都有着深刻的亲身体验。

一年之中，波博士有6个月的时间不在火车上或世界各地旅行，他通常就住在我家里，他与他的同伙们保持着联系，所以我时常能得到关于经济时事方面的信息，既有关于贫民窟的，也有关于股市动态的。我抓住时机利用了波博士的逗留期间。他晚上总是保持警觉，以免警察出现来搜查车厢。我设法安慰他，告诉他说警察与警察的后代之间总有一种友好的情谊，所以住在我家里没什么担心害怕的，但是他仍然不断地移来移去。如果我跟他大叫，说中央银行进场干预，我们得赶紧逃命时，他就会冲出来，帮我多打几个电话给日本的交易员，避开这突如其来的危机。

下面我将首次透露我们建立起来的主要行情指标。

20世纪初，铁路货运统计是重要的经济指标。市场玩家对这种统计的关注程度，不亚于今天人们集中精力注意着随时变化的货币供应量、失业率。但铁路运输数据在其他运输方式——卡车、小汽车、飞机——飞速发展的情况下逐渐失去其功效。但是，波博士和我也已经在此基础上做了某些新的改进。

流浪汉从一个工作换另一个工作时，会四处搭货运列车漫游，而乞丐根本不工作。两者之间有一种重要的差别：前者在把《华尔街日报》拿来当垫纸之前先读一下，而后者根本就不读。流浪汉与乞丐的比例在工作机会增加时，会马上升高，因此是一个显示就业状况的良好参数。因为流浪汉在等车到来时，有足够的时间，所以他们看报十分仔细。这样，在流浪汉聚集的地方所找到的《华尔街日报》的份数就成为反映就业状况的重要指标。经过某个固定点的货车的数量是经济运行状况的另一个直接指标。就在1996年2月15日，我接到从波博士那里传来的消息，经过丹佛和盐湖城几个主要地点的货车频率比平时快了1倍，货车的数量也有大幅增长，就业状况显然很好。因此，我继续维持债券的空头头寸。果然，2月份的就业统计显示增加了80万个就业机会，是增加最多的时候之一，债券价格也跌了3点。

波博士跳下货运列车后，喜欢去贫民区的一家24小时连续放映的电影院。门票价格对于想在里面大睡一觉的人来说，再合适不过了。根据留在地板上的残渣可以判断卖出的爆米花的数量，这与走廊间其他不用提及的活动一起很好地代表了在下层社会生活的人的经济状况。当波博士离开电影院时，他统计出微笑者与愁眉苦脸的人数之比。如果分配到的数量比较平均时，穷人通常比较快乐。要是跟有钱人相比，穷人的笑容比较少，那通常意味着就业将进入一个困难时期。

下一步，波博士会到兽医诊所去。他以前曾是一名兽医，虽然现在放弃了这项事业转而开始打壁球，但他仍然喜欢与他的兽医同行保持联系。意外的事故使我们获得利润。与国民的医疗保障制度相比，为宠物进行治疗需要自己掏腰包。

兽医们为宠物进行治疗的工作，是极为敏感的消费者期望和生活状态的领先指标。宠物主人对未来有良好的预期时，便给狗喂一些富有营养的食物，这导致它们的口腔和消化系统疾病的发生。如果可支配收入足够多，主人便会给它们看病。1996年春天，波博士报告说兽医诊所的生意很好，于是我据此又做空了债券。

波博士离开兽医诊所后，喜欢跟着流浪汉走进救世军的救济站。通过计算周济给流浪汉的食物中牛肉与土豆的比例，或者衣架上所挂的套装与衬衫的数量，波博士得到了反映经济中劳动生产部门可支配的货物数量的重要指标。在这方面，救世军是信息的源泉。他们从快餐食品公司处取得食品，如果每个流浪汉可得到6个炸面饼圈作为甜食，当心！吃炸面饼圈午餐的人数正在减少。有时，排队打汤的队伍的长短也是一个重要指标，队伍很长反映出是一个困难时期。

在救世军救济站饱餐一顿，美美地睡上一觉之后，波博士来到了生产快餐食品的企业。扔在垃圾堆中吃剩的食品数量是一个双向指标：一方面，它随经济活动的变化而改变；但另一方面，时机越是不好，人们吃得越少。我不会透露波博士和我研究出来的调整因子，只能指出垃圾桶中可乐杯子中所剩的饮料，也是值得注意的一个因素。

波博士和我特别留意铁路上经过的货车种类。如果运煤的列车多得不成比例，则预示着寒冷的冬季，大家会很难熬。这对每一个投机商都具有十分重要的影响。如果是许多烧汽油的小汽车在跑，则说明能源充足，经济运行状况良好。

在流浪汉的语言中，运输汽车的列车叫做“移动停车场”，这也是一个重要的指标。它不仅能够比每周一期登载销售额的《华德汽车杂志》更早地说明了汽车存货被调往何处，也可以通过调查滞销品价格来了解通货膨胀指标。个人收入指标体系以及就业率，这两者是导致市场时常波动的两个最主要的原因。

并非所有的指标都这么容易解释。波博士说：“当我回到货场旁的红灯区时，发现年复一年，路边总有一位妇女在竭尽全力推销她的货物。穷困的流浪汉不必花多少脑筋，就能够在经济状况和皮肉生意的价格之间建立相关系数。这种波动是明显的和剧烈的，但是我从没能够识别出这种信号到底意味着什么前景。”

波博士和我喜欢注意绕圈流浪汉的行动，以便了解政府部门的动向。这些流浪汉搭着货车，在美国各地城市构成的圆圈里，去三到五个城市拿食物券。每个地点都有些需要救济的人，他们的住址通常在桥下，不难找到。

食物券的标准兑换率是根据面值减去50美分。绕圈流浪汉发现政府发的救济物品不够充足，是一个很好的指标，显示政客们希望用纳税人的钱，推动“精简施政。”

最基本的流浪汉指标现在大概可以揭露出来了。地上所扔烟蒂的多少及其长短，与经济的运行状况紧密相关，流浪汉们总是在地上寻找人们所扔的烟蒂；如果他们不得不一个接一个地吸着极短的“烟屁股”时，那说明目前经济十分困难，首先点燃香烟的人为了不浪费一分钱，尽可能地多吸几口，所以只剩下短的烟头。说实在的，罗斯·莱恩在《发现自由》这本书里，是第一个提出国际间烟蒂长短不同的人。但我相信，波博士和我才是首先系统地将它用于分析经济行情的人。

我最近运用这一理论，在巴西赚了好几百万美元。我在那里的代理商告诉我，地上满是长长的烟头，于是我马上大把购买了巴西的股票。

尼克松指数

到处都有错综复杂的相互关系。1960年美国总统大选时，美联储主席威廉·马丁在选举前维持紧缩的货币政策，结果给约翰·肯尼迪帮了大忙。这种政策常常也给投机客提供机会。以理查德·尼克松为例，美联储主席马丁的强硬货币政策导致了经济的衰退，使尼克松败下阵来，谁会想到这种关系在解释整个20世纪70年代的市场趋势时，是一个重要因素呢?

尼克松不希望同样的经济减缓，危害他在1972年当选连任的机会。他命令美联储主席亚瑟·伯恩斯保证利率不再上升到不当的高水平，但他认为过度刺激的经济将导致通货膨胀和利率升高。当时美元已经遭到压力，他在1971年年底，停止外国中央银行的美元兑换黄金的业务，而且在国内实行了工资、物价管制。这样一来，导致大量资金流入股市，为股市的兴旺又加了一把大火。

同时，美元遭受来自外国银行的压力。他们对抗趋势买进美元，新创造的美元造成全球流动性爆炸。能源和食品的需求大量增加，不巧的是，那时正值谷物和石油的储备水平很低，通货膨胀的压力自然会反映到谷物价格之上。1973年中东战争的爆发所带来的石油供应混乱状况的出现，石油输出国组织趁机要求提高石油供应价格，通货膨胀压力进一步加剧。

到1973年，联邦储备委员会设法紧缩银根，消除伤害，美国股市出现了可怕的跌势。这次与30年代大萧条不同的是，消费品的价格不跌反升。使用月末数据，从1972年12月的高涨期到1974年9月的低谷期，S&P500种股票指数下跌了

52%。和1929年到1932年的79%的跌幅相比，这种跌幅还不算严重，但也已经高得足够让投资者在很长一段时间里，在股市里小心谨慎了。

20世纪70年代时，50年代和60年代所形成的稳定局面受到了冲击。美国经济基于急剧上升的通货膨胀率，我们的政治领袖们只关注自己的利益，再加上无知和无能，似乎不能驯服由于不严格控制货币增长所带来的通货膨胀这个恶魔。高的通货膨胀率引发了高税率，同时，不断增加的社会福利计划和政府制订的各种限制政策加大了政府的成本，也使公司的长期投资计划的不确定性增强。企业在转嫁成本上涨方面反应迟缓，使利润受到了影响。油价飞速上涨，对石油输入国造成了另一大损害。尼克松“水门事件”的丑闻使大众对政府能力的信心下降。对吉姆·卡特总统来说，伊朗人质危机使其信誉扫地。

这种环境促使人们政治态度转变，使罗纳德·里根当选总统。美联储在保罗·沃克尔的领导下，大幅紧缩了货币政策，通货膨胀受到压制，代价是经济严重衰退。随着需求的减少，能源实际价格开始大幅度降低，税收改革和低通胀大大减轻了资本收入的税收负担，增长的国防开支和新的外交政策成功地遏制了苏联试图扩张的势头。股市低迷，大家预期价值水准和股价即将出现重大逆转。但是企业获利还要经过一点时间，才能回升。通货膨胀恐惧消退后，利率应该下跌。

但是重大反转带来了伤害。20世纪70年代末，一般认为物价上涨会拯救负债国，尤其是拯救墨西哥之类的产油国。但经济衰退、美元升值以及原油实际价格的下跌，再加上比索汇价的高估，很快使墨西哥陷入了不能支付的境地，尤其是储蓄和借款已经被低产出、长期抵押有价证券的高利率支出消耗殆尽。政府一方面想竭力维持局面，另一方面进行了局部的阻碍重重的改革，这为金融投机活动创造了一个理想的环境。在美国做资本投资越来越有吸引力的环境下，美国推行紧缩的货币政策，同时采用宽松的财政政策，也导致美元在80年代中期被过度高估，这伤害了对贸易敏感的产业。由于有盈利能力的增长和较低的股票价格水平，一个巨大的投机时代开始了，正被向第三世界贷款搞得焦头烂额的银行开始热衷于向不动产和杠杆收购交易进行贷款——传统的企业贷款业务不再像往日那样兴旺。在日本，美元高估使日本获得有利的贸易优势，也提高了日本人的信心，快速的货币增加，助长了不动产和股价的严重的投机型泡沫经济现象。

美元高估造成竞争压力，是1986年美国经济增速减缓的原因之一，也压低了通货膨胀。随着利率的下降，股票市场开始走高。该年度货币政策的放宽，使股票市价进入高涨时期。很快，银根放松提高了通货膨胀水平，这反过来促使美联储紧缩了货币。股市似乎无动于衷，但到了1987年10月，纽约股市终于出现了惊人的崩盘。美联储马上做出反应，放松了货币，很快，股价又开始重新回升。

新一代投资者可以从中吸取的教训是：利用市场反转的机会，在长期的多头市场中买进。通货膨胀继续加剧，尽管远比70年代合理多了，却造成联邦储备委员会重新紧缩信用。房地产泡沫在新修订的税法的压力下消失了，所遗留下来的银行和S&L工业的危机迫使银行力图重组盘活资金，这就保证了信用膨胀能被扼制住。1990年到1991年的经济衰退后，美联储采取措施消除通货膨胀的行动，至少使通货膨胀回到可以控制的局面。在与外国公司和本国挑战型企业的激烈竞争中，企业变得更有效率，并最终大大提高了他们的盈利能力。

影响股价评估出现重大变化的因素，现在好坏参半。在老布什和克林顿总统的治理下，跟税制和管制有关的政治环境变得比较不利。但是苏联的解体带来许多高利润扩张的机会，这种前景是一种巨大的有利因素。在1994年国会选举中，共和党占多数，使人们对尽快处理好预算赤字、政府机构庞大和高税收等问题持乐观态度。同时，企业精简规模，继续致力于提高盈利能力，有助于提高长期盈利水平的预期，计算机、通讯技术的巨大变革有助于人们对提高经济增长潜力寄予更高的希望。短期利率低落、过去15年来股市投资回报率创纪录，以及婴儿潮一代的储蓄不多，逐渐明白最好多累积一些净值，以备退休后用，都使庞大的资金流入共同基金，这种趋势使股价一直涨到1996年。

长期的基本趋势和人口的基本趋势多少会造成一些形势。但是，社会中的主要参与者和集团可能影响结果。人们普遍要求结束旧的金融体制，但是如果尼克松那时没有因此而按他的方法去做的话，结果一定会大不一样。如果美国没有对金融工具做限制的话，欧洲美元市场也许从来不会发展这么快，说不定这个在世界范围内影响巨大的市场还没有被创造出来呢。如果供给条件没有那么恶劣的话，也许僵硬的石油价格不会那样剧烈地上涨，那么波及全世界的通货膨胀也许会轻一些。要是在金融业放宽管制时，在储户风险方面有些变革，后来十年的事件在很多方面一定会大不相同，到处都有错综复杂的相互关系。

协调中的不协调

我在英国告诉一群听众，就表现韵律和情感而言，音乐和投机是类似的语言，大家都笑我。伦敦《泰晤士报》刊出一篇文章，挖苦我和我的理论，说："过去一年里，新型的金融星占学家们从天空中寻求某种神秘力量的指示。"文章的标题是："应该根据你的狗的尾巴的摆动来选择股票吗？"这种标题就为文章奠定了基调。他们采用巧妙的言辞和欺骗的技巧使我陷入难以自拔的境地，一位记者让我照一张照片，说要写一个关于我的有趣的故事，但事实上，它被用来强调我的滑稽可笑。

《周日商报》有一个专栏如此报道："我不能想象'水星资产管理公司'（英国富达公司）会运用这种关系。"《华尔街日报》则客观地报道了人们对我的观点的反应，说许多在场的英国人都毫不客气地嘲笑我，我带有浓重的布鲁克林口音，而且我的理论又太狂妄，就是没有人为我的成功而喝彩。他们断章取义，婉转地提到我说的一段话，认为我的所有成就都是靠着把这种关系量化（却省略了客套话"其实这种成就非常微不足道"）。欧洲金融网络采访了英国几家最主要的金融机构，他们表达了对这种新奇但短暂的理论的怀疑态度。

总之，音乐和市场的指导原则都是以主题作为开头，然后背离主题，经过各种引发紧张的不协调之后，再回归主题，卑微的投机商和伟大的作曲家在缓解人们的紧张情绪中都得到了补偿。

在买盘和卖盘的拉锯战中，加入了只对结果偶尔有兴趣的买盘。大众在通货膨胀、创新或市场短缺能带来巨额投机利润思想的鼓励之下，一哄而上购买股票。在此背景下的学术研究，也具有火上浇油的效果。一些随大流的跟进者使泡沫越吹越大，越吹越高。为了寻求支撑，他们忙于根据来自70年代的数据以及各种各样的回忆进行计算。而那时为了诱人的利润，有的人可能刚刚或者还没来得及成功便已经使他的投资者们破了产。

每次我遭到严厉的批评，每次我陷入混乱，每次我的做法和道德遭到他人质疑，我都用一种独特的解决方法来面对。我会掏出铅笔，开始在纸上计算，然后根据结果进行新的交易。

如果我的理论正确，那么市场开盘的音调通常在收盘时应该会重复，这点似乎是可以用科学方法测试和获得的简单假设。遗憾的是，我却不能提供确切的证据来证明按照开盘行情来交易就一定能赚钱。股市中的“一月效应”可以供作参考。（即如果在1月份，股市上涨，那么在剩下11个月中股市保持上涨的可能性要比头1月下跌而后11个月上涨的可能性高1.6倍。）

为了在这个模糊的领域提供一些内涵，我分析了世界上最大的美国债券市场，看看开盘的主题是否常常决定最后收盘的行情。从1990年到1995年，我研究了整整6年，以债券价格从前一天收盘到当天中午的运动方向作为主向，有805次，价格在此时间段内升高后，至当日收盘前又继续上涨了0.04点；有754次，价格在此时间段内下跌，随后，至当日收盘，又继续下跌了几个百分之一点。这种差别支持了我的理论，但没有实用价值，不足以弥补佣金和损耗，这些往往达0.06个点。

我也注意到债券恢复主调的次数多得惊人。债券在收盘时价格保持不变的可能性比它们上升或下跌的可能性要高出一倍，具有较强的必然性。

布莱顿法则

我一生里，有上万次拿着球拍，站在球场中，准备和对手作战。裁判坐在椅子上，拥挤的人群在一旁围观，我准备与我的对手进行一场决战。从这无数次的体验中，我懂得了关于公平的两个重要方面。

最重要的是，我明白了，我们全都不同。有些选手速度快，有些击球狠，有些爱冒险，有些很精明，有些身体协调性好，有些训练刻苦，还有些则具有必胜的斗志。当托马斯·杰斐逊在《独立宣言》中写到“人人生而平等”时，他指的是人人在权利上的平等，或者在法律上的平等，但不是在能力上的平等。在生活中，或者在网球场上，就充满了不平等。

每次我的对手和我站在球场上时，我们都有相同的目标，就是取胜。我们在规则的限制下，采取各种方法和作战计划来争取胜利，或者如杰斐逊所说的“生活、自由及追求幸福”的权利。

但是，大家都了解，游戏也像生活，需要有裁判来解决纷争，判定胜负，并且在必要时解释规则。最好的裁判是你几乎没有注意到的那一个，你很难记起他的名字，那些球迷们也似乎对他视而不见。相反，在场上扮演积极、引人注目角色的裁判则往往被观众和运动员记住。而他们，与其说是在维护比赛的公平，倒不如说是在干预比赛，破坏它进行。

没有一位裁判会把我赢得的分数的1/4重新划给我的对手。如果这样，我定会停止打球，我的对手一定会放弃对比赛的投入，整个比赛的水平定会大打折扣。当我在有奖金的比赛中表现不错时，常发现裁判有偏袒对手的倾向。在这种情况下，他真的期望我和我的对手很努力吗？怀疑供给面经济学的人，应该试着跟对手供养的裁判员打几盘球才对。

在这个世界上，有两种方式可以得到你所想要的东西：一种是经由个人间自愿的交易，另一种是通过裁判的干预采用再分配和命令方式。国家保护人民的生命和财产，人们敢于言论、批评、集会、竞争并自由地信仰；但是当国家充当“裁判”的角色，把属于你的部分重新分配给他人，或是因你而改变规则时，你就不可能受到激励，打出最好的水准。

我把政客比喻成职业帮派分子。他们的目标就是尽量多地搜刮民脂民膏，还让老百姓不会太反对。你会说，这些话与一本讲投机的书毫无关系，但恰恰相反，我不止一次地利用这一原则来预测政治家们在面对市场剧烈波动时会采取何种行动。例如，在1995年拯救墨西哥行动后，美国的共和党人和民主党人异口同声地夸赞政府的利他主义，把美国人从墨西哥金融危机灾难中拯救出来。第三党的罗斯·帕罗特则激烈地指责这项行动，认为这纯粹是在浪费纳税人的钱。

我的看法是：1996年时，人民选出来的政客最不希望听到的事情，就是墨西哥货币比索再遭贬值。如果比索不贬值，墨西哥的国库券会有50%到100%的收益，我立刻大量购入。政客们接二连三地自吹自擂，夸耀他们的拯救行动取得的辉煌成果，我在为自己又大赚了一笔狂喜不已。我应用这条经验所赚得的利润，比我平时从客户那里得来的钱要多得多。

我的朋友道格·凯西认为在南美洲发财的机会多，但他却深陷困境，不得不仓皇撤出。我听说，一位优秀的壁球运动员，改打西班牙式壁球，是相当合适的。

漫长的两分钟

纽约时间上午8：30。头天晚上行情疯狂起伏：美国市场收盘前后，股市上空阴云密布。德意志联邦银行早已宣布打算今天上午8：30到9：30在其总部举行一场记者招待会，突然之间，欧洲的命运，到底是一个由自由国家组成的联合体，还是一个统一无边界的共同大市场，到底是实行浮动汇率制，还是实行固定的有管理的汇率制度，是后退还是向全世界扩张——所有这些绞在一起，都是此次记者招待会的议题。许多大人物早已预先知道了结果。谣传德意志联邦银行会提高其贴现率，美元一整晚都遭到打压，世界债券市场骤然下跌。中国香港股市下跌了4%，这将会把全球股市带入困境。如果他们需要提高利率，那么又将会出现一个像1907年、1929年或1987年曾出现过的那种恐慌，就像屏幕上骤然跌落的图表所显示的那样。

我们总是逆势操作，大力做多，严重亏损。

最后，紧张的空气突然之间凝固了。屏幕打出大标题：“德意志联邦银行将保持利率水平不变。”马上，美元对欧洲货币的汇价上升了2%，道琼斯指数猛升了50点。“止损点到达了。”电话铃骤然响起。一位经纪人告诉我们，一家跟随趋势的大型基金正在疯狂买入。“我们该在其他基金动手前赶紧买进，前面有一个重要的关卡，”我说。“等一下，那是什么？”只见屏幕上出现了“更正”字样，德意志联邦银行最终决定提高贴现率和回购协议利率50个基本点。

美元从上涨2%回落到持平，然后再下跌2%。我们被骗了，基金纷纷改变操作方向，大型对冲基金忙于填补他们开始卖空美元时所短缺的美元头寸。世界的股市都在颤动倾斜，像被激怒的恐龙的尾巴一样，鞭打着众多的小投资者。

此时接近1987年10月的纽约股市狂泻事件1周年纪念，并且江恩和艾略特波理论家们早已预测到了股市的灾难，我的第一个客户打进电话来说：“我希望你没有替我在股市做多。”

一位长期客户也打来电话：“替我买进100份S&P指数的看跌期权合约。”

“指数必须在一个月内下跌15%，你才能实现盈亏平衡，光是做价差交易，佣金就要30%。”我冲着话筒吼道。

“我才不管什么价格，给我买入就是了，我们快完了，市场会像自由落体一样下跌。”他回答说。

但是现在一线希望已经出现。批发物价指数公布了，下降0.1个百分点，太好了，我们也许得救了；大家原本预计它会上升的，债券价格马上借机上升了1.5个百分点。“下限价委托的买方订单，什么？包德温抢在我们前面下了1000份单？那么买入美元。”我吼道。每个人都抓着电话，四处一片忙乱。今天人手太少了，所以连接待员做清洁的女工也在接电话。“快一点，把波博士叫出来，好让他找瑞士联合银行报价。”但是话筒太嘈杂了，发出一阵刺耳的噪声。我们不知道经纪人是否听清了我们对他们报价的回答。

“或许我们应该等一等，新申请失业救济人数统计几秒钟内就要出炉了，应用计算机模拟程序看看像今天这样的日子会发生些什么。哦，不，资料出来了，是熊市”，真是造化无常：我们家在三代之间，从贫穷到富有再到贫穷。这就是机会出现的时候。现在该我动手了，“查一查电脑，看看对美元、债券和股票的影响如何——都随着星期四的批发物价指数的统计下跌吗？原油价格下跌了，这意味着债券会上扬，金价下跌，日经指数也会升高的。”

“威特公司打电话进来，我们遇到麻烦了。他们刚刚把我们的保证金比率从5%提高到20%。你有30分钟的时间，必须筹集2000万美元，否则他们会强制平仓，并不再接受委托。”我的搭档惊慌失措地说。

“洛佩兹的美元头寸有多少？全部卖出，我马上就来填委托单，我们必须应付追缴保证金。”我说。

“你必须跟维克多谈这件事，他是我们的风险控制负责人，也是我们的交易员。”我的同伴对着麦克风大叫。我们的一名资产调度员客户也打来电话。他注意到我们刚刚使他损失了25%，“维克多，你的止损退出点会设在哪里呢？”他问道，假装出一副不知情的好奇样子。

“我根本没有设止损点。”我说。

“那么你能不能把我的头寸减少一半？”他回答道，“我们被别人套牢了，但是你已经超越我们规定的风险系数。”

“我很乐意平掉你所有的头寸，但如果这样做，我向你保证，我永远不会再替你操作了。”我回答说。

“该死的尼德霍夫说，如果我们干预的话，他就不会再替我们交易了”，我听到电话那头传来他的叫声。话筒被他用手蒙着，我这边听得很模糊。“我们立刻就要和日本的大客户开董事会。”他回答道，“我们回头告诉你他们的决定。”

“你确实不应该在交易时间来打扰我。”我警告说。

还有什么可能出错吗？电脑死机了。“用人工来计算我们的损失吧。我们目前的日元头寸有多少？我们能有多少钱来交足保证金？我们还有偿付能力吗？”墨菲定律开始应验。我们的支持者日益减少，创业第一天的支持者雷夫可公司刚刚通知，要我们追缴保证金，是由狄特梅亲自批准的。“由于原油价格下跌到每桶18美元以下，你们以所持原油作为保证的保证金不够充足。”我们必须抛售一些东西，但是抛售什么呢？我们的会计又打来了电话，说哈里斯银行刚才打电话说债券发行失败了，这一项每天就要花去我们2万美元。

量子基金的热线电话响起："以23的价格，给我们卖出1000手债券，也就是在市价下方五档限价卖出。"真是不妙，在我们危急的时刻，量子基金对市场发出了看空的讯号，危害我们。"你们还有足额执行委托单吗？好的，以18的价格卖出另外1000手"，这是量子基金的命令。

另一个委托单进来了，"我刚刚成交了，你们用平盘卖出200手债券。很好，你们已有了半个点的利润。哦，对不起，请问你是罗伊吗？""不是"，"哦，十分抱歉。这个足额委托单是应交给尼德霍夫的公司来完成的，不是给你们的，我按错了电话号码。"

"维克多，你的律师在5号线电话上，你的邻居控告你，律师想问你是否考虑卖掉你的房子。"我的助手吱吱喳喳地说。

电脑又发出声响了："维克多，你输了"，我的搭档在CD机上开始播放丧礼进行曲，我笑弯了腰。我以前曾听过这段音乐。"事情已经糟到了极点了，放那支'华尔街的穷光蛋'吧，我们马上就会转运了。买入1亿德国马克。"我说，但是有个问题：我们必须排队，委托单不能被执行。保罗・都铎・琼斯正赶在我们之前买入，我们经纪商的电话都被其他大客户占线了。"如果在市价下100点设止损委托的卖单，这样他们要想把我们打到止损时，一定会改变市场趋势。"

苏珊进来了，"我用杀虫剂对付白蚁的时候，你能保证督促孩子们完成钢琴练习吗？哇，你怎么啦？看起来似乎刚刚经历过大劫难似的，一切都好吧？"

"很好，跟平常没什么两样。"

纽约时间上午8点32分。